JN253114

金 融 ［新版］

内田浩史

Money, Finance, and Financial System
Hirofumi Uchida

新版はしがき

　初版の出版から7年が経過しました。わかりやすい記述と用語の正確な定義を心掛けた半面，分量が多く，それまでの教科書とは異なるスタイルを取ることになったため，当初は不安もありましたが，おかげさまで，初版に対してはさまざまな方々から多くの好意的な評価をいただくことができました。

　とはいえ，金融の世界は日々刻々と変化しています。金融の本質から説き起こす形式をとっているため，本書の多くの部分は大幅な改訂を必要としてはいませんでしたが，最新の状況を取り入れるとともに，統計の更新を行う必要性は増していました。そのための改訂作業はしばらく前から始めていたのですが，予期せぬ重い校務の担当や，ほかの書籍・論文の執筆，授業準備等により，なかなか本格的な作業を始められませんでした。このたびようやく取りまとめを終え，次の版を楽しみにしている，といただいていたお声に応えることができました。

　今回の主な改訂内容は以下のとおりです。

- すべての文章を再検討し，わかりにくい部分を改善（全章）
- 初版以降の制度の変化を踏まえて本文をアップデート（全章）
- 最新のデータを用いて図表をアップデート（全章）
  【統計データは基本的に2023年3月末（2022年度）までのもの，場合によっては2023年11月末までのものを用いています】
- コラム等で用いた実例を見直し，より最近のものにアップデート（全章）
  【言及しているニュースや出来事などは，基本的には2023年11月末までのものとしています】
- Web Appendix を再検討し，本文との役割分担を見直して再構成
- 特に以下の箇所について，内容を全面的に見直して改善
  ・信用創造機能（主に 8.1.1 節，8.4.5 節）
  ・金融政策（非伝統的金融政策）（主に 12.6 節）
- 終章「これからの金融――ソーシャル・ファイナンス」を追加

　このうち第8章に関しては，信用創造機能の定義を明確に示し，第12章については非伝統的金融政策に関する内容を改善してアップデートしました。これらの改訂は，同時に執筆していた『現代日本の金融システム――パフォーマンス評価と展望』（慶應義塾大学出版会，2024年〔近刊〕）の内容を踏まえて更新したものです。同書は本書の応用編とも呼べる内容であり，現代日本の金融システムを長期的に評価しようとするものです。あわせてご覧いただければ幸いです。

　また，今回の改訂では新たに終章を追加し，近年盛んになってきている社会的・環境的課題の解決に向けた金融についてまとめました。同章の内容は，実務的には日々進歩していますが，学界，特に経済学の金融分野ではまだその扱い方すら十分に定まっていません。今回まとめた

内容は，今後の理解が進むための出発点，たたき台として，他分野や実務の動きも踏まえて整理し，それ以前の章と対比させる形でまとめたものです。読者の皆様からの忌憚のないご意見をいただければ幸いです。

（本書の見方，使い方については，この後の「初版はしがき」をご覧ください）

謝　辞

　改訂版の執筆に際しては，藤木裕先生・柴本昌彦先生・戸村肇先生・鎮目雅人先生・西村幸宏先生との議論や伺ったご意見・情報が参考になりました。また，内田研究室の伍一昌・川上雄大・楮本優貴の各氏からは，データの整理や本文のチェックに関して多大なサポートをいただき，徳澤咲絵さんにはさまざまな形で執筆のサポートをいただきました。さらに，多数にわたるため一々お名前をあげることはできませんが，多くの読者の方々や先生方から，初版に対して修正を要する箇所のご指摘や，内容に関するコメントをいただきました。最後に，有斐閣の渡部一樹さんには，初版に引き続き編集の労を取っていただき，さまざまなご意見をいただきました。ここに記して感謝申し上げます。

　懸案であった改訂を終え，机にかじりついてばかりの仕事ぶりを心配してくれる家族（妻，子どもたち）にもようやく終了の報告ができるようになりました。いつも筆者を支えてくれている母，兄，そして亡き父とともに，感謝の念を記したいと思います。

　　2024 年 1 月　新年気分が続く自宅にて

内田　浩史

初版はしがき

　この本は，学生・ビジネスパーソン・研究者・公的機関勤務の方など，金融について初めて学ぶ方から十分理解している方まで，幅広い方々に使っていただける教科書です。

本書の特徴

　この本の一番の特徴は，つながりを意識した構成と丁寧な説明です。

- 金融の基礎（「おカネ」「貸し借り」「リスク」…）
  　　から　最先端（「証券化」「マイナス金利」「マクロプルーデンス政策」…）　まで，
- ミクロレベルの金融（個々の貸し借り）
  　　から　マクロレベルの金融（経済全体の資金の流れ）　まで，
- 身近な金融，現実の金融制度
  　　から　金融に関する理論的説明　まで，

流れを追ってバランスよく理解できるよう構成しています。説明においては：

- わかりやすく丁寧に説明する，
- 用語をきちんと定義して説明する，
- 例，図表，イラスト，コラム，新聞記事を使いながらビジュアルに説明する，
- 複雑な計算を示さず図を用いて直観的に説明する，

よう工夫しています。

この教科書の使い方（読者タイプ別）

　この本は，以下のようにさまざまな使い方ができます。

(1) **教科書としてじっくり読む**——初めて（改めて）金融を学ぶ方

　基礎から順に丁寧に説明しています。読み進めれば，金融の知識を体系立てて理解できます。

　　　 使い方 　目次，各部の構成図，各章の構成図をガイドにして，文章を追いながらじっくり読んで理解してください。

(2) **参考書として必要なところだけ読む**——ある程度知識がある，他の教科書と併用される方

　どの部分も丁寧に説明するとともに，関連する箇所がわかるよう工夫しています。知りたい内容だけ詳しく学ぶことができます。

　　　 使い方 　目次，見出し，索引で該当箇所を調べ，必要な部分だけ読んでください。他の箇所を参照する必要がある場合は該当箇所を示していますし，索引でも探せます。

(3) **辞書代わりに知りたい言葉を調べる**——十分知識をお持ちの方

　わかりにくい専門用語もきちんと定義し，わかりにくい概念は整理して説明しています。特定の言葉の意味だけ知りたい場合にも使えます。

　　　 使い方 　目次，見出し，索引で該当ページを調べ，確認してください。

本書の構造

(1) 構　造

以下の構造を頭においていただければ，この本の内容をより理解できます。

　目　次：この本の構成（部・章・節・小節の見出し）を示しています。
　　　☞目次だけでもこの本の全体像が理解できます。
　部と章：この本は4つの部とそれを構成する14の章からなります。
　　　☞部の全体像を把握するためには，まず各部冒頭の「はじめに」をみてください。
　　　　その部の構成を，各章の関係を示した部の構成図とともに示しています。
　　　☞各章でも，全体像を把握するためには章の冒頭の「はじめに」をみてください。
　　　　その章の構成を，各節の関係を示した章の構成図とともに示しています。
　索　引：重要な言葉がどのページで説明されているかを示しています。
　　　☞知りたい言葉を探すのに使ってください。

(2) 記号等

本文では以下のように記号等を使っています。

　★印が付いた用語…最重要用語：本書で使う特に重要な言葉です。欄外に定義があります。
　「太字」の用語……重要な言葉の定義が示されています。
　▶印が付いた用語…その用語についてより詳しく説明している箇所を，欄外に示しています。
　　　（例）「▶預金取扱金融機関⇒8.2」とある場合，第8章の8.2節で預金取扱金融機関に関して詳しく説明しています。
　＊印の付いた節……理論的説明：この印が付いている節・小節は理論的な説明をしている箇所です。直観的に理解できるよう説明していますが，難しければ飛ばしてもかまいません。

(3) 追加情報のwebページ，Web Appendix，Facebookページ

この本に関する追加情報は

『金融（新版）』の教科書の追加情報ページ
https://www.yuhikaku.co.jp/books/detail/9784641166295

にあります。その中でもWeb Appendixには，執筆したものの収めきれなかった説明が補論として置いてあります。本文で「Web Appendix ＊.＊参照」や「⇒Web Appendix ＊.＊」などと書いてある場合にご覧ください。また，この本には執筆を始めたころに立ち上げた

Facebookページ「金融の教科書のページ」
https://www.facebook.com/b.kobe.uchida

があります。

先生方，専門知識をお持ちの方へ

この本の内容と，考えられる使い方

この本は，筆者が担当してきた講義「和歌山大学経済学部『ファイナンス』（学部3, 4年向け：一般的な金融・金融論の講義）」「神戸大学経営学部『金融機関』（学部3, 4年向け：金融の基礎を学んだ学生向けの応用科目）」に基づいており，金融，金融論，金融機関の講義に使っていただけます。また執筆にあたり新たに追加した部分もたくさんあり，金融システム，金融規制など，金融分野の他の応用科目にも使っていただけます。

本書の4つの部では「貨幣，金融取引とその取引費用」（第Ⅰ部），「取引費用を削減するさまざまな工夫や仕組み」（第Ⅱ部），「金融機関と金融市場」（第Ⅲ部），「資金循環・金融政策・金融危機・公的介入」（第Ⅳ部）を扱っています。ミクロとマクロに分けると，第Ⅰ部と第Ⅱ部はミクロ金融，第Ⅲ部はマクロに近いミクロ，第Ⅳ部がマクロ金融になります。

教科書として：以下のような使い方が考えられます。

- 一般的な「金融」「金融論」の講義：14章すべてを広く浅く使って幅広いトピックをカバーしてもよいですし，第Ⅱ部や第13章には深入りせず他の章に重点を置いてもかまいません。部・章の構成図で全体像を示しておけば，好みに応じて章や節を絞って使っていただけます。ミクロとマクロの講義が分かれている場合には，ミクロで第Ⅰ部と第Ⅱ部を，マクロで第Ⅳ部を扱い，第Ⅲ部は重点・好みに応じてどちらかに入れるとよいでしょう。
- 「金融機関」の講義：第8章，第10章，第14章を中心に，必要に応じてその基礎となる（参照されている）それ以前の章をお使いください。銀行や金融仲介機関だけでなく，他のさまざまな金融機関（第10章）にも触れているのがこの本の特徴です。
- 「金融市場」の講義：第9章，第13章を中心に，必要に応じて基礎となる（参照されている）それ以前の章をお使いください。
- 「金融システム」の講義：第Ⅲ部，第Ⅳ部を中心に，必要に応じて基礎となる（参照されている）それ以前の章をお使いください。

参考書として：この本には下記のような特徴があり，他の金融の教科書と互いに補完的ですので，講義中の限られた時間では詳しく説明できない部分について読んでおいてもらう，予習・復習に利用してもらう，といった形で参考書としても使えます。

この本の特徴

(1) つながりがわかるよう，ミクロからマクロまで一貫性を持って丁寧に説明

この本の一番の特徴は，つながりを意識して丁寧な説明を行っていることです。現実の金融に関する現象は，一見複雑そうにみえても結局は金融（おカネあるいはその貸し借り）に関わる話です。この点を理解できるように，金融とは何か，という身近なミクロの話から出発し，取引費用の存在，それを軽減するための仕組み，それでも残る問題，その問題に対処するための公的介入，という流れを作ってしだいにマクロレベルにまで焦点を拡大しています。

またこの流れの中では，各パートのつながりがわかるように丁寧に説明するとともに，パー

ト間の関係を追いやすいように相互参照を充実させています。その際には難しい専門用語だけでなく，簡単だが実は曖昧にしか理解されていないかもしれない言葉についてもきちんと定義しています。さらに，例，図表，イラスト，コラム，新聞記事などを使いながらビジュアルにも理解が進むよう工夫しています。理論的な説明においても，複雑な数式を用いた厳密な証明を避け，図を用いた直観的な説明を行うようにしています。

(2) 「金融」の教科書である

　この本は，現実の金融にみられる上記のつながりを理解できるように，ミクロからマクロまで，必要なトピックを必要な順に配置し，その説明の中で経済学的な説明を行う，という形をとっています。このためこの本では，一般的な金融論の教科書では詳しく説明しないような初歩的な内容も，必要に応じて丁寧に説明しています。また，現実の金融を理解するには実務や制度，実態や最新の動向も知る必要がありますから，そうした説明もたくさん加えています。逆に，一般的な教科書では必ず登場するが，この本ではあまり説明していないトピックもあります（そうしたトピックについては参照文献を示しています）。このようなスタイルから，この本は金融論の教科書というよりもむしろ，金融の教科書だといえます。

　ただし，このようなスタイルを取ってはいるものの，この本は経済学の応用分野としての金融で教えるべき重要なトピックは一通りカバーしています。またこの本では，誤解や混乱を招きがちな概念も整理してわかりやすく説明していますし，経済学やファイナンスの分野の最新の研究成果を踏まえた説明も，嚙み砕いたうえで各所に加えています。このため，この本は経済学的な説明を重視する金融論の教科書と競合するものではなく，むしろ補完的であり，併用して使っていただくのにも向いています。

謝　辞

　この本の計画は，有斐閣の秋山講二郎さんと渡部一樹さんが研究室を訪ねてくださった2011年11月に始まりました。当時は単著の研究書を出版した後で，ちょうど教科書の執筆も考えていたため，ありがたくお引き受けしました。当初は授業内容を簡単にまとめればよいと考え，2014年出版見込みとしていました。しかし，丁寧に書こうと決心し（てしまい），また理解不足を補いながら執筆したため，結果的に5年以上もかかってしまいました。ようやく出版に辿り着いたことに感慨を覚えます。

　執筆においてはたくさんの方々にお世話になりました。小林照義先生・柴本昌彦先生には，第12章を中心に貴重なアドバイスをいただきました。平野智裕先生（第13章），西村幸宏先生（第7章，第9章，第10章）からも同様に的確なコメントをいただきました。高橋秀徳先生，山田和郎先生は各章を丁寧に読んでコメントをくださいました。齊藤誠先生・敦賀貴之先生・宮川大介先生からは執筆に有益な情報をいただきました。ここに記して感謝申し上げます。なお，この本がこのようなスタイルになったのは，現実をみることの重要性を強調された，大学院の指導教員である故蠟山昌一先生，そして金融のミクロ面を重視する池尾和人先生の一連のご著作（および筆者が以前教科書で使用していた池尾和人・岩佐代市・黒田晁生・古川顕『金融』有斐閣Sシリーズ）の影響を受けています。

神戸大学経営学部の内田ゼミの皆さん，「金融機関」受講者の皆さんからも，読者としてコメントをいただきました。ここに記して感謝いたします。（敬称略）：荒川徹，飯嶋祥晃，五百蔵裕貴，加藤裕太，高橋健一郎，巽脩，KIEU XUAN DUONG，松本紘幸，眞名子幹，吉田啓治，鈴木宗吾，関根稔将，西山知尋，濱本弘晃，藤井仁哉，八木郁子，石橋英樹，田中謙太郎，中井加菜子，中尾洋介，福田雄二，藤村功，牧裕太，山岸周平，矢野壯太郎，七條拓郎，真辺健司（抜けている！という場合はご連絡ください）。

　いつも筆者を支えてくれる家族（妻と子，母，そして亡き父）への感謝も記させていただきます。また，内田研究室の事務補佐員，三宅敦子さん・櫻井文子さんにも感謝申し上げます。特に櫻井さんには終盤の編集作業において的確にサポートをいただき，何とか他の仕事にも支障をきたさず執筆を終えることができました。

　最後に，この本の執筆において一番お世話になったのは有斐閣編集部の渡部一樹さんです。渡部さんには計画のスタートから執筆終了まで，特に途中からは毎月1回，無数のミーティングにお付き合いいただき，わかりやすい教科書にするために適切なコメントをくださるとともに，忍耐強く執筆を励ましていただきました。この本は渡部さんと二人三脚で作り上げた本です。心から感謝申し上げます。

　　2016年11月　紅葉の始まった六甲台キャンパスにて

　　　　　　　　　　　　　　　　　　　　　　　　　　　　　　内田　浩史

目　次

(＊印の付いた節は理論的な説明をしている箇所を示す)

第Ⅰ部　貨幣と金融取引

第1章　貨幣と決済　3
- 1.1　おカネと貨幣　4
- 1.2　貨幣の機能　4
  - 1.2.1　決済機能　4
  - 1.2.2　価値尺度機能　5
  - 1.2.3　価値貯蔵機能　6
- 1.3　日本の貨幣　7
  - 1.3.1　現金通貨　7
  - 1.3.2　預金通貨　7
  - 1.3.3　マネーネスと流動性　9
  - 1.3.4　日本の貨幣量　10
- 1.4　物価とインフレ・デフレ　11
  - Column 1-1　インフレ・デフレ　13
- 1.5　支払指図手段　13
  - 1.5.1　支払いの実際　13
  - 1.5.2　支払指図手段　15
- 1.6　決済システム　16
  - 1.6.1　民間決済システム　17
  - 1.6.2　中央銀行決済システム　18
  - 1.6.3　グロス決済とネット決済　19
  - 1.6.4　資金移動業と決済システム　20
- 1.7　情報通信技術と貨幣　21
  - Column 1-2　暗号資産が問う貨幣，価値，そして国のあり方　22

第2章　金融とそのメリット　24
- 2.1　金融の基本　25
  - 2.1.1　金融に関する用語の整理　25
  - 2.1.2　証券のタイプ　27
  - 2.1.3　金融に関するさまざまな概念　30
  - Column 2-1　単利・複利と実質・名目　33
- 2.2　金融の実態　34
  - 2.2.1　貸し借りの規模　34
  - 2.2.2　家計の貸し借り　36
  - 2.2.3　企業の貸し借り　36
  - 2.2.4　政府の貸し借り　38
- 2.3　貸し借りする理由＊　40
  - 2.3.1　設定　40
  - 2.3.2　貸すことのメリット　42
  - 2.3.3　借りることのメリット　45
  - 2.3.4　金利の大きさと貸借の均衡　46
  - 2.3.5　資金の有効利用　47

第3章　取引費用とリスク　51
- 3.1　金融取引と取引費用　52
  - 3.1.1　取引費用とは　52
  - 3.1.2　金融取引の取引費用　53
- 3.2　返済のリスクと金融取引＊　55
  - 3.2.1　くじの例　55
  - Column 3-1　期待効用仮説の限界　57
  - 3.2.2　期待効用とは——一般化　57
  - 3.2.3　返済のリスクと貸出選択　58
  - 3.2.4　リスクの指標　59

第4章　情報の非対称性と返済のリスク　65
- 4.1　情報の非対称性と2つの問題　66
  - Column 4-1　「必ず儲かる」は儲からない　67
- 4.2　金融取引とモラルハザード＊　67
  - 4.2.1　モラルハザードの設定　67
  - 4.2.2　モラルハザードの分析　69
- 4.3　金融取引と逆選択＊　73
  - 4.3.1　逆選択の設定　73
  - 4.3.2　逆選択の分析　74

第Ⅱ部　取引費用に対処する金融の仕組み

第5章　金融の仕組み(1)　79
●流動化，証券設計，情報生産
- 5.1　流動化　80
  - 5.1.1　流動化とは　80
  - Column 5-1　ローン・セールスとローン・パーティシペーション　82
  - 5.1.2　流動化の機能　81
- 5.2　証券設計　83

5.2.1 証券設計(1)	
——リスクプレミアムの調整	83
5.2.2 証券設計(2)	
——財務制限条項と優先劣後関係	85

5.3 情報生産 87
5.3.1 情報生産とは 87
5.3.2 情報生産のタイプと主体 87

5.4 返済額・返済確率増加の効果* 89

第6章 金融の仕組み(2) 91
●担保,保証

6.1 債務不履行と倒産 92
6.1.1 債務不履行 92
6.1.2 企業の経営破綻と倒産 93
Column 6-1 企業の破綻処理 94

6.2 担保と保証 94
6.2.1 担保 94
Column 6-2 動産・売掛金担保融資 95
6.2.2 保証 96
6.2.3 保険とCDS 97
Column 6-3 CDSインデックス 99

6.3 担保・保証の効果* 99
6.3.1 担保・保証と返済のリスク 99
6.3.2 担保・保証によるモラルハザードの解決 102
6.3.3 担保・保証による逆選択問題の解決 104

第7章 金融の仕組み(3) 108
●分散化

7.1 分散化とその方法 109
7.1.1 分散化とそのメリット 109
7.1.2 分散化の実際 110
7.1.3 投資信託とファンド 110
Column 7-1 年金 112
7.1.4 証券化 113

7.2 分散化の理論——資産選択問題* 116
7.2.1 リターンとリスクの関係 116
7.2.2 平均・分散アプローチ 118
7.2.3 ポートフォリオのリターンとリスク(1)——2資産のケース 119
7.2.4 ポートフォリオのリターンとリスク(2)——複数資産のケース 123
7.2.5 最適ポートフォリオの選択 125

第Ⅲ部 金融機関と金融市場

第8章 金融機関(1) 131
●金融仲介機関

8.1 金融仲介機関とは 132
8.1.1 銀行預金と貸出 132
8.1.2 銀行の貸し借りと利ざや* 133
8.1.3 銀行の存在意義 133
8.1.4 銀行・預金取扱金融機関と金融仲介機関 134

8.2 日本の金融仲介機関(1)——預金取扱金融機関 135
8.2.1 普通銀行 135
Column 8-1 金融技術革新とフィンテック 136
8.2.2 信託銀行 139
8.2.3 協同組織金融機関 139
8.2.4 日本銀行 141

8.3 日本の金融仲介機関(2)——その他の金融仲介機関 142
8.3.1 保険会社 142
Column 8-2 共済 143
8.3.2 貸金業者 144
Column 8-3 ファクタリングとフィンテック 145
8.3.3 政府系金融機関 145

8.4 金融仲介機関の機能 146
8.4.1 直接金融と間接金融 146
8.4.2 資産変換 147
8.4.3 資産変換の方法 149
8.4.4 金融仲介機関の機能と業務 152
8.4.5 預金取扱金融機関の機能* 154

8.5 金融仲介機関のリスク管理 157
8.5.1 金融仲介機関のリスク管理 157
8.5.2 金融仲介機関が考慮すべきリスクと統合的リスク管理 158
8.5.3 金融仲介機能とリスク「管理」の意味 158

第9章 金融市場 161

9.1 金融市場とその分類 162
9.1.1 金融市場の実体と多様性 162
9.1.2 発行市場と流通市場 163
9.1.3 短期・長期金融市場 164
9.1.4 競売買市場と相対市場 164
9.1.5 狭義と広義の金融市場 167

9.1.6	まとめ	168

9.2 短期金融市場　169
- 9.2.1 日本の短期金融市場　169
- 9.2.2 CP（コマーシャルペーパー）市場　170
- 9.2.3 T-Bill（国庫短期証券）市場　171
- 9.2.4 コール市場　171
- 9.2.5 その他の短期金融市場　173

9.3 資本市場　173
- 9.3.1 日本の資本市場　173
- 9.3.2 公社債市場　174
- 9.3.3 株式市場　175
- Column 9-1　日本の企業数　177

9.4 金融市場の理論*　178
- 9.4.1 金融市場の機能　178
- 9.4.2 割引現在価値　180
- 9.4.3 裁　定　184
- Column 9-2　江戸時代の米相場　185
- 9.4.4 CAPM　186
- 9.4.5 効率的市場仮説　190

第10章　金融機関(2)　194
●金融仲介機関以外の金融機関

10.1 市場を作る金融機関　195
- 10.1.1 市場を作る金融機関の分類　195
- 10.1.2 証券売買を仲介する金融機関(1)
　　　——証券取引所　196
- 10.1.3 証券売買を仲介する金融機関(2)
　　　——証券会社と短資会社　197
- Column 10-1　証券4業務　198
- Column 10-2　クラウドファンディング　200
- 10.1.4 情報を提供する金融機関　202
- 10.1.5 市場を作る金融機関の経済的機能　205

10.2 金融仲介機能を分担する金融機関　206
- 10.2.1 金融仲介機能を分担する金融機関の分類　206
- 10.2.2 資産運用・資産管理を行う金融機関　209
- 10.2.3 金融仲介機能を分担する金融機関の経済的機能　211

10.3 金融機関の分類と経済的機能（まとめ）　215

第Ⅳ部　金融のマクロ的側面

第11章　資金循環と金融システム　221

11.1 資金循環と資金循環統計　222
- 11.1.1 資金循環の捉え方　222
- Column 11-1　ストックとフロー　223
- 11.1.2 資金循環統計　225

11.2 日本の資金循環の実態(1)
——各経済部門の貸し借り　228
- 11.2.1 家計部門の貸し借り　229
- 11.2.2 企業部門の貸し借り　230
- 11.2.3 政府部門の貸し借り　231

11.3 日本の資金循環の実態(2)
——部門間の貸し借り　232
- 11.3.1 直近時点での貸し借り　232
- 11.3.2 時系列的な変化　233
- 11.3.3 金融と実体経済　235

11.4 直接金融・間接金融と金融仲介　237
- 11.4.1 日本の資金循環の構造　237
- 11.4.2 国際比較と日本の特徴　238
- 11.4.3 金融システムの特徴と問題　238

第12章　金融政策と経済の実物面・金融面　241

12.1 実物面・金融面のリンクと金融政策　242

12.2 金融政策の全体像　243

12.3 金融政策の目的と最終目標　244
- 12.3.1 金融政策の目的　244
- 12.3.2 金融政策の最終目標　246

12.4 金融政策の手段と金融調節　247
- 12.4.1 政策手段　247
- 12.4.2 操作目標　249
- 12.4.3 金融調節と操作目標のコントロール　250
- Column 12-1　日本銀行のバランスシート変化（例）　253

12.5 金融と実体経済
——金融政策の波及経路　256
- 12.5.1 短期金融市場から金融市場全体へ　257
- 12.5.2 金融市場と実体経済——理論　258
- 12.5.3 金融市場と実体経済——実際　261
- Column 12-2　波及経路の識別　262

12.6 非伝統的金融政策　264

第13章 金融システムの問題と金融危機　274

13.1 2つの金融危機　275
- 13.1.1 日本の金融危機（1990年代後半）　275
- 13.1.2 世界金融危機（2000年代後半）　276

13.2 金融機関の破綻　278
- 13.2.1 金融機関の破綻とその問題　278
- 13.2.2 破綻の原因(1)——金融機関のモラルハザード　279
- Column 13-1　運用会社のモラルハザード　281
- 13.2.3 破綻の原因(2)——満期のミスマッチと取付　281
- Column 13-2　シリコンバレーバンクの取付　283

13.3 金融市場の機能不全　285
- 13.3.1 市場の機能不全とその問題　285
- Column 13-3　ジャパンプレミアム　286
- 13.3.2 機能不全の原因(1)——情報不足と信用の喪失　288
- 13.3.3 機能不全の原因(2)——ポジティブ・フィードバック・トレーディング　289

13.4 資産価格バブル　291
- 13.4.1 バブルとその問題　291
- 13.4.2 バブルのメカニズム*　293

13.5 問題の波及・拡大と金融危機　296
- 13.5.1 金融機関同士の波及　297
- 13.5.2 金融市場間の波及　298
- 13.5.3 金融機関と金融市場の間の波及　298
- 13.5.4 システミックリスク，実体経済への影響と外部性　299

第14章 金融制度と公的介入・プルーデンス政策　302

14.1 金融制度と公的介入　303
- 14.1.1 金融制度　303
- 14.1.2 公的介入の3つの形　303
- 14.1.3 公的介入の目的と分類　305
- 14.1.4 公的介入の理論的根拠　308
- 12.6.1 非伝統的金融政策の種類と操作目標・最終目標　264
- 12.6.2 非伝統的金融政策の政策手段と波及経路　266
- 12.6.3 非伝統的金融政策の評価と懸念　270

- Column 14-1　厚生経済学の基本定理　309
- 14.1.5 政府の失敗と公的介入の問題　313

14.2 プルーデンス政策(1)——事前的政策　314
- 14.2.1 参入・業務分野規制　314
- 14.2.2 健全経営規制と自己資本比率規制　316
- Column 14-2　自己資本比率規制におけるリスクの考慮　319
- 14.2.3 準備預金制度　320
- 14.2.4 金融機関のモニタリング（検査・考査・監督）　320

14.3 プルーデンス政策(2)——事後的政策　321
- 14.3.1 救済合併と承継　322
- 14.3.2 預金保険制度　324
- 14.3.3 その他の破綻処理制度　325
- 14.3.4 資本注入　328
- 14.3.5 流動性供給　329
- 14.3.6 セーフティネットとモラルハザード　330

14.4 マクロプルーデンス政策　331
- 14.4.1 マクロプルーデンスの考え方　331
- 14.4.2 マクロプルーデンスの実際　332
- Column 14-3　SIFIs　333
- 14.4.3 金融政策とマクロプルーデンス政策　334

終章 これからの金融　337
●ソーシャル・ファイナンス

1 ここまで学んできたこと　337

2 新たな動き——インパクトの追求　338
- 新たな動きの典型例——ダイベストメント　338
- 新しい投資の形　338

3 ソーシャル・ファイナンス　340
- 背景：社会的・環境的課題の存在と企業の責任　340
- 社会的事業とソーシャル・ファイナンス　341

4 経済学からみたソーシャル・ファイナンス　343
- これまでの金融とソーシャル・ファイナンス　343
- 社会的事業と内部化　344
- Column 1　ソーシャル・バンク　346
- ソーシャル・ファイナンスの原動力　345

5 ソーシャル・ファイナンスの難しさ　347
- ソーシャル・ファイナンスの取引費用と金銭的リターン　347

Column 2 ソーシャル・インパクト・ボンド 349		6 これまでの金融と新しい金融の これから 352	
社会的リターンに関する情報の非対称性の問題 348			
社会的リターンに関する合意形成の問題 351			
3種類の社会的・環境的課題 351		索　引 355	

Web Appendix 一覧

(https://www.yuhikaku.co.jp/books/detail/9784641166295 に掲載)

第1章	1.1	手形・小切手と手形交換制度	第10章	10.1	証券化，ベンチャー・ファンドと金融機関
第2章	2.1	企業間信用			
第4章	4.1	資産代替問題	第12章	12.1	動学的不整合性の問題
第5章	5.1	資産代替と証券設計	第13章	13.1	銀行取付の発生メカニズム（理論モデル）
第6章	6.1	デリバティブ			
第7章	7.1	分散化のメリット		13.2	満期とバブル
第8章	8.1	その他の普通銀行と外国銀行支店		13.3	金融機関の破綻の連鎖
	8.2	金融仲介機関が直面するリスク		13.4	レポのヘアカットと問題の波及
第9章	9.1	債券現先市場と債券貸借（レポ）市場	第14章	14.1	自己資本比率規制以外の健全経営規制
	9.2	配当割引モデル		14.2	バーゼル合意
	9.3	金利の期間構造		14.3	日本のプルーデンス政策の整備
	9.4	CAPMの導出			

本書のコピー，スキャン，デジタル化等の無断複製は著作権法上での例外を除き禁じられています。本書を代行業者等の第三者に依頼してスキャンやデジタル化することは，たとえ個人や家庭内での利用でも著作権法違反です。

第 I 部

貨幣と金融取引

はじめに

　この本は金融の教科書です。そこで，まず金融という言葉について考えてみましょう。金融とは何でしょうか。答えは簡単です。「金」の「融」通，要するにおカネをやり取りすることです。金融は難しそうだ，金持ちやプロのやることで自分には縁がない，と思われるかもしれませんが，たとえばジュースを買って支払いをすれば，おカネのやり取りが発生します。また，財布を忘れて友だちや同僚に昼食代を借りたとしたら，それも貸し借りという形のおカネのやり取りです。それに，あなたは銀行に預金していませんか。預金することは，将来引き出せるという約束のもとに銀行におカネを預けることですから，銀行におカネを貸すやり取りにほかなりません。

　では，なぜこうしたやり取りをするのでしょうか。物を買ったから当然，ですか。足りなかった（余った）から借りた（貸した）だけ，でしょうか。ではなぜ買ったら支払うのでしょうか。なぜ足りない（余った）ときには借りる（貸す）のでしょうか。また，おカネのやり取り，といいますが，そもそも「おカネ」って何なのでしょうか。なぜ，何のために存在するのでしょうか。やり取りについて考える前に，やり取りされるものそのものについても考える必要がありそうです。金融に関するこうした疑問について考えていくのがこの本です。

　この第 I 部は，次のページの図に示した 4 つの章からなります。まず，やり取りされるもの，おカネ，についてみていくのが**第 1 章**です。そこでは，おカネはどのような役割を果たしているのか，日本にはどのようなおカネがあり，どのように使われているのか，を説明します。おカネ自体について理解したうえで，そのおカネのやり取り，中でも貸し借りについて考えるのが**第 2 章**です。貸し借りされなくてもおカネには価値がありますが，貸し借りはそれ自体に重要な意味があります。第 2 章では，貸し借りに関わる言葉を整理したうえで，誰が，どのように，どれくらい貸し借りしているのか，そしてなぜ貸し借りが行われるのか（貸し借りのメリット）を説明します。

　メリットがあるといっても，貸し借りは簡単に行われるものではありません。いくらおカネが余っていても，人は簡単に貸そうとは思わないものです。なぜ人は貸したくないのか，なぜ貸し借りは行われにくいのか，を説明するのが第 3 章と第 4 章です。貸し借りに限らず，さまざまな取引が行われるためには，取引相手を探したり，取引条件について合意するなど，さまざまな前提条件が満たされる必要があります。しかも，貸し借りには将来の不確実性を伴うという重要な特徴があり，貸手がリスクに直面するために，取引が簡単には行われません。**第 3 章**ではこうした問題について説明します。また，リスクは将来の不確実性だけでなく，情報の非対称性と呼ばれる問題によっても生み出されます。これは，借手の返済能力や返済の意図に関する情報が，借手自身と貸手との間で異なる（非対称である），つまり貸手にとってわかりにくい，という問題です。**第 4 章**では，情報の非対称性が金融取引を阻害することを説明します。

　こうした具体的な説明に入る前に，この教科書のタ

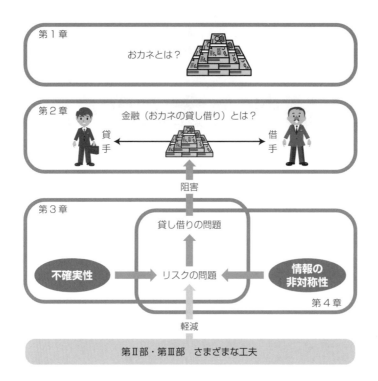

イトルでもある金融という言葉の意味について、もう一度確認しておきましょう。**金融★**という言葉は、狭い意味ではおカネの貸し借りという意味で使われます。ただし、正確にいえば、金の融通はおカネをやり取りすることですから、貸し借り以外の目的でのやり取り、たとえば支払いのためのやり取りや、寄付のためのやり取りなども含みます。さらに、やり取りされるおカネそのものに関して金融という言葉が用いられることもあります。このため、広い意味での**金融★**は、おカネに関するさまざまなこと、を表す言葉だといえます。

★金融（狭い意味）：おカネの貸し借り
★金融（広い意味）：おカネに関するさまざまなこと

「金融」に関して日々伝えられるニュースは、一般の人にはとても難しいもののように感じられます。しかし、基本的にはどれも貸し借りやおカネそのものに関することです。本書では、こうした金融の本質をこの第Ⅰ部で説明したあと、第Ⅱ部以下で金融の複雑な部分について説明していきたいと思います。

第 1 章
貨幣と決済

はじめに

「おカネ」って何でしょう。財布の中に入っているお札や硬貨じゃないか，と思われるかもしれません。お札や硬貨を払えばモノやサービスが買えますから，これらは確かにおカネです。しかし，たとえばネット通販ではお札や硬貨は使えません。また，世の中でお札や硬貨を直接やり取りするのは，実は少額の取引だけです。お札や硬貨だけがおカネだというわけではないようなのです。では，おカネっていったい何なのでしょうか。

このよくわからない「おカネ」について，本章では図 1-1 に示した構成で説明します。まず 1.1 節ではイントロダクションとして，おカネに関するさまざまな言葉を整理し，経済学では「貨幣」という言葉に注目することを説明します。この貨幣の理論的な側面，具体的にはその 3 つの機能（決済機能，価値尺度機能，価値貯蔵機能）を説明するのが 1.2 節です。続く 1.3 節では，現実の貨幣，つまり日本で実際に使われている貨幣をみていきます。貨幣の機能が適切に発揮されるためには，貨幣の価値が安定している必要があります。1.4 節ではこの貨幣価値の安定が重要であることを，

■図 1-1 本章の構成

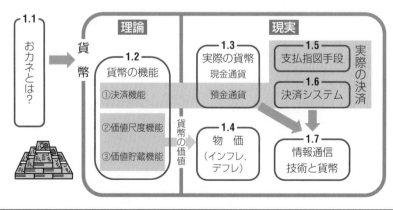

物価に関するインフレ・デフレと呼ばれる現象に注目しながら説明します。

その後の1.5節と1.6節では、貨幣の決済機能、つまりさまざまな商品・サービスと交換できるという機能に注目します。貨幣が決済に用いられるのは、貨幣を使った支払いを便利にする仕組みが整えられているからです。そうした仕組みとして、1.5節では貨幣による支払いを指示する支払指図手段と呼ばれるものについて説明します。次に1.6節では、預金を使った支払いがどのように処理されていくのかを、この処理のために整備された決済システムの仕組みをみながら理解します。最後に1.7節では、貨幣の使いやすさを支える情報通信技術に触れます。

1.1 おカネと貨幣

おカネ、という言葉はさまざまな意味で用いられており、また類似・関連した言葉もたくさんあります。たとえば「手持ちのおカネが足りない」の「おカネ」は、お札と硬貨、いわゆる**現金**を指します。お札は**紙幣**、硬貨は貨幣（**鋳造貨幣**）とも呼ばれます。しかし、現金と同じような意味で通貨という言葉が使われることもあります。**金銭**もよく似た言葉ですが、辞書で「金銭」の意味を調べると、「かね、通貨、貨幣」などと出てくるのでややこしくなります。他方で、たとえば「おカネ持ち」の「おカネ」は、現金に限らず財産あるいは**資産**を意味していますし、貸し借りされるおカネは**資金**、つまり何らかの目的のために使われる金銭を指しています。このように、おカネにまつわるさまざまな言葉は、場合によって微妙に異なるさまざまな意味を持つのです。

とはいえ、どの言葉を使ってよいのかわからないのは困ります。そこで、経済学では貨幣（money）という言葉（概念）を用います。「おカネ」が経済の中で重要な役割を果たしているのは明らかなので、その役割、あるいは機能という面からおカネを抽象的に定義したのが貨幣です[1]。具体的には、以下で説明する3つの機能、すなわち決済機能、価値尺度機能、価値貯蔵機能、を発揮するものが**貨幣**★です。これらの機能はいずれも経済活動になくてはならない重要な機能であり、貨幣がなければ困る3つの理由ともいえます。なお、これらの機能は密接に関連しあっており、完全に切り離して議論することは難しいものでもあります[2]。

★貨幣：決済機能、価値尺度機能、価値貯蔵機能、の3つを発揮するもの

1.2 貨幣の機能

1.2.1 決済機能

貨幣の第1の機能は、**決済機能**（**一般的交換機能**）です。これは、どんな商品とも

---

1) 「鋳造貨幣」といったように、貨幣は「硬貨」の意味で使われることもあります。
2) おカネや貨幣について興味がある方は、岩村（2010）などを参照してください。

交換可能である，最終的な決済手段として用いられる，という機能です。モノやサービスが欲しい場合，タダでもらえることはそうありません。たとえば本屋で本を買いたければ，その本の価値に見合った**債務**を負う，つまり対価を支払う義務が発生します。逆に，本屋さんはその対価を受け取る権利，**債権**を持ちます。資金等の受け渡しを行うことで自分と相手との間の債権・債務関係を解消し，取引関係を終わらせることを**決済**（settlement）と呼び，決済に用

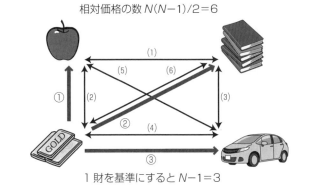

■図1-2　財と価格（交換比率）（財の数 $N=4$）

相対価格の数 $N(N-1)/2=6$

1財を基準にすると $N-1=3$

いられる手段を**決済手段**と呼びます。つまり，それを受け渡すことによって取引が完了したと認められるもの，が決済手段です[3]。なお，関連する言葉として，モノやサービスを購入する資力・能力を意味する**購買力**という言葉があります。決済手段としての貨幣は，購買力を持つもの，といえます。

　決済機能を持つものがない場合，あらゆる取引は直接的な交換でしか行えません。しかし，たとえば頭の切れる弁護士が空腹でパンを買いたいと思っても，誰かに訴えられ弁護士を必要とするパン屋さんはそう簡単にみつからないでしょう。貨幣が存在しない状況では，自分が欲しいものを相手が持っていて，しかも相手も自分が持っているものを欲しい，という**欲望（欲求）の二重一致**という条件が満たされなければ取引が起きません。しかし，貨幣があることで，弁護士はパン屋さんに限らず誰か訴えられた人を弁護して貨幣を手に入れ，それを使ってパンを買うことができるのです。

1.2.2　価値尺度機能

　貨幣の第2の機能は，**価値尺度機能**です。これは，さまざまなモノやサービスなどの価値を，その数量で表す，という機能です。価値尺度としての貨幣があれば，さまざまなモノ・サービスを交換するときの基準が明確になり，取引が促進されます。たとえばちょっと極端な例ですが，世の中には図1-2のように，リンゴ，本，金（きん），自動車，という4つのモノしか存在せず，自分が持っていないものは交換して手に入れる必要があるとしましょう。交換によってすべての取引が行われるためには，6つの交換比率（図中(1)から(6)）が必要です。商品等の価格をほかの商品等の量で表したものを**相対価格**といいますが，ここでは6つの相対価格が必要なわけです。

　ここで，たとえば金を価値尺度として使うことにしてみましょう。すると，金に対する3つの相対価格，つまり図中①から③の交換比率さえわかれば，どれを交換するにせよ金で測った価値を基準にして交換できます。数学的には，N 個の商品が存在す

3）　取引が無条件で取り消し不能となり，最終的に完了した状態を**ファイナリティ**（finality, **決済完了性**）と呼びます。ファイナリティをもたらすものが決済手段です。

■図1-3 貨幣の価値貯蔵機能

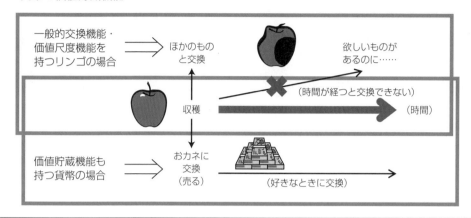

る場合，すべての財の間の相対価格の数は $N(N-1)/2$ になります[4]。しかし，そのうち1つを貨幣にするならば，$N-1$ 個の相対価格がわかれば十分です。世の中には数えきれないほどの商品がありますから，$N(N-1)/2$ と $N-1$ の差は非常に大きなものになります。図（$N=4$）の場合はそれぞれ6と3ですが，たとえば $N=100$ でもそれぞれ4950と99となります。この差が貨幣の存在意義を表しているわけです。

1.2.3 価値貯蔵機能

貨幣の最後の機能は，**価値貯蔵機能**です。これは，貨幣を持つことで，一定量の価値あるいは購買力を一時的に貯蔵できる，という機能です。上記2つの機能を持つものがあったとしても，価値の貯蔵ができなければとても不便です。仮に，リンゴが価値尺度かつ決済手段だったとしましょう（図1-3参照）。この場合，人々はリンゴを育てて収穫したり，持っているものをその価値に見合ったリンゴと交換して，決済手段を手に入れます。

しかし，リンゴ貨幣には問題があります。そのうち腐ってしまうのです。腐ると価値がなくなりますから，リンゴは手に入れたらすぐに使わなければなりません。これに対して，長期間価値の変わらない貨幣（たとえば金属など）であれば，こうした心配はありません。なお，このことから，一般的交換機能と価値尺度機能を持つものが価値貯蔵機能を持てば，貨幣となるものを手に入れる時点と使う時点を変えることができる，というメリットが生まれることがわかります。

---

4) この $N(N-1)/2$ は，N 個の中から2個を取り出す場合の，ありうるすべての組み合わせの数として計算されます。

1.3 日本の貨幣

1.3.1 現金通貨

日本では何が実際に貨幣として使われているのでしょうか。まずあげられるのは，現金，つまりお札と硬貨です。正式には**通貨**あるいは**現金通貨**と呼ばれます。お札（紙幣）は日本銀行▶が発行するもので，正式には**日本銀行券**といいます（実際のお札で確認してみましょう）。現在日本で発行されているお札は1万円券，5千円券，2千円券，千円券です。これに対して硬貨（鋳造貨幣）は日本政府が発行するもので，日本銀行券を補助して少額の取引のために使われる，という意味で，**（政府）補助貨幣**とも呼ばれます。現在使われている硬貨は500円貨，100円貨，50円貨，10円貨，5円貨，1円貨です。ただし，現金の単位や価値は時代により異なります。過去には「銭」や「厘」単位の通貨があり，1円が大金だ，という時代がありました。また100円，10円，1円といったお札が発行されたこともあり，たとえば1円券は明治から昭和まで使われていました。1958（昭和33）年に日本銀行が支払いに使うことを停止したため流通しなくなりましたが，現在でも通用はします。

▶日本銀行
⇒8.2.4

お札は紙からできています。上質で，精巧な印刷がなされてはいますが，所詮は紙です。硬貨も所詮，丸くくり抜かれてきれいな彫刻が施された金属に過ぎません。紙や金属の素材の価値だけをみれば，お札や硬貨の価値は，その表面に書かれた金額の価値（額面）よりもかなり小さいでしょう。にもかかわらず，こうした貨幣が額面の価値で通用するのは，これらが**法貨**，つまり法律によって強制的な通用力が付与された貨幣だからです。通貨の単位及び貨幣の発行等に関する法律，という法律の第7条には，「貨幣は，額面価格の20倍までを限り，法貨として通用する」とあり，また日本銀行法の第46条には，「日本銀行が発行する銀行券（以下「日本銀行券」という。）は，法貨として無制限に通用する」とあります[5]。これらの法律があるおかげで現金は広く通用し，みんなありがたく持ち歩くのです。素材の価値よりも高い価値を持つ貨幣は**名目貨幣**と呼ばれます。素材価値と額面の価値の差は**通貨発行益**（貨幣発行益，シニョレッジ）と呼ばれ，その貨幣を発行した発行者の利益になります。

1.3.2 預金通貨

《預金による決済》 現金以外にも貨幣はあります。銀行などの金融機関が発行する代表的な**金融商品**▶である**預金**です。預金は，将来引き出せるという約束のもとでおカネを預けるものですが，貨幣としても広く用いられています。たとえばネット通販で

▶金融商品
⇒2.1.1

---

[5] 前者の条文をよく読めばわかるように，厳密には額面の20倍を超える政府発行貨幣は法貨ではありません。たとえば2100円のモノを買う場合，お客が100円玉21枚で支払おうとしたら，お店は拒否することができます。ただし，実際には慣行として，こうした支払いも受け付けるケースが多いでしょう。

は買ったお店に直接行くわけではないので，現金で支払うことができません。こうした場合，一般にはインターネットでの振込やクレジットカードなどが用いられます。振込の場合，購入した分の金額があなたの預金口座から引き落とされ，買ったお店の口座に振り込まれます。クレジットカードの場合も，その代金は後日あなたの預金口座から引き落とされます。購入代金の分だけ預金残高が減り，相手の預金残高が増えていれば，あなたは支払いを終えたことになり，取引（決済）は終了です。

　ここで大事なのは，相手の預金残高が増えていれば，というところです。預金が増えてさえいれば，相手がそれを現金で引き出したかどうかは問われません。もし現金で引き出されてはじめて取引が終わるのであれば，決済手段は結局のところ現金であって，預金は現金による支払いを手助けしただけになります。実際の預金は，現金化されなくても取引を終わらせるものであり，決済手段です。そして，預金は現金と同じく円単位ですから価値尺度機能を持ち，腐らないので価値貯蔵機能も持ちます。3つの機能を果たすので，預金は貨幣なのです[6]。貨幣としての預金は**預金通貨**とも呼ばれます。なお，預金にはおカネ（現金通貨）を金融機関に貸す手段という側面もありますから，預金はおカネを貸す手段であると同時におカネそのものである，ということになります。

《社会的信認》　ただし，預金を貨幣だとする法律はありません。法貨としての現金と違い，国が定めた貨幣ではないのです。では，なぜ預金は貨幣なのでしょうか。預金は，任意の時点において，あらかじめ定められた比率で，法貨である現金と交換できます。少なくとも金融機関がそう保証しています。すぐに現金と交換できるのなら，わざわざ交換する必要はありません。つまり，預金は法貨との交換が保証されているために，実際に法貨と交換しなくてもその受け渡しだけで取引が終了したとみなされるようになっているのです。このように，預金は事実上の決済手段として社会的に認められている，つまり**社会的信認**を得ているために，貨幣として用いられているのです。

　しかも，預金はとても便利です。現金を持っていくには時間も費用もかかりますし，額が大きいと重くてかさばって面倒で，数える手間もかかり，盗難の危険もあります。預金なら，直接相手と会って手渡しする必要がなく，こうした問題が小さくなります。このように便利で安全な支払いができるのは，あとの1.6節でみるように，預金による決済を容易にする銀行間のネットワークシステムが整備されており，低コストで安全に決済が処理されるからです。なお，そこでみるように，現金通貨の発行主体である日本銀行は，このネットワークシステムにおいても重要な役割を果たしています。

　以上のように，預金を受け入れる金融機関は経済活動に不可欠な決済を支える重要

---

[6]　価値貯蔵機能だけであれば，それを備えた資産はほかにもたくさんあります。たとえば，土地などの実物資産は時間が経っても価値があまり変わりませんし，株や債券などの金融商品（金融資産）も同様です。しかし，土地や株で直接モノが買えないように，多くの資産はほかの2つの機能を持たず，貨幣といえません。

な役割を果たしています。金融機関にはさまざまなタイプがあり（第8章・第10章参照），預金を受け入れる金融機関は特に**預金取扱金融機関**▶と呼ばれます。預金取扱金融機関は，貨幣を供給するという重要な機能を果たす，特別な金融機関なのです。

▶預金取扱金融機関
⇒8.2

1.3.3 マネーネスと流動性

なお，預金にはさまざまな種類があり，すべてが貨幣だというわけではありません。通常は，必要なときにいつでも引き出しが可能な**要求払預金**が貨幣とされます。要求払預金の代表は，一般の人が預け入れる**普通預金**と，一般には馴染みがないものの，企業が預け入れて代金の支払い・受け取りに用いる**当座預金**です。当座預金は普通預金と同じくいつでも引き出し可能ですが，金利は付きません[7]。

要求払預金以外の預金の代表は，満期まで一定期間預け入れることをあらかじめ約束し，途中で引き出すことができない**定期預金**です。すぐに現金と交換できないため，定期預金は現金の代替物ではなく，貨幣とはいえません。ただし，定期預金を持っていれば，普通預金の残高がゼロでも現金を引き出せます。これは，定期預金を担保▶とし，その一定割合まで貸付を行う，という**当座貸越**のサービスを金融機関が行っているからです[8]。この点で，定期預金は普通預金ほどではないものの，現金との交換が比較的容易な金融商品であり，貨幣に近いものとみなせます。

▶担保⇒6.2.1

この例からわかるように，ある金融商品が貨幣かそうでないかは，二者択一で決められるものではありません。貨幣かどうかという基準はむしろ連続的なもので，現金との交換がより低費用・迅速でかつ安定した比率で行われるほど，その金融商品の「貨幣らしさ」は高いといえます。この「貨幣らしさ」，つまりどの程度貨幣に近いかを表す言葉が**マネーネス**（moneyness）です。定期預金は普通預金よりもマネーネスが低いものの，多くの金融商品よりはマネーネスが高い，といえます。

なお，マネーネスとよく似た言葉として，（資産の）**流動性**★があります。ここでいう流動性とは，さまざまな資産をどれくらい容易に，損失を伴うことなく，しかも迅速に貨幣（現金）と交換（換金・売却）できるか，という程度を表します。マネーネスの場合と同様に，普通預金は非常に流動性の高い資産であり，普通預金と比べれば定期預金の流動性は低い，といえます。ただし，マネーネスがあくまで金融資産の貨幣らしさを表す言葉であるのに対し，流動性は金融資産に限らず資産一般に関して用いられることが多いようです。たとえば実物資産である土地に関して「土地の流動性」とはいいますが，「土地のマネーネス」などということはありません。またさらに派生して，流動性という言葉自体が「貨幣そのもの」の意味で用いられることもあります（1.3.4節参照）[9]。

★（資産の）流動性：貨幣との交換（換金）のしやすさ

---

[7] 海外には金利が付く当座預金もあります。

[8] 当座貸越が行われると普通預金の残高はマイナスになり，金融機関から借入を行っていることになります。借りた額（元本）と金利を返済できなければ定期預金が差し押さえられます。

■表 1-1　マネーストックの定義と残高

種類	定義	2010年3月		2015年3月		2020年3月		2023年3月	
		残高（兆円）	(対M1比 [%])	残高（兆円）	(対M1比 [%])	残高（兆円）	(対M1比 [%])	残高（兆円）	(対M1比 [%])
現金通貨	銀行券発行高＋貨幣流通高	73.5	(15)	85.2	(14)	103.8	(13)	115.8	(11)
預金通貨	要求払預金（当座，普通，貯蓄，通知，別段，納税準備）－調査対象金融機関の保有小切手・手形	414.3	(85)	523.4	(86)	725.8	(87)	934.7	(89)
M1	現金通貨＋預金通貨	487.8	(100)	608.6	(100)	829.6	(100)	1,050.5	(100)
M2	現金通貨＋国内銀行等に預けられた預金	766.2	(157)	894.3	(147)	1,044.3	(126)	1,213.4	(116)
M3	M1＋準通貨＋CD（譲渡性預金）＝現金通貨＋全預金取扱機関に預けられた預金	1,064.9	(218)	1,209.3	(199)	1,379.1	(166)	1,568.2	(149)
広義流動性	M3＋金銭の信託＋投資信託＋金融債＋銀行発行普通社債＋金融機関発行CP＋国債＋外債	1,463.7	(300)	1,620.5	(266)	1,827.6	(220)	2,082.6	(198)

（出所）　日本銀行「マネーストック統計」より筆者作成。

1.3.4　日本の貨幣量

　日本にはどれくらいの貨幣が存在するのでしょう。日本全体の貨幣の量は，マネーストック統計をみればわかります。**マネーストック**とは文字どおり貨幣の残高であり，日本銀行が調べて集計しています[9]。ただし，どの程度のマネーネスを持つものを貨幣と考えるかによって，貨幣の量は変わります。実際に，日本銀行も貨幣の定義として複数のものを用いており，それぞれについて額を示しています（表1-1参照）。

　最も狭い意味での貨幣，つまり高いマネーネスを持たなければ貨幣と呼ばない場合の貨幣は，現金通貨と預金通貨を合計したものであり，**M1**と呼ばれます。現金通貨は，その時点で発行されている日本銀行券の残高と，経済で流通している政府発行貨幣の残高を合計したものです。これに対してM1に含まれる預金通貨は要求払預金だけで，日本銀行と預金取扱金融機関全体で集計したものです。

　もう少し低いマネーネスを持つ金融商品も含む場合の貨幣の定義が**M2**です。M2にはM1に加え，定期預金や外貨預金（外国通貨建ての預金）など**準通貨**と呼ばれる預金と，満期前に譲渡できる（人に売ることのできる）定期預金である**譲渡性預金**

▶（市場の）流動性
⇒9.4.1

9)　（資産の）流動性と関連して，その資産を取引する市場での取引のしやすさ（取引相手の見つけやすさ，取引に要する費用〔手数料や税金等〕の低さなど），あるいは実際の取引の活発さを（市場の）流動性▶と呼びます。

10)　マネーストックは，以前は**マネーサプライ**と呼ばれ，あたかも日本銀行が供給（サプライ）した額のような印象を与えていました。しかし，実際の貨幣量（マネーストック）は貨幣の供給と需要が釣り合った状態（均衡）で決まり，供給だけで決まるものではありません。また，貨幣量にはすでに発行された額が含まれるため，中央銀行が新たな供給によりコントロールできる部分は限られます。

(**CD**：Certificate of Deposit）が含まれます[11]。定義自体は M2 と同じものの，集計する金融機関の範囲が広くなる，**M3** もあります。

最後に，マネーストック統計上，最も広い定義の貨幣，つまり，かなりマネーネスが低い金融商品まで含んだ貨幣が，広義流動性です。**広義流動性**は，金融債や銀行発行の普通社債など，金融機関が資金を集めるのに使うほかの金融商品や，投資信託，国債などを M3 に加えたものです。このため，集計対象となる金融機関もさらに増えます。

表 1-1 には，さまざまな定義の貨幣の実際の残高を示しています。2023 年 3 月末時点でみると，M1 は 1051 兆円，M2 は 1213 兆円，M3 は 1568 兆円の残高があることがわかります。表からわかるように，どの定義でも残高は増加傾向にあります。この増加の背景には，のちに第 12 章でみるように，日本銀行が長期にわたって金融緩和を行い，貨幣供給を増やしていることがあります。

なお，第 2 章以降の説明の準備となるので，預金通貨と現金通貨の残高の違いに注意してください。現金通貨は 116 兆円であるのに対し，預金通貨は 935 兆円であり，8 倍以上になっています。先に，預金が貨幣として使われるのは，現金と容易に交換できるという社会的信認があるからだ，と説明しました。しかし，この数値から明らかなように，すべての預金を一度に現金と交換することは不可能です。この一見矛盾した状態は，預金という金融商品，ならびにそれを提供する銀行などの金融機関の重要な特徴です。詳しくは 8.4.5 節と 13.2.3 節で説明しますが，この特徴は，平時においては多くの貨幣を供給して経済活動を活発にする反面，場合によっては大きな問題も発生させてしまうのです。

1.4　物価とインフレ・デフレ

1.2 節では貨幣の 3 機能を説明しました。これらの機能，特に価値尺度機能が適切に発揮されるために，貨幣の価値は安定している必要があります。貨幣価値の安定とは，モノやサービスの値段，つまり物価が安定していることを指します。たとえば，同じ 1000 円札 1 枚でリンゴを買おうとしても，今日は 1 個 100 円，明日は 1 円，明後日は 1000 円などと値段が変わると，買えるリンゴは今日は 10 個，明日は 1000 個，明後日は 1 個と変わってしまい，価値尺度機能が発揮されているとはいえません。

貨幣価値が安定しない状態として特に問題なのは，インフレーションあるいはデフレーションの状態です。**インフレーション（インフレ）**は，**物価**，つまり一般的なモノやサービスの価格の水準が継続的に上昇する状態，**デフレーション（デフレ）**は下落する状態を指します。この定義にあるように，「一般的」あるいは「継続的」でな

---

[11] たとえばある銀行（A）に譲渡性預金を預けていた企業（B）が別の企業（C）にそれを全額譲渡したとすると，B の A に対する預金は C の A に対する預金になり，B は預金者ではなくなります。証券を譲渡することを流動化▶といいますが，譲渡性預金は流動化が可能な預金です。　▶流動化⇒5.1

■図1-4 日本の消費者物価指数の推移

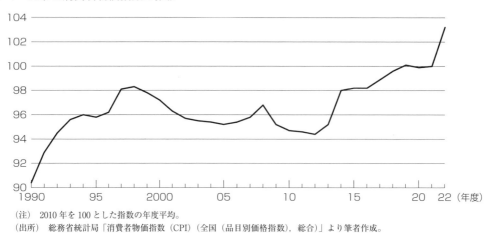

(注) 2010年を100とした指数の年度平均。
(出所) 総務省統計局「消費者物価指数（CPI）（全国（品目別価格指数），総合）」より筆者作成。

い価格の上昇（下落）はインフレ（デフレ）とは呼びません。たとえば近所のスーパーで肉の特売があれば，同じ額の貨幣で買える肉は増えますが，これは特定の商品が特定の時間だけ安くなっただけで，デフレではありません。インフレ（デフレ）は，貨幣の価値が時間を追うごとに減って（増えて）いく状態を指します。

インフレが問題なのは明らかです。インフレが起きると，同じ貨幣で買えるものがどんどん少なくなります。そんな貨幣は誰も持とうとしませんから，便利な決済手段がなくなり，財やサービスの取引も滞ることになります。また，インフレは貸手から借手への所得の移転を引き起こします。たとえば返済額固定のローン（長期の住宅ローンなど）を考えると，インフレのもとで物価が上がっても，貸手は当初定めた返済額しか受け取れませんが，借手からすると，支出に占める返済額の相対的な比重は減ります。つまりインフレが起こると貸手が損をし，借手が得をします。

これに対してデフレは何が問題なのでしょう。デフレで物価水準が下がれば，同じ額の貨幣で買えるものが増えますから，とてもよいことのように思えます。しかし，貨幣を使う側はよいとしても，受け取る側は売上が減るので問題です。企業業績が悪化し，経営破綻や失業増加につながりかねません。また，デフレは借手から貸手への所得の移転を引き起こします。物価が下がっても当初約束した返済額は変わらないので，相対的に大きくなった返済を借手が続けていけなくなる可能性が増すでしょう。

インフレやデフレは実際にみられるのでしょうか。図1-4は，日本の物価の動き，つまり貨幣価値の変化を表したものです。示されているのは全国の世帯が購入する商品やサービスの価格の全体的な動きを表した**消費者物価指数**（**CPI**：Consumer Price Index）で，2020年の値を100とした場合の比率を表しています[12]。図からわかるように，日本は1990年代後半以降，緩やかな物価下落が続くデフレの状態にありまし

---

12) 物価を表す指標は，CPI以外にも，企業物価指数，企業向けサービス価格指数などさまざまなものがあります。

> **Column 1-1　インフレ・デフレ**
>
> 世界の国々では，信じられないようなインフレが実際に起こっています。たとえば南米の産油国ベネズエラでは2018年から19年にかけて，原油価格の下落や政策の失敗などを原因とするハイパーインフレーションが発生しました。記事は，2018年11月にインフレ率が年率で129万％に達したことを報じるものですが，この後2019年1月のピーク時には268万％に達しました。つまり，1年前に1円だったものが2万6800円になった，というわけです！
>
> **ベネズエラ、インフレ止まらず　11月年率129万％**
>
> 【サンパウロ=外山尚之】南米ベネズエラの議会は10日までに，11月の物価上昇率が年率129万9724％だったと発表した。ハイパーインフレが止まらぬ中，マドゥロ大統領はデノミ（通貨単位の切り下げ）や最低賃金の引き上げなど場当たり的な対処を繰り返しており，物価上昇が収束するまで時間がかかりそうだ。
>
> 月間の物価上昇率は144％だった。9月に記録した233％をピークに低下傾向にあるが，ハイパーインフレの定義である月間50％を大きく上回る状況が続く。マドゥロ氏は11月に最低賃金を150％引き上げると発表した。最低賃金の引き上げは今年に入って6回目となる。国際通貨基金（IMF）はインフレ率が2019年中に年率1000万％に達すると予測する。
>
> （2018年12月12日付『日本経済新聞』）

た[13]。その後，2013年ごろから緩やかな上昇がみられるようになり，2022年には原油価格や輸入物価の高騰によりそれまでにない増加が起きました。過去には1970年代のいわゆるオイルショックの時期に，もっと急速なインフレが進んだことがあります。世界の国々をみてみると，いわゆる**ハイパーインフレーション**と呼ばれる信じられないようなインフレもしばしば発生しており（Column 1-1 を参照），貨幣が紙くず同然になって誰にも使われなくなる事態が起こっています。

物価（貨幣価値）の変動を抑えることはできないのでしょうか。「一般的な物価水準」は誰か特定の人や企業が決めているのではなく，近所のスーパーも含め，経済の中の無数の売手・買手が価格を決めた結果として決まります。デフレだから無数の人々に値上げをお願いする，とはいきませんから，物価を直接調整することはできません[14]。ただし，間接的にコントロールする試みは行われています。それが，世界各国の**中央銀行**▶，日本では**日本銀行**▶が行う金融政策であり，図1-4の物価の動きにも金融政策の影響が含まれています。金融政策については第12章で詳しく説明します。

▶中央銀行・日本銀行⇒8.2.4

1.5　支払指図手段[15]

1.5.1　支払いの実際

1.3節で説明したとおり，現在用いられている貨幣は現金通貨と預金通貨です。しかし，日常の商品やサービスの購入においては，現金や預金を使わずに支払いをすることがあります。たとえば，コンビニで買い物するときには「○○ペイ」といったス

---

13) 図には上昇している部分もありますが，消費税増税（1997年4月：税率3→5％，2014年4月：5→8％，2019年4月：8→10％）の影響が含まれていることに注意する必要があります。
14) 市場において価格が調整される市場経済ではなく，国が調整を行う計画経済であれば，直接のコントロールも可能かもしれません。
15) 本節で紹介する支払指図手段について，より詳しく知りたい方は，小塚・森田（2018）を参照してください。

■図1-5　電子マネー等の決済金額の推移

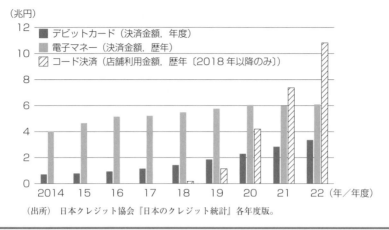

（出所）日本クレジット協会『日本のクレジット統計』各年度版。

マホの決済アプリを開き，QRコードやバーコードを読み取る**コード決済**で支払うことが多いかもしれません。また鉄道に乗る場合には，現金で券売機から切符を買うよりも，鉄道会社発行の電子カードを改札機に読み取らせて運賃を支払うことの方が多いでしょう。こうしたカードのように，あらかじめチャージした資金を使って支払いを行う手段を**電子マネー**といいます。コード決済や電子マネーにはたくさんの種類があり，図1-5に示したように，その利用は近年急速に増加しています。2022年には10.8兆円の決済がコード決済，6.1兆円の決済が電子マネーによって行われています。

　同じく身近な支払手段としては，先にも触れた**クレジットカード**があります。クレジットカードは電子マネーよりかなり前から利用されています。2022年にクレジットカードを使って行われた購入額の合計は，93.8兆円にものぼります（日本クレジット協会「クレジット関連統計」より）。

　また，一般には身近とはいえませんが，企業同士の取引における支払いには，**小切手や手形**が使われることがあります。これらは当座預金▶を使って支払うための手段であり，利用するにはあらかじめ取引金融機関に当座預金口座を開設する必要があります。金融機関の審査に通って当座預金の口座を開設すると，新しい小切手用紙・手形用紙（図1-6）をまとめた小切手帳・手形帳の発行を受けます。支払いの際，支払人は用紙の所定欄に金額等の必要事項を書き込んで受取人に渡します（小切手・手形の**振出**）。受取人はそれを銀行に持ち込み，小切手の場合はいつでも，手形の場合はあらかじめ定められた期日に現金に換えることができます[16]。小切手・手形による支払額は，2002年には705.2兆円でしたが，近年は紙のやり取りの不便さが嫌われてか利用が減っており，2022年には89.1兆円になりました（全国銀行協会「決済統計年報」）。こうした流れの中で，紙ベースの手形・小切手は発行をやめ，2026年末まで

▶当座預金⇒1.3.3

---

[16] Web Appendix 1.1では小切手・手形の詳しい仕組みを説明しています。手形による後日払いについては2.2.3節の企業間信用の部分も参照してください。

■図 1-6 小切手・手形

に完全に電子化されることになりました。

近年では，手形の扱いづらさを克服した**電子記録債権**の制度が整備され，普及し始めています。電子記録債権は支払いを電子化（ペーパーレス化）して処理するもので，紙ベースの手形よりも手間がかからず，また多くの情報を記録できるなどのメリットがあり，普及が期待されています。たとえば，全国銀行協会が全国の金融機関を通じて電子記録債権サービスを提供する全銀電子債権ネットワーク（**でんさいネット**）では，2012年度では合計86億円しかなかったものが，2022年度は合計35.5兆円の支払いが行われています（でんさいネット「でんさいネット請求等取扱高」）[17]。

1.5.2　支払指図手段

以上のような支払いの手段は貨幣なのでしょうか。答えはNOです。これらの手段を使った場合でも，最終的な決済は現金通貨や預金通貨によって行われるからです[18]。たとえば多くのコード決済や電子マネーは先払い（プリペイド）方式で，支払人があらかじめ預金口座からチャージしておいた資金が支払いに用いられます。これに対してクレジットカードは後払いであり，あらかじめ登録していた預金口座から後日代金が引き落とされます。

このことからわかるように，コード決済，電子マネー，クレジットカード，小切

---

17) でんさいネットのほかに，独自の電子記録債権サービスを提供する銀行もあります。
18) つまり，これらの手段にはファイナリティ▶がありません。また，使える場所・時間が限られるという点でも貨幣とはいえません。たとえばコード決済や電子マネー，クレジットカードは，その支払いに対応している店でしか使えません。

▶ファイナリティ
⇒1.2.1

手・手形などは，預金を移転して最終的な決済を行うよう指図（命令）するための手段だと考えられます。支払（決済）手段そのものである貨幣と区別するために，こうした手段は**支払指図手段**と呼ばれます。支払指図手段は貨幣そのものではなく，貨幣を使った決済を容易にするための手段です[19]。さまざまな支払指図手段が利用できることで，決済手段としての現金・預金の利便性も高まり，現金・預金の貨幣としての社会的信認も高まります[20]。

なお，先に述べたとおり，振込や口座振替などを除き，多くの支払指図手段は先払い，または後払いです。つまり，こうした支払指図手段を使うと，商品やサービスを購入する時点と現金授受・預金引落しの時点が異なるため，実質的に代金の貸し借り（金融）が発生するのです[21]。先払い方式のコード決済や電子マネーの場合，利用者は運営会社にあらかじめ資金を預け（貸し），支払いを行った時点で運営会社がその資金を売手の預金口座に入金します。クレジットカードなど後払い方式の場合には，利用者は買った時点では運営会社から資金を借りたことになり，その返済は後日預金の引落しを通じて行われます。このように，多くの支払指図手段は，本来その支払いと直接関係のない第三者との間で貸し借りを発生させることで，利用者（支払人）が常に現金を持ち歩く必要がないというメリットを生み出しています。

1.6 決済システム

支払指図手段を用いた決済はどのように処理され，その中で貨幣はどのように使われているのでしょうか。1.3.2節では，便利で安全に決済できる預金が貨幣としての社会的信認を得ていること，その便利さ安全さは銀行間のネットワークシステムによって可能になっていることに触れました。口座間で預金を移動させ，預金による決済を行うためのネットワークシステムは，**決済システム**と呼ばれます[22]。決済システム

[19) 預金の振込や，公共料金等の支払いに用いられる引落し（口座振替）も，預金での支払いを指図する支払指図手段です。

20) 預金も，現金として引き出してはじめて支払いが終了するという意味で，本来は支払指図手段だったといえます。しかし，便利な支払指図手段であったがために，引き出さなくても支払ったと社会的に認められるようになり，決済手段になったといえます。将来的には，いずれかの支払指図手段が新たな決済手段となるかもしれません。

21) クレジットカードと同じ使い方をするものの，支払時点で預金の引落しが行われる**デビットカード**もあり，この場合には貸し借りは発生しません。

22) 本書では慣例に従い決済システムという言葉を使いますが，預金の移動は仕送りなど決済以外の目的で行われることもあるため，決済（システム）ではなく**資金移動**（システム）と呼ぶのが正確です。また，ここで説明する決済システムは，商品やサービスの取引において，支払いの対価としての預金を受け渡しする**資金決済**のシステムです。これに対して金融商品（証券）の取引の場合，代金の支払いと反対方向に証券を受け渡しするための**証券決済**のシステムがあります。日本の証券決済では，振替▶（証券の移転）を行う振替機関である**証券保管振替機構（ほふり）**という組織が重要な役割を担っています。証券決済については日本銀行金融研究所編（2011，第4章）を参照してください。

▶振替⇒10.1.3

■図1-7 民間決済システム（全国銀行内国為替制度）

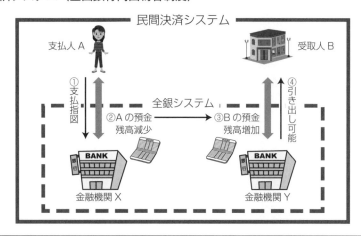

は一般に，民間決済システムと中央銀行決済システムという2つのシステムから成り立っています。以下ではこれらを順にみてみましょう。

1.6.1 民間決済システム

預金による決済に直接関わるのは，支払人と受取人，そしてそれぞれが預金口座を持つ銀行ですが，これらの主体の間で決済を処理するのが**民間決済システム**です。日本の民間決済システムの中心は，企業や個人が預金の振込などを行った場合にその決済を処理するためのシステムで，**全国銀行内国為替制度**と呼ばれるものです[23]。この制度は日本の預金取扱金融機関が加盟する制度で，銀行の業界団体である全国銀行協会が設立した**全国銀行資金決済ネットワーク（全銀ネット）**によって運営されています。全国銀行内国為替制度のデータ処理を行うための銀行間のネットワークシステムは，**全国銀行データ通信システム（全銀システム）**と呼ばれます[24]。

全国銀行内国為替制度を使った決済の仕組みを簡単に表したのが図1-7です。この図は，A（支払人）がB（受取人）に対して支払いをする必要が発生した，という状況から始まっています。たとえばある高校生がネットでお気に入りの服をみつけて購入した場合，この子がA，服の販売会社がBにあたり，実家の親から仕送りをしてもらう大学生であれば，親がA，学生がBです。この支払いは，最終的には預金によって行われるとします。図1-7の太い矢印のように，支払いを行うAは金融機関

---

[23] **為替**は遠隔地間の資金移動を表す言葉で，国内の為替は**内国為替**，海外とのものは**外国為替**といいます。ただし，**外国為替取引**（異なる国の通貨の交換），**外国為替相場**（為替レート▶：その交換比率），などという場合のように，外国為替という言葉は自国通貨と外国通貨の交換を意味することもあります。

▶為替レート
⇒12.5.2

[24] 全国銀行内国為替制度とは別に，預金取扱金融機関が提供する民間決済システムとして，小切手・手形（1.5.1節）を支払指図手段とする決済を処理する**手形交換制度**，銀行を通じて海外との決済（国際送金）を処理する**外国為替円決済制度**があります。これらの制度に関しては日本銀行金融研究所編（2011, 第4章）などを参照してください。

Xに，受け取るBは金融機関Yに預金口座を持っており，XとYの口座の間で資金が移動するものとしましょう。

この資金移動はどのように処理されるのでしょうか。まず，Aは自分の口座にある資金を使ってBに支払うよう，Xに指図します（図中①）。そこで用いられるのが先に触れた支払指図手段です。Xが受け取った支払指図の情報は，全銀システムを通じてYに伝えられ，XにあるAの口座の残高は減り（図中②），減った分だけYにあるBの口座の残高が増えます（図中③）。その結果，Bは増えた分だけ余分に預金を引き出すことができるようになります（図中④）。1.3.2節で述べたとおり，実際に引き出すかどうかにかかわらず，預金残高が増えた段階で決済は終了です。

ここで，②と③の段階，つまりXにあるAの預金口座の残高が減り，YにあるBの預金口座の残高が増える，というところに注目してください。1.3.2節でも述べたとおり，将来引き出しに応じる，という約束のもとで金融機関が資金を預かるのが預金ですから，預金は預金者から金融機関への貸付，すなわち金融機関にとっての借金（負債）にほかなりません。このため，②はXのAに対する借金が減少すること，③はYのBに対する借金が増加することを意味しています。つまり，この支払いはAとBの間の支払い・受け取りの関係（債務・債権）を，XとYの（AとBに対する）借金額の調整によって処理していることがわかります。

1.6.2　中央銀行決済システム

支払い・受け取りの当事者が直接把握できるのはせいぜいここまででしょう。しかし，決済の説明はまだ終わってはいません。このままでは借金が増えた金融機関Yが損だからです。Yからすると，AがBに対して振込を行ったせいで，自分の預金者Bの預金が増えました（図中③）。預金が増えたのですから，YはBから求められれば増えた分についても払い戻しに応じる義務があります。しかし，Yはその分Bから現金を預かった（借りた）わけではありません。借りていないのに借金が増えた，というのはおかしな話ですから，そのままではYが損です。そこで，何らかの形でYが損しないように（逆にXは得しないように）調整する必要があります。そのために，実は支払い・受け取りの当事者にはみえないところで，金融機関同士の資産の移転が行われています。ただし，資産を移転するといっても，現金を移転させるのでは意味がありません。たとえばXの職員が振込金額分の現金をYに持っていき，それをBの口座に預けたことにすれば，XとYの損得はなくなりますが，これでは結局現金を使った決済と変わりません。

では，実際にはどのような形で支払額に見合った資産の移転が行われているのでしょう。ここで登場するのが，日本の中央銀行▶である日本銀行▶です（図1-8参照）。実は，金融機関が預金者から預金を預かるのと同じように，日本銀行は多くの金融機関から預金，具体的には金利の付かない当座預金▶を預かっています（下の太い矢印）[25]。この預金を使い，振込額に見合った調整を行うのです。具体的には，Aの預金残高減少（②）に相当する金額をXの日本銀行当座預金から差し引き（②′），Bの

▶中央銀行・日本銀行⇒8.2.4

▶当座預金⇒1.3.3

■図1-8 中央銀行決済システム

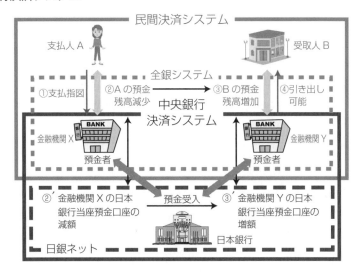

預金残高増加（③）に相当する金額をYの当座預金口座に移します（③'）。すると，民間決済システムで発生した金融機関の損得は解消されます。

こうした処理を行うための，金融機関と日本銀行との間の決済システムが，**中央銀行決済システム**です。その処理を行うためのネットワークシステムは，日本銀行金融ネットワークシステム（**日銀ネット**）と呼ばれています。日銀ネットでは，全銀システムから受け取った情報をもとに，各金融機関の当座預金の振替を行います。日本銀行からみると，自分が預かっている預金の一部が別の預金者の預金に振り替えられるだけであり，預金の総額は変わりませんから損得はありません[26]。

1.6.3 グロス決済とネット決済

決済は毎日膨大な額・件数で行われています。さまざまな金融機関の間で図1-8のような処理が発生し，またその逆の処理（図でいえばYからXへの日本銀行当座預金の振替）も多数発生しているでしょう。これらを1件1件個別に処理していくと大変な手間ですし，少額の決済が多いと決済総額に対するシステム運営のコストが高くなります。

この手間やコストは，多くの決済を集計して処理することで削減できます。つまり，支払いが発生するたびに日本銀行の当座預金を振り替えるのではなく，一定期間内に同じ金融機関の間で発生した支払い（図中②，③にあたるものやその逆）を集計して

---

25) このことから，中央銀行は銀行の銀行と呼ばれます（8.2.4節参照）。
26) AとBが口座を持つ金融機関が同じ，すなわちXとYが同じ金融機関の場合には，預金を付け替えても預金の総額は変わりませんから，金融機関にとっての損得は発生せず，わざわざ中央銀行決済システムを通じて処理する必要はありません。このような同一金融機関内の預金の付け替えは**振替**と呼ばれ，各金融機関が内部で処理しています。

差し引きし，結局どちらがどちらにどれだけ預金を移せばよいかという額（**受払差額**(うけばらい)といいます）を求めてその額だけを振り替えるのです。このように，期間を設定してその間の決済の受払差額を求めることを**クリアリング**（clearing）と呼び，クリアリングで得られた受払差額を実際に受け渡すことを**セトルメント**（settlement）と呼びます。クリアリングしてセトルメントする決済は**ネット決済**（時点ネット決済）と呼ばれ，これに対して個別の決済を1件1件処理していく方法は**グロス決済**，特にその処理を即時に行う決済は**即時グロス決済**（**RTGS**: Real Time Gross Settlement）と呼ばれます。

　ネット決済は手間がかからず効率的で，受け渡す金額も少なくて済みますが，大きな問題もあります。支払人・受取人と金融機関の間で支払いの処理が済んだとしても，クリアリングが終わってセトルメントが行われるまでは，当座預金の振替が行われません。この期間は支払側の金融機関（図1-8ではX）が受取側の金融機関（図1-8ではY）におカネを借りているのと同じ状態になります。仮に，借りている間に支払側金融機関が経営破綻等により支払不能になると，受取側の金融機関は当てにしていた資金（当座預金）を得られなくなります。すると，受取側金融機関も自分の支払いができなくなる可能性があります。さらに，その金融機関による支払いを期待していた別の金融機関の支払いが滞り，というように，システム全体に支払不能の連鎖が起こる可能性もあります。こうした支払不能の連鎖は，決済システムへの参加者が増え，決済額が大きくなるほどその規模が大きくなります。この問題については13.5節で説明します。

　こうした問題を防ぐ方法は，ネット決済をやめ，決済の都度セトルメントを行うグロス決済にすることです。もちろん，先に述べたとおり，グロス決済には手間・コストがかかります。しかし，大口の決済は金額あたりの処理費用が低いため，グロス決済が用いられるようになっています。全国銀行内国為替制度では，1件1億円以上の大口取引についてRTGS化が行われており，支払指図が行われるたびに，日本銀行当座預金の振替が行われます。これに対して1件1億円未満の小口取引についてはネット決済が行われており，金融機関の営業日ごとに，その日の決済が全銀システムにおいてクリアリングされ，決まった受払差額の情報が日銀ネットに送られて，同じ営業日の夕方に日本銀行当座預金の振替が行われます。

1.6.4　資金移動業と決済システム

　2010年施行の資金決済に関する法律により，**資金移動業**という新しい金融業種が生まれ，同業を営む**資金移動業者**として金融庁に登録した業者は預金取扱金融機関でなくても少額（1回100万円以下）の送金サービスの提供が認められるようになりました[27]。送金は決済サービスの一部ですから，預金を受け入れる金融機関でなくても決

---

[27]　その後の法改正で，資金移動業者は扱える送金額に応じて3種類に分けられ，追加の要件を満たして認可を受けた場合には，送金額の上限なしにサービスを提供できるようになりました。

済サービスの提供が可能になったといえます。2023年10月末の時点では，82の業者が金融庁から資金移動業の登録を受けています。

　資金移動業者の中には，預金取扱金融機関による（外国為替円決済制度を使った）国際送金の手数料が高くて不便なことに目を付け，独自のシステムを構築して便利な国際送金サービスを提供する会社があります。また，コード決済や電子マネーなどの支払指図手段を提供する会社も含まれており，預金の移動を裏付けとしない送金を，独自に行うことができるようになっています。こうした送金は，自社内の顧客口座の間でのみ可能でしたが，2022年10月には全銀ネットが参加資格を拡大して資金移動業者の参加を認めたため，資金移動業者は日本の決済システムの中に組み込まれることになりました。会社からの給与を預金でなく電子マネー等で受け取るデジタル給与も検討されており，資金移動業者は送金や決済に関して預金取扱金融機関と同等のサービスを提供する競合者になろうとしています。

1.7　情報通信技術と貨幣

　最後に，貨幣（おカネ）と情報通信技術の関係に触れておきましょう。歴史的にみると，貨幣を使いやすくしようという動きは絶え間なくみられます。こうした歩みを可能にしてきたのが，コンピュータやインターネットといった**情報通信技術**（ICT：Information and Communication Technology）の発展です。情報通信技術の発展が生み出してきた変化は，貨幣の範囲の変化，支払い・決済の変化，新たな貨幣の創出，の3つに分けることができます。

　第1に，情報通信技術は貨幣の範囲を変えてきました。膨大で複雑な計算とデータ処理を容易にする情報通信技術の発展は，新しい金融商品・サービスの開発や既存の金融商品・サービスの利便性向上を可能にし，結果的に金融商品のマネーネスに影響を与えます。たとえば，身近な金融商品として，少額の資金を多くの人から受け入れさまざまな金融商品に投資する投資信託がありますが，国債等の安全な債券に投資する投資信託であるMMF（マネー・マネジメント・ファンド）の開発は，マネーネスの非常に高い金融商品を生み出しました。また，定期預金のマネーネスは当座貸越により高まりましたが，当座貸越は同じ預金者の定期預金と普通預金を一括して管理する，総合口座というサービスによって可能となりました。

　第2に，情報通信技術は支払い・決済の方法を変えてきました。たとえば，30年ほど前は，預金の引き出しや振込がしたければ，金融機関の窓口に出向き，用紙に記入して申し込むしかありませんでした。しかし，CD（現金自動支払機）やATM（現金自動預払機）の導入，テレフォンバンキングからコンピュータやスマートフォンを使ったインターネットバンキングへと，その方法はより便利になってきました。また情報通信技術の発展は，クレジットカードやコード決済，電子マネーなどさまざまな新しい支払指図手段を生み出しましたし，グロス決済のコストを下げることで大口決済のRTGS化を可能にするなど決済システムの高度化ももたらしています。

▶マネーネス
⇒1.3.3

▶投資信託
⇒7.1.3

▶支払指図手段
⇒1.5
▶RTGS⇒1.6.3

Column 1-2　暗号資産が問う貨幣，価値，そして国のあり方

　分散型台帳技術は，デジタル情報をネットワーク上の複数のコンピュータに分散させて記録する技術です。その中でも特によく知られている**ブロックチェーン技術**は，情報をブロックと呼ばれる構造にし，チェーン（鎖）のように時系列順につなげて記録していきます。複数のコンピュータに記録されるので，情報の改ざんが難しいうえに，一部のコンピュータに問題が起こっても停止することはありません。この技術を資産の所有や交換に関する情報の管理に用いたのが暗号資産であり，暗号資産の中でも決済機能を発揮するよう設計されたものが仮想通貨です。

　仮想通貨は国際送金や決済の手段として使われていますが，どこでも通用するわけではなく，価値も必ずしも安定していないため，貨幣の3機能（1.2節参照）を完全には備えていません。しかし，たとえば特定のコミュニティの中で，特定の参加者だけが使う場合や，規制の厳しい国や自国の貨幣の安全性・利便性が低い国では，既存の貨幣よりもメリットが大きいことがあり，そうした価値を重視する人々の間で貨幣としての社会的信認（1.3.2節参照）を得ていると考えられます。

　仮想通貨の中でも特に有名なビットコインやイーサリアムなどは，特定の発行者や管理者がおらず，それをやり取りしようとする参加者が自発的に作り上げた非集権型のネットワークとして成り立っています。しかし，特定の管理者（発行者）が仮想通貨を発行することもあり，たとえば特定地域の経済活性化を目的とした地域通貨として発行され，岐阜県飛騨地方の特定地域だけで使える「さるぼぼコイン」などが有名です。また，中央銀行が自ら仮想通貨を発行する国もあり，**中央銀行デジタル通貨（CBDC：Central Bank Digital Currency）**と呼ばれます。CBDC は日本でも研究が進められていますが，日本銀行当座預金に代わるものにするか，民間銀行の預金の代替物になりうるものとするかなど，設計によって役割や影響が大きく変わります。

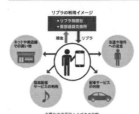

（2019年6月20日付『日本経済新聞』）

　また，仮想通貨は地理的な制約を受けませんから，1つの会社が世界中で使える仮想通貨を発行することも可能です。2019年に Facebook が提唱したリブラ構想（記事参照）はまさにこうした例といえます。この構想は，各国の貨幣や決済制度そのものを代替しうるものであり，通貨発行権という国の重要な主権を侵す可能性があったため世界中に衝撃を与え，大きな批判を受けました。各国の規制に従うことの難しさなどから結局構想は頓挫しましたが，技術進歩に伴う貨幣・金融の進化は，国のあり方まで左右するようになっているのです。

　第3に，情報通信技術は新しい貨幣をも生み出しています。近年金融の世界で大きな注目を集めている動きの1つが，暗号資産と呼ばれるものです。**暗号資産**とは，誰がそれを所有し誰と交換したか，といった情報をコンピュータネットワーク上で記録する技術を用い，デジタルデータの形で提供される資産です[28]。暗号資産を可能にしたのは，所有と交換などに関する情報を暗号化し，分散させて安全に記録する**分散型**

---

[28] こうした資産（デジタルデータ）の1つで近年注目を集めているのが **NFT**（Non-Fungible Token：非代替性トークン）です。

台帳技術をはじめとする新しい情報通信技術です（Column 1-2 参照）。**ビットコイン**や**イーサリアム**などのように，暗号資産の中には決済手段（貨幣）としての性質を持つ**仮想通貨（クリプトカレンシー）**もあり，ネット上での決済や国際間の送金にも利用されています。

　以上のように，情報通信技術を応用する動きは，この章で説明した貨幣・決済（おカネそのもの）だけでなく，金融（おカネの貸し借り）に関しても進んでおり，両者を合わせ，金融サービス全体を提供する技術（**金融技術**）に技術革新（**金融〔技術〕革新**）を引き起こしてきました[29]。特に近年，分散型台帳技術や人工知能（AI）を支える機械学習の技術などが大幅に進歩し，それらを用いた金融技術革新が活発になっています。こうした近年の金融技術革新は，金融（finance）とICTのT（technology）を組み合わせ，フィンテック（fintech）と呼ばれるようになっています。フィンテックについては8.2.1節のColumn 8-1 も参照してください。

■ 練習問題

1.1　「おカネ」という言葉や関連する言葉のさまざまな使い方をあげ，それぞれこの章でいうどのような意味で用いられているのか考えなさい。

1.2　あなたが最近行った支払いをいくつかあげ，どのような貨幣がどのように支払われたのか，支払指図手段は何か，説明しなさい。また，その支払いは金融（貸し借り）を伴っていたかどうか考えなさい。

1.3　暗号資産にはどのようなものがあるか調べてみなさい。また，そうした資産がどの程度貨幣の3機能を発揮するのか考えなさい（Column 1-2 も参照）。

■ 参考文献

岩村充（2010）『貨幣進化論――「成長なき時代」の通貨システム』新潮社。

内田浩史（2024）『現代日本の金融システム――パフォーマンス評価と展望』慶應義塾大学出版会，近刊。

小塚荘一郎・森田果（2018）『支払決済法――手形小切手から電子マネーまで（第3版）』商事法務。

日本銀行金融研究所編（2011）『日本銀行の機能と業務』有斐閣（日本銀行金融研究所のホームページにPDFが掲載されています。https://www.imes.boj.or.jp/jp/historical/pf/pf_index.html，2023年11月30日アクセス）。

---

[29]　おカネの貸し借り（金融）に関する金融技術については，第Ⅱ部で紹介するさまざまな金融の仕組みの中で説明します（第Ⅱ部の「はじめに」の最後を参照）。なお，そこで説明されるように，金融技術革新はさまざまな分野の科学技術を基盤としており，情報通信技術だけに限りません。

第2章
金融とそのメリット

はじめに

前章では、金融においてやり取りされるもの、あるいは貸し借りされるもの、としてのおカネについて学びました。この章からは、おカネを貸し借りすること、つまり（狭い意味での）金融そのものについて考えていきます。図2-1に示すように、本章は3つの節からなります。まず2.1節では、貸し借りに関する基本的な整理を行います。そこでは最初に貸し借りに関するさまざまな言葉を整理し、2つのタイプの証券を紹介しながら、一般的な貸し借りがどのような形で行われているのかを説明します。その後、第3章以降で繰り返し登場する、重要で基本的な概念を説明します。

続く2.2節では、実際に行われている貸し借りについてみていきます。そこでは日本で行われている貸し借りの規模を確認した後、家計、企業、政府という3つの代表的な経済主体がどのように貸し借りに関わるのかを説明します。最後の2.3節は、理論パートです。経済学の理論に基づき、なぜ貸し借りが行われるのか、貸し借りを行うことでどのようなメリットが生まれるのかを説明し、異時点間消費（支出）の最適化というメリットを示します。その後、金利による資金の需要と供給の調整を説明し、

■図2-1 本章の構成

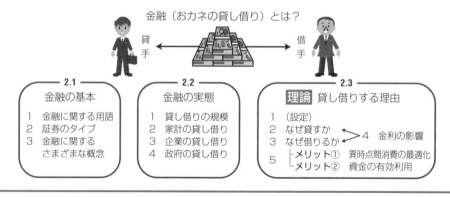

もう1つのメリットである資金の有効利用について説明します。

2.1 金融の基本

2.1.1 金融に関する用語の整理

あなたが「昼食代を友人に借りる」という形で金融に関わったとしましょう。正確に表現すると、あなたは友人から資金（購買力）を手に入れる（借りる）代わりに、その友人に対して将来時点で資金を渡す（返済する）ことになります。一般に、おカネの貸し借りとは、現在と将来の資金（購買力）の交換であり、この交換取引が、**金融取引**です。金融取引で貸手となるのは、今特に使う必要はないが資金を持っている人です。これに対し、借手となるのは、今資金が必要だが自分では持っておらず、しかも返済するための資金を将来手に入れられる（と考えられる）人です。

返済するのは将来ですから、借りる時点で借手にできることは、将来の返済を「約束する」ことだけです。この約束が、**金融契約**です。個人的な貸し借りなら口約束だけで済むかもしれませんが、金融取引では通常、いつどのような形で返済する、という約束を記した**借用証書**（英語で**IOU**〔=I owe you〕）を借手が発行し、現在の資金と交換します。約束した時点がくると、約束どおりに借手が持つ資金を貸手が受け取ることになります（図2-2）。

「借りました、返済を約束します」といった簡単なメモであっても借用証書といえますが、一般的に貸し借りはある程度決まった条件で行われることが多く、ある程度決まった形の、規格化された借用証書が用いられます。それが**証券★**です[1]。証券は、借手が売り貸手が買う商品、とみて**金融商品**と呼ばれることもあります。表2-1には身近な金融商品の例が示されています。こうした金融商品を使えば、簡単に貸手になったり借手になったりできます[2]。証券（金融商品）や借用証書は、買手（貸手）にとっては将来借手からの支払いを受け取る権利、つまり債権を表しますから、価値を生む財産ということで、**金融資産**とも呼ばれます。逆に、売手（借手）にとっては将来支払いを行う義務（債務）を表し、**金融負債**とも呼ばれます。また貸手は**債権者**、借手は**債務者**とも呼ばれます。

★証券：規格化された貸し借りの約束（借用証書）

貸し借りに関する言葉についても整理しておきましょう。最も身近な金融商品は、預金でしょう。歴史的経緯から、一部の金融機関では**貯金**とも呼ばれています。預金や貯金は「預け入れる」「貯める」もの、つまり**貯蓄**の手段であって、おカネを貸す手段だと思っていない人が多いかもしれま

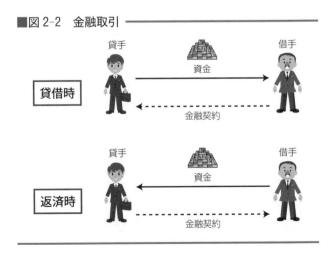

■図2-2 金融取引

■表 2-1　身近な金融商品

(a)　個人が貸手として利用可能な金融商品（例）

	貸す相手	主な窓口
預金，貯金	銀行・信用金庫等	各金融機関
公社債（国債，地方債，社債），株式	国（国債）・地方公共団体（地方債）・企業（社債，株式）等	証券会社
投資信託	企業・国等	証券会社・銀行
財形貯蓄	銀行	企業（勤務先）
保険・共済	保険会社	保険会社・共済組合

(b)　個人が借手として利用可能な金融商品（例）

	借りる相手	主な窓口
住宅ローン	銀行・信用金庫等	各金融機関
その他ローン	銀行・信用金庫・貸金業者等	各金融機関
クレジット（販売信用）	クレジットカード会社等	クレジットカード会社等

（出所）「知るぽると」金融商品なんでも百科（https://www.shiruporuto.jp/public/document/container/hyakka/）を参考に筆者作成。

せん。しかし，預金者は今使わない資金を手放す代わりに将来資金を受け取る権利を得ますし，「預かった」金融機関はその資金を使って収益を得て，将来の引き出し（返済）に応じます（8.1.2 節参照）。これは，預金者が貸手として，借手である銀行に貸しているということにほかなりません。

　金融商品の購入に関しては，将来の利益を見込んで資金を投入する，という意味で，**投資**（**金融投資**）という言葉が使われることもあります。その金融商品を売って得た資金を売手（借手）である企業等が事業などに使い，事業から得た収益の中から買手（貸手）に対する支払い（返済）が行われますから，投資もやはり貸し借りです。ただし，「貯蓄」は主に安全な金融商品（もっぱら預金と貯金）の購入を指すのに対し，「投資」はリスクが大きな金融商品（株など）の購入に用いられます。また，別の表現として，おカネを貸すことは資金の**運用**，借りることは**調達**とも呼ばれます。貸し借りはお互い（特に貸手）が相手を信用しなければ起こりませんから，貸し借り自体を**信用**，貸すことを**与信**（信用を与える），借りることを**受信**（信用を受ける）ということもあります。この本では，文脈に合わせてこれらの言葉を使い分けることもありますが，基本的には「貸す」「借りる」という言葉を用いることにします。

---

1) 証券と似た言葉として**有価証券**がありますが，これはさまざまな証券のうち特定の法律（たとえば金融商品取引法）が適用されるものを，その法律の中で定めたもので，法律ごとに定義が異なります。

2) ただし，厳密には，「金融」商品と呼ばれるものの，貸し借りを伴わない商品があります。その典型は，商品（資源・貴金属・農産物）等の価格に応じて価値が決まる「金融」商品です。たとえば FX（**外国為替証拠金取引**）と呼ばれる「金融」商品は，外国の通貨（おカネ）そのものを売買する商品です。

なお,「投資」という言葉については,貸し借りとは別の意味もあることに注意してください。ここまでの「投資」は金融投資,つまり金融商品の購入という意味でしたが,投資という言葉は**実物投資**,つまり企業が生産に用いる実物資本の購入を意味することもあります。工場,機械,不動産などを取得する**設備投資**がその代表例です。このため,たとえば実物投資のための資金を借りてくることは「投資のための資金調達」などと表現されることになります。さらに「不動産投資」という場合には,自分が生産に使うのではなく,賃料を得る目的でマンションなどを購入することを指すことがあります。どの意味の「投資」なのか,文脈に注意して理解する必要があります。

■表2-2 証券のタイプ

タイプ	例（借手）
負債型証券	定期預金（銀行）
	銀行貸出（企業）
	住宅ローン（個人）
	公社債（国，地方公共団体，企業）
株式型証券	株式（企業）
その他の証券	転換社債（企業）
	新株引受権付社債（企業）

2.1.2 証券のタイプ

証券は,大きく2つのタイプに分けられます。負債型証券と株式型証券です。表2-2にはこの2つのタイプの証券の例と,その証券を使って資金を調達する借手を示しています。また表には「その他の証券」として示していますが,両者の特徴を併せ持つ証券もあります。ここではこうした証券の特徴をみていくことにしましょう。

《**負債型証券**》 貸し借りに最もよく用いられる証券は,あらかじめ定めた将来時点であらかじめ定めた一定の金額を借手が支払う（返済する）ことを約束する証券です。こうした証券を,**負債（デット〔debt〕）型証券**と呼びます。銀行に預ける定期預金,銀行が企業等に貸す銀行貸出,個人が借り入れる住宅ローン,企業が発行する**社債**,国が発行する**国債**,地方公共団体が発行する**地方債**などは,すべて負債型の証券です。国債と地方債は合わせて**公共債**,公共債と社債は合わせて**公社債**あるいは一般に**債券**とも呼ばれます。債券が事前に定めたとおりにすべて返済されることを,**償還**と呼びます。借手に余裕があれば,当初の返済期日より前に償還が行われることもあります。また貸手の方も,返済期日より前に債券を第三者に売却することができる場合があり,この場合には売却時点の証券の価格,つまり債券価格に応じて売却額が決まり,これが貸手が受け取る返済額に相当します[3]。

「あらかじめ定めた将来時点であらかじめ定めた固定額を支払う」のはどの負債型証券も同じですが,「どの時点で」「いくら」払うかというパターンは実にさまざまです。返済は一度でなく複数回にわたって行われることがありますし,各回で支払う額にもさまざまな決め方があるからです。

よく用いられるパターンは3つあります。第1のパターンは,最終の返済時に当初

3）このように,証券を売却して貸した資金を回収することを,**流動化**▶といいます。

▶流動化⇒5.1

■図2-3 昔の利付債

（写真提供：時事通信フォト）

貸し付けた額（**元本**）を返済し，それ以前の時点では元本の一定割合を**金利**（**利子**，**利息**とも呼ばれます）として定期的に支払う（**利払い**を行う）ものです[4]。この場合，最終の返済時点は**満期**（**日**）あるいは**返済期日**と呼ばれます。たとえば定期預金の多くでは，満期まで半年ごとに金利が支払われ，満期日には最終の金利支払いとともに元本が返済されます。債券にも同じようなパターンで利子が付くものがたくさんあり，**利付債**と呼ばれます[5]。

第2のパターンとして，元本相当額を早い段階から返していくような負債型証券があります。たとえば一般の人が住宅購入のために銀行などから借りる住宅ローンは，毎月定期的に返済を行いますが，元本を最後にまとめて返すのではなく，毎月の返済額の中に，元本の返済と金利の支払いが含まれています。このため，第1のパターンと違い，最後に多額の返済が待っているというようなことがありません[6]。

第3のパターンとして，金利が付かない，あるいは付いているようにはみえない負債型証券もあります。たとえば国債のうち割引国債と呼ばれるものは，満期時の返済額である**額面**が固定されている代わりに，それを買う時点では額面よりも小さい額で買うことができます。この場合，購入金額が貸借の額，つまり元本に相当し，額面の金額と購入価格との差が金利の支払いに相当するわけです。このように，額面より安く買う形で金利相当額を手にするような債券を，**割引債**と呼びます。

図2-3は，昔（2001年ごろ）の日本の国債（利付債）の写真です。額面は100万円と書いてあり，券の下半分には決まった時点で金利を受け取るための**クーポン**が付いています[7]。最近は紙ベースの証券が発行されることは稀で，貸借関係の情報を電子的に記録するだけの金融取引がほとんどです。国債も，2003年にペーパーレス化

---

4) 金利（利子，利息）は元本に対する比率で表されますが，金利として受け取る金額（元本×金利）自体を金利（利子，利息）という場合もあります。

5) 利付債の特殊な例として，返済期日を定めず，元本の返済を行わない代わりに，利子を永久に支払い続けることを約束した**永久債**があります。

6) 住宅ローンは主に2種類のものがあります。**元金均等返済型**の住宅ローンは，元金（元本）を返済月数で均等に割った額を毎月返します。毎月借金（残りの元金）が減っていくので，利払額（元金×金利）も減っていきます。ただし，均等割の元金と利払いの合計が毎月の返済額ですから，毎月の返済額は最初の返済時に一番多く，その後ずっと減っていきます。これに対し，**元利均等返済型**の住宅ローンは，最終の返済まで毎月の返済額が一定です。これは，当初は元金の返済額を少なく，利払いを多く設定し，しだいに元金の返済額を多くして利払いを減らしていくからです。

7) 金利はクーポンと引き換えに支払われるため，利付債の金利のことを**クーポンレート**と呼ぶこともあります。

されました。

《株式型証券》 負債型でない証券の代表は，企業が発行する**株式**（あるいは株）です。負債型証券と対比する場合，**株式（エクイティ〔equity〕）型証券**という言葉が用いられます。株式の場合，購入者（株主）が企業に支払う購入資金が企業の事業に用いられます。その後，事業を通じて企業が得た利益は，**配当**という形で株主に分配されます。購入資金が貸借額，配当が返済の一形態だと考えられますから，株式は企業に資金を貸す手段にほかなりません。ただし，負債型証券と違って配当の有無や額はあらかじめ約束されておらず，ゼロでも株主は文句をいえません。これは，企業が行うさまざまな支払いの優先劣後関係▶において，**配当の劣後性**があるからです。たとえば従業員の賃金，取引先に支払う代金，税金などは配当に優先しますし，社債や銀行借入等の負債があれば，その金利や元本の返済を優先する必要があります（6.1.1 節も参照）。配当は，利益の中からこれらをすべて支払った後でも残額があった場合にのみ支払われます。しかも，経営上の選択としてその残額すら配当しないことがあります。残った利益を将来の事業に使うために置いておく，**内部留保**▶にする場合です[8]。

▶優先劣後関係
⇒5.2.2

▶内部留保⇒14.2.2

また，株式の場合，永久債と同様に満期や返済期限はありません。このため，基本的には配当だけが返済の手段です。とはいえ，他人に売却することができればその売却代金も貸手（株主）への返済額に相当します。売却代金は株式の価格である**株価**によって決まります。一部の債券と同様に，株式の中には売買を行うための専用の市場（**株式市場**▶）が整備されているものがあり，そこでは株式の需要と供給が釣り合うように株価が決定されます。

▶株式市場⇒9.3.3

企業の資金調達では，株式も債券もともによく用いられます。また，両者の性質を併せ持つ証券が使われることもあります。社債ではあるが，一定の条件のもとであらかじめ定められた価格で株式に転換することができる**転換社債**，新しく発行される株式を受け取ることのできる**新株引受権付社債**などで，これらも企業にとって重要な資金調達手段です[9]。

なお，株式は企業の資金調達手段の1つですが，単なる資金調達手段を超えた重要な特徴も持っています。それは，株式の保有が企業の所有権を表す，という特徴です。株主は当該企業の所有者であり，企業の重要な意思決定を行う**株主総会**における**議決権**を持つため，企業の意思決定に直接関わることができます。議決権の半分以上を保有する株主は，自分が望むように議案を決定し，その企業の経営をコントロールする

---

[8] さらに，企業が経営破綻し，残った資産を売却して利害関係者に分配する清算型の破綻処理▶が行われる場合にも，株主は後回しになります。株主には，ほかの関係者に対する分配が行われた後でも財産が残った場合にはじめてその財産（残余財産）を受け取る権利があり，この権利は**残余請求権**と呼ばれます。

[9] 新株引受権付社債は，発行者とほかの金融取引を行う権利（ワラント）を保有者に与える**ワラント債**の一種です。新株引受権以外のワラントとしては，同じ債券をさらに購入できる権利，一定の比率で特定の通貨をほかの通貨に交換できる権利，などがあります。ただし，新株引受権付社債だけを指してワラント債ということもあります。

▶破綻処理⇒6.1.2
Column 6-1

ことができます[10]。

2.1.3 金融に関するさまざまな概念

金融に関するさまざまな説明を理解するためには，上記のような用語や証券のタイプを理解することに加え，さまざまな概念を理解しておく必要があります。ここではこうした金融（貸し借り）に関連する概念を説明します。こうした概念はいずれも重要かつ基本的なものであり，第3章以降の部分で何度も繰り返し登場することになります。

説明をわかりやすくするために，以下では次の4つの例を使って説明します[11]。

[例1]　1年満期で満期時に元本と利息（金利1％）を受け取る定期預金に10万円預けた。

[例2]　ある企業が銀行から5％の固定金利で返済期間10年の借入1000万円を受けた。

[例3]　5年後に額面550万円が償還される割引国債を500万円で購入し，最後まで保有した。

[例4]　100万円で株を買い，1年後に1000円を配当として受け取り，2年後2000円の配当を受け取ったあと99万円で売却した。

《キャッシュフローとインカムゲイン・キャピタルゲイン》　一般に，資金のやり取りが行われるとき，やり取りされる資金の動きを**キャッシュフロー**（cash flow），そのうち受け取りを**キャッシュインフロー**（cash inflow），支払いを**キャッシュアウトフロー**（cash outflow）といいます。ここで，貸し借りに伴うキャッシュフローを，貸手の立場から考えてみましょう。当初の貸出や証券購入に伴って支払うキャッシュアウトフロー（つまり貸借額：借手からみればキャッシュインフロー）をLとします。その後の返済あるいは証券売却によって得られるキャッシュインフロー（借手にとってのキャッシュアウトフロー）をRで表します。ただし，毎年利払いを行う債券のように，キャッシュインフローは複数の時点で発生することがあります。そこで，時点をtで表し，各t時点でのキャッシュインフローをR_tとしましょう。$t=0$を貸借の時点，$t=1,2,\cdots$をその後の時点（たとえばt年後）とすると，貸手には$t=0$時点でキャッシュアウトフローLが発生し，その後各t時点でキャッシュインフローR_tを

---

10)　株式が所有権を表すことを顕著に示す例が，資金を受け取らずにタダで追加の株式を発行する**無償増資**です。無償増資は，議決権や将来の利益配分を調整するために行われ，資金のやり取りを伴わないので，資金調達を目的としていません。

11)　これらの例では，債券の金利や元本はもちろん，配当や株価まですべて値がわかっていますが，実際にはこうした値は事後的にしかわかりません。契約上の（約束された）値は確定しているかもしれませんが，約束どおりに支払いが行われるかどうかは事前にはわからないからです。こうした状況は，次章以下で詳しく扱います。

得ることになります。

これらの記号を用いて，上記の例におけるキャッシュフローを表すと，以下のようになります。

[例1]　$L = 10$ 万円，$R_1 = 10$ 万 1000 円

[例2]　$L = 1000$ 万円，$R_1 = \cdots = R_9 = 50$ 万円，$R_{10} = 1050$ 万円

[例3]　$L = 500$ 万円，$R_1 = \cdots = R_4 = 0$ 円，$R_5 = 550$ 万円

[例4]　$L = 100$ 万円，$R_1 = 1000$ 円，$R_2 = 99$ 万 2000 円

ここで，貸し借りに伴うキャッシュフローはさまざまな形（名前）で発生することに注意してください。どの例も金融取引ですから，貸手には当初キャッシュアウトフロー L が発生し，その後キャッシュインフロー R が発生します。しかし，L は元本を表すこともあれば（例1や2），証券の価格（例3の債券価格や例4の株価）を表すこともあります。また R_t は金利（例1，2），額面（例3），配当（例4）あるいは（将来の）証券価格（例4の2年後の株価）などさまざまな形を取ります。

貸手にとってのキャッシュインフロー（R_t）のうち，金利・配当の形を取るものは，特に**インカムゲイン**と呼ばれます。例1では R_1 のうち 1000 円分，例2では R_1 から R_9 の 50 万円と R_{10} のうちの 50 万円分，例4では R_1 の 1000 円と R_2 のうちの 2000 円分がインカムゲインです。これに対し，購入した証券をその後売却して資金を回収する場合，売却金額（売却時の証券価格）が当初の購入金額（当初の証券価格）を上（下）回っていれば，差として得られる収益（損失）を**キャピタルゲイン**（**キャピタルロス**）と呼びます。キャピタルゲイン（キャピタルロス）は証券売却の形で得られた R_t と，当初の L の差額で表されます。上記の例では，例4が1万円のキャピタルロスが発生した例になります。株式の場合，株価の変動が大きく，高いキャピタルゲインが得られることがあるため，たとえ配当が少なくても投資家はキャピタルゲインを求めて購入する可能性がありますが，逆に大きなキャピタルロスを被る可能性もあります。

《**収益率**》　当初貸した額（つまりキャッシュアウトフロー）に対し，増えて返ってきた額の割合を**収益率**と呼びます[12]。どのような証券を用いるにせよ，貸手は貸したおカネが増えて返ってくる（返済される）ことを期待して貸します。もし収益率がマイナス，つまり貸した額よりも少ない額しか返ってこないとわかっていれば，資金を提供してくれる貸手はいないでしょう。貸手は資金を貸すことによっておカネの使用をしばらく待っている（我慢している）と考えることができますから，正の収益率はこの我慢に対する対価（報酬）だと考えることもできます。この点については 2.3 節で

---

[12]　ここでいう収益率のことを，**利回り**と呼ぶこともありますが，利回りという場合，分子にキャピタルゲインを含めないこともあります。

詳しく説明します[13]。

上記の例で，収益率を求めてみましょう。例1の場合は簡単です。(101,000 − 100,000)/100,000 ですから，収益率は1％で金利と同じです。例3はどうでしょうか。同様に計算すると，(550万 − 500万)/500万で10％となります。ただし，これは5年間の収益率である点に注意してください。比較を容易にするため，金融の世界では通常1年あたりの収益率を考えます。しかし，10％を5（年）で割れば1年あたりの収益率になるわけではありません。金利に付く金利まで考えた，**複利**で計算する必要があるからです（Column 2-1参照）。例3のような場合，複利計算における1年あたりの収益率を求めるのはそう簡単ではありません。さらに難しいのは例2や例4の場合で，複数年にわたってキャッシュインフローがある場合，収益率は簡単には計算できません。

長い期間にわたり，しかも複数回のキャッシュインフローがある場合，1年あたりの収益率は，次の式のように定義することができます。

$$L = \frac{R_1}{1+\rho} + \frac{R_2}{(1+\rho)^2} + \frac{R_3}{(1+\rho)^3} + \cdots \tag{2.1}$$

この式に L や R_t の値を代入し，左辺と右辺を等しくするような ρ（ギリシャ文字で「ロー」と読みます）を求めれば，それがこの貸出（証券）の（1年あたりの）収益率です。この式から明らかなように，収益率はキャッシュフロー（L や R_t）の大きさによって異なり，またキャッシュフローは金利，元本，額面，証券価格，配当などさまざまな形を取りますから，収益率は貸し借りのさまざまな条件に依存して決まることがわかります[14]。

ただし，(2.1) 式を使っても，収益率を実際に計算するのはそれほど簡単ではありません。例1の場合には，この式を用いても $1+\rho = R_1/L = 101000/100000 = 1.01$ となり，$\rho = 0.01$（つまり1％）であることが簡単にわかります。しかし例2，3，4の場合には，(2.1) 式を「$\rho = \cdots$」という形に書き直すのは難しく，どのようにすれば ρ の値が求まるのか簡単にはわかりません。ただし，コンピュータのソフトウェア（表計算ソフト）にはこうした計算を行ってくれるコマンドを用意しているものがたくさんありますから，それらを使えば実際に値を求めるのもそう難しくはありません（⇒練習問題 2.2）。

なお，上の例からもわかるように，1年後に金利と元本を受け取る負債型証券（例1）のような特殊な場合を除き，金利と収益率は一般には異なります。ただし，貸出額 L（あるいは当初のキャッシュアウトフロー）が同じであるかぎり，金利が高い証券ほど収益率が大きくなります。(2.1) 式でいえば，金利が高いと右辺のいずれかの R_t が大きくなります。左辺の L が変わらなければ，同じ式を成立させるために，右

---

[13] 返済が行われない可能性（不確実性）を考えた場合，プラスの金利はリスクに対する補償という意味も持ちます。詳しくは 3.2.4 節を参照してください。

[14] 金利，配当，収益率，証券価格の間の関係については，証券価格の決定を説明する 9.4 節で詳しく説明します。

> **Column 2-1　単利・複利と実質・名目**
>
> 　金利や収益率にはいくつかの種類があります。第1に，金利や収益率は単利表示か複利表示かで異なります。この違いは，金利で増えた分がさらに増えることを考えるかどうかの違いであり，考えないのが**単利**，考えるのが複利です。別な言い方をすると，元本に対する金利や収益率だけを考えるのが単利で，得られた金利・収益に対する金利や収益率も考えるのが複利です。金利（収益率）を r として式で表すと，今の1円は単利の r では，
>
> $$1 \to (1+(1\times r)) \to (1+(1\times r)+(1\times r)) \to (1+(1\times r)+(1\times r)+(1\times r)) \to \cdots$$
>
> と増えるので t 年後には $1+r\times t$ 円になりますが，複利では，
>
> $$1 \to (1\times(1+r)) \to (1\times(1+r)\times(1+r)) \to (1\times(1+r)\times(1+r)\times(1+r)) \to \cdots$$
>
> と増えるので t 年後には $(1+r)^t$（$1+r$ の t 乗：$1+r$ を t 回かけ合わせたもの）になります。たとえば $r=7$% の場合，10年経てば単利では1.7倍（$1+0.7\times10$）ですが，複利では元本の約2倍になります。本文の例3は，5年間の単利で10%増えたことを表しており，1年ごとに2%増える場合（5年後には1.02の5乗＝約1.104倍）よりも小さくなります。
>
> 　第2に，同じ金利（収益率）でも物価水準の違いを考慮するかどうかに注意する必要があります。物価の変化を差し引いて考えるのは実質の金利（収益率）であり，差し引かないのが名目の金利（収益率）です。通常，金利や収益率は物価によって変化しないので名目の値です。しかし，たとえば1年後に2%増えて返ってくる，という場合を考えると，もし1年後も物価が同じであれば，返ってきたおカネで買えるものは今の1.02倍に増えますが，もし世の中のモノの値段がすべて2%増えていれば，買えるものは今と変わらないはずです。物価の変化を考慮に入れ，得られる資金で実際に買えるものの価値を考慮した金利が**実質金利**（収益率）です。実質と名目の金利（収益率）は物価の上昇率（**インフレ率**）の分だけ異なり，以下の式で表されます。
>
> 　　実質金利（収益率）＝名目金利（収益率）－インフレ率
>
> この式は，この関係を示した経済学者の名前を取って，**フィッシャー（方程）式**（フィッシャー仮説）と呼ばれています。

辺分母の ρ が大きくならなければなりません。このことは，ある証券の金利と収益率は常に同じ方向に動く，ということを意味しています。この関係もあって，金利と収益率はしばしば混同されることがあるようですが，両者は厳密には違うものを表していることに注意してください。

《金融取引の「価格」》　最後に，金融取引における「価格」という言葉について，少し触れておきたいと思います。モノやサービスの取引では，そのモノやサービスの価値を表す価格が付き，買手はその価格を売手に支払う代わりにモノやサービスを受け取ります。経済学では，価格は市場において需要と供給を調整する重要な取引条件だと考えます。価格が高いほど売り（**供給**）が増えるが買い（**需要**）は減り，逆に価格が低いほど売りは減るが買いが増えることで，需給を均衡させるように価格が決まる，と考えられるからです（図2-4）。この想定は，**需要と供給の法則**と呼ばれます[15]。

　金融取引の場合にも，同様の関係を想定するのは自然でしょう。では，金融取引の価格，つまり金融市場で資金の需要と供給を調整するものは何でしょうか。例3や例4のように，証券自体に価格が付いている場合，その価格こそが金融取引の価格であるかのように思えます。しかし，上記のとおり，価格が付いていない証券もたくさんあります。こうした証券でも，例1や例2のように金利が付いていれば，金利は需要と供給に影響するでしょうから，金利が価格である，ということができそうです。し

---

[15]　以上はミクロ経済学の基本です。詳しくはたとえば伊藤（2018）の第1章を参照してください。

■図2-4 市場の均衡

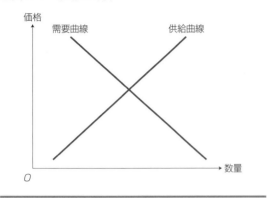

かし，金利という名前でキャッシュフローが発生することのない証券もたくさんあります。さらにややこしいことに，定期的に支払われる金利があるにもかかわらず，債券自体に価格が付くことがあります（利付国債など）。

このようにわかりにくいのは，金融取引には単一の「価格」が存在しないからです。貸し借りの条件の表し方は証券によって異なり，また複数の条件が同時に存在することもあります。上記の例のように，金利，元本，額面，証券価格など，金融取引に伴うおカネの出入り（つまりキャッシュフロー）はさまざまな形を取り，これらすべてが貸手（証券の買手）と借手（売手）にとってのその証券の価値，ひいては需要と供給を決めます。このため，図2-4のように単一の価格で需要と供給が決まるわけではありません。

ただし，さまざまな条件があるとしても，結局需要と供給を決めるのは，その証券を買うとどれだけ増えて返ってくるか（借手からするとどれだけたくさん返さないといけないか），だと考えられます。これを表すのは先に説明した収益率です。このため，結局は収益率が図2-4の価格に最も近いと考えるのが自然でしょう。ただし（2.1）式で表されているように，収益率は金利，元本，額面，証券価格によって変化するので，これらの条件が価格を表すといっても完全に間違いではありません[16]。

結局，大事なのは以下を理解しておくことでしょう。まず，①金融取引は証券という形で貸し借りの条件を定めており，それによってさまざまな形でキャッシュフローが発生します。また，②証券のタイプに応じ，金利や配当や額面などさまざまな名前の付いた貸借条件が定められます。そして，③さまざまな貸借条件は相互に関連しながら収益率を決め，全体として証券の需要と供給に影響しているのです。

2.2　金融の実態

2.2.1　貸し借りの規模

世の中ではどれくらいの貸し借りが行われているのでしょう。個々の金融商品を通じて行われる貸し借りを集計すると，経済全体では膨大な額の貸し借りが行われています。表2-3は，2023年3月末時点で日本で保有されている主な金融資産（証券）の残高，つまりその時点でこれらの証券を使って貸し借りされている資金の総額を示

---

16) 金融取引の価格は何か，という問題とは別に，金融取引（資金）の需要と供給はそれぞれ本当に図2-4のように右下がりと右上がりの曲線なのか，という問題もあります。2.3.4節を参照してください。

したものです。その総額は 6254 兆円にのぼっています。大雑把な比較ですが，2023 年度の日本政府の財政規模（当初予算の歳入・歳出額）は約 114.4 兆円，トヨタ自動車の 2022 年度の売上高（営業収益）は約 37.2 兆円です。いかに大きな額の貸し借りが行われているのかがわかりますね。

表に示された各金融資産の比率を比較すると，最も多いのは企業が資金を集めるために使う株式です。次に多いのは国債・財投債で，政府も主要な借手であることがわかります[17]。さらに，民間金融機関が企業・家計・政府などに対して貸付を行う民間金融機関貸出が続いています。また，預金者が金融機関に預け入れる預金も多く，一定期間預け入れを行う定期預金と，預け入れと引き出しが容易な**流動性預金**と呼ばれる預金（普通預金や当座預金▶）を合わせると，株式よりも大きな額になります。これらと比べると，地方政府が借入のために発行する地方債や企業が借り入れるための事業債はそれほど多くありません。

■表 2-3　日本の主な金融資産（2023 年 3 月末現在）

主な資産	金額（兆円）	割合（%）
現金	126.8	2.0
流動性預金（普通預金，当座預金等）	998.9	16.0
定期性預金	639.3	10.2
民間金融機関貸出	1,034.9	16.5
公的金融機関貸出金	283.7	4.5
国債・財投債	1,080.0	17.3
地方債	75.9	1.2
事業債	98.6	1.6
株式	1,364.1	21.8
保険・年金・定型保証	551.8	8.8
合計	6,253.9	100.0

（出所）　日本銀行「資金循環統計」より筆者作成。

▶普通預金・当座預金⇒1.3.3

ひとつひとつの貸し借りを個別にみれば，どれもその時点で資金に余裕のある人が貸し，余裕のない人が借りていることになります。しかし，表のように経済全体でみると，大体決まった人が貸し，決まった人が借りるというパターンがみられます。このパターンを捉えるためには，マクロ経済学のように，似たような経済活動を行う経済主体（経済部門）を集計して考えます。その中でも特に代表的な 3 つの経済部門は，家計・企業・政府です。

この 3 つの経済部門について，それぞれの貸し借りの規模をみたのが図 2-5 です。この図は，3 つの経済部門それぞれが 2023 年 3 月末時点で保有する金融資産残高（貸している額：左側），金融負債残高（借りている額：右側）を示したものです。図から明らかなように，日本における貸手の代表は家計部門です。家計は借入も行っていますが，それよりもはるかに多い額を貸しています。これに対して，日本では企業と政府が借手になっています。図のように，両者とも借りるだけでなく貸してもいるのですが，資産と負債の残高の差からわかるように，借入の方が多くなっています。また，政府よりも企業の方が，たくさん借り入れていることがわかります。

このように多額の貸し借りが行われているからには，貸すだけの理由，借りるだけの理由があるはずです。なぜこうした経済部門は貸し借りをしているのでしょうか。貸し借りすることにはどのようなメリットがあるのでしょうか。こうした疑問に対す

17）　財投債は国債の一種で，財政投融資と呼ばれる事業のために発行されるものです。詳しくは 8.3.3 節を参照してください。

■図 2-5　家計・企業・政府の貸し借り
（2023 年 3 月末時点）

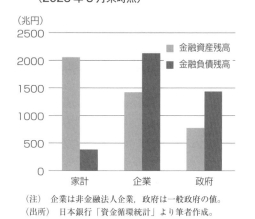

（注）　企業は非金融法人企業，政府は一般政府の値。
（出所）　日本銀行「資金循環統計」より筆者作成。

る答えは 2.3 節で示しますが，その準備のためにも，3 つの経済部門がそれぞれどのような形で実際に貸し借りに関わっているのかみておきましょう。

2.2.2　家計の貸し借り

家計部門の代表として一般的な家庭を考えてみると，典型的には誰かが働いて毎月所得（給料）を得て，その中から食費や公共料金，交通費，教育費などの支出を行っているでしょう。支出を差し引いても残った額は，預金（貯蓄），国債や投資信託の購入など，さまざまな金融商品の購入に充てられます（図 2-6(a)）。この金融商品の購入額が，家計が貸した額にほかなりません。

多くの人は，老後の備えについて考えているでしょう。勤労期間は労働所得を得ることができるのに対し，引退後は所得が減ります。何もしていなければ引退後に突然慎ましい生活を余儀なくされます。勤労期間に得た所得を貸し付け（貯蓄し），引退後に返済を受けられれば，引退後もそれなりの消費を維持できます。老後に備えた貯蓄はこうした目的のための金融取引です。引退後の資金を提供してくれる手段には，年金▶もあります。

▶年金⇒7.1.3
Column 7-1

もちろん，場合によってはおカネを借りている家計もあるでしょう。たとえば，車や家など大きな買い物をする場合，突然大きな支出が必要になるわけですから，毎月の資金のやりくりだけではとても間に合いません。このような場合，将来得られる所得を使って返済することを前提に，長期の借入である**住宅ローン**や**自動車ローン**を借りることになります（図 2-6(b)）。こうした借入の多くは銀行などの金融機関から行われています。

2.2.3　企業の貸し借り

《資金繰りと短期の借入》　次に，企業の経済活動を考えてみましょう。製造業であれば，原材料を購入し，人手と機械を使ってそれを加工し，製品を作って売る，というのが事業の典型的なパターンです。小売業の場合には，商品を仕入れ，場所や設備，人を確保してそれを売ります。しかし，こうした事業を行うためには資金が必要です。働いてくれる人に給料を払い，土地や建物の賃料を払い，機械をメンテナンスし，原材料や商品を仕入れるなど，さまざまな支払いを行う必要があるからです。事業を行っていくうえで経常的に必要となるこうした資金を，**運転資金**と呼びます。

多くの企業にとって問題なのは，製品や商品が売れて収入を得るよりも前に運転資金が必要になることです。たとえたくさんの売上が見込める事業だとしても，得られていない売上を運転資金に使うことはできません。一般に，企業はひと月単位で支出

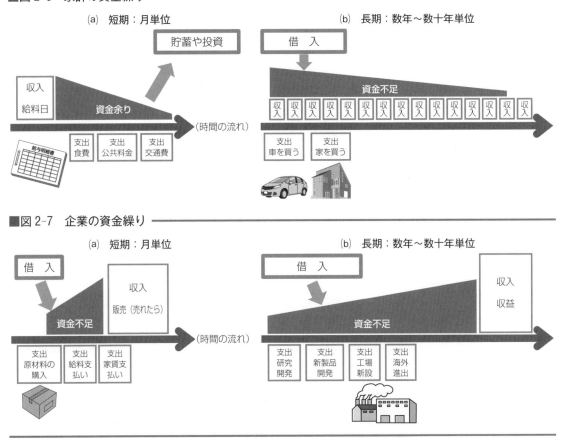

■図 2-6　家計の資金繰り

■図 2-7　企業の資金繰り

と収入のサイクルを回しています。当初は支出が多いため資金不足状態ですが，収入が入ってくれば一気に資金余剰状態になります（図 2-7(a)）。このように，先に出ていく支出と後で入ってくる収入とのギャップを日々どう埋めるかが，企業が直面する**資金繰り**の問題です。

　当初から十分な資金があれば，資金繰りを気にする必要はありません。**内部資金**，つまり過去の事業から得た収益など自分の持っている資金から支出できるでしょう。しかし，最初から十分な資金を用意できるお金持ちの企業は多くないはずです。資金繰りを解決する一番簡単な方法は，資金の収支のサイクルに対応した短期間の借入（短期借入）を行うことです。ひと月後に収入が得られることがわかっているのですから，その収入を返済に充てることを約束して短期の借入をすればよいのです。実際に，企業は定期的に短期の借入を行い，運転資金を賄っています。

　運転資金の重要な調達方法は，金融機関からの借入です。優良企業であれば，コマーシャルペーパー▶という証券を発行して短期借入を行うこともできます。また，取引先（仕入先や販売先）との間での企業同士の貸し借りを行うことも頻繁に行われています。企業同士の取引（たとえば材料や商品の仕入れ）の場合，買手は代金を掛けにする，つまり後払い（ツケ）にするのが一般的です。掛けによる売買は，買手が代

▶コマーシャルペーパー(CP)⇒9.2.2

金分の資金を売手から借りていることにほかなりません。こうした貸し借りは**企業間信用**と呼ばれ（Web Appendix 2.1 参照），掛けでの売買は**信用取引**と呼ばれます。企業間信用のツケ払い・後払いを行うために用いられる支払指図手段の1つが，1.5.1 節で紹介した手形です。ただし，近年では手形の利用は減っており，預金の振込を使った企業間信用が増えています。

《投資と長期借入》　資金繰りは短期の問題ですが，長期的にみても企業の支出と収入のパターンは一致しません[18]。企業はすでに確立した日々の事業を継続するだけではなく，研究開発や設備の増強・更新，国内外への新たなビジネス展開など，常に将来を見据えた**実物投資**▶を検討し，新しい収益源を生み出そうと努力しています。投資は新たなビジネスを生み出す源泉であり，投資を行うかどうか，いくら行うか，いつ行うか，といった判断は企業の経営を大きく左右します。

▶実物投資⇒2.1.1

設備の増強・更新のための投資に必要な資金は**設備資金**と呼ばれます。設備資金は巨額であり，またその成果が出て収益が得られるのは何年も先のことなので，投資した資金を回収するには長い時間がかかります。このため，設備資金の支出は運転資金よりもはるかに長いスパンと大きな規模で，企業を資金不足の状態にします（図 2-7 (b)）。このため，企業が自前で設備資金を用意するのは困難です。そこで行われるのが，長期の資金調達です。その方法はさまざまで，新たに株式を発行したり，社債を発行したり，金融機関から長期借入を行ったりと，いろいろなやり方があります[19]。

2.2.4　政府の貸し借り

《政府の借金》　最後に政府の経済活動を考えてみましょう。政府は，教育・防衛・防災・司法・年金・医療保険など，民間では提供することが難しいさまざまな公共サービスを提供しています（14.1.4 節参照）。こうしたサービスの提供には，当然のことながら費用がかかります。この費用を賄うために，政府は国民から強制的に税金を徴収することによって，収入を得ています。

政府の支出（歳出）と収入（歳入）を示したのが図 2-8 です。ここに示されているのは 2023 年度の政府の一般会計予算の数値です[20]。図の左側には歳出の内訳が示されていますが，高齢化に伴い社会保障関連の支出が増大し，また都道府県や市町村など地方公共団体への支出（「地方交付税交付金等」）も大きな額にのぼっています。

---

[18]　長期と短期の境目は明確に決まっているわけではありませんが，金融の実務においては通常 1 年未満の借入（貸出）を短期借入（貸出），1 年以上の借入（貸出）を長期借入（貸出）と分類します。

[19]　どのようにすれば適切に投資（実物投資）を行うことができるのか，そのための資金をどのように調達すべきか，といった問題は，金融・ファイナンスの一分野である**企業金融（コーポレートファイナンス）**の分野で扱います。企業金融に関しては砂川（2017）などを参照してください。

[20]　政府は複数の会計を持っています。その 1 つ 1 つが別々の財布のようなもので，基本的・一般的な経費を扱うのが**一般会計**です。そのほかに，特定の活動について経理を明確にするための**特別会計**が複数存在します。

歳出の元手となるのが右側に示されている歳入です。税金による収入（「租税及び印紙収入」＋「その他収入」）が政府本来の資金源ですが，その額は歳出の7割弱しかありません。税収を大きく超えて支出が増大しているためです。このように歳入が歳出を下回る状態が，**財政赤字**と呼ばれる状態です。

足りない資金はどのように得ているのでしょうか。その方法が，政府の借金である国債の発行（図の「公債金」）です。よく知られているように，長く続いている財政赤字により日本政府の借金の残高は膨大な額にのぼっており，歳出においても借金を返すための「債務償還費」や金利を支払うための「利払い費等」を合わせた「国債費」が大きな割合を占めるようになっています。

■図 2-8 政府の収支（予算）

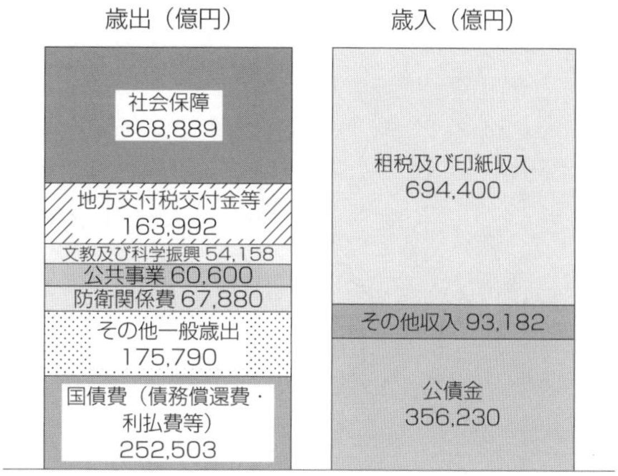

歳出（億円）
- 社会保障 368,889
- 地方交付税交付金等 163,992
- 文教及び科学振興 54,158
- 公共事業 60,600
- 防衛関係費 67,880
- その他一般歳出 175,790
- 国債費（債務償還費・利払費等）252,503

歳入（億円）
- 租税及び印紙収入 694,400
- その他収入 93,182
- 公債金 356,230

（出所）　財務省ホームページ「令和5年度予算政府案（令和5年度予算のポイント）」より筆者作成。

《政府の資金繰り》　国債は長期の借入のために発行するものですが，政府は短期的な資金繰りの調整も行っています。図 2-9 は，政府が持つある預金口座の残高の，2022年度中の推移を示したもので，この動きをみると政府の資金繰りがよくわかります[21]。図に示されている薄い線は，政府が本来保有する（資金繰り調整前の）資金の残高です。この残高は，税収や年金保険料の徴収など収入があると増え，年金支払いや地方公共団体への支払いなど支出があると減ります。1カ月ごとに多少似たようなパターンがみられることから，毎月決まった日に収入と支出が得られることがわかりますが，季節的な要因による増減もみられます。

この残高がプラスで余裕資金が生じると，政府は資金不足状態にあるほかの特別会計等にその資金を融通します。これに対し，残高がマイナスになり，資金不足状態に陥ることが見込まれると，政府は**政府短期証券**▶と呼ばれる証券を発行し，短期の借入を行います。こうした調整（資金繰り）後の資金の残高を表すのが濃い線であり，この残高が実際の預金口座の残高として観察されます[22]。

▶政府短期証券
⇒9.2.3

---

21)　この口座（「国内指定預金の一般口」）は，図 2-8 に示された一般予算に加え，特別会計の一部に用いる現金を管理するための口座です。
22)　図のとおり，2022年度は国内指定預金（一般口）の調整前の残高が一貫してプラスであったため，同預金口座の資金繰りを調整するための政府短期証券は発行されませんでした。

■図2-9 政府の資金繰り：2022（令和4）年度の国内指定預金（一般口）の状況

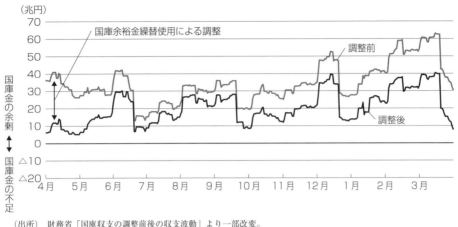

（出所）　財務省「国庫収支の調整前後の収支波動」より一部改変。

2.3　貸し借りする理由*

　以上のように，経済の中ではさまざまな経済主体が短期の資金繰りや長期の資金調達のために金融取引を行っています。ここではこうした貸し借りが行われる理由を経済学の観点から説明します。金融取引を行うことの意味，あるいは金融のメリットは，そもそも貸し借りがまったく行えない場合にどんな問題が発生するかを考えれば理解できます。以下では経済学の基本的な理論モデルを用い，貸し借りが行われる理由を考えてみましょう[23]。

2.3.1　設　定

《所得，消費と効用》　以下のような状況を考えてみましょう。まず，「現在」（$t=0$ と表します）と「将来」（$t=1$）という2つの時点があるとします。今日と明日，今と1年後など，わかりやすい時点を想像してもらってかまいません。2.2.2節の家計の例でいえば，所得を得た時点や勤労期間が $t=0$ で，その所得を使う時点や引退後が $t=1$ にあたります。

　次に，登場人物としてAさんという人を考えましょう。Aさんは給料やバイト代などの形で所得を得ます。この所得がAさんが自由に使える資金であり，以下では記号 Y（現在を Y_0，将来を Y_1）で表すことにします。ここで，Aさんが得る所得は具体的に $Y_0 = Y_0^A$ と $Y_1 = Y_1^A$ という値だったとします（Y_0^A，Y_1^A の代わりに，「〇〇円」という具体的な数字を入れてもかまいません）。この所得を図示したのが図2-10です。図の横軸は現在の所得 Y_0，縦軸は将来の所得 Y_1 を表し，Aさんが使える現在

---

[23]　以下の理論モデルは，ミクロ経済学で学ぶ家計行動のモデルと基本的に同じです。伊藤（2018，第5章）などのミクロ経済学の教科書を参照してください。

と将来の資金の組み合わせは点 P^A で表されています。

Aさんが金融取引を行うのは，行うことによって何かよいことがあるからです。そこで，この「よい」程度（望ましさ，嬉しさ）を測る指標を考えましょう。Aさんは，得られる所得を使って服を買う，電車に乗る，といった**消費**を行うはずです。何を，どれだけ，いつ，というように，消費のやり方にはさまざまなパターンが考えられ，それぞれのパターンにはそれぞれの「よさ」があるはずです。経済学ではこのよさ，あるいは好みを**選好**と呼び，**効用関数**によって表される**効用**の大きさによって表します。効用関数は，さまざまな消費パターンに対して望ましさの点数を付けるもので，大きな値をもたらす消費パターンほど望ましい，嬉しい，と考えるわけです。

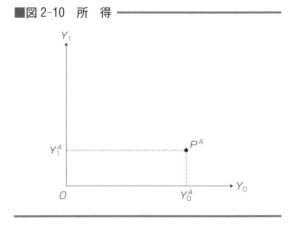

■図 2-10 所 得

上記の設定の場合，得られた所得を使い，現在と将来の2時点でどのように消費するかを考えます[24]。現在，将来の消費をそれぞれ C_0, C_1 で表すことにし，Aさんの選好は C_0, C_1 の大きさに応じて値が変わる効用関数 $U_A(C_0, C_1)$ で表されるものとします。この値によって，Aさんにとっての消費の望ましさ，嬉しさを測るのです[25]。

《無差別曲線》 よほどの変わり者でなければ，現在でも将来でもたくさん消費するほど嬉しさが増すはずです。Aさんもそうだとすると，C_0 あるいは C_1 の値が大きくなるほど $U_A(C_0, C_1)$ の値は大きくなります。これを図示したのが図 2-11 の矢印です。この図の横軸は現在の消費 C_0，縦軸は将来の消費 C_1 を表し，矢印はそれぞれの消費が大きいほど，つまり右あるいは上方向にいくほど効用関数の値が大きくなることを表しています。

この図の上で，何か特定の消費の組み合わせを考えてみましょう。たとえば図中の点 X' は，現在の消費が C'_0，将来の消費が C'_1 であるような組み合わせです。Aさんが点 X' で消費したとすると，そのときの嬉しさは $U_A(C'_0, C'_1)$ の値として表されます。この値を $U'_A (= U_A(C'_0, C'_1))$ としましょう。

次に，別の消費の組み合わせを考えてみましょう。まず，将来の消費を C'_1 から C''_1 に減らしてみます（図中の小さな矢印①）。これによってAさんの効用は減少します。ただし，その代わりに現在の消費を C'_0 から増加させてみましょう（図中の小さな矢印②）。この増加は効用を増加させます。ここで，仮に現在の消費が図中の C''_0

---

[24] ここでは説明を簡単にするために2つの時点しか考えていませんが，人々の生涯にわたる消費と貸し借りを捉えるためには，より一般的な多期間のモデルが必要です。こうしたモデルについては二神・堀 (2017, 第2章) などを参照してください。

[25] ここでは効用関数を一般的な関数で表していますが，実際にはさまざまな形がありえます（たとえば $U_A(C_0, C_1) = (C_0)^{1/2}(C_1)^{1/2}$ （$= \sqrt{C_0 C_1}$）など）。

■図 2-11 無差別曲線

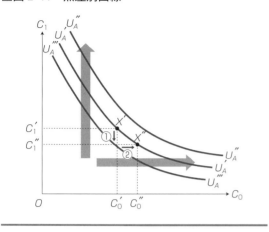

にまで増えたとき（点 X''），新たな効用の大きさ $U_A(C_0'', C_1'')$ が，ちょうど元の効用 $U_A'(= U_A(C_0', C_1'))$ と同じになったとしましょう。

同じように考えると，効用が点 X' のときと同じ点（点 X'' のような点）は，現在消費が C_0' よりも大きく将来消費が C_1' よりも小さい部分に，ほかにもたくさん存在するはずです。また，現在消費が C_0' よりも小さく将来消費が C_1' よりも大きい部分にも，やはり点 X' と効用が同じ点があるはずです。こうした点をつないでみると，同じ効用（ここでは U_A'）をもたらす消費の組み合わせを表す曲線が引けます。当然ながら，この曲線は右下がりです。ここではその関係が図中の曲線 $U_A' U_A'$ として表されたとしましょう。この曲線は，効用が変わらない（差がない）点の集まりということで，**無差別曲線**と呼ばれます。

U_A' の大きさの効用（をもたらす消費の組み合わせの集まり）を表す無差別曲線は 1 本しかありませんが，ほかの効用を表す無差別曲線は別に存在します。そうした無差別曲線は，効用の大きさごとに無数に存在します。たとえば図 2-11 には，U_A' よりも大きな効用 U_A'' を表す無差別曲線として曲線 $U_A'' U_A''$ が描かれています。U_A' よりも大きな効用を表す無差別曲線は，曲線 $U_A' U_A'$ より右上に位置します。また，U_A' よりも小さな効用を表す無差別曲線を描くこともでき（たとえば曲線 $U_A''' U_A'''$），そうした曲線は曲線 $U_A' U_A'$ より左下に位置します。こう考えるとわかるように，図 2-11 は効用の高さを表す山，つまり右上に行くほど高い山を上から見下ろしたもので，無差別曲線はその山の等高線（高さ）を表しているといえます。

以上，ここまで消費の可能性（どこまで消費できるか）を表す所得と，消費の嬉しさ（どの消費がどれだけ嬉しいか）を表す無差別曲線とを説明してきました。ここまで理解できれば準備は終了です。これらの図を使って金融取引のメリットを考えてみましょう。

2.3.2 貸すことのメリット

《金融取引を行わないケース》 金融取引のメリットは，金融取引を行わない場合よりも行う場合の方が望ましい，という形で示すことができます。まず金融取引を行わないケース（ケース(a)とします）を考えましょう。この場合，A さんは各期に得られた所得をすべてそれぞれの期で消費するはずです。なぜなら，所得よりも消費が少なければ所得が余るはずで，その余りを消費に回せば効用を上げることができるからです。

所得の分だけ消費する状況を表したのが図 2-12 です。この図は消費の可能性（図 2-10）と消費から得られる効用（無差別曲線）（図 2-11）を 1 つの図に描いたもので，曲線 $U^A U^A$ は点 P^A を通る無差別曲線です。ケース(a)の場合，A さんの消費は所得

と同じ点 P^A になりますから，A さんの効用の大きさは無差別曲線 $U^A U^A$ に対応する効用水準（$U(Y_0^A, Y_1^A)$ の値）として表されます。

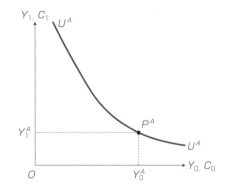

■図 2-12　消費選択：(a) 金融取引を行わないケース

《金融取引を行うケース》　では，金融取引を行うケース（ケース(b)とします）はどうでしょう。貸付（貯蓄でもかまいません）を行えば，その分だけ現在の消費が減る代わりに，将来時点では返済が行われてよりたくさんの消費が可能になります。ここで，この貸付（貯蓄）額を S，金利を r とし，現在 S を貸せば将来 $(1+r)S$ が返ってくるものとします[26]。すると，現在の消費は $C_0 = Y_0^A - S$，将来の消費は $C_1 = (1+r)S + Y_1^A$ で表されます。この両式から S を消去すると，

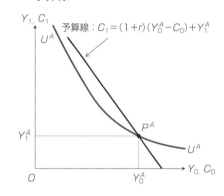

■図 2-13　予算線

$$C_1 = (1+r)(Y_0^A - C_0) + Y_1^A \\ = -(1+r)C_0 + ((1+r)Y_0^A + Y_1^A)$$

(2.2)

という関係（**予算制約式**）が得られます。(2.2) 式を図示したのが図 2-13 の右下がりの直線です。この直線は**予算線**と呼ばれ，式からわかるように点 P^A を通り，その傾きは $-(1+r)$ です。予算線は，貸付額 S を変化させたときに可能な現在・将来消費の組み合わせを表します。S の大きさを選ぶことで，A さんは予算線上の好きな点（消費パターン）を選べるようになるわけです。

A さんが実際に選ぶ，最も望ましい消費（**最適消費**）のパターンは，効用が最も高くなるような消費パターンであるはずです。では予算線の上で最も効用が高い点はどこでしょうか。それは，予算線が無差別曲線と接する点，つまり接点です。これを示したのが図 2-14 です。この図で接点を表しているのは点 $P^{A*}(C_0 = C_0^{A*}, C_1 = C_1^{A*})$ です。もし予算線上のほかの点を選ぶと，その点を通る無差別曲線は接点を通る無差別曲線 U^*U^* よりも常に左下になります。このため，ほかの点では接点における効用よりも低い効用しか得られないことがわかります。なお，接点は予算線の傾きと無差別曲線の接線が等しい点です。予算線の傾き（$-(1+r)$）は金利 r によって決まりますから，最適消費は無差別曲線の形状と金利の大きさによって決まることがわかります[27]。

---

[26] ここでいう S は，当初のキャッシュアウトフローですから，2.1.3 節（(2.1) 式）でいえば L にあたります。

■図 2-14　消費選択：(b)金融取引を行うケース

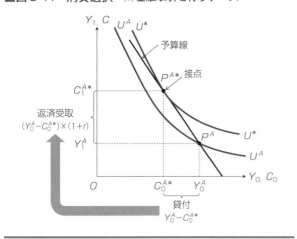

《金融取引のメリット》　金融取引を行わないケース(a)と行うケース(b)で，どのような消費が行われるかがわかりました。そこで，両者を比べてみることにしましょう（図2-14参照）。ケース(a)のAさんの選択はP^Aで，効用は無差別曲線$U^A U^A$で表されています。これに対してケース(b)では，P^{A*}が選択され，無差別曲線は$U^* U^*$です。ここで，$U^* U^*$は$U^A U^A$よりも右上にあることがわかります。つまり，Aさんの効用はケース(a)よりもケース(b)の方が高いのです。このことは，金融取引を行うことによって効用が増加したことを表しています。この効用の増加こそが，金融取引のメリットなのです。

なぜAさんの効用は増加したのでしょうか。金融取引を行わない場合，Aさんは所得の範囲内でしか消費できませんから，各期に得た所得をそのまま消費するほかありません。しかし，点P^Aをみればわかるように，Aさんの所得は今期は高く，来期は低くなっています。このため，ケース(a)ではAさんは今期たくさん消費し，来期は少ししか消費しないことになります。これに対して金融取引が可能なケース(b)では，たとえ今期所得が高かったからといって，それを無理に使って消費する必要はありません。貸す，という選択肢があるからです。最も望ましい点P^*では，Aさんは現時点でY_0^Aの中からC_0^{A*}だけを消費し，残りの$Y_0^A - C_0^{A*}$を貸付に回す代わりに，来期に所得Y_1^Aだけでなく返済の受取$(Y_0^A - C_0^{A*}) \times (1+r)$も使って消費しています。

以上からわかるように，金融取引を行うメリットは，所得と消費を無理に一致させずに済むことにあります。2.2節で示したように，多くの経済主体にとって，得られる所得（収入）のパターンと，望ましい消費（支出）のパターンは異なります。金融取引を行えば，両者を無理に一致させる必要がなくなり，最適な消費を達成できるのです。これが，金融の持つ**異時点間消費（支出）の最適化**と呼ばれるメリットです。Aさんのような場合，異時点間消費の最適化は，貸し借りによって消費のばらつきをならす形で行われます。このことは，**消費の平準化**とも呼ばれます。

---

27)　無差別曲線の傾きは，現在と将来の消費の**限界効用**（消費が1増えたときに効用がどれだけ増加するか）の比率として計算されます。この比率は現在と将来の消費の相対的な価値を表しており，**(異時点間の消費の)限界代替率**と呼ばれます。このため，ここで得られた結果は限界代替率の絶対値を（1＋金利）と等しくするような点が最も望ましいことを表しています。また，限界代替率から1を引いたものは**時間選好率**と呼ばれますから，時間選好率と金利を等しくするのが望ましい，ということもできます。

《金融取引とタンス預金》 以上で，おカネを貸すことのメリットとしての異時点間消費の最適化が理解できました。しかし，実は異時点間消費の最適化はおカネを貸さなくても達成できます。たとえば，所得として得たおカネは，手元に置いておくこともできます。いわゆる「**タンス預金**」（タンスに隠しておくこと）であり，タンス預金は将来の消費に回せます。タンス預金には金利が付きませんが，たとえ金利がなくても，上記と同じ説明を使ってタンス預金が効用を増加させることを示すことができます（⇒練習問題2.3）。なお，タンス預金で異時点間支出の最適化が可能なのは，置いておいても貨幣の価値が大きく変わることがないから，つまり貨幣が価値貯蔵機能▶を持つからにほかなりません。

▶価値貯蔵機能
⇒1.2.3

しかし，貸し借りを行う場合とタンス預金をする場合とでは，大きな違いがあります。貸し借りを行う場合には借手が存在する，ということです。借手も何らかのメリットが得られなければ借りませんから，金融取引は貸手だけでなく借手にもメリットをもたらしているはずです。つまり，貸手・借手ともにメリットが発生することが，タンス預金ではなく金融取引を行うメリットなのです。そこで次に，借りることのメリットを考えることにしましょう。

2.3.3 借りることのメリット

実は，設定を多少変えるだけで，借りることで異時点間消費が最適化できることを示せます。別のBさんを考えましょう。BさんはAさんと同じ効用関数，無差別曲線を持っているものとします。しかし，Aさんと違って現在の所得が少なく，その代わりに将来の所得が多いものとしましょう。これを表したのが図2-15です。Bさんの所得は図中の点 $P^B(Y=Y_0^B, Y=Y_1^B)$ で表されています。Aさんと同様に考えると，Bさんの最適消費は図中の点 $P^{B*}(C_0=C_0^{B*}, C_1=C_1^{B*})$ です（⇒練習問題2.4）。この点は点 P^B を通る無差別曲線よりも右上の無差別曲線上にありますから，点 P^B よりも高い効用をもたらします。

点 P^{B*} を選ぶBさんは，現時点で得られる所得（Y_0^B）よりも多くの消費（C_0^{B*}）を行っています。この差額が借入です。借りたら返す必要がありますから，将来の消費（C_1^{B*}）は返済額（$(1+r)(C_0^{B*}-Y_0^B)$）の分だけ将来所得（Y_1^B）よりも少なくなります。このように，将来になるほど所得が多くなる人は，借入を行うことで効用を増加させることができます。つまり，Bさんのような人にとっては借入が消費を平準化するのです。

ただし，借入を行うのはBさんのように「将来得られる所得よりも現在得られる

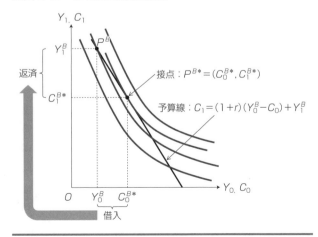

■図2-15 Bさんの最適消費

■図 2-16 「今が大事」な人の無差別曲線

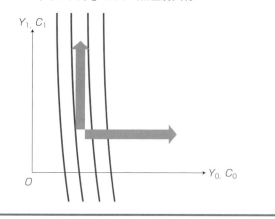

所得が少ない人」だけではありません。効用関数（無差別曲線）の形によっては，たとえ現在の所得が多くても，借入を行う可能性があります。たとえば，もしおカネがあればとにかくすぐ使いたい，将来の消費からはほとんど効用が得られない，というような人がいたとしましょう。こうした人の選好は，図 2-16 のような垂直に近い無差別曲線として表されます。このような場合，将来の消費が増えても（縦方向の矢印）効用はあまり増加しませんが，現在の消費が増えれば（横方向の矢印）効用は大きく増加します[28]。このような人は，所得が得られるパターンとは無関係に，とにかく借入を行おうとすることを示すことができます（⇒練習問題 2.5）。つまり，こうした人の場合，最適な消費のパターン（異時点間消費の最適化）は，消費を平準化するものではなく，できるだけ現在の消費を大きくするものになります。

個人の所得のパターンや選好はさまざまです。このため，世の中には早く消費したい人も，遅く消費したい人もともに存在します。こうした人たちの間で金融取引が行われれば，どちらにとっても効用を増加させることが可能になります。金融取引は，貸手，借手どちらに対しても，自分が消費したいと思うときに，所得の制約を受けずに消費することを可能にします。このように，貸手・借手どちらも同時に異時点間消費の最適化を可能にすることが，金融（取引）のメリットだといえます。

2.3.4　金利の大きさと貸借の均衡

以上の議論を応用すると，金利（金融取引の価格）の変化が貸し借り（金融取引の需要と供給）に与える影響を明らかにすることができます[29]。直観的には，金利が上がると必要な返済額が増えるので，借入は減るように思われます。逆に貸す側からすると，返済が増えるのであれば，もっと貸そうとするように思えます。つまり，縦軸を金利として，図 2-4 のような右上がりの供給曲線と右下がりの需要曲線が出てきそうです。しかし，実は話はそう単純ではありません。

まず，金利は予算線の傾きを表していたことを思い出しましょう。このため，金利の変化は予算線の傾きの変化として表されます。予算線が変化すると，新たな予算線

---

28) この説明は，ミクロ経済学でいえば将来よりも現在の消費の限界効用の方が大きい，ということであり，異時点間の消費の限界代替率（あるいは時間選好率）（の絶対値）が大きいケースにあたります。

29) 2.1.3 節で説明したように，貸し借りの条件にはさまざまなものがあるため，何が金融取引の価格なのかは必ずしも明らかではありません。ただし，ここではこうした条件として金利しか考えていないので，金利を価格と考えて問題ありません。

■図 2-17　金利上昇と貸借の変化(1)

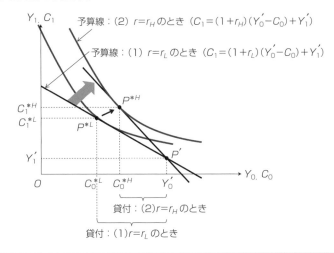

のもとで最適な消費量も変化し，それに伴って借りたい額，貸したい額も変わります。

図 2-17 では，所得が P'（つまり $Y_0 = Y_0'$, $Y_1 = Y_1'$）の人が，(1) $r = r_L$ から (2) $r = r_H$ へという金利の上昇に直面したケースを描いています。(1)の場合，この人は点 P^{*L} ($C_0 = C_0^{*L}$, $C_1 = C_1^{*L}$) で消費を行い，$Y_0' - C_0^{*L}$ だけの貸付を行っていました。ここで金利が r_H に上昇すると，予算線は太い矢印のように点 P' を中心として回転し，傾きが急になります。この変化により，予算線と無差別曲線の接点である最適な消費量は，当初の点 P^{*L} から点 P^{*H} に移り，現在消費量は C_0^{*L} から C_0^{*H} に増加します。これにより，貸付額は $(Y_0' - C_0^{*L})$ から $(Y_0' - C_0^{*H})$ へと減少しました。

なぜ金利が上がったのに貸付が減ったのでしょう。金利が上昇すると，将来得られる返済額が増えます。このため，今貸す額を多少減らしても，将来の返済額を使って消費する量を減らさずに済むようになります。このために，今貸しておく必要性が減るのです。

金利上昇が貸付（資金供給）を減らすのが図 2-17 のケースですが，増やすこともありえます。そうしたケースを示したのが図 2-18 で，金利上昇が今期の最適消費を C_0^{*L} から C_0^{*H} へと減少させ，貸付を増加させています。金利の変化によって資金供給が増えるか減るかはその人の無差別曲線の形によりますから，常にどちらかに決まっているわけではありません。同じことは，借手についてもいえます。金利の変化が借入を増やすかどうかは，無差別曲線の形状によります。このため，縦軸に金利をとって，金融取引（資金）の供給曲線や需要曲線を描いたとしても，その形は必ずしも図 2-4 のように右上がりあるいは右下がりになるとは限りません[30]。

2.3.5　資金の有効利用

ここまで，金融取引のメリットとして異時点間消費の最適化を説明してきました。しかし，金融取引にはもう 1 つ大事なメリットがあります。それは，資金の有効利用

■図 2-18　金利上昇と貸借の変化(2)

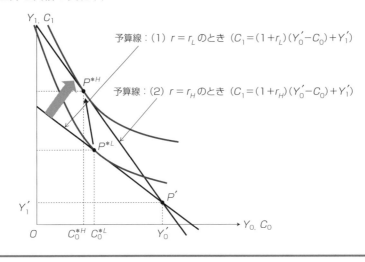

です。ここまでの異時点間消費の最適化の説明で考えてきたのは、与えられた所得の中でどのように消費するかという問題です。そこで考えてきた貸し借りは、所得のパターンどおりに消費することが望ましくない人たちの間で、所得とは異なる消費を可能にするように調整するための手段でした。しかし、この問題は所詮、与えられた所得を貸手と借手でどうやり取りするかという問題で、貸し借りしたからといって全体の所得が増えるわけではありません。

　しかし、現実の貸し借りを考えると、借り入れた資金を使って新たな価値が生み出され、全体としての所得が増加する可能性があります。実物投資▶のための貸し借りが行われる場合などです。たとえば 2.2.3 節でみた企業の設備投資の場合、自ら十分な資金を持たない企業でも、外部から資金を借りることによって将来大きな収益を生み出す可能性があります。得られた収益が借り入れた資金よりも多ければ、経済全体ではより多くの消費が可能になります。経済学の言葉でいえば、資金がより効率的に用いられることになるわけです。これが、金融取引のもう 1 つのメリットである**資金の有効利用**です[31]。

▶実物投資⇒2.1.1

　なお、企業が収益を生み出すためには、生み出す方法に関するアイデア（ビジネスプラン）、それを実現するための労働力、あるいは土地や機械といった実物資産など、

---

30)　この結果は金融取引の場合に限って得られる結果ではありません。ここで考えている現在・将来の消費決定問題は、ミクロ経済学における複数財の最適消費問題の 1 つです。ミクロ経済学では、価格（ここでは金利）の変化が供給（貸付）や需要（借入）に与える効果は、所得効果と代替効果という 2 つの効果に分けることができ、供給額・需要額が増えるかどうかはどちらの効果が大きいかに依存します。詳しくは、ミクロ経済学の教科書（たとえば伊藤 2018、第 6 章）を参照してください。

31)　資金の有効利用のメリットも、異時点間消費の最適化（2.3.3 節）と同じ理論モデルの枠組みの中で示すことができます。やや難しくなるのでここでは省略しますが、興味のある方は筒井（2001、第 1 章の 2）などを参照してください。

■図2-19 金融のメリット

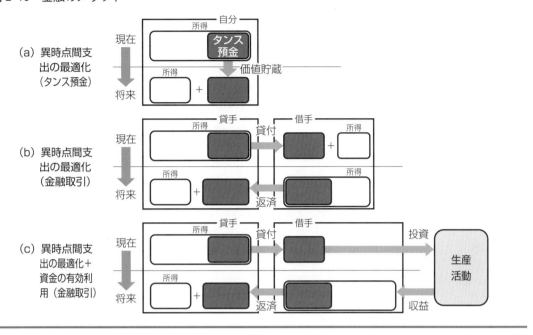

資金以外にさまざまな生産要素が必要になります。各生産要素の提供者は，提供の見返りとして，最終的に得られた収益の分け前を受け取ります（賃金や賃貸料など）。資金の貸手もその1人といえ，資金という生産要素を提供する見返りに，金利（あるいは正の収益率）という形で分け前を受け取っていると考えることができます。貸手の取り分の大きさは，金利（収益率）の高低によって決まりますから，金利は生産要素の提供者としての借手に対する投資収益の分配▶を決めているといえます。

▶分配⇒14.1.4

図2-19には，資金の有効利用も含め，金融取引のメリットをまとめて図示しています。金融取引の一番のメリットは，異時点間支出の最適化により貸手・借手の効用を増加させることです（図の(b)）。ただし，貸手に絞って考えれば（図の(b)左側），このメリットは必ずしも貸し借りしなくても得られます。自分の持つ資金の一部を将来の自分の消費のために置いておく，タンス預金をすればよいのです（図の(a)）。しかし，金融取引の場合，貸手が持つ資金を借手が利用できますから，借手にとっても異時点間支出の最適化が可能になります（図の(b)右側）。さらに，貸された資金が投資され，生産活動に用いられれば（図(c)の右側），資金の有効活用によってより多くの収益が得られ，より多くの消費が可能となります。経済全体でみても，金融取引の活発化は資金の有効利用を通じて経済成長に寄与するでしょう。

■ 練習問題

2.1 表2-1にあげられている金融商品のうち，あなたが実際に利用できるものを金融機関のホームページで確認し，利用するための方法（手続きなど）を調べなさい。

2.2 2.1.3 節の例 2 から 4 について，それぞれの収益率を求めなさい。

2.3 タンス預金によっても異時点間支出の最適化が可能なことを，図を使って説明しなさい。（ヒント：$r=0$）

2.4 図 2-15 において，B さんが図中の点 P^{B*}（$C_0 = C_0^{B*}$，$C_1 = C_1^{B*}$）で消費を行うことを確かめなさい。

2.5 図 2-16 のような無差別曲線を持つ人が，所得が得られるパターンとは無関係に，とにかく借入を行おうとすることを確認しなさい。

■ 参考文献

砂川伸幸（2017）『コーポレート・ファイナンス入門（第 2 版）』（日経文庫）日本経済新聞出版社。

伊藤元重（2018）『ミクロ経済学（第 3 版）』日本評論社。

筒井義郎（2001）『金融』東洋経済新報社。

二神孝一・堀敬一（2017）『マクロ経済学（第 2 版）』有斐閣。

第3章
取引費用とリスク

はじめに

前章でみたとおり，金融（おカネの貸し借り）は，収入を得るタイミングに制約されることなく消費（支出）すること（異時点間消費〔支出〕の最適化）や，資金の有効利用を可能にする，というメリットをもたらします。ということは，もしあなたが誰かからおカネを貸してくれ，といわれたら，余った資金を将来の消費に回すチャンス，あるいは収益を生み出す生産活動に自分の資金を使ってもらうチャンス，のはずです。しかし，いざ実際に貸してくれといわれたら，あなたはおカネを貸すでしょうか。そう簡単に貸す気にはなりませんね。一般に，人におカネを貸すことには大きな抵抗があるものです。では，なぜ人はメリットがあるにもかかわらず金融取引を行おうとしないのでしょうか。それは，現実の金融取引にはここまで説明してこなかった負の側面があるからです。

本章と次章では，この負の側面に注目します。金融取引が行われるためには，取引を阻害するさまざまな要因が取り除かれる必要があります。こうした要因のことを，経済学では取引費用と呼びます。たとえば，おカネが余っていて貸したくても，借りたい人がみつからなければ貸せませんよね。取引費用には借手を探す費用が含まれます。本章の3.1節では，貸手と借手の間で金融取引が行われる際に，さまざまな取引費用が存在することを説明します。取引費用は，一般的なモノやサービスの取引においても

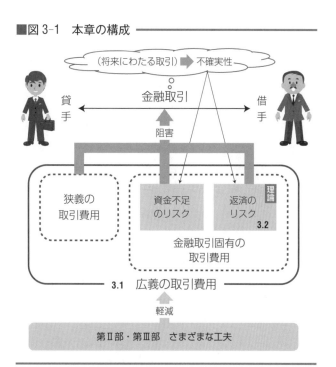

■図3-1　本章の構成

発生します。しかし，図3-1が示すように，金融取引の場合にはそうした一般的な取引費用（狭義の取引費用）に加え，固有の取引費用が発生します。金融取引は取引に時間がかかることから，必ず将来の不確実性に直面します。このため，金融取引が行われるためには2つのリスク（返済のリスクと資金不足のリスク）を原因とする取引費用に対処する必要があるのです。こうした点について3.1節で説明した後，続く3.2節では，返済リスクの存在が金融取引を阻害することを，経済学の枠組みを使って理論的に説明します。

ただし，大きな取引費用が存在するにもかかわらず，実際には多額の貸し借りが行われています（2.2.1節参照）。これは，実際の金融取引において，リスクに起因する取引費用を解決，あるいは軽減する工夫が行われているからです。こうした工夫については次の第Ⅱ部や第Ⅲ部で詳しく説明します。本章3.2節の説明は，その説明の基礎にもなっており，後の章でも折に触れて振り返ることになります[1]。

3.1 金融取引と取引費用

3.1.1 取引費用とは

一般に，商品やサービスを取引するためには，取引の前にやるべきことがたくさんあります。まず，取引相手をみつけ，価格や品質など取引の条件を確認し，場合によっては交渉して条件を決め，取引する合意を得ます。合意を得るまでには時間や労力，資金も必要かもしれません。また，合意した後も，約束した条件どおりに取引が行われているか（たとえば数量や品質を）チェックし，条件どおりでなければ本来の条件あるいは代替の条件での取引を要求し，それも守られなければ約束の履行を求めて裁判を起こす必要もあるかもしれません。きちんと約束が守られるための制度，たとえば司法制度などが整っていなければ，安心して取引は行えません。しかし，これらの制度もタダで整備されているものではありません。

★取引費用：取引が行われるために必要とされるあらゆる費用

経済学では，取引が行われるために必要とされるあらゆる費用，誰かが負担しなければ取引が行えないようなすべての費用をまとめて，**取引費用**★と呼びます。費用といっても，取引に直接必要な手数料などの金銭的費用だけではありません。上記のように，取引を行うまでに必要な活動や，取引が行われる環境の整備などに必要な，時間，労力，資金等をすべて含みます。たとえば情報通信技術が発達していないために取引相手をみつけるのが難しい国，交通インフラが発達していないために物理的な移動コストが高い国，約束した条件どおりの取引を保証する所有権の保護や裁判の制度が整っていない国，などは取引費用の高い国といえます。

---

1) ただし，3.2節の内容はやや高度なので，先に進みたい方は3.1節だけ読んで次に進んでもらってもかまいません。

3.1.2 金融取引の取引費用

《金融取引固有の取引費用》 取引費用はあらゆる取引に発生しますが,金融取引は特に取引費用の大きい取引だといえます。金融取引は,一般の商品やサービスの取引にはない重要な特徴を持つからです。その特徴とは,取引が終わるまでに時間がかかることです。たとえばレストランで昼食をとる場合,食べて代金を払えば取引終了です。つまり,商品やサービスの取引は,対象となる商品やサービスとおカネ(決済手段)を交換することで,すぐに終了します。しかし,金融取引には必然的に時間がかかります。現在と将来の資金(購買力)の交換取引だからです。今資金を渡し,それがすぐ返ってくるような取引には意味がありません。

取引に時間がかかるということは,将来の不確実性に直面することを意味します。金融取引は,借手が将来資金を返済することを約束する取引です。しかし,将来何が起きるのかは誰にも(少なくとも100%確実には)わからず,約束どおりの返済が行われない可能性は常にあります([広義の]**不確実性**)。このため,金融取引が行われるためには「約束どおりに返済されるかどうかわからない」ことを大前提として貸手と借手が合意する必要があるのです。返ってこない可能性があるなら貸手はそう簡単には貸そうとしないでしょう。このため,金融取引が行われるためのハードルは,不確実性が小さいほかの商品やサービスの場合よりも高く,金融取引は取引費用の大きな取引だといえます[2]。

なお,以上の説明に基づき,金融取引の取引費用を2種類に分けておくことにしましょう。最初に説明した,取引相手を探す,取引条件について交渉する,といった取引費用は,金融取引であっても商品やサービスの取引であっても発生します。以下ではこれらを**狭義の取引費用**と呼ぶことにしましょう。これに対して,将来の不確実性に起因する,金融取引に固有の取引費用まで含んだ広い意味での取引費用を,**広義の取引費用**と呼ぶことにします。

《金融取引のリスク》 経済学で厳密な議論を行う場合,「不確実な状況」は2種類に分けて考えます。「何が起こりうるか」および「どれくらいの確率で起こりうるか」がわかっている状況と,わかっていない状況です。前者はリスクと呼び,後者は(狭い意味での,狭義の)**不確実性**と呼びます。たとえば「サイコロを振った結果がどうなるかわからない」のはリスクですが,「宇宙の遥かかなたの星に何があるのかわからない」のは不確実性です[3]。(狭義の)不確実性は確率計算ができないため,分析が非常に難しくなります。このため,経済学ではもっぱらリスクに注目します。とはいえ「何が」「どれくらいの確率で」起きるか過去の経験からある程度わかっている場

---

[2] どのようにしてこうした取引費用を下げるかが,メリットの大きい金融取引を実現させるためのカギとなります。その方法について説明するのが本書の第Ⅱ部と第Ⅲ部です。

[3] 本書でも基本的にはこの2つの言葉を区別して用いますが,混同する心配のない場合には区別せず使うこともあります。

■表 3-1　金融取引に伴うリスク

返済のリスク	貸した額に見合うだけの十分な返済が行われないリスク
信用リスク(債務不履行リスク,貸倒リスク)	(事前に返済を約束していたのに)約束どおりの返済が行われないリスク
市場リスク	(金融市場における証券価格の変動により)約束どおりの返済が行われないリスク
資金不足のリスク(流動性リスク)	必要なときに資金が不足するリスク

合が多いため,リスクの分析で十分な状況はたくさんあります。

　金融取引に伴うリスクにはさまざまなものがあります(表3-1)[4]。最も代表的なリスクは,十分な返済が行われないリスクです。たとえおカネを貸した相手が正直で信用できる友人だとしても,将来その友人が事故に遭ったり病気にかかったりして貸したおカネが返ってこなくなる可能性はゼロではありません。まして,よく知らない人に貸す場合はなおさら返済が心配です。こうした,貸した額に見合うだけの十分な返済が行われないリスクのことを,**返済のリスク**★と呼ぶことにしましょう。返済のリスクが大きい,つまり十分なおカネが返ってこない可能性が高い場合,貸手は貸したくなくなります。このリスクに対処しなければ貸し借りは起こりませんから,返済のリスクは金融取引に伴う代表的な取引費用の1つです。

　ただし,返済のリスクは,将来のことはわからない,という(広い意味での)不確実性だけから発生するものではありません。借手が意図的に返そうとしない,最初から返す気がない,といった理由で発生する場合もあります。以下本章では前者を扱いますが,後者の状況は次の第4章で詳しく説明します。

　なお,返済のリスクの中には,約束していたとおりの返済が行われない,という**信用リスク(債務不履行リスク,貸倒リスク)**が含まれます。信用リスクは,借手が返済することを約束していた場合に発生するリスクですから,そもそも約束がなければ信用リスクはありません。返す約束がないような貸し借りなんておかしいと思われるかもしれませんが,たとえば株式型証券▶の場合,いつどれだけ返す(配当を支払う)とは約束していません。このため,株式型証券は,返済のリスクは大きいものの,信用リスクがない証券です。他方,株式を含め,金融市場で取引されている証券は,証券自体を売却することによっても返済を受けることができます。この形の返済についても,将来いくらで売れるかわからない,という意味で返済のリスクが存在します。このリスクは,返済のリスクの中でも金融市場における証券の価格変動がもたらすリスクであり,特に**市場リスク**と呼ばれています。

　返済のリスクと並んでもう1つ重要なリスクが,**資金不足のリスク**★(流動性リスク)です。これは,資金が必要なときに手元にない,というリスクです。信用リスクや市場リスクなどの返済のリスクは,借手や取引環境に起因するリスクですが,たとえ返済が約束どおりに行われることがわかっていても,貸手に発生する資金不足のリ

★返済のリスク:貸した額に見合うだけの十分な返済が行われないリスク

▶株式型証券
⇒2.1.2

★資金不足のリスク(流動性リスク):必要なときに資金が足りなくなるリスク

---

4)　金融取引のリスクについては,8.5.2節も参照してください。

スクによって，金融取引が行われなくなる可能性があります。将来が不確実なのは貸手も同じです。交通事故に遭う，大きな病気にかかる，自然災害に見舞われる，など将来突然大きな資金が必要になる可能性はゼロではありません。たとえしばらく使う見込みのない資金があったとしても，将来突然資金不足状態に陥り，人に貸しているどころではなくなる可能性があるのなら，貸手は貸さずに手元に置いておきたくなるでしょう。こうした資金不足のリスクも，金融取引に付随する大きな取引費用です。

なお，経済学では突然資金（流動性）の必要性を生じさせる出来事を**流動性ショック**といい，将来流動性ショックが発生して資金が突然必要になるリスクのことを**流動性リスク**と呼びます。ここでいう資金不足のリスクはこの流動性リスクと同じものであり，以下でも2つの言葉を区別せず用います。ただし，資金不足はさまざまな形で発生する可能性があり，流動性リスクという言葉はより細かく定義されることがあります。この点については 13.3.1 節で説明します。

3.2 返済のリスクと金融取引*

3.2.1 くじの例

この節では，上記2つのリスクのうち返済のリスクに注目し，このリスクが金融取引を阻害すること，つまり返済のリスクが取引費用の1つであることを，経済学の理論を使って説明します。そのためには，リスクのある状況での貸手の選択を考える必要があります。貸手の選択についてはすでに 2.3 節で分析しました。そこでは効用関数で表される選好（望ましさ，嬉しさの基準）を持った経済主体を想定し，効用を最大化する消費の組み合わせを求めることで，金融取引のメリットを説明しました。しかし，この説明ではリスクを考慮していませんでした。そこで，リスクが存在する場合の貸手の選択を考えてみることにしましょう[5]。

まず簡単な例から始めます。ある人が，さまざまなくじ（くじ引き）の中からどれがよいか選ぼうとしている，としましょう。どのくじも，ある額のおカネが 1/2 の確率でもらえ，残りの 1/2 の確率で別の額のおカネがもらえる，というものだとします。たとえば，コインを投げて，表が出るか裏が出るかによってもらえる額が違う，というようなくじを考えてください。将来もらえる金額がわからないので，これらのくじにはリスクが存在します。ここではまず，表が出れば 10000 円がもらえ，裏が出れば0円（何ももらえない），というあるくじ（くじ A とします）を考えます。

リスクが存在する場合，経済主体の選好，つまり，さまざまなくじの望ましさを測る基準，あるいはくじを買うことの嬉しさはどのように表せるでしょうか。その指標の候補としてまず考えられるのは，得られる収入の期待値（期待収入），つまり，平均的にどれだけの収入があるか，でしょう。平均的な収入は大きければ大きいほど嬉

---

[5] この節の説明は，後に 9.4 節で証券の価格を説明する際にも用いられます。

しいでしょうから，期待収入はくじに対する選好を表す指標の1つといえます。ここで，くじ A に関して期待収入を計算すると，5000円（＝1/2×10000＋1/2×0）になります。

次に，A とは別のくじとして，表なら8000円，裏なら2000円というくじ B があったとしましょう。A と B とではどちらが嬉しいでしょうか。期待収入で考えてみると，B の期待収入は5000円（＝1/2×8000＋1/2×2000）であり，A と同じです。つまり，期待収入を基準とすれば，A でも B でもよい，ということになります。

しかし，本当にそうでしょうか。普通に考えると，A よりも B の方がよいと考える人の方が多いのではないでしょうか。たとえば，B は最低でも2000円が確実にもらえますが，A では何ももらえない可能性があります。また得られる収入のばらつきも問題です。くじ A では10000円になることもあれば0円になることもあり，得られる収入に10000円の差がありますが，くじ B では6000円の差しかありません。収入の期待値だけをみていては，こうした違いを原因とする望ましさの差を表せないのです。

では，より現実に近い指標，つまりあなたが実際にくじを選ぶ場合に（暗黙のうちにでも）使うような基準（選好）はどのようなものなのでしょうか。そうした基準として経済学でよく用いられるのは，収入そのものの期待値ではなく，その収入から得られる効用（嬉しさ）の期待値，つまり**期待効用**です。たとえば，もらえる金額が x だとして，$u(x)=\sqrt{x}$ という効用関数を持つ人がいたとしましょう。この場合，この人がくじ A から得る期待効用，つまり期待される平均的な効用は，50（＝1/2×$\sqrt{10000}$＋1/2×$\sqrt{0}$）です。同じように，くじ B の期待効用を計算すると，約67（＝1/2×$\sqrt{8000}$＋1/2×$\sqrt{2000}$＝67.082…）です。くじ B の方が期待効用が大きいため，この人はくじ B を選ぶでしょう。この例のように，期待効用はより現実的な選択を描写できます。人々は期待効用の大きさを基準として行動するという考え方を，**期待効用仮説**と呼びます。経済学では期待効用仮説が成り立っていると想定して分析を進めるのが一般的です。

もちろん，現実に何かを選ぶ際に，効用の値をいちいち計算して比較するような人はいないでしょう。期待効用仮説は人々が実際にそうした計算をしていると考えているわけではありません。たとえ計算はしていなくても，人々はくじ A とくじ B との間，あるいはさまざまな選択肢の間で，どれがよいかという判断を暗黙のうちに行っているはずです。期待効用仮説とは，仮に人々が期待効用の大きさを基準として判断していると想定すれば，結果としてそうした判断の多くをうまく説明できる，と考える考え方です。現に，期待効用仮説は現実の判断をかなりうまく説明でき，しかも計算も簡単なので，経済学者は便宜的にこの想定を置くことが多いのです。ただし，あくまで勝手に想定しているだけなので，期待効用仮説で人々の選択を完全に説明できるわけではありません。現に，現実には人々が期待効用仮説では説明できないような選択をしばしば行っていることがわかっています（Column 3-1 参照）。

なお，リスクが存在する状況における選好は，人によって異なるでしょう。つまり，

Column 3-1　期待効用仮説の限界

現実には，人々が期待効用仮説では説明できない行動を取ることがあります。その例として，たとえば次のような2つのくじがあったとしましょう。

　くじ1：確実に1000万円を得る
　くじ2：確率1%で0円，確率89%で1000万円，確率10%で5000万円を得る

どちらかを選べといわれると，くじ1を選ぶ人は多いのではないでしょうか。では次に，別の2つのくじを考えてみましょう。

　くじ3：確率89%で0円，確率11%で1000万円を得る
　くじ4：確率90%で0円，確率10%で5000万円を得る

この場合，くじ4を選ぶ人が多いのではないでしょうか。

実は，期待効用仮説では，同じ人がそれぞれくじ1とくじ4を選ぶことを説明できません。このことは簡単に示すことができます。ある人の効用関数を u とし，この人がくじ1を選んだとしましょう。すると，

$u(1000万円) > 0.01 \times u(0) + 0.89 \times u(1000万円) + 0.1 \times u(5000万円)$

となっているはずです。この式を変形すると，

$(1-0.89) \times u(1000万円)$
$> 0.01 \times u(0) + 0.1 \times u(5000万円)$

なので

$0.11 \times u(1000万円)$
$> 0.01 \times u(0) + 0.1 \times u(5000万円)$

となり，さらに両辺に $0.89 \times u(0)$ を足すと，

$0.89 \times u(0) + 0.11 \times u(1000万円)$
$> (0.89+0.01) \times u(0) + 0.1 \times u(5000万円)$

となります。最後の式は，くじ3の期待効用（左辺）がくじ4の期待効用（右辺）より大きいことを示しています。これは，有名な**アレのパラドックス**と呼ばれるものの簡単な例です。このように，期待効用仮説では説明できないような現実の選択を説明する方法として，心理学の考え方を取り入れた**行動経済学**のアプローチがあります。興味のある方は，大垣・田中（2018，第Ⅱ部）などを参照してください。

まったく同じリスクが存在する状況であっても，人によってその評価が異なる可能性があります。たとえば，上で想定した $u(x)=\sqrt{x}$ という効用関数で表される選好を持つ人の場合，2500円を確実にもらえるときの（期待）効用は $50=\sqrt{2500}$ でくじ A と同じです。これは，この人にとって，くじ A と2500円を確実にもらうのとが同じ嬉しさであることを意味します。もちろん，人によってはたとえ確実に5000円もらえたとしてもくじ A の方がよい，という人もいるでしょうし，1000円でも確実にもらえるならくじ A は選ばない，という人もいるでしょう。こうした選好を表したければ，$u(x)=\sqrt{x}$ とは異なる別の効用関数を使って期待効用を計算することになります（⇒練習問題3.2）。

3.2.2　期待効用とは── 一般化

ここまで考えてきたのは，金額の決まった2つのくじのどちらがよいか，という状況でした。ここで，もう少し一般的な状況を考えてみましょう。ある選択 X を行うと，確率 p で収入が a となり，確率 $1-p$ で b となるものとします。上記のくじ A は，$p=1-p=1/2$，$a=10000$，$b=0$ のケースにあたります。この選択を行うかどうか考えている人の効用の大きさは，ある効用関数 $u(x)$ で表されているとします。この状況を図示したのが図3-2です。この図において，横軸は得られる収入の大きさ，縦軸はそれぞれの収入に対する効用の大きさ，右上がりの曲線は収入と効用の関係を示す効用関数を表しています。収入 a が得られたときの効用 $u(a)$ は図中の点 A の高さ，収入 b が得られたときの効用 $u(b)$ は図中の点 B の高さとして表されます。

■図3-2 期待効用と期待収入

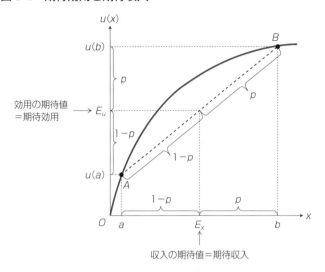

選択 X から得られる期待収入と期待効用はどのように表されるでしょうか。まず期待収入は $E_x = pa + (1-p)b$ で表されます。これは原点 O から横軸上の点 E_x までの距離で表されます。この点 E_x は，線分 ab を $1-p$ 対 p に分割する点です（⇒練習問題3.3）。これに対して期待効用は，$E_u = pu(a) + (1-p)u(b)$ となります。図3-2では，原点 O から縦軸上の点 E_u までの長さが期待効用の大きさを表します。点 E_u は，線分 $u(a)u(b)$ を $1-p$ 対 p に分割する点です（⇒練習問題3.3）。

ここで，図3-2の効用関数が直線ではなく，右にいくほど水平に近づいていることに注意しましょう。これは，収入の額と効用の大きさが単純な比例関係にないことを意味しています。この効用関数はどの部分を取っても右上がりですから，収入が増えれば増えるほど効用は大きくなります。しかし，大きくなる程度は収入が増えるほど小さくなっています。つまり，収入が少ないほど（図の左側ほど）少しの収入増加で効用が大きく増加しますが，収入が多いほど（図の右側ほど）効用は増加しにくくなっているのです[6]。たとえば同じ1万円をもらえる嬉しさを考えてみると，すでにたくさんお金を持っている場合より，あまり手持ちがない場合の方が嬉しさが大きいでしょう。このように，図の効用関数は私たちの直観に合う性質を持っています。

3.2.3 返済のリスクと貸出選択

以上の枠組みを使うと，返済のリスクが貸出を妨げることを示すことができます。今，手元に Z という額の余裕資金があり，それを貸すかどうか考えている人がいたとしましょう。この人が考えている貸出には返済のリスクがあり，確率 q で R という返済が見込まれますが，確率 $1-q$ で何も返済されない可能性があるとします。この場合，貸出からの期待返済額を E_x とすると，$E_x = qR$ です。この人の効用は，返済額を x とすると $u(x)$ という効用関数として図3-3のように表されるものとします。もしこの人が貸出をしたら，得られる期待効用 E_u は，$E_u = qu(R)$ となります。以上の状況は，3.2.2節の設定でいえば $b=R$, $a=0$ としたケースにあたります。

さて，もしこの人が貸出をしなければ，余裕資金 Z は確実に手元に残ります。こ

---

6) こうした効用関数は，収入が増えるほど限界効用が下がる，**限界効用逓減**の性質を持つ効用関数です。

■図3-3 返済のリスクと貸出選択

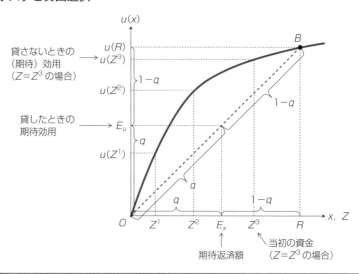

のときの期待効用は，Z が確実にもらえるときの効用になりますから $u(Z)$ です。つまり，この人はおカネを貸すと E_u，貸さないと $u(Z)$ の期待効用を得ます。このため，$E_u>u(Z)$ なら貸す，$E_u<u(Z)$ なら貸さない，という選択が行われることになります（$E_u=u(Z)$ なら貸しても貸さなくても同じです）。図3-3には，当初の資金 Z が Z^1 だった場合，Z^2 だった場合，Z^3 だった場合という3つのケースを示しています。貸さない場合の（期待）効用はそれぞれ $u(Z^1)$，$u(Z^2)$，$u(Z^3)$ ですから，貸した方が期待効用が大きいのは $Z=Z^1$ の場合だけです。このため，$Z=Z^1$ であれば貸出が行われますが，$Z=Z^2$ または Z^3 であれば行われないことがわかります。

ここで重要なのは，たとえ期待返済額 E_x が当初の資金 Z より大きくても，貸出が行われない可能性があることです。図3-3でいえば，もし $Z=Z^3$ であれば，貸したとしても平均的な返済額（E_x）が Z よりも小さいので，貸さない方がよいのは当然です。しかし，たとえば $Z=Z^2$ の場合，貸した方が平均的に得である（$Z^2<E_x$）にもかかわらず，貸出なしが選択されます。平均的には得なのに貸さない理由は，返済のリスクです。確かに平均的には貸した方が儲かるかもしれません。しかし，もし貸したとすると，返済額が R になるかゼロになるかわからない，という返済のリスクにさらされます。図3-3に示された効用関数を持つ人は，このリスクの分だけ期待効用が小さくなるため，確実に Z^2 を残す方を選ぶのです。

3.2.4 リスクの指標

《確実性等価・リスクプレミアム》 最後に，第4章以降の説明のために，リスクがある状況での選択を考えるうえで重要な，いくつかの概念を説明しておきたいと思います。まず3.2.2節の選択 X（確率 p で収入 a が，確率 $1-p$ で収入 b が得られる）を思い出してみましょう。効用関数は $u(x)$ でしたから，この X を選ぶと期待効用 $E_u=pu(a)+(1-p)u(b)$ が得られます。ここで，もし確実に収入が得られる場合，いく

■図 3-4　確実性等価額とリスクプレミアム

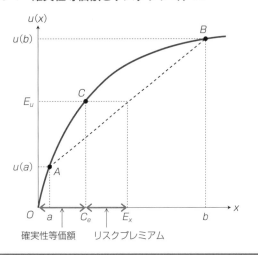

らもらえれば E_u と同じだけの（期待）効用が得られるでしょうか[7]。

この状況を描いたのが図 3-4 です。効用関数上で期待効用 E_u をもたらす点は点 C です。点 C の真下にある x 軸上の点は点 C_e ですから，点 C は C_e が確実に得られたときの効用を表します。つまり，この効用関数を持つ人は，確実に C_e だけの収入が得られる場合の効用と，選択 X から得られる期待効用（E_u）を同じと感じる人だということになります。

一般的に，ある不確実な収入から得られる期待効用と同じ効用をもたらす確実な収入の水準を，その不確実な収入の**確実性等価（額）**（確実性同値〔額〕：certainty equivalence）と呼びます。図 3-4 の場合，C_e（原点 O と点 C_e の距離）が選択 X の確実性等価を表します。上記のように，確実性等価とは，その不確実な収入から得られる嬉しさが，確実にいくらもらえる場合の嬉しさと同じなのかを表す指標です。

不確実な収入の期待値（E_x）と確実性等価（C_e）の差（図では点 C_e と点 E_x の距離）は一般に，リスクのもとでの選択における（理論上の）**リスクプレミアム**と呼ばれます[8]。リスクプレミアムは次のような意味を持っています。選択 X は，期待値が E_x で期待効用が E_u です。しかし，E_u だけの期待効用は，もしリスクがなければ収入が C_e のときに得られます。つまり，同じ E_u の期待効用を得るために，不確実な選択 X は確実な C_e よりも E_x-C_e だけ期待値が多くなければならないのです。このように，どれくらいの収入額が期待値に上乗せされれば確実な C_e と同じだけの効用が得られるのか，を表すのが，リスクプレミアムです。

《リスクの大きさとリスクの指標》　確実性等価とリスクプレミアムは，リスクの大きさを測る指標として用いることができます。この点を確認するために，別の選択 X' を考えてみましょう。この選択は，期待収入は選択 X と同じ E_x ですが，得られる収入の変動が小さいという意味でリスクが小さいものとします。具体的には，確率 p で a より大きい収入 a' が，確率 $1-p$ で b より小さい収入 b' が得られるとしましょう。選

---

[7] たとえば 3.2.1 節でみたくじ A の場合，その期待効用は確実に 2500 円得られる場合の効用と同じでした。

[8] ここでのリスクプレミアムは金額で表される（横軸で測った）ものですが，後に説明するように（5.2.1 節），証券のリスクプレミアムを考える場合は金利ベースで表すのが普通です。この区別を明確にするために，ここでのリスクプレミアムを特に，**リスクディスカウント**と呼ぶことがあります。

択 X と期待収入が同じなので，$E_x = pa' + (1-p)b'$ です。

図3-5は，選択 X' に対する選好を図3-4の上に描いたものです。選択 X から得られる効用は点 A ($u(a)$) または点 B ($u(b)$) なのに対し，選択 X' から得られる効用は点 A' ($u(a')$) または点 B' ($u(b')$) です。選択 X' の期待収入は選択 X と同じ E_x ですが，リスクが小さいため期待効用 (E_u') が選択 X の場合 (E_u) よりも大きくなっています。また，選択 X' の確実性等価は C_e' であり，

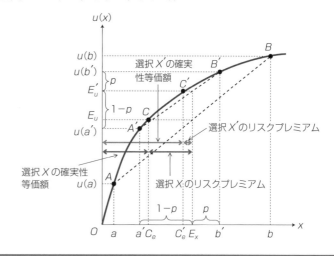

■図3-5　リスクとリスクプレミアム

選択 X の場合 (C_e) よりも大きくなっています。そして，リスクプレミアムは $E_x - C_e'$ であり，選択 X の場合 ($E_x - C_e$) よりも小さくなっています。選択 X' は，選択 X に比べて期待値に近い収入が得られやすいため，より大きな確実な収入（確実性等価 C_e'）から得られる効用 (E_u') と同じ期待効用をもたらし，またリスクをなくすために必要な上乗せ額 ($E_x - C_e'$：リスクプレミアム) も少なくて済むのです。この例のように，一般に確実性等価はリスクが大きいほど小さく，リスクプレミアムはリスクが大きいほど大きくなります。

《リスクに対する選好》　リスクに対する捉え方は人によって異なります。失敗する可能性は高くても大きな成果を求める人もいれば，得られる成果は小さくても確実に得られることを望む人もいるでしょう。こうした違いは効用関数の違いとして表すことができます。図3-6にはさまざまなタイプの効用関数が描いてあります。普通は収入 (x) が多いほど嬉しい（効用が大きい）ので，どの効用関数も右上がりです。しかし，同じ右上がりでもこれら3つの効用関数は，リスクに対する選好が異なる状況をそれぞれ表しています。

ここまで考えていたのは，(a)のタイプの効用関数です。このタイプの効用関数は，右にいくほど水平に近づきます。上記のとおり，これは収入が増えるほど効用が増えにくくなるような効用関数です。しかし，(b)や(c)のような効用関数を考えることもできます。(c)の場合，(a)とは反対に収入が増えるほど効用が増す程度が大きくなっていきます。つまり，収入が大きくなればなるほど，同じだけの収入の増加に対して増える効用が大きくなるのです[9]。これに対して(b)の場合，効用の増え方は常に一定です。リスクが存在する状況での選択は，効用関数がどのタイプかによって大きく

---

9) このように増え方が増していく効用関数を，**限界効用逓増**型の効用関数と呼びます。

■図3-6 効用関数の形状とリスク態度

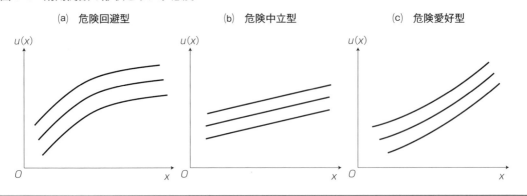

変わります。その違いから，(a)，(b)，(c)のタイプの効用関数はそれぞれ，危険回避型，危険中立型，危険愛好型の効用関数と呼ばれています。

まず，すでにみてきた(a)タイプの効用関数（**危険〔リスク〕回避型**）を考えましょう。このタイプの効用関数を持つ人は**危険（リスク）回避的**な人（危険回避者）と呼ばれ，その名のとおりリスクを嫌うために，リスクが大きくなればなるほど効用が下がります。3.2.4節で確認したとおり，(a)タイプの人は，期待収入が同じであれば，リスクがより小さい選択ほどより大きな効用を感じます。リスクが小さいほど嬉しい人は実際にも多いでしょうから，危険回避型の効用関数は一般的な経済主体の選択を考えるのに向いているといえます。

これに対して(c)のような効用関数，つまり**危険（リスク）愛好型**の効用関数ではどうでしょうか。図3-7をみてみましょう。この図は3.2.2節の選択Xに対する選好を，危険愛好型の効用関数について描いたものです。選択Xの期待収入はE_xで，期待効用はE_u''です。確実性等価はどうでしょう。E_u''だけの効用を確実にもたらす収入の値ですから，C_e''です。すると，期待収入と確実性等価の差であるリスクプレミアムは，C_e''の方がE_xより右にあることからわかるように，マイナスの値を取ります。つまり，この人にとってくじXは，期待収入がE_xであるにもかかわらず，それよりも大きな収入（C_e''）が確実に得られる場合と同じ期待効用をもたらすのです。

別の説明としては，もしこの人がE_xを確実に得た場合，効用は$u(E_x)$になります。しかし，その大きさはくじXから得られる期待効用E_u''よりも小さくなっています。この人は，確実にE_xがもらえるよりも，リスクがある状況で平均的にE_xがもらえる方が嬉しい人なのです。このように，危険愛好型の効用関数を持つ人（**危険〔リスク〕愛好的**な人，危険愛好者）は，とにかくリスクが好き，将来がわからない方が望ましい，という少し変わった人だといえます。理論的に考えることはできますが，実際の世の中に危険愛好型の効用関数を持つ人は少ないでしょう。

最後に(b)タイプの効用関数はどうでしょう。同様に図を描いてみればわかりますが，**危険（リスク）中立型**の効用関数を持つ人（**危険〔リスク〕中立的**な人，危険中立者）は，期待収入が同じであるかぎり，リスクの大きさ（得られる可能性のある収入

や確率）がどうであれ，期待効用は同じです。この効用関数は直線で表され，リスクプレミアムは常にゼロになり，確実性等価は常に期待収入と一致します（⇒練習問題 3.4）。危険中立型の効用関数を持つ人は，リスクはどうでもよく，平均的に得られる収入（期待収入）が大きいかどうかという基準だけで選択を行うのです。危険中立型の効用関数も，実際にあてはまる人がいるのか，と疑問に思われるかもしれません。一般の人の中にはいないかもしれませんが，資産家や企業といった経済主体の中にはリスクをまったく気にしない人がいるかもしれません。また，何よりも危険中立型の効用関数は，分析上計算が簡単で扱いやす

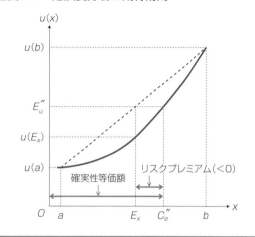

■図 3-7　危険愛好者の期待効用

い，という性質を持っています。このため，理論的には危険中立型の効用関数を想定することがよくあります。

なお，危険回避型・危険愛好型の効用関数にはさまざまなものが考えられます。リスクを嫌うという点では同じでも，嫌う程度は人によって違うでしょう。その違いは危険回避型の効用関数の形の違い，たとえば曲がり具合の違いとして表すことができます。同じように，危険愛好者もリスクを好む程度はさまざまなはずで，その違いも効用関数の形の違いとして表すことができます。危険回避（愛好）型の中でリスクを嫌う（好む）程度がゼロになった状態が危険中立型だと考えることができますから，危険中立型はこれらの中間の特別なケースだといえます。

関連して，ここでは詳しく説明しませんが，以上のようなリスクに対する選好（効用関数の形状）を表す指標として，効用関数の一階・二階微分を用いて定義される**危険（リスク）回避度**と呼ばれるものがあります。ここまで図で直観的に説明した内容は，どれもこの指標などを使って数学的に厳密な形で説明することができます[10]。

■ 練習問題

3.1 これまでにあなたが実際に直面した返済のリスクあるいは資金不足のリスクについて，この章の内容を踏まえて説明しなさい。

3.2 $1/2$ の確率で 10000 円，$1/2$ の確率で 100 円がもらえるくじ C を考える。

(1) もらえる金額 x に対して得られる効用が $u=2x$ という効用関数で表される人を考える。この人がくじ C から得る期待効用を計算しなさい。

(2) くじ C は z 円で売られていたとする。この人は，z がいくらであればくじ C を買うか。（ヒント：くじ C を買わずに z 円を持っていたときの効用を考えなさい）

---

[10] たとえば危険回避型，中立型，愛好型の効用関数は，それぞれ効用関数が凹関数，線形関数，凸関数である場合に対応します。厳密な議論に興味を持つ方は，ファイナンスの中級以上の教科書（たとえばボディーほか 2010 など）に進んでください。

(3) 効用関数が $u=2\ln x$ で表される人を考える（ln は自然対数）。$z=2000$ のとき，この人はくじ C を買うか。答えなさい。

3.3 図3-2において，期待収入 E_x は線分 ab を $1-p:p$ で内分する点であることを示しなさい。同様に，期待効用 E_u は $u(a)$ と $u(b)$ の間の線分を $1-p:p$ で内分する点であることを確認しなさい。（ヒント：確率 p が0，1のケースを考えてみなさい）

3.4 選択 X（3.2.2節参照）の例を用い，危険中立的な効用関数を持つ人について，その効用関数が直線で表されることを確認しなさい。またその確実性等価とリスクプレミアムの性質を調べなさい。

■ 参考文献

大垣昌夫・田中沙織（2018）『行動経済学——伝統的経済学との統合による新しい経済学を目指して（新版）』有斐閣。

ボディー，ツヴィ／ケイン，アレックス／マーカス，アラン・J.（2010）『インベストメント（第8版）』（平木多賀人・伊藤彰敏・竹澤直哉・山崎亮・辻本臣哉訳），マグロウヒル・エデュケーション。

第 4 章
情報の非対称性と返済のリスク

はじめに

前章では，将来の不確実性を原因とする返済のリスクによって，金融取引が阻害される状況を説明しました。そこでは，将来何が起こるかわからない（不確実である）ので返済が行われるかどうかわからない，という形の返済のリスクを考えました。しかし，返済のリスクはもう少し複雑な形で発生する可能性があります。そもそも借手が十分な返済能力を持たない，借手が意図的に返そうとしない，最初から返す気がない，といった理由から発生する場合です。

もちろん，返せない借手，返さない借手だとわかっていれば，貸さなければよいでしょう。しかし，借手に返済能力があるかどうか，返すつもりがあるかどうかは，借手自身にはわかっているでしょうが，貸手にはわかりません。貸手と借手の間で持っている情報が異なるために，見分けがつかないのです。これは，情報の非対称性と呼ばれる状況です。情報の非対称性が存在すると，本当は返済能力・意図があるので貸した方がよい状況でも，そうでない借手と区別できないために貸さない，という可能性が生じます。本来は返済のリスクが低いにもかかわらず，高いかもしれないと判断されて金融取引が行われなくなるのです。これが，情報の非対称性に起因する返済のリスクの問題です。

図4-1のとおり，以下4.1節では情報の非対称性とはどのような状況か，それが存

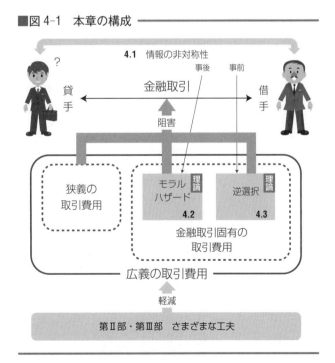

■図 4-1　本章の構成

在する場合にどのような問題が発生するのかを説明します。そこで説明されるように，情報の非対称性に起因する問題には，モラルハザードと逆選択という2つのタイプのものがあります。続く4.2節と4.3節では，この2つの問題についてそれぞれ詳しく説明します[1]。

4.1 情報の非対称性と2つの問題

一般に，**情報の非対称性**とは，取引を行ううえで重要な情報を，当事者の一方は（相対的に）知っているが，他方は知らない，という状態を表します。この定義からわかるように，情報の非対称性は特に金融取引に限った問題ではありません。たとえばアルバイトを雇いたい雇用主は，応募者が有能かどうかわからない，という情報の非対称性に直面するでしょう。また，病気を治してほしい患者は，どの病院・医者がよいのかわからない，という情報の非対称性に直面するでしょう[2]。情報の非対称性がもたらす問題とその解決方法については，**情報の経済学**と呼ばれる分野で研究されてきました。その研究成果は経済学のほかのさまざまな分野に応用され，金融の分野における分析もその一部にあたります[3]。

金融取引は，情報の非対称性が特に問題となる取引です。金融に関する情報の非対称性の典型は，借手が返済できるかどうか，という情報に関する非対称性です。一般に，借手に返すつもりがあるのか，返す能力があるのかを貸手が見分けることは困難です。たとえば世間ではたびたび投資詐欺のニュースが報道されています。「必ず儲かるから」という誘い文句で資金を集め，結局返す気がなかった，といったニュースです（Column 4-1 参照）。3.1節で説明したとおり，貸手は不確実性を原因とする返済のリスクを恐れてなかなか貸そうとしません。ましてや情報の非対称性によって借手が本当に返してくれるかどうかわからないとなると，返済のリスクはさらに大きくなり，貸手はさらに貸したくなくなるでしょう。

情報の経済学では，情報の非対称性の問題を，取引を行った後（事後）の問題と，取引の前（事前）から存在する問題とに分けて分析します。事後の情報の非対称性の問題は，一般に**モラルハザード★**の問題，と呼ばれます。金融取引でいえば，資金を貸した後に発生する問題であり，例としてよくあげられるのは借手が返済のために十

★モラルハザード（の問題）：事後の情報の非対称性により非効率性が発生する問題

---

1) これらの節で説明する理論的枠組みは，後に5.4節や6.3節で情報の非対称性の問題に対する対処法を考える際にも用いられます。

2) 金融以外の分野における情報の非対称性の問題については，石田・玉田（2020）などをみてください。

3) 本書では詳しく触れませんが，情報の非対称性と並んで重要な問題として，契約の不完備性と呼ばれる問題もあります。**契約の不完備性**とは，取引の契約にあらゆる条件を記載することができないという状況，当事者同士はわかっているのに（対称情報なのに）第三者には立証することができないような出来事がある状況を指します。たとえば借手の収入に関して契約の不完備性が存在し，貸手は借手が返済可能だとわかっているのに裁判所にそれを立証できないとしましょう。この場合，司法的な手続きでは返済を強制できないので，それを見越した貸手は貸出に応じないかもしれません。契約の不完備性については石田・玉田（2020）などをみてください。

Column 4-1 「必ず儲かる」は儲からない

必ず儲かるから，といって未公開株，外国為替，暗号資産といった金融商品への投資を誘い，結局資金が返ってこなかった，という詐欺のニュースは頻繁に報道されています。不動産や商品など実物投資に関する類似の詐欺も多く，「投資詐欺」で記事検索すると，和牛，エビ，鉄くずなどさまざまな商品名が出てきます。世の中に必ず儲かる投資話は存在しません。そんな話を持ちかけられたらまず詐欺だと疑いましょう。そもそもそんなにうまい話なら，わざわざあなたに伝える前に，その人やその道のプロが利用して大儲けしているはずです。わざわざあなたを誘う時点でおかしな話です。

ただし，中には実際に投資した人を多少儲けさせ，その後の投資を煽るようなケースもあります。詐欺なのに儲けが出るのは変な話ですが，ちゃんとカラクリがあります。資金が集まっているかぎり，後で投資した人のおカネをすでに投資した人に渡せば，表面上は儲けが出ているようにみえます。こうした仕組みは**ネズミ講**，あるいはポンジ（Ponzi）という有名な詐欺師の名前を取って**ポンジスキーム**（スキーム：仕組み）などと呼ばれます。最初からだまそうと考えていたわけではなくても，当初は約束どおりの投資を行っていたが，しだいに儲けを出せなくなったために，こうした仕組みを使うようになったケースもみられます。

分努力するかどうか，という問題です。4.2 節ではこの問題を扱います。別の例として，借手が借りた資金を適切に使っているのかどうかわからない，という問題もあります。この問題については Web Appendix 4.1 で説明しています。

事前，つまり取引の前から存在する情報の非対称性の問題は，一般に**逆選択**★の問題と呼ばれます[4]。金融取引でいえば，資金を貸す前，貸すかどうか判断する際に発生する問題です。その代表例は，返済可能性に関する情報の非対称性で，返済してくれる可能性が高い借手と低い借手がいるのはわかっているが，誰が高くて誰が低いのか見分けがつかない，という状況です。この問題については 4.3 節で説明します。

★ 逆選択（の問題）：事前の情報の非対称性により非効率性が発生する問題

4.2 金融取引とモラルハザード*

4.2.1 モラルハザードの設定

情報の非対称性がもたらす問題の例として最もよく用いられるのは，借手の返済努力が過少になる，という問題です。この問題を理解するために，以下のような状況を考えてみましょう。ある起業家が，革新的なアイデアを事業化する投資プロジェクトのアイデアを持っているものとします。このプロジェクトは，設備の購入，新製品の開発，運転資金等のために I 円の投資資金を必要とします。プロジェクトが成功すれば $R(>I)$ 円の収益が得られますが，失敗すれば収益はゼロとします（図 4-2 参照）。

---

[4] 厳密にいえば，事前の情報の非対称性がもたらす問題を逆選択と呼ぶのは正確ではありません。逆選択の問題とは本来，事前の情報の非対称性が存在する場合に，情報を持っている者が，情報を持っていない者が意図するのとは違う（逆の）選択を行う，という問題を指します。たとえば自動車保険の場合，保険会社が事故確率の低い運転手向けに保険料の安い保険を，事故確率の高い運転手向けに保険料の高い保険を売り出したが，事故確率の高い運転手が低い運転手向けの安い保険を買ってしまう，といったものが逆選択の問題です。しかし，事前の情報の非対称性の問題は常に逆選択の形で現れるわけではなく，現に以下の説明においても発生する問題は逆選択の形を取っていません。ただし，一般的には事前の情報の非対称性がもたらす問題をすべて逆選択と呼ぶことも多く，本書ではこの用語法に従っています。

■図4-2 投資プロジェクトの成否

このプロジェクトは，起業家の経営努力に依存して成否が決まるものとしましょう。投資後に起業家が十分な経営努力を行うと，プロジェクトは確率pで成功するものとします（$0 \leq p \leq 1$）。これに対して起業家が努力しない場合には，成功確率はq（$q<p$, $0 \leq q \leq 1$）に下がるものとします。ただし，$p<1$, つまりいくら努力してもプロジェクトは失敗する可能性があり，また$q>0$, つまり努力しなくても成功する可能性はある，とします。

努力をすると，起業家には追加的な費用が発生するものとします。この費用としては，プロジェクトの成功確率を高めるための投資など，金銭的な費用を想定してもかまいませんし，追加的な時間，心理的な負担など，非金銭的な費用でもかまいません。ここではこうした努力の費用をすべてまとめて金銭換算できるものとし，合計してeの大きさであるとします。努力しなければこの費用はかかりません。

話を簡単にするために，この起業家は手持ちの資金を持っていないものとします。このためI円の資金は誰かから借りてくる必要があります。資金を貸すことのできる投資家（貸手）は多数存在するものとしましょう。ここで重要な仮定として，事後の情報の非対称性が存在するものとします。具体的には，投資家は起業家が経営努力を行ったかどうかわからないが，起業家自身はわかっている，とします。ただし，努力の有無はわからないものの，プロジェクトが成功したかどうかは投資家にもわかるものとしましょう。

最後に，以下では金融取引が行われ，かつ経営努力が行われることが全体として望ましいようなケースに絞って分析することにします[5]。そのために，まず全体の望ましさを表す投資プロジェクトの期待利潤の合計，つまり起業家・投資家のすべての収益と費用を合計した利潤の期待値（得られることが予想される平均的な利潤）を考えましょう。金融取引が行われ，しかも起業家が経営努力を行った場合，Iの資金が投入され，努力の費用eが必要になります。その代わり，プロジェクトは確率pで成功してRが得られますから，この投資プロジェクトが生み出す期待利潤の合計は，

$$pR - I - e \tag{4.1}$$

となります。これに対し，金融取引は行われるものの経営努力が行われない場合には，費用eが不要になる代わりに成功確率がqになりますから，期待利潤は，

$$qR - I \tag{4.2}$$

です。最後に，金融取引が行われない場合には，プロジェクト自体が実行されないので，期待利潤は当然のことながらゼロになります。そこで，以下では，

---

[5] ここでいう全体の望ましさとは，起業家・投資家それぞれにとっての望ましさではなく，世の中（ここでは合わせて2人）全体としての望ましさという意味です。

(4.1) 式の値＞0　　かつ　　(4.1) 式の値＞(4.2) 式の値

だとしましょう。つまり，プロジェクト全体の期待利潤は，金融取引が行われて努力も行われるケースが一番大きいものとします[6]。

最後に，金融契約に関しても設定を置いておきましょう。起業家と投資家は，貸借に関する契約を結んで金融取引（貸し借り）を行うものとします。その契約は，起業家が I の資金を借りる代わりに，将来 $(1+r)I$ 円を投資家に返済する，という約束だとします。r は金利（利子率）であり，$(1+r)I$ は元本と金利分の返済にあたります。ただし，以下の説明が簡単になるように，$s=(1+r)I$ と表すことにし，以下では s を使って説明することにします。もしプロジェクトが成功したら，起業家は得られたプロジェクトの収益 R の中から s を支払います。しかし，プロジェクトが失敗した場合には，起業家には返済に使える資金がありません。この場合には，約束どおりの支払いは行われません。なお，この貸借契約は負債型証券▶の契約にほかなりません。

▶負債型証券
⇒2.1.2

以下では投資家が多数存在し，借手に借りてもらうためにできるだけ低い r を提示しようと競い合っているものとします。また，起業家も投資家も，期待利潤，つまり将来得られる平均的な儲けをできるだけ大きくしたいと思っているものとしましょう[7]。

4.2.2　モラルハザードの分析

《起業家の努力選択》　以上のような状況で，最も望ましい状態，つまり金融取引が行われ，かつ経営努力も行われて，全体として (4.1) 式の期待利潤が生み出される状態，を達成することはできるでしょうか。この点を確認するために，起業家と投資家それぞれの行動を考えてみましょう。まず，時間的な順番は前後しますが，金融取引が行われた後の努力選択を考えてみます[8]。どのような場合に起業家は努力するでしょうか。努力を行った場合，起業家の期待利潤は，

$$p(R-s)-e$$

となります。第1項のカッコ内は，プロジェクトが成功して s を返済した後の起業家の取り分を表します。成功確率は p なので，カッコ内は p 倍されています。最後の項は，努力の費用です。この費用はプロジェクトの成功と失敗には無関係なので，p とは無関係に一律に引かれています。

---

6) もちろん，可能性としてはこれ以外のケースもありえますが，そうしたケースは経営努力を行わない方がよい，あるいは貸し借りが起こらない方がよい，というケースであり，あまり分析する意味がありません（⇒練習問題4.2）。
7) 3.2.4節の言葉でいうと，これは，起業家が危険中立的であることを仮定しています。
8) 将来起こりうる状況を見越しながら順番に選択が行われていく場合，一番後ろの選択から反対向きに分析を行う，**後向き帰納法**と呼ばれる方法を用いれば正しい答えが得られます。詳しくはゲーム理論の教科書，たとえば岡田 (2021) などを参照してください。

■図4-3 誘因整合性条件

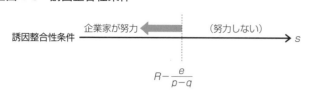

これに対して、起業家が努力しないときの期待利潤は，

$$q(R-s)$$

です。上の式と似ていますが、2つ違いがあります。第1に、努力を行わないので確率がpからqに減少しています。第2に、努力の費用が発生しないので$-e$がありません。

起業家が努力するのは、努力した方が期待利潤が大きくなる場合です。上の2つの式を比較して整理すると、努力が行われるための条件は以下になります。

$$s \leq R - \frac{e}{p-q} \quad (4.3)$$

この式は、sが一定値以下のときに努力が行われることを表しています。この条件を、情報の経済学では（起業家が努力を行うための）**誘因整合性条件**と呼びます。この式が成り立っていれば、起業家は努力しようとする誘因を持つからです。(4.3)式を図で表すと、図4-3のようになります。この図の左側ではsが$R-e/(p-q)$より小さくなっていますから、誘因整合性条件が成り立ちます。

《投資家の貸出選択》 次に、投資家の選択を考えましょう。上で設定したように、最も望ましい状態は投資家が資金を貸し、かつ起業家が努力をする状態です。では、どのような場合に投資家は貸してくれるのでしょうか。上記の設定どおり、投資家は互いに競争しています。しかし、いくら競争していても、損をしてまで貸すことありません。貸すと損するのであれば、貸さないことを選ぶからです。ここで、どの投資家も、貸さない場合の期待利潤はゼロ、つまり何もしなければ利潤は得られない、とします[9]。

もし起業家が努力するのであれば、投資家の期待利潤は、

$$ps - I$$

です。これは、Iを提供する代わりに、プロジェクトが成功したとき（確率p）だけsを得るからです。もし起業家が努力しなければ、投資家の期待利潤は、

$$qs - I$$

となります。上の式との違いは、努力がないため成功確率がqに下がっているところだけです。最後に、貸さない場合の期待利潤はゼロです。以上より、努力がある場合は、

---

[9] この、貸さないときに得られる期待利潤（ここではゼロ）は、それ以上期待利潤を得られなければ貸すことを留保する、という意味で、**留保（期待）利潤**とも呼ばれます。

$$ps \geq I \quad (4.4)$$

ない場合は，

$$qs \geq I \quad (4.4')$$

図4-4 参加制約

なら投資家は貸してもよいと思うでしょう。これらの不等式のことを，投資家が貸借に参加する条件（貸すことが合理的となる条件）ということで，（投資家の）**参加制約**（**参加条件，個人合理性条件**）と呼びます[10]。上の2つの参加制約のうち，努力が行われる場合の参加制約を表したのが図4-4です。この図の右側（矢印）は $ps \geq I$，つまり参加制約が満たされる範囲を表しています。

《モラルハザード発生の条件》 以上の準備に基づくと，最も望ましい状態，つまり貸借が行われ，かつ起業家が努力するのはどのような場合かがわかります。それは，借手の投資に関する誘因整合性条件（4.3）式と，貸手の参加制約（4.4）式がともに成立する場合，つまり，

$$R - \frac{e}{p-q} \geq s \geq \frac{I}{p} \quad (4.5)$$

となっている場合です。ここではたくさんの投資家が競争しているため，どの投資家も，起業家に選んでもらえるようになるべく低い s を提示しようとします。その結果，結局 $s = I/p$ を示した投資家が選ばれることになります[11]。

(4.5)式は，望ましい状態をもたらすような貸借契約が備えるべき性質を表しています。まず左側の不等号は，返済額 s がある程度低くなければならないことを表しています。これは，あまりに返済額が多い場合，借手は努力をしてもしなくてももらえる期待利潤に差がなくなるため，わざわざ費用 e を払ってまで努力をしようと思わなくなるからです。右側の不等号は，返済額 s がある程度高くなければならないことを表しています。返済額があまりに小さい場合，投資家の取り分，つまり I を提供することに対する見返りが小さくなり，貸さない方が望ましくなってしまうからです。

誘因整合性条件（4.3）式と参加制約（4.4）式をともに満たすような s が存在するのはどのような場合でしょうか。(4.5)式から明らかなように，

$$R - \frac{e}{p-q} \geq \frac{I}{p}$$

であるかぎり，貸借が行われ，かつ起業家が努力するように s を設定することができます。この状況を表したのが図4-5の(a)です。逆に，もし，

---

[10] 厳密には，借手の参加制約も考える必要がありますが，ここでは借手の参加制約は満たされているものと仮定しています（⇒練習問題4.3）。

[11] もし借手（起業家）がたくさん存在し，貸手（投資家）が1人だけ（独占）の場合，s は投資家にとって最も望ましい水準，つまり $s = R - e/(p-q)$ となるでしょう。

■図 4-5 効率的な状況・モラルハザードの状況

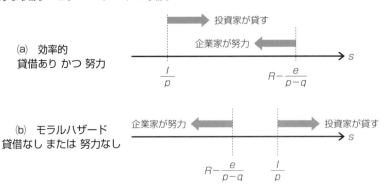

$$R - \frac{e}{p-q} < \frac{I}{p} \tag{4.6}$$

であれば，望ましい状態を達成することはできません。この式が成立し，貸借も努力も行われる望ましい状態（(4.1) 式の期待利潤）を達成できないケースが，モラルハザードの問題が発生するケースです。このケースを図示したのが，図 4-5 の(b)です。

情報の非対称性がモラルハザードの問題が引き起こしていることを確認するため，情報の非対称性が存在しないケース，つまり努力の有無がわかるケースを考えてみましょう。努力の有無がわかるのなら，それに応じた契約を設計することができます。たとえば，努力が行われた場合には一定額の返済を行うだけでよいが，行われない場合にはプロジェクトからの収入をすべて投資家が手に入れる，といった契約が可能です。この場合，起業家は経営努力を行わなければ何も得られませんから，努力を行います。このケースでは，努力を直接促す契約が可能になるのです。

《過少努力と資金制約》 (4.6) 式が成立すると，「貸借が行われ，かつ企業が努力する」という望ましい状態は達成できません。では，どのような状態なら達成できるのでしょうか。達成できるのは，「貸借は行われるが経営努力が行われない」という**過少努力**の状態か，「貸借自体が行われない」という（借手にとっての）**資金制約**の状態かのどちらかです。前者は，起業家の誘因整合性条件（(4.3) 式）は満たされないが投資家の参加制約（この場合 (4.4) 式ではなく (4.4′) 式）は満たされるケース，後者は起業家の誘因整合性条件は満たされるが投資家の参加制約（(4.4′) 式）は満たされないケースです。望ましい状態が達成できない，というモラルハザードの問題は，過少努力の問題か，資金制約の問題か，どちらかの形を取ることがわかります。

過少努力と資金制約のどちらが現われるのかは，(4.2) 式，つまり金融取引は行われるが経営努力が行われない場合の期待利潤の合計がプラスかマイナスかによります。金融取引が行われない場合の期待利潤の合計はゼロなので，(4.2) 式がプラスの場合，たとえ経営努力は行われないとしても，貸借は行われた方が望ましくなります。この場合，貸手の参加制約（(4.4′) 式）だけを考慮し，$s = I/q$ とすれば貸借は行われま

す（過少努力の問題は発生します）。これに対して，もし（4.2）式の値がマイナスであれば，努力なしで貸借するより貸し借りがない（プロジェクトが実行されない）方がよいので，貸借自体が行われません。

なお，借りたいのに借りられない（貸手が貸してくれない）という状態は，暗に貸手を非難して**貸し渋り**と呼ばれます。上記の資金制約が発生するケースも，借手からみれば貸し渋りと呼びたくなるかもしれません。しかし，貸手側からみると，貸しても採算が取れないことがわかっているから貸さないだけです。現実には貸手に問題がある「貸し渋り」もあるかもしれませんが，少なくてもここでの「貸されなかった」という結果は，貸手が非難されるべき結果とはいえないでしょう。

4.3 金融取引と逆選択*

4.3.1 逆選択の設定

貸借において発生する問題は，契約を結ぶ前に存在する情報の非対称性によっても引き起こされます。その代表が，借手に十分な返済能力があるのかどうかがわからない，という情報の非対称性から発生する逆選択の問題です。この問題は，以下のような設定で示すことができます。まず資金を借りようとしている起業家（借手）が，ここでは複数存在するものとします。どの起業家も，投資プロジェクトを行うために I という資金を必要としていますが，自分では資金を持っていないため，投資家（貸手）から借りる必要があります。プロジェクトが成功すれば，起業家は収益 R を得るものとします。しかし，プロジェクトは失敗する可能性もあり，その場合の収益はゼロだとしましょう。ここまではモラルハザードの設定とほぼ同じです。

ここで，2つのタイプの起業家がいるものとしましょう。1つ目のタイプは優良な起業家で，Aタイプと呼ぶことにします。この起業家は，確率 p でプロジェクトが成功し，$1-p$ で失敗します。2つ目のタイプは問題のある起業家で，Bタイプとします。この起業家は，成功確率が q，失敗確率が $1-q$ とします。2つのタイプの違いは成功確率の違いにあり，$p>q$，つまりAタイプの方がBタイプよりも成功確率が高いものとします。

Aタイプの起業家とBタイプの起業家は，全体でみれば同じ割合で存在するものとします。各起業家のタイプは事前に決まっていて，起業家自身は自分のタイプを知っているものとしましょう。しかし，投資家はどの起業家がAタイプでどの起業家がBタイプなのかわからないものとします。つまり，起業家と投資家との間にはタイプに関する事前の情報の非対称性が存在します。割合は同じですから，投資家にとっては，目の前にやってきた起業家がAタイプである確率は 1/2 であり，Bタイプである確率も 1/2 です。

モラルハザードの場合と同様に，以下でも情報の非対称性によって理想的な状態が達成できないことを示します。そのために，どのような状態が理想的なのかをあらか

じめ定めておきましょう．以下では，Aタイプの起業家の投資プロジェクトは実行すべきであるが，Bタイプの起業家の投資プロジェクトは実行すべきでない，としましょう．式で表すと次のとおりです．

$$pR > I > qR \tag{4.7}$$

この式の左側の不等号は，Aタイプの起業家の投資プロジェクトの期待収益（pR）が投資資金（I）より大きいことを表しています．これに対して右側の不等号は，Bタイプの起業家の投資プロジェクトの期待収益（qR）が投資資金（I）より小さいことを表しています．この状況は，仮に起業家のタイプがわかったら，Aタイプの起業家にだけ貸すべきであり，Bタイプには貸さない方がよい，という状況です[12]．

上記の仮定に加え，もう1つ仮定しておきましょう．起業家がAタイプかBタイプかわからない場合には貸さない方がよい，という仮定です．式で表すと，

$$I > \left(\frac{1}{2}p + \frac{1}{2}q\right)R \tag{4.8}$$

です．この式の右辺は，起業家がAタイプかBタイプかわからないときのプロジェクトの期待収益を表しています．どちらのタイプも同じ割合で存在するので，Aタイプである確率は1/2です．Aタイプの起業家が成功する確率はpなので，借手がAタイプであって成功する確率は$p/2$となります．同様に，借手がBタイプであって成功する確率は$q/2$です．このため，タイプがわからないときの期待収益は（$p/2 + q/2$）Rとなります．この期待収益が投資資金Iより小さいので，タイプがわからない場合には投資しない方がよいことが表されています．

起業家が投資家から資金を借りるための契約は，4.2.1節と同様に，プロジェクトが成功した場合に起業家が一定額sを支払う，という形のものを考えます．また，やはり4.2.1節と同様に，起業家も投資家も期待利潤ができるだけ大きくなるように選択するものとし，金融取引を行わずプロジェクトも実行しない場合には，起業家も投資家も期待利潤はゼロだとします．

4.3.2　逆選択の分析

《起業家の借入選択》　以上の設定で，逆選択の問題が発生することをみてみましょう．まず考えるべきことは，起業家が借りるかどうかです．契約はsという支払いを約束するものなので，起業家はその契約を受け入れて資金を借り，プロジェクトを実行するか，あるいは契約を受け入れずに何もしないか，どちらかを選択します．前者の場合，成功するとsを支払う必要があり，成功する確率はAタイプならp，Bタイプならqです．このため，それぞれのタイプの期待利潤は$p(R-s)$，および$q(R-s)$となります．これに対して契約を受け入れないと，期待利潤はゼロです．

---

[12]　(4.7) 式が成立しないケースを考えることもできますが，その場合分析は単純になり，事前の情報の非対称性が問題を発生させることもありません（⇒練習問題4.4）．

以上より，各タイプの起業家が契約を受け入れるための条件，つまりこのモデルにおける起業家の参加制約がわかります。Aタイプの場合，

$$p(R-s) \geqq 0$$

ならこの契約に参加し，借入を行って投資プロジェクトを実行します。同様に，Bタイプの参加制約は，

$$q(R-s) \geqq 0$$

です。以上からすぐにわかるように，どちらのタイプも，

$$R \geqq s \tag{4.9}$$

であれば契約を受け入れて借入を行い，プロジェクトを実行します。

《投資家の契約選択》 次に，投資家がどのような貸借契約を起業家に持ちかけるか，つまり返済額sの選択を考えましょう。投資家は，自分の期待利潤が最大になるようなsを選びますが，その際には起業家の参加制約も考慮に入れる必要があります。上の説明からわかるように，もし(4.9)式を満たすようにsを決めると，AタイプもBタイプもどちらも借りにきます。投資家には，目の前にきた起業家がどちらのタイプかはわかりません。しかし，どちらのタイプも同じ割合で存在することはわかっていますから，(4.9)式を満たすようにsを決めたら投資家の期待利潤は，

$$E_\pi = \frac{1}{2}ps + \frac{1}{2}qs - I \tag{4.10}$$

となります。この期待利潤を図示したのが図4-6です。図で(4.9)式が満たされるのは左向きの矢印の部分です。(4.10)式の値はsが大きいほど大きくなりますから，図では右上がりとなり，(4.9)式が満たされる範囲では一番右側の$s=R$とした場合に期待利潤が最大になります。$s=R$は，投資家がプロジェクトの収益をすべて手に入れるケースにあたります。

しかし，実はその場合でも投資家が手に入れる期待利潤はマイナスです。今考えている状況は，起業家のタイプがわからない場合にはプロジェクト全体の期待利潤がマイナスである，という状況（(4.8)式）です。このため，$s=R$として投資家の取り分を最大にしても，投資家の期待利潤がプラスになることはないのです。これに対して，貸さなければ期待利潤はゼロですから，投資家は貸さない方がよくなります。

仮に，返済額をもっと大きくしたら，つまり$s>R$としたらどうでしょう。返済額が増えるので，投資家の期待利潤は大きくなりそうです。しかし，それでは(4.9)式が満たされません。起業家が資金を借りようとしないので，期待利潤はゼロとなります（図4-6右側）。結局どんなsを選んでも，投資家の期待利潤は貸さないときよりも大きくはなりませんから，貸出が行われず，どの起業家のプロジェクトも実行されません。

■図 4-6 投資家の期待利潤

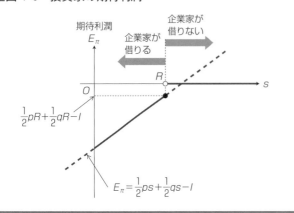

　以上の結果はしかし，問題のある結果です。(4.7) 式で表したとおり，もしタイプを選んで貸すことができるのであれば，A タイプの起業家には貸すべきです。しかし，情報の非対称性が存在するために，そうした貸出は不可能なのです。投資家は，貸すべき借手（A タイプ）がいるのはわかっているのですが，そうでない借手（B タイプ）と区別できないために，十分な返済が得られないことを恐れて貸そうとしないのです。このように，事前の情報の非対称性は，貸されるべき借手が借りられない，という資金制約の問題を生み出します。4.2.2 節では，資金制約が事後の情報の非対称性によって発生することを示しましたが，事前の情報の非対称性によっても同様の問題が発生することがわかります。

　以上のように，情報の非対称性が存在する場合，貸されるべき借手が資金を借りる，という望ましい状態を達成することができなくなります。その結果，不確実だが情報の非対称性が存在しない状況，つまり将来何が起こるかわからないという意味での単純なリスクだけが存在する (3.2 節の) 状況に比べ，貸手からみた返済のリスクが増大します。このようにして，情報の非対称性は金融取引の取引費用を増大させるのです。ただし，現実にはこうした取引費用を軽減し，貸し借りを促進する仕組みが存在します。この点については次章以下（第Ⅱ部）で説明します。

■ 練習問題

4.1 あなたの身の回りで起こったモラルハザードあるいは逆選択の状況を探し，どのような情報の非対称性がどのような問題を引き起こしたのか説明しなさい。

4.2 4.2 節のモラルハザードの分析において，「金融取引が行われ，かつ経営努力が行われることが望ましいケース」以外のケースはなぜ分析の意味がないのか。そうしたケースで得られる結果を求め，4.2 節の結果と比較することで，その理由を説明しなさい。

4.3 4.2.2 節のモラルハザードのモデルで，借手の参加制約を表す式を示しなさい。

4.4 4.3.1 節の設定で，(4.7) 式が成立しない場合について分析を行い，得られる結果がごく単純になること，事前の情報の非対称性が存在しても問題は発生しないことを確かめなさい。

■ 参考文献

石田潤一郎・玉田康成（2020）『情報とインセンティブの経済学』有斐閣。
岡田章（2021）『ゲーム理論（第 3 版）』有斐閣。

第Ⅱ部

取引費用に対処する金融の仕組み

はじめに

第Ⅰ部では，金融取引は資金の有効利用という大きなメリットをもたらす（第2章）反面，取引が実際に行われるためにはさまざまな前提条件が満たされる必要があること，つまり取引を阻害するような取引費用が存在する（第3，4章）ことを説明しました。しかし，取引費用のせいで金融取引がまったく行われていないかというと，そんなことはありません。現実には膨大な額の資金が貸し借りされています（2.2.1節参照）。この事実は，金融取引に付随する取引費用が何らかの形で軽減されていることを意味しています。実際に，金融の世界では取引費用を削減するさまざまな仕組み（工夫）が考えられ，用いられています。こうした仕組みによって取引費用がどのように削減され，金融取引が促進されているのかを学ぶのが，この第Ⅱ部の目的です。

以下の図に示したとおり，第Ⅱ部は3つの章から構成されています。まず**第5章**では，流動化，証券設計，そして情報生産について説明します。流動化とは，金融取引において発行された証券を返済前に売ることです。将来の資金不足のリスクが心配でも，資金が必要になったときに流動化できれば安心して貸せますし，返済のリスクからも解放されます。これに対して証券設計と情報生産は，返済のリスクだけに対処する仕組みであり，返済額を大きくする，あるいは返済確率を高めることによって返済のリスクを小さくし，金融取引を促進します。

続く**第6章**では，担保と保証に注目します。これらの仕組みは，借手が約束どおりの返済を行わない場合でも貸手が資金を得ることができるようにし，返済のリスクを小さくする仕組みです。また第6章では，さまざまなリスクを削減するための仕組みである，デリバティブについても説明します。最後に**第7章**では分

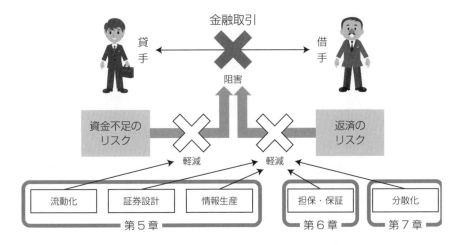

散化の仕組みを取り上げます。同じ資金でも複数の借手に分けて貸せば，全体としての返済のリスクを小さくすることができます。第7章ではこの分散化を行うためのさまざまな仕組みを紹介し，その意義を説明します。

なお，本書では金融取引に付随する取引費用を削減するためのさまざまな手段，仕組み，工夫をまとめて**（金融の）仕組み**★と呼ぶことにします。以下で紹介するように，金融の仕組みには実にさまざまなものが含まれます。中には審査（5.3.2節）や担保（6.2.1節）など古くから用いられているものもありますし，CDS（6.2.3節）などのように，数学や物理学などの成果を取り入れ，複雑な計算のもとで考え出された新しい金融技術もあります。金融の世界では，高度な金融技術を用いた仕組み（たとえば7.1.4節で紹介する証券化）のことを**ストラクチャー**（structure）あるいは**スキーム**（scheme），そしてストラクチャーを使って資金調達を行うことを，**ストラクチャード・ファイナンス**（structured finance：**仕組み金融**）と呼ぶことがあります。これらはすべて，金融取引の取引費用を削減するための工夫といえますから，ここでいう金融の仕組みに含めることができます。

★（金融の）仕組み：金融取引に付随する取引費用を削減するためのさまざまな手段・仕組み・工夫

第5章
金融の仕組み (1)
● 流動化，証券設計，情報生産

はじめに

　第3章で説明したとおり，金融取引は返済のリスクと資金不足のリスクという2つのリスクを伴うため，金融取引固有の取引費用が発生し，取引の成立は妨げられます。こうした取引費用を削減して金融取引を促進するために，金融の世界にはさまざまな仕組みが存在します。この章では，こうした工夫の中から流動化，証券設計，そして情報生産の3つを取り上げて説明します（図5-1参照）。

　5.1節で紹介する流動化は，貸手が金融取引に伴って手に入れた証券を，返済期限前に売ることです。流動化が可能であれば，資金不足のリスクが存在しても貸手は安心して貸すことができます。また，流動化は貸すのをやめることでもありますから，返済のリスクからも解放されます。

　ただし，返済のリスクに関しては，流動化よりも直接的に対処する仕組みが存在します。そうした仕組みとして，5.2節と5.3節，さらには第6章から第7章にわたっては，貸し方を工夫することによって返済のリスクに直接対処する仕組みを紹介します。まず5.2節で紹介するのは証券設計です。証券設計とは，貸手が貸しやすいように貸借の条件をうまく設計することであり，5.2節では返済額を増やすための証券設計と返済確率を増やすための証券設計の2つを説明します。

　証券設計とは別の形で返済のリスクに対処するのが，5.3節で説明する情報生産です。情報生産とは，借手のことを調べて情報を収集し，返済

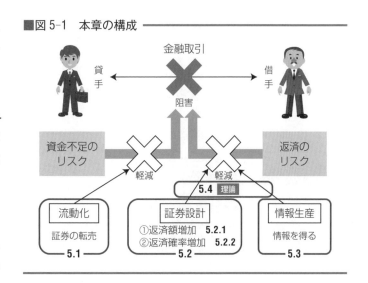

■図 5-1　本章の構成

のリスクが小さい借手に貸す，あるいは返済のリスクを小さくするよう監視することです。5.3節では実際にさまざまな形で情報生産が行われていることを説明します。

最後の5.4節は理論パートです。そこでは，証券設計や情報生産によって返済のリスクが減少し，金融取引が促進されることを，3.2節，4.2節，4.3節で説明した理論に基づいて説明します。

5.1 流動化

5.1.1 流動化とは

貸し借りがいったん行われると，貸手のもとには返済期限がくるまで資金が返ってきません。このため，将来いつ資金が必要になるかわからない，という資金不足のリスク（流動性リスク）に直面している人は，たとえ今手元に資金が余っていたとしても，簡単に人におカネを貸そうとしないでしょう。この流動性リスクを原因とする取引費用に対処するために，流動化という仕組みが幅広く利用されています。

★流動化：証券を満期前に転売すること

流動化★とは，金融取引の過程で生み出された証券を，満期前に転売することです。証券を売ることで，資金を貸していた人は貸すのをやめ，資金を手に入れます。流動化が可能なら，流動性リスクが顕在化し，急に資金が必要になった時点で証券を売ればよいので，将来いつ資金が必要になるかわからない人であっても安心して資金を貸すことができます。将来の流動化が可能な証券には資金が提供されやすくなり，当初の貸し借りも促進されるでしょう。

流動化は，資金不足のリスクだけに対処する手段ではありません。貸すのをやめるので返済のリスクからも解放されます。返済が心配になったときに流動化できることがわかっていれば，そうでない場合よりも安心して貸すことができます。

一般の人にはあまり馴染みがないかもしれませんが，証券の流動化は活発に行われています（表5-1参照）。たとえばどこかの会社の株を購入したいという場合，通常は証券会社を通じて取引を行います。この場合，売手となるのはすでにその株を持っている投資家です。そうした投資家は，その株から損失を負うリスクから逃れるために，流動化を行うわけです。流動化に応じる買手の方は，流動化に伴う取引がなければ，企業が新しく株を発行するタイミングでしか株を買えません。企業はそう頻繁に株式を発行するわけではないですから，株式の取引は流動化が可能なおかげで活発になるわけです。同じように，企業が発行する社債，政府が発行する国債・地方債など一部の債券も，流動化のための取引が活発に行われています（9.1.2節も参照）。

企業間の決済で用いられる手形や電

■表5-1 流動化に関わる金融商品の例

個人が買えるもの	・公社債，株式（の二次取引） ・上場投資信託 ほか
その他	・譲渡性預金（の二次取引） ・貸出債権譲渡（ローン・パーティシペーション，ローン・セールス）（→Column 5-1） ・証券化（→7.1.4節）

子記録債権▶などの債権も流動化されます。その1つのやり方が，そうした債権を銀行（など）が買い取る**割引**です。手形や電子記録債権は，買手企業が売手企業に代金を後日支払う際に用いられます（2.2.3節参照）が，売手企業は支払いが行われる決済日よりも前に，銀行にこれらの債権を買い取ってもらうことがあります。買取により，買手企業から代金の返済を受ける権利は売手から銀行に移ります。買取は，約束されている支払額よりも少ない額で（割り引いて）行われ，割り引かれた額は銀行にとっての対価となります。なお，手形や電子記録債権の割引の場合，買手企業が決済日に支払いができなければ，銀行は割引を依頼した売手に支払いを求めること（支払いの**遡及**，といいます）ができるため，実質的には売手企業（当初の貸手）は割引後にも買手企業の信用リスクを負担しています[1]。

▶手形・電子記録債権⇒1.5.1

ただし，すべての証券が流動化されるわけではありません。たとえば，財布を忘れた友だちのAさんに，あなたが1週間おカネを貸したとしましょう。その3日後に急におカネが必要になったからといって，そのAさんへの「貸し」を買ってくれるような人はまずみつからないでしょう。一般的な証券の場合でも，たとえば個人が預ける銀行預金には流通市場が存在しません。また，銀行が行う中小企業向け貸出なども，流動化の対象にはなりにくい証券です。一般に，当初の貸し借りに関わっていない人にとって，その貸し借りがどのような条件で行われているのか，返済のリスクはどれくらい大きいのか，といった情報はわかりにくいものです。このために，小口の証券やリスクの計測が難しい証券は，買手をみつけるのが難しく，流動化されにくい傾向にあります。

しかし，金融技術が発達し，リスクの計測や管理，あるいは証券の取引に関する事務処理が容易になるにつれ，流動化の対象となる証券は増えてきています。その例が，大口の預金や優良な借手向けの貸出です。たとえば譲渡性預金はその名のとおり，人に転売することができます。2023年3月末時点の譲渡性預金の発行残高は31兆円にのぼります（日本銀行「譲渡性預金発行残高」）。また，金融機関の企業向け貸出（貸出債権）を流動化する，貸出債権の流動化も行われるようになっています。その実績は，図5-2に示したとおりです。流動化は，2000年代後半の世界金融危機以降停滞していましたが，正常債権（返却が見込める債権）については2010年代後半から再び増加していることがわかります（Column 5-1参照）。

5.1.2 流動化の機能

流動化のメリットを表すために，その仕組みを図示したのが図5-3です。この図の出発点は，上段右端の（A）と（B）の間の矢印です。この部分は，借手（A）が証券を発行し，貸手（B）との間で貸借を行ったことを表しており，ここだけみれば第

---

[1] 銀行による割引以外にも，売手企業が買手企業に対して持つ債権を流動化する仕組みとして，ファクターと呼ばれる買手に債権を売却するファクタリングの仕組みがあります（8.3.2節参照）。

■図 5-2　貸出債権流動化の実績の推移

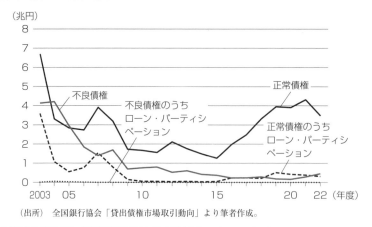

（出所）　全国銀行協会「貸出債権市場取引動向」より筆者作成。

Column 5-1　ローン・セールスとローン・パーティシペーション

　図 5-2 に示した貸出債権流動化の実績は，正常債権と不良債権という 2 つのタイプの債権について示されています。**正常債権**は，銀行の査定により十分返済が見込めると判断された貸出であり，**不良債権**は返済の見込みが低いと判断された貸出や返済が滞った貸出です。不良債権は信用リスクが特に大きな債権ですから，そんなものを流動化していったい誰が買うのか，と不思議に思われるかもしれません。しかし，いくらリスクが大きくても，それを補うほど安く売られるので買手が付くわけです。

　また，図には内訳として，ローン・パーティシペーションの実績も示しています。貸出債権の流動化では，債権を完全に売却し，当初の貸手が貸借と無関係になる**ローン・セールス**（loan sales）と，債権・債務関係を移転させず，返済される金額（と返済されないリスク）だけを新たな貸手に移転させる**ローン・パーティシペーション**（loan participation）があります。後者の場合，当初の貸手が引き続き債権管理や回収を行うため，そうしたノウハウを持たない投資家でも貸出の収益を減らすことなく返済を受けることができます。その半面，当初の貸手が十分な回収努力を行わないという問題点も指摘されています（13.2.2 節参照）。

---

2 章の図 2-2 と同じです。いったん貸し借りが行われると，(B) は (A) から十分な返済が行われないリスク（返済のリスク）や，急に資金が必要になったときに貸した資金を使えないリスク（流動性リスク）にさらされます。

　ここで，その後 (B) が別の投資家 (C) に，(A) が発行した証券を売却し，流動化したとしましょう。その時点で (B) は (C) から資金を受け取り，もうこの貸借とは無関係になります。返済時点が到来すると，(A) は (B) ではなく証券を持つ (C) に対して返済を行います（下段）。このように，流動化は当初の貸手から新たな貸手に，返済を受けるという立場を移すための取引，つまり貸手を交代するための取引だといえます。しかし，借手である (A) からみれば，流動化が行われても実質的には何も変わりません。唯一変わるのは返済相手であり，当初は (B) に返済するはずだったものが，流動化により (C) に返済することになります。

　貸手を交代させる流動化は，**リスクの移転**，つまりリスク負担を変更するための取引だともいえます。当初の貸手 (B) にとって，流動化は返済のリスクと流動性リスクから解放されるために行う取引です。これに対して，新たな貸手 (C) からみれば，(A) から返済を受ける権利を得るのと同時に返済のリスクと資金不足のリスクを負

うことになります。このように，流動化は手放したい人から引き受けてもよい人にリスクを移転させ，結果として経済全体ではリスク負担の効率化が行われます。

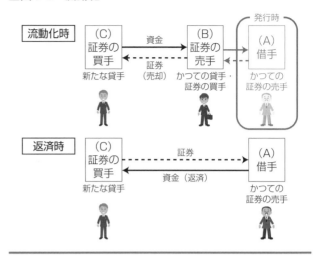

■図5-3　流動化

流動化のための証券の売買は，証券が最初に発行される際の売買とは性格が異なります。当初の証券取引，つまり証券の新規発行は，資金調達のために行われるものであり，その売買によって新たな貸し借りが発生します。しかし，流動化による既発行証券の売買は，その証券を売って資金を回収したい投資家と，新たにその証券を買って資金を貸したい投資家との間で行われます。貸手が交代するだけで，新たな貸し借りが発生するわけではありません。2つのタイプの証券売買を区別するために，当初の資金調達のための証券取引，つまり証券の新規発行は証券の**一次取引**，流動化のための証券取引は**二次取引**，と呼ばれます。自動車の取引でいえば，新車の取引にあたるのが一次取引で，中古車の取引が二次取引です。

なお，割引に関して先に触れたように，返済額があらかじめ決まっている負債型証券の流動化の場合，(C)が(B)に支払う金額は通常，(A)が約束している返済額よりも小さくなります。新たな貸手は，割り引かれた安い値段で証券を購入する代わりに，それよりも大きな額の返済を受ける権利を得ますが，返済のリスクも引き受けることになります。このため，割引額は金利などと同様，リスクを引き受けることに対する対価に相当します[2]。一般に，リスクを引き受けたいという人（需要）が少ないほど，大きな割引率（または安い価格）で流動化が行われます。

5.2　証券設計

5.2.1　証券設計(1)──リスクプレミアムの調整

流動化は資金不足のリスクだけでなく返済のリスクにも対処できる仕組みですが，後者に対する対処としては貸すのをやめるだけなので，いってみれば消極的にしか対処していません。これに対し，貸し方を工夫することで貸したまま返済のリスクに対処する仕組みもあります。この節と次節，そして第6・7章ではそうした仕組みを説明します。

返済のリスクを原因とする取引費用を削減し，貸し借りを実現するための一番簡単

---

[2]　リスクの負担とその対価に関しては次の5.2.1節も参照してください。

な方法は，返済のリスクに応じて貸し借りの条件を調整することです。この調整は，貸し借りの条件を定めた証券▶をうまく設計することによって行われます。この設計は，**証券設計**と呼ばれます。

▶証券⇒2.1.1

証券設計の中で，返済のリスクへの対応として最もわかりやすいのは，返済額を増やすことです。たとえば金利が付く証券の場合，現実の金融取引では返済が難しいと考えられる場合ほど高い金利が要求されます。金利が付かない証券についても同様で，リスクの大きな証券ほど高い収益率が要求されます。証券の返済のリスクの大きさに応じて追加的に求められる収益率や金利のことを，一般に（証券の）**リスクプレミアム**（risk premium）★と呼びます。

★リスクプレミアム：証券の返済のリスクの大きさに応じて追加的に求められる収益率や金利

なぜリスクプレミアムが求められるのでしょうか。その理由は，3.2.4節で理論的に確認したリスクプレミアムを考えればわかります。3.2.4節では，「リスクのもとでの選択」という一般的な状況において，不確実な収入の期待値と確実性等価との差としてリスクプレミアムを定義しました。そこでみたように，たとえリスクが大きくても期待値の上乗せが十分にあれば，選択者の期待効用は低下しません。ここでいう証券のリスクプレミアムは，この一般的なリスクプレミアムを「返済のリスクが存在する状況での証券の選択」というケースにあてはめたものです。たとえ返済のリスクが大きくても，収益率が高ければ，つまり返ってくる場合の返済額が多ければ，リスクの存在による期待効用の低下分は補われ，貸してもよいと思う人は増えるはずです。（証券の）リスクプレミアムは，返済の可能性が低いにもかかわらず資金を提供することに対して求められる対価，いってみれば安心料の役割を果たすのです[3]。

なお，先の2.3.4節では，リスクが存在しない状況において，金利（あるいは収益率）は貸し借りの需要と供給を調整する価格の役割を果たすことを説明しました。ここでの説明は，金利にはこの役割に加えてリスクプレミアムを反映するという役割，つまり返済のリスクに応じて返済額を調整するという役割もあることを意味しています。このため，金利の大きさは貸し借りの需要と供給だけでなく，その貸し借りに付随する返済のリスクによっても変化します。

とはいえ，リスクプレミアムによる金利の調整には限界があります。貸手が返済のリスクへの対価として高い金利を求めたとしても，あまりに高すぎると借手は払えません。もしどんなに高い金利でもよい，という借手がいたら，貸手は逆に，本当に返せるのか，返す気があるのか，と心配になるはずです。たとえ金利を上げて返済額を増やしたとしても，返済される確率が減少するかもしれず，後者の効果が大きくなると，期待される返済額，そして貸手の期待効用は減ることになります。図5-4の直線のように，貸手の期待収益は金利とともに単調に増えるのではなく，曲線が示すようにどこかで頭打ちになってしまうでしょう。

---

[3] 以上については，3.2節で紹介した枠組みを用いて5.4節で詳しく説明します。

5.2.2 証券設計(2)──財務制限条項と優先劣後関係

リスクプレミアムの分だけ返済額を増やすのではなく，返済確率を高めることによって返済のリスクに対処するような証券設計も可能です。返済確率を高めるための方法としては，証券にさまざまな追加条件を加えることが行われています。ここではそうした条件として，財務制限条項と優先権の2つを説明します。

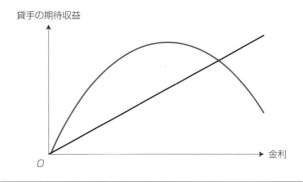

■図5-4　金利と貸手の期待収益の関係

財務制限条項（コベナンツ）とは，何か返済に問題がありそうな場合にすぐ返済してもらうことをあらかじめ約束しておくもので，企業の資金調達においてよく使われています。返済に問題があるかどうかを事前に知るのは難しいことですが，問題がありそうな企業はそれなりの兆候を示すものです。そこで，そうした兆候がみられた場合にはすぐに返済を行うという約束を，財務制限条項としてあらかじめ設定しておくわけです。

たとえば，それまでよりも利益が減った企業，急に借入を増やした企業，突然会計報告のやり方を変えた企業などは，返済が危ぶまれる事態が発生している可能性が高いでしょう。そこで，一定の利益を維持する（利益維持条項），一定以上の借入を行わない（借入制限条項），むやみに決算期を変更しない（決算期の変更条項），といった条件をあらかじめ設定し，これらの条件に抵触すれば返済しなければならないような貸借契約を結ぶのです。詳細は省略しますが，実際には表5-2に示されているように，さまざまな財務制限条項が社債や貸出などに用いられています。

貸手が複数の場合に限りますが，返済確率を高めるための条件としては，**優先劣後関係**の設定もよくみられます。これは，債券の場合にはほかの貸手よりも優先（あるいは劣後）して返してもらうこと，株式の場合にはほかの株主よりも優先（劣後）して配当を受け取ること，をあらかじめ定めるものです。特に何も定めがない場合，貸手なら貸手同士，株主なら株主同士で，法律上は同じ扱いを受けます。このため，何も条件が設定されていなければ，債権者間，あるいは株主間で返済や配当支払いの順番が前後することはありません。しかし，あらかじめ優先（劣後）関係を設定すれば，この関係を変えることができます。

たとえば貸手であるAさんとBさんが，借手であるCさん発行の債券を買い，それぞれ50万円ずつ返済してもらうことになっていたとしましょう。もし返済時点でCさんが返済のための資金を100万円以上持っていれば，AさんもBさんも約束どおり返済を受けられます。しかし，もしCさんが60万円しか持っていない場合には，約束どおりの返済はできません。このような場合，通常であればAさんとBさんは残った資金を折半し，30万円ずつを受け取ることになります。

■表 5-2 財務制限条項の例

分 類	指標と求められる条件
収益・利益に関する財務制限条項	利益の維持，利益率の維持，インタレスト・カバレッジ・レシオ(注1)の維持，EBITDA(注2)の維持，など
資産・負債に関する財務制限条項	純資産額の維持，資産負債比率の制限，借入額（運転資金，設備資金）の制限，配当・役員賞与の制限，自己資本比率の維持，担保提供額の制限，資産譲渡額の制限，現預金残高の維持，設備投資額の制限，など
その他の財務制限条項	決算期の変更，ビジネスラインの変更，出資金維持，株式発行の制限，格付維持，優先株式発行の禁止，など

(注) 1 インタレスト・カバレッジ・レシオ：（利益＋受取利息・配当）÷（支払利息＋割引料）。
2 EBITDA (Earnings Before Interest, Taxes, Depreciation, and Amortization)：利払い・税金支払い・償却前利益。
(出所) 岡東（2008）より筆者改変。

しかし，たとえば A さんが持つ債権が B さんの債権よりも優先することをあらかじめ定めていたとしましょう。この場合の A さんの債権のように，ほかの債権よりも優先する債権は**優先債権**，B さんのように劣後する債権は**劣後債権**と呼ばれます（借手からするとそれぞれ**優先債務**と**劣後債務**）。この場合，たとえ C さんの資金が 60 万円しか残っていなくても，まず A さんが優先的に，約束どおり 50 万円の返済を受けます。B さんが受け取るのは，A さんへの支払い後に残った 10 万円だけです。

以上からわかるように，優先権の設定は，貸手が返済を受ける可能性を高め，返済のリスクを小さくします。このため，返済のリスクを原因とする期待効用の減少（3.2.3 節参照）が抑えられ，貸手は資金提供に応じやすくなるはずです[4]。これに対してほかの証券に劣後する証券は，損するだけにみえます。しかし，劣後証券にはその代わりに，金利や収益率が優先証券よりも高い，といったほかのメリットが付けられ，全体としてのバランスが取られます。

関連して，違うタイプの証券の間の優先・劣後関係にも触れておきましょう。事前に一定額の返済を約束する負債型証券と，そうした約束のない株式型証券との間では，前者が後者に対して優先します。たとえば，配当は借金の返済が終わった後でなければ行われません。この点からすると，株式型証券にはあまりメリットがないように思われますが，その代わりに株式には株主総会における議決権などの別のメリットがあります（2.1.2 節参照）。なお，株式の中にも**優先株（式）**や**劣後株（式）**，さらには無議決権株式，譲渡制限付株式などがあり，まとめて**種類株（式）**と呼ばれます。

以上のように，証券設計の問題は，リスクに応じて金利や収益率をどう調整するか，どのような財務制限条項や優先・劣後関係を設定するか，そしてそもそも用いる証券を株式型にするか，負債型にするか，といったように，多様な選択を含む問題です。また，ここでは貸手が受け取る返済額・確率に対する直接的な影響しかみませんでしたが，証券の設計は借手の行動を変える可能性もあります[5]。こうしたさまざまな効

---

4) 5.4 節ではこのことを理論的に説明します。
5) たとえば株式型証券を用いると，負債型証券の場合に比べて借手がリスクの高い投資を行うことを防ぐ可能性があります。Web Appendix 5.1 参照。

果を考慮に入れ，どのような形で貸借の条件を設定すれば望ましい形で貸し借りを行うことができるのかを考えるのが証券設計の問題です[6]。また，そうして設計された証券（主として負債型と株式型）について，どのように組み合わせて資金調達を行えばよいのかを考える，**資本構成**の問題もあります。証券設計や資本構成の問題は，特に企業が借手となる場合に関して，企業金融の分野で研究が行われています[7]。

5.3 情報生産

5.3.1 情報生産とは

証券設計以外にも返済確率を高める方法があります。借手のことを調べ，返済のリスクの小さい借手を選んで貸す，という方法です。おカネを貸す前に，その借手はどのような借手なのか，本当に将来返済するための資金を得ることができるのか，といった情報を集めれば，返済確率が高いか低いかをある程度判断することができます。その結果に基づき，確率の高い借手を選んで貸すことができれば，返済のリスクは小さくなります。このように，借手の返済可能性に関する情報を作り出すことを，（借手に関する）**情報生産**★と呼びます。

★情報生産：借手の返済可能性に関する情報を作り出す（集める・調べる）こと

情報生産が金融取引の取引費用を削減するメカニズムは複数考えられます。直接的には，返済可能性に関する不確実性を小さくすることで，3.2.3 節でみた返済のリスクに起因する取引費用を削減できます[8]。また情報生産は，情報の非対称性を減少させるという形でも取引費用を削減します。たとえば，4.2 節の事後的な情報の非対称性のケースでは借手の経営努力に関する情報の非対称性が，4.3 節の事前の情報の非対称性のケースでは借手のタイプに関する情報の非対称性が，それぞれ問題を引き起こしていました。情報生産によってこうした情報の非対称性を減少させることができれば，問題のそもそもの原因を取り除くことができます（⇒練習問題 5.2）。

5.3.2 情報生産のタイプと主体

ところで，情報生産を行うのは誰でしょうか。当然のことながら，貸手は情報生産を行おうとする誘因を持ちます。貸手による情報生産のうち，貸す前に行うものを，**審査**と呼びます。審査では，企業の借入であれば事業の収益性や経営者や従業員の能力・技術力といった情報を，住宅ローンであれば借手の年収や職業といった情報を，借手に情報提供を求めたり，自分で調べに行ったりして集めます。おカネを貸すことを仕事としている金融機関は，こうした審査の専門家です。審査は返済の不確実性，

---

[6] 6.2 節で扱う担保や保証の設定も，広い意味では証券設計の中に含まれます。
[7] 資本構成については砂川（2017）などの企業金融の教科書を参照してください。証券設計は資本構成よりも上級レベルの内容になりますので，初級レベルの教科書は残念ながらありません。証券設計については Web Appendix 5.1 も参照してください。
[8] この点については，次の 5.4 節において，3.2 節の理論モデルを使って詳しく説明します。

あるいは事前の情報の非対称性を小さくするのに役立ちます[9]。

これに対して，貸した後に貸手が行う情報生産を**モニタリング**（monitoring：監視）と呼びます（金融の実務では**債権管理**と呼ばれます）。たとえば銀行の企業向け貸出の場合，その企業を担当する担当者は貸出後も定期的に借手のところに足を運び，経営状況を把握します。その結果に基づいて，問題がありそうな場合には経営に関するアドバイスを行ったり，当初定めた貸借の条件を変更したり，場合によっては資金を引き揚げたりすることで，返済のリスクを小さくすることができるでしょう。

ただし，情報生産は必ずしも貸手だけが行うものではありません。第三者が借手に関する情報を貸手に代わって集め，その情報を貸手に提供してもよいのです。こうした形の情報生産は，実際にさまざまな形で行われています。たとえば**信用調査会社**と呼ばれる会社は企業の情報を収集して提供するのが仕事です。その情報収集は，借手の**信用度**（＝返済可能性）を調べる，という意味で**信用調査**とも呼ばれます。また，格付会社も借手としての企業や政府などの情報を提供しています[10]。

さらに，情報の非対称性を解消するための情報生産を，借手の方が行うこともあります。**ディスクロージャー**（disclosure：**情報開示**）と呼ばれるものです。情報の非対称性が引き起こす問題は，借手にとっての問題でもあります。たとえば逆選択の場合の「きちんと返してくれる借手かどうかわからないので貸手が貸さない」という問題は，返せない借手と同列に扱われて資金を借りられない優良な借手にとっても問題です。自分から情報を提供することで優良であることをわかってもらえるのなら，優良な借手は進んで情報を提供しようとするでしょう。しかも，問題のある企業が自ら問題だという情報を出すわけがありませんから，ディスクロージャーは優良企業ほど熱心に行うかもしれません。この場合，情報を開示するという行動を取ること自体が優良企業であるという情報となり，優良な借手と問題のある借手を区別するのに役立つと考えることができます。

このように，自ら発信する情報（**シグナル**〔signal〕と呼びます）を用い，情報を持つ側が自ら行う情報生産は，特に**シグナリング**（signaling）と呼ばれます。ほかのシグナリングの例としては，自己資金の提供が考えられます。事業資金として，貸手から借りた資金だけでなく自己資金も使うことは，事業が立ち行かなくなると自分も困るので頑張って返済しますよ，というシグナルを借手が送っているものと考えることができます[11]。

---

9) 貸手による事前の情報生産としては，貸手自身が直接調べる審査のほかに，情報を持つ借手から貸手が情報を引き出す，スクリーニングと呼ばれるものもあります。これについては6.3.3節で説明します。
10) 情報生産を専門としている企業については10.1.4節で説明します。
11) シグナリングについては，石田・玉田（2020）の第6章を参照してください。

5.4 返済額・返済確率増加の効果*

以上のように，金融の仕組みを用いて返済額や返済確率を増加させることは，貸手が直面する返済のリスクを削減し，金融取引を促進します。ここではこうしたメリットを，3.2節で紹介した理論的枠組みを使ってもう少し厳密な形で示してみることにしましょう[12]。

ある人が貸出をするかどうか考えているとします。この人は，x という返済が得られれば，$u(x)$ という効用関数で表される効用を得るものとします。貸出をすると，確率 q で R という返済が行われますが，確率 $1-q$ で何も返済されない（あるいはゼロの返済が行われる）とします。貸出をしたときの期待返済額を E_x とすると，$E_x = qR$ です。もしこの人が貸出をしたら，得られる期待効用 E_u は，$E_u = qu(R)$ です。

貸出をしなければ，貸すことのできる資金が確実に手元に残ります。その額を Z とすると，貸出をしないときの効用は $u(Z)$ です。仮定として，$R>Z$，つまり貸出をしてうまく返してくれれば貸手の持つ資金は増えるものとします。また，$E_u < u(Z)$，つまり，リスクを冒して貸出を行うよりも，確実に Z を残しておく方がよいものとしましょう[13]。

以上の状況で，証券設計や情報生産の効果を示したのが図5-5です。まずこの図の(a)は，金利を上げる（5.2.1節）ことで返済額を R から R' に増加させたケースを示しています。この増加により，貸手の期待効用は $E_u(=qu(R))$ から $E_u'(=qu(R'))$ に上昇しています。また，図の(b)では，財務制限条項や優先権の設定（5.2.2節），あるいは情報生産（5.3節）により返済確率が q から q'' に高まったケースを示しています。この返済確率の上昇により，この人の期待効用は $E_u(=qu(R))$ から $E_u''(=q''u(R))$ に増えています。どちらの場合もこの人は貸出を行うことがわかり

■図5-5 返済額増加，返済確率上昇と期待効用

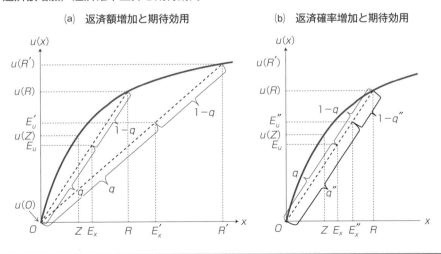

ます（⇒練習問題 5.3）。

　なお，5.2.1 節でも触れたとおり，図 5-5(a) の説明はリスクプレミアムが求められる理由の説明にもなっています。返済のリスクが存在する場合，貸手にとっては貸すことから得られる期待効用はそう大きくありません。しかし，金利や収益率が増加すれば返済額は大きくなり，期待効用は増加します。先に触れたとおり，ここでのリスクプレミアムは，どれだけ収益率を増やせば貸手が貸してもよいと思うようになるか（貸さない場合よりも期待効用が大きくなるか），返済のリスクが存在するにもかかわらず資金を提供してもらうためにはどれだけの対価（安心料）が必要か，を表しています。

■ 練習問題

5.1 実際の企業の資金調達において，本章で学んだ流動化・証券設計・情報生産が活かされている例を探し，どのような工夫がどう役立っているのか説明しなさい。

5.2
(a) 4.2 節の分析枠組みを使って，借手の経営努力に関する情報生産が行われればモラルハザードの問題が解決できることを説明しなさい。
(b) 4.3 節の分析枠組みを使って，借手のタイプに関する情報生産が行われれば逆選択の問題を防ぐことができることを説明しなさい。

5.3 図 5-5(a) で返済額の増加により期待効用が E''_u になること，および同図 (b) で返済確率の上昇により期待効用が E''_u になることを確かめなさい。また，どちらの場合も貸出が行われることを確認しなさい。

■ 参考文献

砂川伸幸（2017）『コーポレート・ファイナンス入門（第 2 版）』（日経文庫）日本経済新聞出版社。
石田潤一郎・玉田康成（2020）『情報とインセンティブの経済学』有斐閣。
岡東務（2008）「財務制限条項の研究」『阪南論集　社会科学編』第 44 巻第 1 号，123～149 頁。

---

12) ここでは情報の非対称性が存在しない 3.2 節の理論モデルを用いますが，情報生産のメリットは，情報の非対称性が存在する理論モデル（4.2 節あるいは 4.3 節の理論モデル）を使って説明することもできます（⇒練習問題 5.2）。
13) ここで考える状況は，3.2.3 節の理論モデルの $Z=Z^2$ のケースに相当します。

第6章

金融の仕組み(2)
●担保, 保証

はじめに

　第5章では，返済のリスクが存在する状況でも貸手に資金を提供してもらうための，返済額を増やす仕組みと返済確率を高める仕組みを説明しました。しかし，たとえこうした工夫をしたとしても，将来が不確実である以上，100％確実な返済を期待することは不可能です。そこで，返済されない場合に対処する，という形で返済のリスクから発生する問題，つまり取引費用を軽減することも重要になります。そうした工夫の代表が，この章で紹介する担保や保証です。担保や保証はあらかじめ返済額を約束する負債型証券（債券）に対して設定されるもので，広く一般に用いられています。

　本章の構成は図6-1 に示されています。担保や保証の意義は，約束どおりの返済が行われない債務不履行の状態において発揮されます。そこで，まず6.1節では，債務不履行が発生した場合に担保や保証が設定されていなければ何が起こるのかを説明し

■図 6-1　本章の構成

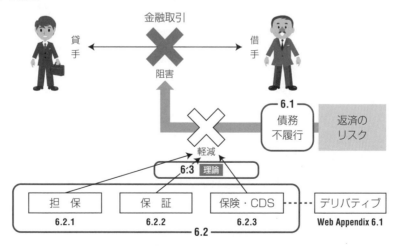

ます。関連して，債務不履行と企業の経営破綻，そしてその後の破綻処理についても触れます。

担保や保証とはどのようなものなのかを説明するのが次の 6.2 節です。担保や保証は，債務不履行が起こった際に，貸手に対して追加的な支払いが行われるようにする仕組みです。また，同様の仕組みとして保険，そして CDS と呼ばれる金融商品もあります。6.2 節ではこれらについて説明します。

続く 6.3 節は，担保や保証が設定されることの意義を，第 I 部で説明した経済学の理論モデルの中で説明します。具体的には，リスクが存在する場合の貸出決定を説明した 3.2 節のモデル，情報の非対称性の問題（モラルハザードと逆選択）を説明した 4.2 節と 4.3 節のモデルを使い，担保や保証などが設定されることの意義を説明します。

なお，CDS はデリバティブと呼ばれる契約の一種であり，広い意味では担保や保証もデリバティブの中に含めることができます。この**デリバティブ**（derivative：**金融派生商品・証券**）とは，元となる商品等（ここでいえば元となる貸し借り）の価格や状態（ここでいえば返済リスクや信用リスクの発生）に応じて支払いを行う契約であり，さまざまなリスクを軽減するさまざまなデリバティブが存在します。紙幅の関係から本章では詳しく説明できませんが，デリバティブについては Web Appendix 6.1 において，先物あるいは先渡，オプション，スワップ，という 3 つの代表的なデリバティブを取り上げ，例をあげて具体的に説明していますので参照してください[1]。

6.1 債務不履行と倒産

6.1.1 債務不履行

担保や保証などを説明するためには，まずこれらが意味を持つ債務不履行の状態を理解する必要があります。**債務不履行**（**デフォルト**〔default〕）とは，債権者に対して支払いの義務（債務）を負っている債務者が，その支払い義務を果たせない状態です。ここでいう債務にはさまざまなものが含まれます。たとえば企業は従業員に対して賃金支払いの義務を持ちますし，企業同士の取引では買手企業が売手企業に対して代金支払いの債務を負います。借金，つまり金融債務も重要です。将来の返済（金利，元本等の支払い）を約束する負債型証券▶を用いた貸借を行った場合，借手は約束どおりの返済を行う義務（債務）を負います。この義務を履行しない（できない）のが債務不履行です。3.1.2 節で説明した言葉を使えば，信用リスクが顕在化した状態が債務不履行です[2]。

▶負債型証券
⇒2.1.2

債務不履行が起こったとしても，貸手（債権者）は返済を受ける権利（債権）を失

---

1) デリバティブについては，可児・雪上（2012）なども参考になります。
2) 事前に返済を約束しない株式型証券では，債務は発生せず，債務不履行も起こりません。

うわけではありません。自ら催促して返済を求めることができますし，損害賠償を請求し，公権力（司法）の力を借りて債務者の財産を処分する，といった形で，借手の意思にかかわらず支払いを行わせることができます。とはいえ，債務不履行時に貸手ができることは限られています。債務者は財産をあまり持っていないかもしれませんから，取り戻せる額はわずかかもしれません。

債権者が複数存在する場合はさらに複雑です[3]。まず，証券の種類によって支払いに優先劣後関係があることが法的に定められていますし，ほかの債権との間にも優先劣後関係があります[4]。同じ優先順位の債権が複数ある場合には，どの債権も同列に扱われます。つまり，優先する債権への支払いが行われた後でも資金が残っていれば，持っている債権額に比例して配分されます。このため，債務不履行が起こった場合に，債権者のもとに返ってくる資金は，通常あまり多くありません。ただし，通常の優先順位を超えて，先に配分を受ける方法があります。それが，6.2節で説明する担保です。

6.1.2 企業の経営破綻と倒産

借手が企業である場合，債務不履行はその企業の存続に関わる大きな問題です。事業が立ち行かなくなり経営に行き詰まる，**経営破綻**につながるからです。同じような意味で使われる言葉としては，**倒産**という言葉の方が一般的かもしれません。倒産というと，赤字になった企業が潰れてなくなる，といった強烈なイメージを持つ人も多いかもしれませんが，本来倒産という言葉は，事業継続が困難な状態，たとえば取引相手から取引を断られる，取引金融機関から貸出を断られる，あるいは給料が払えず従業員に働いてもらえない，といった状態を指します。

取引相手，従業員，金融機関等に対する債務不履行が発生すると，事業継続は困難になります。実務上企業が倒産したとみなされるのは，約束どおりの債務履行ができないために，借手が債権者との間で既存の債務をどのように処理するかを話し合う**破綻処理**（Column 6-1 参照）が開始された場合，あるいは，預金の残高不足で手形や電子記録債権▶による支払いができない事態（**不渡り**といいます）が繰り返し（具体的には 6 カ月以内に 2 度）発生し，金融機関から取引停止処分を受けた場合です。

▶電子記録債権
⇒1.5.1

債務不履行は，事業が赤字で返済資金がない，あるいは黒字であっても借金が多くて返済できない場合に発生します。このため，フロー▶（ある期間あたり）の利益が小さい企業，あるいはストック▶（ある時点）の負債が過度に多い企業は倒産しやすい企業だといえます。ただし，たとえ赤字や借金過多の状況であっても，返済や支払いを続けられるのであれば倒産しません。たとえば，事業は赤字でも経営者が個人的に返済を肩代わりしていれば，倒産にはなりません。逆に，黒字で十分返済能力はあ

▶フロー・ストック
⇒11.1.1 Column 11-1

---

3) 5.2.2節も参照してください。
4) たとえば，賃金の支払いは借金の返済よりも優先されますし，税金の支払いはさらに優先されます。

> **Column 6-1　企業の破綻処理**
>
> 　企業が経営破綻すると，破綻処理が行われます。破綻処理には法律に沿って行われる**法的処理（法的整理）**と，それ以外の**私的処理（任意整理）**とがあります。法的処理は裁判所を通じて行われます。法的処理の手続きが始まったら，債権者は個々の債券を債務者に対して行使することが禁止され，集団的な処理が行われます。法的処理の方法は2種類に分かれます。1つは，破綻した企業が持つ財産を処分し，債権者に対する支払いを行って企業を解散させる，**清算型**の法的処理です。5.2.2節で述べたように，この支払いは証券や債権の種類に応じた優先順位に基づき行われます。しかし，倒産した企業は常に清算されてなくなってしまうわけではありません。もう1つの処理方法として，過去の借金や支払いを軽減し，改めて事業をやり直させる，**再建型**の法的処理があります。清算型の場合，それまで事業を続けてきた企業がなくなってしまいますが，まだ見込みがある企業は清算しない方がよいかもしれません。この場合に選ばれるのが再建型の処理です。再建型の場合，債権者に負担を求めること（たとえば返済等の減額）によって企業側の負担を減らしますが，その代わりに企業側も経営者の交代や人員削減，事業の再構築などが求められます。
>
> 　法的処理は，法律に基づき明確なルールのもとで行われる半面，時間がかかり，弁護士の雇用が必要になるなど費用も大きくなります。そこで，規模の小さな企業の場合ほど，法的な手続きの外で，私的処理が行われます。私的処理の場合，企業と債権者の間で話し合いを行い，当事者間で合意に至れば処理が終わります(注)。このため，資産の処分，債務の減免，企業の存続など，さまざまな側面に関して多様な形で合意が行われ，処理が進む可能性があります。そもそも，当事者以外には債務不履行や破綻処理があったことすらわからないこともありえます。
>
> （注）　もちろん，この「話し合い」は穏便に話し合って平和裏に解決するケースだけを意味しているわけではありません。たとえば債務者が行方不明で債権者が泣き寝入りする，といったケースも私的処理に含まれます。

っても，たまたま債務の返済が滞れば倒産してしまう可能性があります。いわゆる**黒字倒産**のケースです。たとえば，少し待てば利益が入るのに，資金繰りに失敗して当座の支払いができなくなれば，黒字倒産になるかもしれません。このため，倒産を把握するためには企業の財務状態だけでなく資金繰りにも注意する必要があります。

6.2　担保と保証

6.2.1　担　保

　6.1.1節で説明したとおり，債務不履行が発生すれば，債権者は既定の優先順位に応じた額しか配分を受けられません。しかし，担保や保証等が設定されていれば話は違います。担保・保証等は，債務不履行時にも債権者が通常より多くの資金を回収することができるようにするための仕組みだからです。

　担保★とは，借手が返済を行わない場合に，あらかじめ定めた特定の資産を貸手に譲り渡す約束をすること，あるいはその資産を表します。担保が設定されていると，貸手は債務不履行時に担保が設定された資産を優先的に手に入れることができます。この資産に十分な価値があれば，貸手はそれを換金する，あるいは自分で使うことで，その価値に見合った返済を受けたのと同じ状態になります。このような形で，債務不履行時にもある程度の資金が得られるようにし，貸手が直面する信用リスクを減らす手段が担保なのです。

　担保に取られる資産はさまざまです。たとえば金融機関の企業向け貸出でいえば，

★担保：借手が返済を行わない場合にあらかじめ定めた資産を貸手に譲り渡す約束，またはその資産

Column 6-2　動産・売掛金担保融資

　動産・売掛金担保融資（動産・債券担保融資）は，2000 年代前半から注目を集め始めた貸出手法です。その背景には，不動産担保や保証を提供できない中小企業は金融機関からの借入が難しいのではないか，という実務・政策上の問題意識があります。担保・保証を用意できない企業でも，不動産以外に十分価値のある資産を持つ企業はたくさんあります。そうした資産を担保に用いることができれば，企業の資金調達を促進することができるかもしれません。

　たとえば売掛金という資産を考えてみましょう。売掛金は，企業がほかの企業などに商品や製品等を売った代金を，掛け，つまり後日受取にしたものです（Web Appendix 2.1 参照）。売掛金のうち，大企業や官公庁などに対するものは，ほぼ確実に受け取ることができます。それを担保にその企業が借入を行うと，たとえその企業自身が返済できなかったとしても，貸手は資金を回収できる可能性が十分にあります。

　担保になるのは売掛金だけではありません。右の新聞記事は，ウイスキーの原酒を担保とした融資（貸出）が行われた，という記事です。このほかにも，発電業者の売電債権（支払われる電気料金を受け取る権利），病院の診療報酬，製造業の企業の製品在庫や小売業者の商品在庫，水産業者が持つ水産加工品や畜産業者が持つ家畜など，実にさまざまな動産が実際に担保に用いられています。

ウイスキー担保　長期融資
三井住友リースが実行
原酒の将来価値を評価

　熟成に時間がかかるお酒を担保に，金融機関が醸造所の資金繰りを支える取り組みが広がっている。三井住友ファイナンス＆リースはウイスキーの原酒を担保にした融資を実行した。三井住友リースは津崎商事（大分県竹田市）が製造するウイスキーの原酒を担保にした動産担保融資をこのほど実施した。融資額は最大数億円で，期限は最長20年になる。担保の評価が難しい動産担保融資の期限を1年未満とすることが多い。三井住友リースは原酒が将来生む価値を評価し，担保に組み入れる。企業融資の長らく価値が崩れにくい不動産が担保とされてきた。一方で在庫などの動産は時間が経過するほど価値が下がってしまう。ウイスキーは熟成期間が長いほど価値が高まるため長期間の融資が実現した。担保融資の実例はあるが，製品化に至らない状態では市場価値が低いウイスキーの原酒を担保とした融資は国内で珍しい。地方銀行ではブランド牛やランドセルを担保にした動産担保融資の実例もあるが，製品化に至らない状態では市場価値が低いウイスキーの原酒を担保とした融資は国内で珍しい。

（高橋理穂）

（2023 年 8 月 25 日付『日本経済新聞』）

　なお，アメリカなどでは毎日のように担保資産の価値を評価し，それに合わせて貸出額も調整する ABL（Asset Based Lending）と呼ばれる融資が行われています。この ABL と比較すると，同じように ABL と呼ばれている日本の動産・売掛金担保融資は，担保自体の価値を特定するというよりも，借手に返済能力（収益力など）があるかどうかを判断するために，動産・売掛金の価値をモニタリング（5.3.2 節参照）しているようです（こうした違いについては金城（2011）を参照）。

借手企業が持つ土地や建物，生産のための設備・機械や自動車といった資産に担保が設定されます。中小企業向け貸出であれば経営者の自宅，個人向けの住宅ローンであれば購入した住宅や土地なども担保になります。日本では昔から，土地や建物などの不動産を担保に設定することが当然のことのように行われてきました。ただし，これでは不動産を持たない借手が借入を行うことが難しくなります。そこで，最近の中小企業向け貸出においては，企業が持つ商品などの在庫や，企業が取引先企業から受け取ることになっている代金である売掛金（Web Appendix 2.1）など，動産と呼ばれる資産を担保に取る**動産・売掛金担保融資**（**動産・債券担保融資**）が注目を集めています（Column 6-2 参照）。

　なお，借手自身が持つ資産を担保とする場合は**内部担保**と呼ばれ，借手以外の第三者が持つ資産を担保とする場合は**外部担保**と呼ばれます。たとえば経営者の自宅を担保に法人としての企業が借入を行う場合，その担保は外部担保にあたります。内部担保の所有者（借手自身）は，債務不履行が起きれば担保が設定されていてもいなくてもその資産を債権者に取り上げられます。これに対して外部担保は，担保が設定されていないかぎり，取り上げられることはありません。

6.2.2 保証

★保証：借手が返済を行わない場合にあらかじめ設定した第三者が代わりに返済する約束

担保と似た仕組みに保証があります。**保証**★とは，借手が債務不履行を起こした場合に，あらかじめ設定しておいた借手以外の第三者（**保証人**といいます）が代わりに返済を行うことを約束するものです。定義上，保証は常に，当該の貸し借りに直接関わっていない第三者が行います。通常の保証では，保証人は借手が返済できない場合にのみ返済する義務が生じます。しかし，**連帯保証**と呼ばれる特別な保証の場合には，「借手が返済できない場合に」という条件がなくなります。このため，貸手はいきなり保証人に返済を求めることができ，保証人もそれに応じる義務があります。安易に連帯保証人を引き受けるべきではないのはこのためです。

保証の例としては，金融機関による中小企業向け貸出における，経営者や親族の個人保証が代表的です。また，国をまたいだ企業同士の取引において，買手企業の支払いに対して銀行が保証を行う，**信用状**もあげられます。さらに，資金調達が難しい中小企業は，全国の県や市に所在する**信用保証協会**が一定の保証料の支払いと引き換えに保証を行う，**信用保証制度**をよく利用しています。信用保証制度は，最終的に国が損失を負担する仕組みのもとで運営されている，公的な保証制度です。銀行や信用保証協会による保証と，個人保証の大きな違いとして，前者では保証人である銀行や信用保証協会が複数の保証を同時に行っていることがあげられます[5]。

担保と保証はまったく違うもののようにも思えますが，借手が当初の約束どおりの返済ができない場合に，貸手が何らかの資金を受け取れるようにする，という点では同じものです。現に，担保と保証はそれぞれ**物的担保**と**人的担保**と呼ばれることもあります。なお，より確実な返済を求めて銀行などが自分の持つ債権に担保や保証を設定することを，**保全**といいます。これに対し，無担保無保証で行われる貸出は，**信用貸し**と呼ばれます。

図6-2は，日本国内の銀行貸出における，担保・保証の有無別の割合を示したものです。一番上は無担保無保証の貸出を示しており，それ以外が担保・保証付きの貸出です。担保・保証付貸出は，2000年代前半までは一貫して6割から7割の間にありました。しかし，近年では担保・保証に依存しない貸出が重視されてきており，2000年代中ごろからは，信用貸しの比率が4割を超え，直近では約半分になっています。担保・保証付き貸出の中では，昔は不動産を担保とする貸出が多かったのですが，最近は保証付き貸出が最も多いこと，それ以外の担保を用いる貸出はあまり多くないことがわかります。

また表6-1には，信用保証協会による保証の規模を表すために，2008年度から2022年度までの期間における保証付き債務の件数と残高が示されています。これに

▶分散化⇒7.1

5) 同じ額を保証するとしても，1人の債務者に対して全額を保証するより，多くの債務者の保証を同時に分割して行う方が，債務者に代わって行わなければならない返済の額は小さくなります。銀行や信用保証協会は，多数の保証を行うことで，保証に伴う信用リスクを**分散化**▶しています。

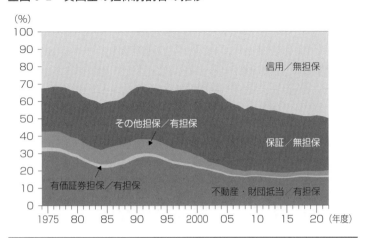

■図 6-2　貸出金の担保別割合の推移

■表 6-1　信用保証協会の保証債務の件数と残高

年度	件数	残高（兆円）
2008	3,432,308	33.9
2009	3,389,640	35.9
2010	3,294,020	35.1
2011	3,282,380	34.4
2012	3,189,748	32.1
2013	3,068,922	29.8
2014	2,949,589	27.7
2015	2,796,391	25.8
2016	2,623,498	23.9
2017	2,473,377	22.2
2018	2,332,923	21.1
2019	2,241,042	20.8
2020	3,116,098	42.0
2021	3,155,786	41.9
2022	3,164,036	40.4

よると，近年では件数で310万件超，残高としては40兆円超の貸出に対して信用保証協会が保証を行っていることがわかります[6]。同じ時期の貸出残高（図6-2に示された貸出の合計額）は，650兆円を超えていますから，信用保証協会による保証は，その6％超にあたることになります。

6.2.3　保険とCDS

「保証」とは呼ばれませんが，「当初の約束どおりの返済ができない場合に，第三者が代わりに返済を行う」ための仕組みはほかにもあります。その1つは保険です。保険というと，生命保険や火災保険，自動車保険などが思い浮かぶので，担保や保証と関係があるのだろうかと思われるかもしれません。しかし，**保険**★の本来の定義は，偶発的な出来事（**事故**，あるいは**保険事故**と呼ばれます）に遭遇するリスクにさらされている多数の人々から**保険料**と呼ばれるおカネを集め，それを元手にして実際に事故にあった人に**保険金**と呼ばれる資金を支払う，というものです。そして，世の中には債務不履行という事故，つまり信用リスクに対する保険（信用リスク保険）が存在します。たとえば，保険会社は売掛金▶が回収できないことに対する保険（貸倒保険や取引信用保険などと呼ばれるもの）を販売していますし，貿易保険と呼ばれる保険は銀行の信用状と同じように，海外の企業に対する売掛金をカバーしてくれます[7]。

もう1つ，保証や保険とは呼ばれませんが，実質的には信用リスクに対する保証・保険と同じ役割を果たしているのがCDSです。**CDS（クレジット・デフォルト・スワ**

★保険：保険事故に遭遇するリスクにさらされている人から保険料を集め，実際に遭遇した人に保険金を支払う仕組み

▶売掛金⇒Web Appendix 2.1

---

6) 表では，保証件数・残高が2020年度以降急増していますが，これは新型コロナウイルス感染拡大に伴う中小企業向け資金繰り支援として行われた保証によるものです。

7) もちろん，金融取引とは関係のない保険もたくさんあります。一般的な保険については保険に関する教科書，たとえば近見ほか編（2016）などをみてください。また保険会社については8.3.1節を参照してください。

■図 6-3　日本の CDS の残高の推移

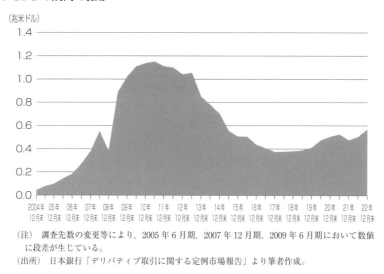

（注）　調査先数の変更等により，2005 年 6 月期，2007 年 12 月期，2009 年 6 月期において数値に段差が生じている。
（出所）　日本銀行「デリバティブ取引に関する定例市場報告」より筆者作成。

ップ：Credit Default Swap）とは，第三者に対して保証料に相当する手数料（**スプレッド**と呼ばれます）を支払った者が，ある金融債権の債務不履行時に，あらかじめ定めた金額をその第三者から受け取る，あるいはその債務自体を第三者が購入する，という契約です。貸手が CDS を購入すると，債務不履行が起こった場合にはその CDS の売手が損失を負担してくれるので，貸手は信用リスクから解放されます。このため，機能のうえで，CDS は保証や保険とほとんど変わりがありません[8]。

　日本における CDS 取引の状況をみてみましょう。図 6-3 には，日本の主要金融機関が取引している CDS の残高が示されています（海外での取引も含む）。ここに示されているのは保証されている支払額，つまり債務不履行時に受け渡されることになる，**想定元本**と呼ばれる額です。この図からは，CDS の取引が 2000 年代後半から 2010 年代前半にかけて急拡大したことがわかります。その後，2010 年代後半にかけて残高は減少し，2022 年 12 月末では 5696 億ドル，仮に 1 ドル＝150 円で換算すると 85 兆円程度の残高があることがわかります。

　なお，CDS は信用リスクを肩代わりするものですから，信用リスクが大きい，つまり返済可能性が低いと考えられる貸し借りの CDS ほど，肩代わりしてもらうために支払う手数料は高くなります。このため，CDS の手数料の全体的な動きをみることで，経済全体の信用リスクの大きさを把握することができます。こうした目的のために，複数の企業の CDS の手数料を平均した **CDS インデックス**が提供されており，金融市場の問題の大きさや金融危機の度合いを把握する指標としてしばしば用いられています（Column 6-3 参照）。

▶デリバティブ
⇒Web Appendix
6.1

[8]　ただし，デリバティブ▶の一種である CDS には，保証や保険にはない特徴があります。6.3.1 節を参照してください。

Column 6-3　CDS インデックス

CDS は手数料（スプレッド）と信用リスクを交換する取引ですから，信用リスクが大きいほど手数料は大きくなります。このため，CDS のスプレッドの大きさは，借手の信用リスクの大きさを表す指標となります。この特徴を利用して，国や経済全体の信用リスクの動きを表す指標として，複数の企業の CDS のスプレッドを平均した CDS インデックスと呼ばれる指標が作られています。日本では，大企業を対象とした Markit iTraxx Japan という指数が代表的で，日本企業全体のリスクの動きを把握するための指標の1つとして用いられますが，下記の記事はその役割の変化を報じています。

（2021年9月6日付『日本経済新聞』）

6.3　担保・保証の効果*

6.3.1　担保・保証と返済のリスク

《貸手・借手のメリット》　担保や保証，あるいは同様の役割を果たす信用保険や CDS などによって資金提供が促進されることは，第I部で示した分析の枠組みを用いて簡単に示すことができます。まず，返済のリスク（ここでは信用リスク）が貸出を阻害することを示した 3.2 節の設定で考えてみましょう。この設定を用いると，担保・保証は返済のリスク自体を小さくすることによって貸借を促進することを示すことができます。

確率 p で R という返済が行われるが，確率 $1-p$ で何も返済されない（返済ゼロ）という貸出があったとします。期待返済額を E_x で表すと，$E_x = pR$ です。貸手の効用関数 $u(x)$（x は返済額）は危険回避的▶で，貸出を行った場合の期待効用は $E_u = pu(R)$ だとします。貸出を行わない場合の効用は，貸すはずの資金 Z が手元に残るため，$u(Z)$ となります。さらに，返済額 R は貸出額 Z より大きいが，この貸手は

▶危険回避的
⇒3.2.4

図6-4 担保・保証の効果

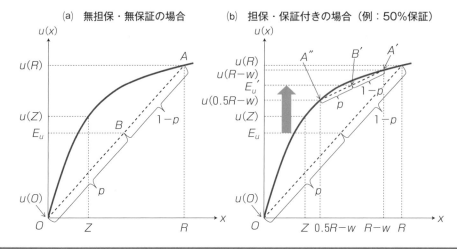

信用リスクのある貸出より確実に Z を残しておく方が嬉しい（$E_u < u(Z)$）ものとしましょう。以上を図示したのが図6-4(a)です[9]。

ここで、保証（信用保険、CDSでもかまいません）を利用するとどうなるか考えてみましょう。例として、保証料 w を支払うと、返済額 R の一部、たとえば50%を保証してくれる保証人がみつかったとしましょう。この保証を付けると、貸手はまず w を支払い、確率 p で返済が行われた場合には借手から R を、確率 $1-p$ で返済が行われなかったときには保証人から $0.5R$ を受け取ります[10]。すると、結果的に貸手の手元には確率 p で $R-w$ が、確率 $1-p$ で $0.5R-w$ が残ることになります。貸手の期待効用は $E_u' = pu(R-w) + (1-p)u(0.5R-w)$ となり、これが $u(Z)$ より大きければこの貸手は保証付きで貸出を行うでしょう。

このようなケースを表したのが、図6-4(b)です。保証付きで貸出を行うと、p の確率で $u(R-w)$ の効用が得られ（点 A'）、$1-p$ の確率で $u(0.5R-w)$ の効用が得られます（点 A''）。期待効用 E_u' は、線分 $A''A'$ を p 対 $1-p$ の比率で内分した点 B' の高さとして表されます。図6-4(b)では、保証がない場合よりも期待効用が増加し（図中の矢印）、貸さないときの効用 $u(Z)$ よりも大きくなっています。保証により貸手は債務不履行時にも資金を得ることができるため、期待効用が増加して貸出が行われるようになったことがわかります。なお、借入が可能になることは借手にとってもメリットなので、保証は借手にも貸手にもメリットをもたらします。

《第三者のメリット》 ただし、保証や保険の場合、貸手と借手のメリットだけを考えて終わりではありません。保証や保険を提供するのは、その貸し借りには直接関係のな

---

9) この設定は5.4節と同じであり、3.2.3節の理論モデルで $Z = Z^2$ とした場合がその一例です。
10) $0.5R$ だけの価値を持つ資産を借手が担保に提供したと考えると、まったく同じ説明で担保のメリットの説明になります。

い第三者だからです。なぜこうした第三者はわざわざ自分と関係のない貸し借りに関わり，保証や保険を提供しようとするのでしょうか。

保証や保険を提供する人にとって，直接のメリットとなるのは提供の見返りに受け取る保証料や保険料（上のモデルでは w）です。借手が返済できなければもちろん返済（上では $0.5R$）の肩代わりが必要ですが，信用リスク（上では $1-p$）が小さければその可能性は低くなります。さらに，多くの貸手に対して同時に保証・保険を提供すれば，一度に多額の返済を肩代わりする確率が減りますから（信用リスクの分散化▶），ビジネスとして十分成り立つ可能性があります。一般に，保険会社は事故時の保険金支払いと保険料収入のバランスを取ることで収益を得ていますが，保証や信用保険についても同じことがいえます。

▶分散化⇒7.1

保証・保険については以上の説明で十分なのですが，CDSの場合にはもう少し注意すべきことがあります。デリバティブ▶の一種であるCDSは，「信用リスクを取引する商品」とも呼ばれるように，保証や保険にはない特徴があります。それは，貸し借りとまったく関係のない人たちの間で取引される可能性がある，という特徴です。CDSは「ある貸借の返済状況に応じて金銭をやり取りする」というだけの契約です。このため，貸借の当事者以外でも売買することができるのです。

▶デリバティブ
⇒Web Appendix 6.1

もちろん，売手は保証人や保険会社のように，手数料収入を期待して取引に関わる第三者です。ここで問題となるのは買手の方で，CDSの場合，買手も貸借と関係がないことがあります。つまり，返済のリスクにさらされている貸手ではなく，その貸し借りとは直接関係のない第三者が，誰かの債務が不履行になったら資金を受け取ることができる，というCDSを，わざわざ手数料を払って購入することがあるのです。そもそも，自分たちの貸借に関するCDSが取引されていることを，当該貸し借りの当事者が知らないことすらあります。

貸手でない人がCDSを買う理由はどこにあるのでしょうか。たとえば信用リスクが大きいと思われる貸借を対象としたCDSが，安い手数料で売られていたとしましょう。この場合，費用として安い手数料を払うことで，高い確率で債務不履行時の支払いを受け取ることができます。このため，儲けを得る目的（**投機目的**）で投資家がこのCDSを購入する可能性があるのです。この意味で，CDSはある借手が債務不履行を起こすかどうかに関して第三者がおカネをやり取りする賭け（ギャンブル），とみることすらできます。もちろん，信用リスクによる損失を防ぐ，という本来の目的（**リスクヘッジ**〔risk hedge〕目的）のために行われるCDS取引もあります。CDSの取引にはヘッジ目的の取引と投機目的の取引が両方含まれるのです。この2つの目的で取引が行われるのは，CDSに限らずデリバティブ一般にみられる特徴です。この点についてはWeb Appendix 6.1で説明しています[11]。

---

11) なお，CDSも含め，信用リスクを取引するデリバティブは一般に**クレジット・デリバティブ**と呼ばれます。クレジット・デリバティブについては可見・雪上（2012）などを参照してください。

6.3.2 担保・保証によるモラルハザードの解決

担保・保証のメリットは，単に信用リスクを小さくすることだけではありません。担保・保証を用いると，4.2節で説明したモラルハザードの問題に対処することができます。このため，担保・保証は 6.3.1 節で説明したものとは異なるメカニズムでも信用リスクを小さくできるのです。

このことを，4.2節の理論モデルを使って示してみましょう。貸手は r という返済を行う約束をして資金 I を借り，投資プロジェクトに投資します。プロジェクトが成功すれば収益 R が得られ，返済が可能ですが，失敗すると収益はゼロで，返済できません。プロジェクトの成功確率は，起業家が経営努力をすれば p，しなければ q（ただし $q<p$）で，努力をする場合は起業家に e の大きさの費用が発生します。

4.2.2 節では，

$$R-\frac{e}{p-q}<\frac{I}{p} \tag{6.1}$$

という不等式が成り立つ場合にモラルハザードが発生することを示しました。これは，借手が努力するためには返済額 r がある程度（具体的には $R-e/(p-q)$ という値より）小さくなければならない，という誘因整合性条件と，貸手に貸してもらうためには返済額 r がある程度（具体的には I/p という値より）大きくなければならない，という参加制約の 2 つを同時に満たすことができない状況でした。

さてここで，起業家はあらかじめ K という価値のある資産を担保として提供することができ，r の返済ができない場合にはこの K を投資家が手に入れるものとしましょう。この担保設定はどのような効果を持つでしょうか。まず，起業家が経営努力を行うための条件をみてみましょう。努力したときの起業家の期待利潤は，

$$p(R-r)-(1-p)K-e$$

です。これに対して努力しなければ，期待利潤は，

$$q(R-r)-(1-q)K$$

となります。したがって，起業家が経営努力を行うための誘因整合性条件は，

$$r \leq R+K-\frac{e}{p-q} \tag{6.2}$$

となります（⇒練習問題 6.3）。

次に，投資家の参加制約を考えましょう。投資家が資金を貸した場合，その期待利潤は，

$$pr+(1-p)K-I$$

です。貸さない場合の期待利潤は，以前の設定と同じでゼロです。以上より，投資家が資金を貸すのは，

$$r \geqq \frac{I}{p} - \frac{(1-p)K}{p}$$

(6.3)

の場合です（⇒練習問題6.3）。これが，担保がある場合の参加制約です。

以上の状況を図示したのが図6-5です（⇒練習問題6.3）。図の右上がりの直線は，

$$K = r - R + \frac{e}{p-q}$$

という式を表しています。これは，誘因整合性条件（6.2）式がちょうど等号で満たされる場合にあたります。こ

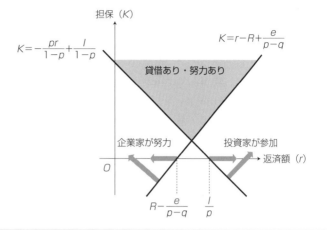

図6-5 担保の役割

の直線上あるいはこの直線より左上に位置するrとKを選べば，起業家は経営努力を行います。たとえば（6.2）式は，rがゼロに近く，Kが非常に大きければ満たされますが，このケースは図の左上方向の点を選んだ場合にあたります。

これに対して図の右下がりの直線は，（6.3）式がちょうど等号で満たされる，

$$K = -\frac{pr}{1-p} + \frac{I}{1-p}$$

という式を表します。この直線上あるいはその右上に位置するrとKを選ぶと，貸手の参加制約が満たされます。たとえば，（6.3）式をみればわかるように，Kもrも非常に大きい場合には投資家の参加制約は満たされます。このケースは，図6-5ではずっと右上方向の点を選んだケースにあたります。

以上からわかるように，右下がりの直線の右上で，かつ右上がりの直線の左上の部分（図の網掛け部分）では，誘因整合性条件と参加制約がともに満たされ，借手は努力し，貸手は貸します。つまり，モラルハザード問題が発生しません。この部分を選ぶことを可能にすることが，担保によるモラルハザードの防止効果です。

担保がない場合と比較してみましょう。実は，担保がない場合も図6-5に表されています。$K=0$，つまり横軸です。この部分だけ取り出すと，図6-5は図4-5の(b)とまったく同じです。図4-5(b)においてすでに確認したように，$K=0$では誘因整合性条件と参加制約をともに満たすことはできません。返済額rを企業に努力させるほど小さくしつつ，投資家が貸してもよいと思うほど大きくすることはできないからです（(6.1)式）。

しかし，Kをある程度大きくすれば，2つの条件をともに満たすことが可能になります。rを一定とすれば，Kが大きくなるほど（6.2）式の右辺が大きくなり，起業家の誘因整合性条件は満たされやすくなります。失敗すればKを取られるため，起業家はその可能性を減らそうとするからです。また，Kが大きくなるほど（6.3）式の右辺は小さくなり，投資家の参加条件も満たされやすくなります。債務不履行時に

も K を得ることができるからです。このように，担保は2つの条件の両方を緩める効果を持つため，モラルハザードの可能性を低下させるのです。

なお，こんなに簡単に問題を解決できるのであれば，いつも担保を使ってモラルハザードを防げばよい，と思われるかもしれません。しかし，世の中には担保を提供できない借手もたくさんいます。所有する土地に店舗を構えて営業する企業であれば，その土地を担保にしてモラルハザードを解決できるかもしれません。しかし，土地や建物を借りて営業している企業もあるでしょうし，そもそもIT関連の企業など，土地や建物を必要としない企業もあります。こうした場合には，情報生産▶などほかの方法で問題に対処せざるをえません。

▶情報生産⇒5.3

6.3.3 担保・保証による逆選択問題の解決

▶逆選択⇒4.3

担保・保証は，逆選択▶の問題の解決にも役立ちます。逆選択は，借手の返済のリスクが事前にはわからない，という事前の情報の非対称性が存在する場合に発生する問題でした。こうした問題が存在する場合，担保は情報を持っていない側が情報を引き出す，スクリーニングの手段として用いることができます。**スクリーニング** (screening) とは，情報を持っていない側（ここでは貸手）が，情報を持っている側（借手）に対し，望む行動を取るように誘導することを意味します。契約を工夫することで，持っている情報ごとに違った行動を取らせ，情報を持っている側をふるい分けするのがスクリーニングです。

では，4.3節と同じ設定で，担保によるスクリーニングを説明してみましょう。設定は次のようなものでした。2つのタイプの起業家が，投資プロジェクトの資金 I を投資家から借りようとしています。プロジェクトが成功すれば収益 R が得られますが，失敗すると収益はゼロです。成功確率は起業家のタイプによって異なり，Aタイプの起業家は確率 p，Bタイプの起業家は確率 q （ただし $q<p$）で成功します。2つのタイプの起業家は同数存在しますが，投資家はどの起業家がどのタイプかわからない，という情報の非対称性に直面しています。

ここで，貸借契約として，プロジェクトが成功すれば r を返済するが，返済できなければ K だけの価値を持つ資産を投資家が担保として差し押さえる，という契約を考えましょう。この契約はモラルハザードのときとまったく同じですが，ここではこれを，Aタイプの起業家向けの契約と呼ぶことにします。もちろん，情報の非対称性があるため投資家は起業家のタイプがわかりません。それなのになぜこの契約がAタイプ向けかというと，以下で示すように，結果的にAタイプの起業家だけにこの契約を選ばせることができるからです。これに対してBタイプ向け契約は，Bタイプの起業家が借りないことを選ぶようなものとします。たとえば，Bタイプ向けとして特に契約を提示しない，あるいはとても選ばないような契約を提示する，といったものでかまいません。このように，相手のタイプはわからないが，タイプの数だけそれに合わせた契約を提示し，起業家に選ばせることを考えるのです。

では，契約を提示された2つのタイプの起業家は，どのように行動するでしょうか。

まずAタイプの起業家を考えましょう。この起業家は、担保付契約を受け入れれば次の期待利潤を得ます。

$$p(R-r)+(1-p)(-K)$$

この式の第1項は、プロジェクトが成功した場合に R の中から r を返済して残りを得ることを表し、第2項はプロジェクトが失敗した場合に担保を差し押さえられることを意味しています。これに対し、この契約を受け入れなければ期待利潤はゼロです。したがって、Aタイプの起業家は、

$$p(R-r)+(1-p)(-K) \geqq 0 \tag{6.4}$$

であれば担保付契約を受け入れます（⇒練習問題6.4）。この式は、Aタイプの起業家がAタイプ向け契約を選ぶための誘因整合性条件です[12]。

では、Bタイプの起業家はどうでしょうか。Bタイプの起業家が担保付契約を選ぶと、期待利潤は次のとおりです。

$$q(R-r)+(1-q)(-K)$$

この契約を受け入れなければ期待利潤はゼロですから、

$$q(R-r)+(1-q)(-K)<0 \tag{6.5}$$

となるように返済額 r や担保額 K を決めれば、Bタイプの起業家はこの契約を選びません。(6.5)式は、Bタイプの起業家がAタイプ向けの契約を選ばないための誘因整合性条件です。

もし(6.4)式と(6.5)式の2つの条件を同時に満たすように r と K を決めることができれば、Aタイプの起業家だけがこの担保付契約を受け入れて投資プロジェクトを行い、Bタイプの起業家は借入を行いません。そうした契約を提示することは可能でしょうか。図6-6は、それが可能であることを示しています。この図には右下がりの直線が2本書かれています（⇒練習問題6.4）。傾きが急な方の直線は、

$$p(R-r)+(1-p)(-K)=0$$

となるような契約（r と K の組み合わせ）、つまり(6.4)式が等号で満たされる場合を描いたものです。この直線は、Aタイプの起業家の期待利潤がゼロとなるような契約の組み合わせを示しています。この直線の左下に位置する契約は、Aタイプの起業家にとって期待利潤が正となる契約、つまりAタイプの起業家が受け入れる契約を表します。たとえば r も K もゼロのような契約（図の原点 O）なら、起業家は喜んで受け入れます。

---

[12] (6.4)式は、Aタイプが借入に参加するための条件でもありますから、Aタイプの参加制約ともいえます。

■図6-6 担保によるスクリーニング

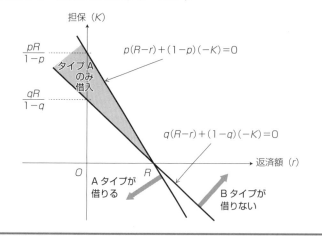

これに対して，同じような直線をBタイプに関して描いたのが，傾きが緩い方の直線です。この直線は，(6.5)式が等号で表されるようなrとKの組み合わせ，つまり，

$$q(R-r)+(1-q)(-K)=0$$

を描いています。この線上の契約では，Bタイプの起業家の期待利潤はゼロになります。このため，この線よりも右上の契約は，Bタイプの起業家が受け入れないような契約であることがわかります。たとえばrもKもとても払えないような大きな額（図の右上方向）に設定すると，Bタイプの起業家は当然受け入れません。

以上を合わせると，Aタイプの起業家は受け入れるが，Bタイプの起業家は受け入れないような担保付契約が，図の網掛け部分で表されることがわかります。この部分に含まれる契約は，BタイプからするとrやKが大きいために受け入れない契約ですが，成功確率の高いAタイプにとってはそうでもない，という契約です。このような契約を提示すると，借りにくるのはAタイプだけですから，投資家はAタイプの起業家だけに貸すことができるのです。

以上の結果は，タイプごとに違う行動を取らせる，つまりそれぞれの誘因整合性条件を満たすように契約を設計することによって，情報を持つ側の選択を誘導し，情報の非対称性の問題を解決できることを示しています。情報を持つ各タイプの借手からすると，示されたいくつかの契約の中から（契約しないことも含めて），自分にとって最も望ましいものを選んでいるだけです。このように，情報の非対称性があるにもかかわらず，情報を持つ側に自ら情報を示すような行動を取らせることで，わからない情報を（結果的に）引き出すのがスクリーニングです[13]。スクリーニングにより各タイプが自分用の契約を選ぶことを**自己選択**と呼びます。たとえ情報の非対称性が存在しても，担保を使って契約をうまく設計すれば，情報を持たない側は情報を持つ側に，自分が望むとおりの行動を自己選択させることができるのです。

---

[13] ここでは2つのタイプしか考えませんでしたが，より多くのタイプが存在する一般的な設定では，タイプと同じ数の契約を，誘因整合性条件を満たすようにうまく設計し，各タイプに別々の選択をさせます。こうした契約の設計については，経済学の中でも**メカニズム・デザイン**と呼ばれる分野で詳しく分析されています。

■ 練習問題

6.1 最近起こった企業の経営破綻の実例を探し,どのような債務不履行が発生したか,どのように破綻処理が行われたかを調べなさい。

6.2 あなたの身近で担保や保証が使われている例を探し,その内容について説明しなさい。

6.3 6.3.2 節の理論モデルにおいて,(a)起業家の努力選択に関する誘因整合性条件が (6.2) 式で表されること,(b)投資家の参加制約が (6.3) 式で表されること,そして,(c)これらの条件が図 6-5 のように図示できることを確認しなさい。(ヒント:(6.2) 式の前の 2 つの式と次の式を使います)

6.4 6.3.3 節の理論モデルにおいて,(a) A タイプの起業家の誘因整合性条件が (6.4) 式で表されること,(b) B タイプの起業家の誘因整合性条件が (6.5) 式で表されること,そして,(c)これらの条件が図 6-6 のように図示できることを確認しなさい。(ヒント:(6.4) 式前後の式を使います)

■ 参考文献

可児滋・雪上俊明(2012)『デリバティブがわかる』(日経文庫)日本経済新聞出版社。

金城亜紀(2011)『事業会社のための ABL 入門――動産・債権担保融資による新たな資金調達』日本経済新聞出版社。

近見正彦・堀田一吉・江澤雅彦編(2016)『保険学(補訂版)』有斐閣。

第7章
金融の仕組み(3)
● 分散化

はじめに

返済のリスクを削減するための金融の仕組みとして，第5章では証券設計や情報生産などの返済額や返済確率を増加させる仕組みに注目しました。また第6章では，返済されない場合にも貸手が困らないようにする担保や保証などの仕組みを説明しました。こうした仕組みはいずれも，個々の貸し借りのやり方を工夫することで返済のリスクに対応するための仕組みです。

しかし，個別の貸し借りに注目するのではなく，複数の貸し借りを合わせた全体としての返済のリスクを考えると，ここまでみたのとは違った形で返済のリスクを削減することができます。その方法が，本章で注目する分散化です。**分散化★**とは，貸手がたくさんの借手に同時に，分けて（分散させて）貸すことです。分散化を行うと，全体としての返済のリスクを小さくすることができ，貸手による資金提供を促進できます。分散化も金融取引の取引費用を小さくする仕組みの1つなのです。

本章の構成は図7-1のとおりです。まず前半の7.1節では，分散化とはどのようなものかを説明し，実際に用いられている分散化の例を紹介します。中でも重要なのがファンドと証券化で，この2つについては詳しく紹介します。後半の7.2節では，分散化のメリットについて，理論的な説明を行います。そこでは，分散化を行うと何がよいのか，どのような形で分散化を行うとよいのか，といった疑問に対し，資産選択理論と呼ばれる理論を用いて答えを

★分散化：たくさんの借手に分散させて貸すこと

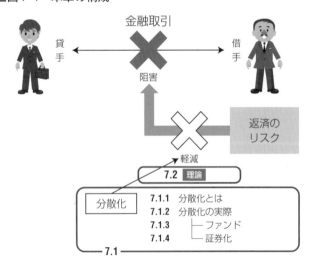
■図7-1 本章の構成

出します。

7.1 分散化とその方法

7.1.1 分散化とそのメリット

　分散化とは，同じ金額を貸す場合に，1人あるいは少数の借手にたくさん貸すのではなく，多くの借手に少しずつ分けて貸すことです。一般に，貸す金額が同じであれば，分散化を行えば行うほど全体としての（あるいは平均的な）返済のリスクは小さくなります。このため，分散化は金融取引の取引費用を小さくし，貸手による資金提供を促進します。

　分散化するとなぜ返済のリスクが小さくなるのでしょう。分散化のメリットを表す格言として，「卵を1つのバスケットに入れるな」というものがあります。たくさんの卵を1つのバスケットに入れて運ぶと，つまずいてバスケットを落としてしまったら，すべての卵が割れてしまいます。しかし，何回かに分けて，あるいは複数のバスケットで別々に運べば，一度にすべてを駄目にする可能性は減ります。この，卵の輸送における分散化と同じことは，資金を貸す場合にもあてはまります。たとえば同じ10万円を貸すにしても，1人の借手にすべて貸すより10人に1万円ずつ貸す方が，返済を1円も受け取れないというリスクは小さくなりますし，手元に返ってくる平均的な返済額は多くなるでしょう。

　もう少し具体的に考えるために，たとえば日本を代表する自動車会社2社の株に分散して投資したとしましょう。2社がライバル関係にあるならば，一方が業績好調でたくさん配当する場合，他方の業績は悪く，配当は少ないでしょう。この場合，どちらか一方のみに全額投資するよりも，2社に半分ずつ投資する方が，平均的には安定した配当を受け取ることができるはずです。

　金融の世界では，具体的にどのような証券を分散して保有するかという問題を，（金融）**資産選択**の問題，と呼びます。書類入れ（ポートフォリオ〔portfolio〕）にどのような証券を入れるか，という意味で，**ポートフォリオ選択**（portfolio selection）とも呼ばれます。選ばれる資産の組み合わせ自体は，**ポートフォリオ**と呼ばれます。

　もちろん，分散化は万能ではありません。将来のことは誰も確実には予測できませんから，どんなに徹底的に分散化を行ったとしても，多くの借手が同時に返済できなくなる可能性はゼロではありません。また，分散化によって減らせる返済のリスクの大きさは，どのような借手に分散されるのかによって変わります。たとえ卵を1つ1つ別のバスケットに入れて運んだとしても，すべてのバスケットを同じ車で運べば，その車が事故を起こすと卵はすべて割れます。「日本を代表する自動車会社2社」も，海外のライバルが急成長したり，日本全体の自動車の売れ行きが悪くなれば，ともに業績が悪化して配当が払えなくなるかもしれません。このように，分散化の際には，個々の貸出（投資）の返済のリスクの相関関係に注意する必要があり，この点につい

ては 7.2 節で詳しく説明します。

7.1.2 分散化の実際

理論的なメリットはわかりやすいのですが，では実際にどうすれば分散化できるのでしょうか．実際の分散化はそう簡単ではありません．多額の資金が必要になることが多いからです．借手が借りたい額，必要とする資金の額は，貸手が貸してもよいと思う額より多いのが普通です．たとえば企業が発行する株式には，単元と呼ばれる最低取引単位が決まっています．ある会社が単元株数を 100 株と決めていれば，その会社の株を 1 株だけ買うことはできません．もし 1 株が 1 万円だったとすれば，100 万円持っていないとこの会社の株は買えないのです．このため，大金持ちでもなければ，多数の株を同時に買って分散化することはできません．

とはいえ，あまり資金を持たない人でも，ある程度の分散化は可能です．たとえば最近では個人投資家に資金を提供してもらうために，単元株数を小さくする会社が増えています．また，証券会社が提供する**株式ミニ投資**というサービスを利用すれば，単元株数未満でも株を売買することができます．これは，証券会社が多くの投資家からミニ投資を受け付け，それをまとめて単元株を買うからです．また，国が借金をするために発行する国債に関しても，個人に買って（貸して）もらいやすいように通常の国債よりも売買単位を小さくした，**個人向け国債**が発行されています．

しかし，これら以外の多くの証券は，大きな資金を持っていなければ取引できませんし，ミニ投資もあらゆる株式に用意されているわけではありません．また，以上のサービスや証券は，投資しようとする証券が決まっている投資家には便利なサービスですが，そもそも一般の投資家にはどの借手（証券）を選んで分散化すればよいのかわからないでしょう．このため，以上のようなサービス・商品は，広く一般に利用できる分散化の仕組みとはいいがたいところがあります．

こうした問題を解決し，一般の投資家も簡単に分散化ができる仕組みはないものでしょうか．そうした仕組みといえるのが，投資信託です．投資信託は，ファンドといわれる仕組みの 1 つです．一般にはあまり馴染みがないものの，ファンドにはさまざまなものが存在します．分散化の仕組みとしてはさらに，証券化という新しい仕組みが近年注目を集め，広く利用されるようになってきています．以下ではこうした仕組みについて，順に詳しくみていくことにしたいと思います．

7.1.3 投資信託とファンド

投資信託とは，不特定多数の投資家から集めた資金を，さまざまな証券に対して投資する仕組みです．各投資家は，**(投資信託) 受益証券**と呼ばれる証券を購入することによって投資を行い，全投資家からの投資総額に占める比率に応じ，投資先のポートフォリオ全体から得られる収益を受け取る権利（受益権といいます）を手に入れます（図 7-2 参照）．受益証券は，1 万円程度で買えるものが多かったのですが，最近では 100 円といった額で買えるものも出てきています．

■図7-2 投資信託のイメージ

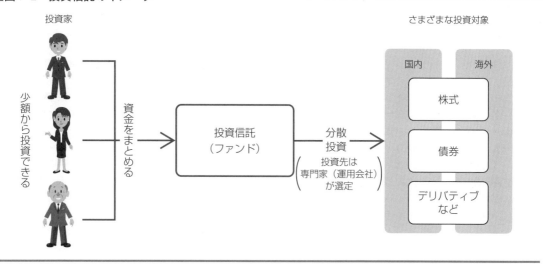

投資信託は，専門家に財産を管理・処分してもらう信託▶と呼ばれる制度を利用した分散化の仕組みです。投資信託の受益証券は，証券会社や銀行などの金融機関（販売会社と呼ばれます）で購入することができますし，実際に投資信託を運用する運用会社が直接販売するものもあります[1]。

▶信託⇒10.2.2

投資信託では，投資家が自ら借手を選ぶ必要がありません。投資信託ごとに，どのような借手に貸すかという大まかな方針が決まっており，投資家はその方針を踏まえて投資信託を買います。その方針に基づいて具体的に誰に貸すのかを決めるのは，資産運用の専門家である運用会社です[2]。たとえば，「世界株ファンド」といった投資信託であれば，受益証券を販売して集めた資金は世界各国の企業の株式を購入するために使われ，具体的にどの国のどの企業の株を買うのかは運用会社が決めます。また最近では，集めた資金で土地やビルなどの不動産を買い，そこから得られる賃料などの収益を元手に投資家に分配を行う**不動産投資信託**（**REIT**：Real Estate Investment Trust，日本のものは特にJ-REITと呼ばれます）もたくさん作られています[3]。投資信託協会の統計によると，2023年3月末時点で日本国内の投資信託は1万4423本存在し，合計で290兆円もの残高があります。

一般に，さまざまな投資家から資金を受け入れ，投資家に代わって専門家が多様な証券や資産に分散投資する仕組みは，（投資）**ファンド**（fund）と呼ばれます。投資信託（英語ではmutual fund）もファンドの一種です[4]。投資信託と同じように一般

---

1) 投資信託の中には，広く一般投資家に対して売り出される**公募投資信託**以外に，主としてプロの限られた投資家だけに売り出される**私募投資信託**があります。公募・私募については9.1.4節も参照してください。
2) 投資信託に関わる金融機関については10.2.1節を参照してください。
3) 不動産投資信託は，不動産を直接分散購入する仕組みですから，厳密にいえばおカネを「貸す」ための金融商品ではありません。

Column 7-1　年　金

　年金とは，あらかじめ定められた保険料を一定期間納めた人が，特定の資格を満たした場合に，その後定期的に決まった額の資金の支給を受ける，という仕組みです。たとえば老齢年金と呼ばれる年金では，一定の年齢以上になった，という資格を満たすと毎月一定額の年金が支給されます。年金にはこのほかにも，企業等を退職した人に支給される退職年金，病気やけがなどにより障害を負った人に支給される障害年金，人が亡くなった際に遺族に支給される遺族年金などがあります。要件が満たされれば一定の金額が支払われる，という点からわかるように，年金は事故に対して保険金が支払われる保険（6.2.3節参照）の一種であり，年金保険とも呼ばれます。

　年金なんて初めて聞いた，という人もいるかもしれませんが，日本国内に住所を持つ20歳以上から60歳未満の者はみな，国が運営する**公的年金**の１つである**国民年金**の被保険者で，将来年金を受け取る権利を持っています。国民年金は，誰でも必ず入らなければならない強制的な制度であり，保険料の納付は税金の支払いと同じく法律で定められた義務です。これは，年金が健康保険などとともに，国の社会保障制度の一環として運営されているからです(注1)。公的年金には会社に勤務する人や公務員が加入する厚生年金もあり，国民年金とあわせて**日本年金機構**が運営しています。また，年金には民間が運営する**私的年金**，たとえば企業が従業員のために運営する**企業年金**などもあります(注2)。

　年金は，働ける間に保険料を払い，老後に年金を受け取る仕組みですから，被保険者にとっては老後に向けての貯蓄（2.2.2節参照）と同じように，長い間資金を貸す仕組みにほかなりません。保険料として預かった資金は，ファンド（年金基金）の仕組みを通じて運用（投資）され，その運用収益が年金支払いに充てられます。ただし厳密には，一部の年金は資金を貸す仕組みとはいいがたいところがあります。企業年金の場合，被保険者が積み立てた資金，つまり払った保険料を元手に支払いが行われる，**積立方式**が取られているため，確かに貸す仕組みだといってよいのですが，公的年金は今働いている現役世代の納める保険料によってそのときの高齢者の年金給付を賄う，**賦課方式**と呼ばれる制度を基本としています。このため，高齢化の増加によって年金給付が増大し，現役世代から集める保険料だけでは賄えなくなることが懸念されています。

（注1）**社会保障制度**とは，国民が貧困に陥る原因となる疾病・老齢・失業などに対し，国が公的な責任において給付・援助を行うための制度です。

（注2）年金の制度は複雑で，また制度の変更もしばしば行われています。詳細については年金制度に関する厚生労働省，日本年金機構などのホームページをみてください。

の人々から資金を集めて投資するファンドとしては，年金の保険料を徴収して投資・運用する**年金基金**（pension fund）もあります（年金についてはColumn 7-1参照）[5]。

　そのほかのファンドとしては，多額の資金を運用する**機関投資家**や資産家など，金融のプロが利用するファンドがあります。たとえば，株式市場に上場▶されている企業（英語でpublic firmsと呼ばれます）以外の企業（private firms）の株式（equity）に投資する**プライベート・エクイティ・ファンド**（**PE**〔private equity〕ファンド），PEファンドの中でもリスクを取って高成長を目指す**スタートアップ**（startup）企業の株式に投資する**ベンチャー・ファンド**，証券に限らず多様な資産・商品に投資し，さまざまな取引手法を駆使してリスクを調整しながら利益を追求する**ヘッジ**（hedge）**・ファンド**などがあります。なお，これらのファンドのように，昔から投資対象となっていた上場企業の株式や債券などの一般的な金融商品に代わる，代替的な証券や商品に対して投資することを，**オルタナティブ**（alternative：代替）**投資**と呼

▶上場⇒10.1.2

4）次に紹介する証券化なども含め，より広い意味で，集団投資スキームという言葉が用いられることもあります（10.2.3節参照）。

5）ここでいう年金基金は，年金のために用いられるファンド一般を指していますが，日本には公的な年金（国民年金や厚生年金）に上乗せして加入し，追加的な年金の支給を受けることができる，国民年金基金や厚生年金基金と呼ばれる制度があります。

びます。

　投資信託も含め，ファンドの投資対象となる証券は新規に発行される証券とは限りません。特に，株式などの証券は新規発行ではなく二次取引▶での取引を通じて投資されます。つまり，ファンドによる証券取引には，新たな貸し借りを生み出す金融取引だけではなく，流動化▶に伴う証券取引も含まれます。

▶二次取引
⇒5.1.2

▶流動化⇒5.1

7.1.4　証券化

《証券化とは》　一般の人には縁遠いものですが，証券化と呼ばれる仕組みも分散化と密接な関係を持っています。**証券化**★とは，対象となる複数の証券から得られる収益を返済の原資として新たな証券を発行し，投資家に購入してもらう仕組みです。証券化の対象となる資産全体は資産プールと呼ばれます。証券化商品の保有者は，資産プール（の一部）をポートフォリオとして保有する形で，分散化を行います。

★証券化：複数の証券から得られる収益を原資とする証券を発行し，投資家に購入してもらう仕組み

　証券化商品の代表ともいえる**住宅ローン担保証券**（**RMBS**：Residential Mortgage Backed Securities）をみてみましょう。RMBS は，金融機関が保有する，つまりすでに貸した複数の住宅ローンを対象とする証券化商品です。最もよく知られた商品としては，民間金融機関の**フラット 35** と呼ばれる長期固定金利の住宅ローンを，政府系金融機関である住宅金融支援機構▶が証券化した RMBS があります。住宅ローンの借手からすると，フラット 35 はさまざまな住宅ローン商品の 1 つでしかありませんが，フラット 35 は貸された後に RMBS として証券化されることを前提とした住宅ローンです。

▶住宅金融支援機構
⇒8.3.3

　RMBS の購入者が受け取る収益の元となるのは，住宅ローンの返済金です。投資家は，投資信託の受益証券のように，おカネを払って RMBS を購入する見返りとして複数の住宅ローン（フラット 35 など）から得られる返済金を元手とした分配金を受け取ります。このため投資家は，実質的には住宅を買ったサラリーマンなどの複数の借手に分散して住宅ローンを貸しているのと同じことになります。

　RMBS 以外の証券化商品では，自動車ローンやクレジットカードローン，企業の売掛債権等を対象とする**資産担保証券**（**ABS**：Asset Backed Securities），社債や貸出債権，さらにはすでに証券化されたほかの証券化商品を証券化する**債務担保証券**（**CDO**：Collateralized Debt Obligation）などがあります。また，オフィスビルやショッピングモールなど，住宅以外の商業用不動産を担保とする貸出を対象とする**商業不動産担保証券**（**CMBS**：Commercial Mortgage Backed Securities）もあり，CMBS と RMBS は合わせて**不動産担保証券**（**MBS**：Mortgage Backed Securities）と呼ばれます[6]。

---

6) 証券化の対象は金融資産だけではありません。不動産などの実物資産への投資が証券化されることもあり，先に紹介した不動産投資信託は証券化商品ともみなされています。本書では主として金融資産の証券化を念頭に置いて説明しますが，さまざまな証券化の実際については大橋（2010）などを参照してください。

《証券化のプロセスとその特徴》 分散化という側面だけをみると，証券化商品は投資信託やファンドと同じにみえます。しかし，証券化には一般的なファンドと異なるいくつかの重要な特徴があります。このことを，証券化のプロセスを順に示した図 7-3 を使って説明してみましょう。第1の特徴として，証券化はしばしば**流動化**▶の手段として用いられます。図 7-3(a) において，証券化の最初の段階を示しているのが，右上の網掛け部分（①：当初の貸し借り）です（流動化の図 5-3 も参照）。証券化において，この当初の貸し借りの段階は**オリジネーション**（origination）と呼ばれ，貸手は**オリジネーター**（originator）と呼ばれます。RMBS でいえば，住宅ローンの借手が証券（たとえばフラット 35）を使い，オリジネーターである銀行から資金を借り入れます。貸手であるオリジネーターは，この段階では返済を受け取る権利（債権）を保有する代わりに，返済のリスクや資金不足のリスクを引き受けます。

▶流動化⇒5.1

次に，オリジネーターによる流動化が行われます（図 7-3(a) の②）。オリジネーターから証券を買い取るのは，**特別目的事業体**（**SPV**：Special Purpose Vehicle）と呼ばれる特別な組織です[7]。この組織は，証券化される証券を入れておく器のようなもので，証券化の案件ごとに新しく作られます[8]。この流動化によって，オリジネーターは返済のリスクや資金不足のリスクから解放されます（5.1 節）。証券を SPV に売った資金を使えば，オリジネーターは新たな貸出などを行うことができますから，証券化はオリジネーターにとっての資金調達手段の1つだとみなされることもあります。

ただし，証券化は単なる流動化ではありません。証券化の第2の特徴として，先に説明した分散化があげられます。図 7-3(a) からわかるように，証券化では SPV が多数の債権をまとめて買い取ることによって，流動化が行われます[9]。このため，SPV は，保有する複数の証券から金利やキャピタルゲインなどのキャッシュフローを受け取ることになります。このキャッシュフローを元手として，SPV は新たな証券を**証券化商品**として発行します（図 7-3(a) の③）。こうして投資家に証券化商品を売って得た資金が，SPV が流動化資産を買い取るための資金となります[10]。証券を保有するのは SPV ですが，その資金は証券化商品の買手が出したものですから，実質的には証券化商品の買手がもともとの借手（図 7-3(a) の右端）に資金を貸しているのと同じになります。

▶優先劣後関係
⇒5.2.2

証券化の第3の特徴は，発行される証券化商品のリスク調整です。証券化商品は投資信託のように，ポートフォリオ全体から得られる収益を単純に比例配分する証券ではありません。証券化商品の設計では，**優先劣後関係**▶が組み込まれた複数の商品が作られます（図 7-3(a) の④）。つまり，同じ資産プールから得られる収益に対し，受

---

[7] SPV や証券化に関わる金融機関については，Web Appendix 10.1 を参照してください。
[8] 証券化のたびにわざわざ個別の器（SPV）を作るのは，利益や損失を分別管理するためです。
[9] CDO の場合，図 7-3(a) の下にあるように，ほかの証券化商品を買い取ることもあります。
[10] 順番としてはもちろん，オリジネーターから SPV が対象証券を譲り受けたあとに証券化商品が売り出されますから，SPV は短期的に資金不足状態に陥ります。このため，証券化では銀行借入などによって，当初の譲り受け資金の調達が行われます。

■図7-3 証券化

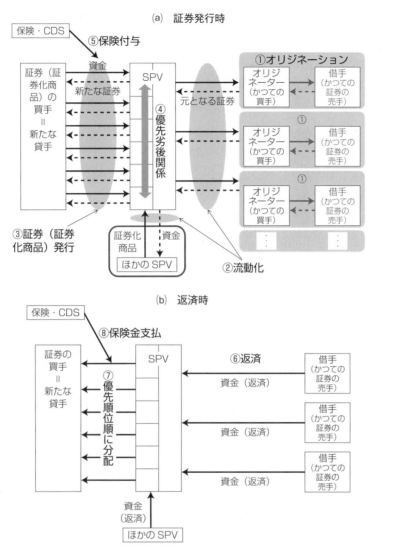

け取る順番が異なる複数の証券が作られるわけです。さらに，そうして作られた証券に対して保険・保証やCDS▶が付けられることもあります（図7-3(a)の⑤）。

▶ CDS⇒6.2.3

以上のようにして発行された証券化商品は，どのように返済されるのでしょうか。返済の段階を描いたのが図7-3(b)です。SPVは，対象証券から金利等の返済金を受け取り（図7-3(b)の⑥），この資金を元手に証券化商品の買手に返済（分配）を行います。返済は優先度の高い証券化商品から順に行われるため，SPVが全体として十分な返済金を得られないと，劣後する商品は分配を得られません（図7-3(b)の⑦）。ただし，分配が少なくても保険やCDSが付いていれば，保険金などの支払いを受けることができます（図7-3(b)の⑧）。

以上が証券化の全体のプロセスです。この説明からわかるように，証券化は分散化（7.1節）と流動化（5.1節）を組み合わせたうえで，新たに作られる証券に優先劣後

関係（5.2.2節）を設定し，さらには保険・CDS（6.2.3節）まで組み込みます。このように，証券化とはここまで紹介したさまざまな仕組みをセットにしたものであり，それぞれの仕組みのメリットを合わせて引き出す仕組みであることがわかります[11]。

7.2 分散化の理論――資産選択問題*

7.2.1 リターンとリスクの関係

《金融資産のリターンとリスク》 この節では，分散化によって返済のリスクを小さくできることを，経済学の理論に基づいて説明します。返済のリスクが金融取引を阻害し，金融取引の取引費用となることは，3.2節ですでに説明しました。ただし，そこでは貸すか貸さないかという選択しか考えていませんでした。分散化を考えるためには，貸すかどうかだけではなく，さまざまな証券（金融資産）にどのように資金を振り分けて貸すのかを考える必要があります。以下ではこの資産選択の問題を扱う，（金融）**資産選択理論**を説明します。なお，1つの証券しかポートフォリオに入っていない場合も，その証券100％とほかのすべての証券0％を組み合わせたポートフォリオだと考えることができますから，以下の分析では，1つの資産しか保有しないことも（それを実際に選択するかどうかは別として）選択肢の1つと考えます。

▶収益率⇒2.1.3

　資産選択の理論では，さまざまな証券のリターンとリスクに注目します。証券のリターンは各証券への投資によって得られる収益ですが，資産選択理論では期待される収益率▶に注目します。収益率は，返済時点，つまり収益の実現後でなければ計算できませんが，ここでいうリターンは貸す前（事前）の段階での確率計算に基づいて求められる収益率の平均値，つまり期待収益率を表します。たとえば，AとBという2つの資産の収益率の確率分布が図7-4のようになっていたとしましょう。この図は，実現する収益率（Rで表しています）の取りうる値を横軸に取り，それぞれの収益率が実現する確率を縦軸に描いたものです[12]。ここで，資産A，Bの期待収益率を計算すると，それぞれ図中の$E^A(R)$，$E^B(R)$だったとしましょう。この$E^A(R)$，$E^B(R)$が各資産のリターンです。図では，BよりもAの方がリターンが大きいケースを描いています。

　次に，証券の**リスク**とは，収益率の実現値の変動の大きさです。たとえば図7-4の右の方の確率，つまり正で大きなRが得られる確率を資産AとBとで比較すると，Aの方が高くなっています。また，左の方の確率，つまり負で大きなRが得られる確率もAの方が高くなっています。これに対してBの収益率は，Aに比べて図の真ん中あたりの値を取る可能性が高くなっています。つまり，Aは収益率が大きくなる

---

[11] ただし，こうしたメリットにもかかわらず，証券化は金融危機の際に大きな問題を引き起こしました。証券化の問題点については13.2節で説明します。

[12] 正確には，縦軸は確率密度を表しています。

■図7-4 金融資産のリターンとリスク

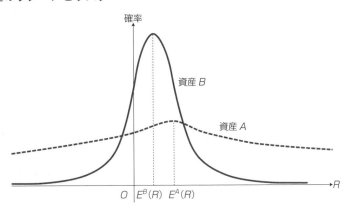

ことも小さくなることもありうるという意味で変動が大きいのに対し，B は狭い範囲の値を取る可能性が高い（変動が小さい）のです。このため，この図は A よりも B の方がリスクが小さいケースを描いていることになります。ただし，分布の形から変動を目でみて比較するのは難しいことが多いので，リスクは通常，収益率の変動の大きさを表す指標である標準偏差，あるいはそれを2乗した分散によって表します。

《リターンとリスクのトレードオフ》 資産選択理論の出発点は，さまざまな金融資産のリターンとリスクにはトレードオフ（trade-off：相反）関係がある，という想定です。**リターンとリスクのトレードオフ**とは，リターンが大きい（小さい）資産ほどリスクが大きい（小さい），という関係です。たとえば，世の中に存在するさまざまな金融資産について，そのリターンとリスクの組み合わせが図7-5のように図示されたとしましょう。縦軸と横軸はそれぞれリターンとリスクを表し，各点はそれぞれ1つの資産（のリターンとリスクの組み合わせ）を表しています。図のように，全体として各点が右上がりの関係にあるのがトレードオフのある状態です。

トレードオフの想定はもっともらしい想定です。仮に，低収益高リスク（図でいえば右下）の資産があったとしても，リスクが大きいのに儲からないので，誰もそれを買わないでしょう。また，高収益低リスクの資産（図でいえば左上）があれば，皆それを買いたがるはずです。すると，需要の小さい前者の価格は安くなり，収益率が高くなって図の右下から右上に移動するでしょうし，需要の大きい後者の価格は高くなり，収益率が低くなって左上から左下に移動するはずです（⇒練習問題7.3)[13]。

図には，リスクがまったくない資産も描かれています（左端の点）。こうした資産は特に**安全資産**と呼ばれ，少しでもリスクがある資産（**危険資産**）と区別されます。現実にはリスクがまったくない資産は存在しませんから，安全資産が存在するという

---

[13] ただし，リターンとリスクのトレードオフは，実際のデータでは必ずしも成り立たないこともわかっています。やや専門的にはなりますが，本多（2013）などを参照してください。

■図 7-5　リターンとリスクのトレードオフ

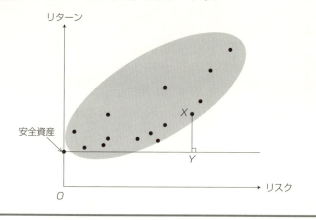

想定は理論上の想定です。ただし，世の中にはほぼ確実に返済してくれると考えてよいような借手もいますから，そうした借手に対する貸出，たとえば主要な国が発行する国債，が安全資産だとみなされます。理論上は，安全資産は1種類しか存在しません（⇒練習問題7.4）。

なお，安全資産と危険資産のリターンの差は，5.2.1節で説明したリスクプレミアムの大きさを表しています。たとえば図7-5の点Xで表される危険資産を考えると，この資産と安全資産のリターンの差は線分XYで表されます。この差は，リスクのない安全資産と比べ，リスクのある資産Xにはどれだけ追加的なリターンが求められているかを表しています。リターンとリスクのトレードオフは，リスクの大きな危険資産ほど多くのリスクプレミアムが要求される，ということを意味しています。

7.2.2　平均・分散アプローチ

資産選択理論では，リターンとリスクのトレードオフに加えてもう1つ重要な想定が置かれます。投資家は期待効用▶を最大にするように選択する，という想定です。資産選択理論では，ポートフォリオが生み出す収益に対して投資家が効用を感じると考えます。実際に効用が得られるのは収益が得られた時ですが，どのような収益がどのような確率で得られるのかが予想できれば，その収益から得られる効用の期待値を計算できます。この期待効用が最大になるようなポートフォリオを投資家は選択する，と考えるのです。通常は危険回避的▶な投資家を考えて分析します。

資産選択理論では，分析をさらに簡単にするために，投資家の期待効用はポートフォリオのリターンとリスクだけによって決まると考えます。本来ならば，期待効用は個々の資産の収益率の実現値と確率を考え，計算して求める必要があります。しかし，この簡単化によってポートフォリオの収益率の期待値と標準偏差（または分散）という2つの値だけからその値が決まる，より単純な効用関数を考えればよくなります。このように簡単化して資産選択を考えるアプローチは，**平均・分散アプローチ**と呼ばれます[14]。

平均・分散アプローチの期待効用を例示したのが図7-6です。この図は図7-5と同

▶期待効用
⇒3.2.1

▶危険回避的
⇒3.2.4

14）厳密には，期待効用を最大化する資産選択と，リターンとリスクだけから決まる効用を最大化する資産選択は，常に一致するわけではありません。ボディーほか（2010）などを参照してください。

じく，縦軸にリターン，横軸にリスクを取っています。危険回避的な投資家の場合，リターンは大きく，リスクは小さい方がよいと考えるので，図の矢印で示したとおり，上あるいは左，つまり左上方向に位置する証券ほど効用が大きくなります。このため，効用の大きさが等しい証券の組み合わせを表す無差別曲線▶は，図中の右上がりの曲線のようになり，左上の無差別曲線ほど効用が高くなります（⇒練習問題7.5）。

■図7-6 平均・分散アプローチ

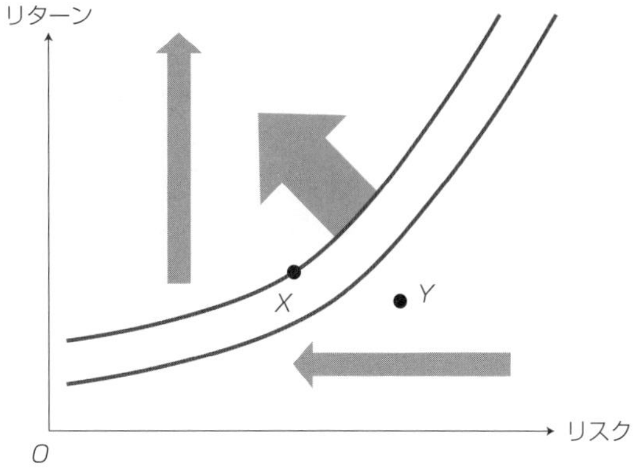

以上より，平均・分散アプローチでは，投資家の効用が最も大きくなる資産（図7-6でいえば，なるべく左上の無差別曲線上にある資産）が選ばれると考えます。ここで，たとえばある資産 X と別の資産 Y について，そのリターンとリスクがそれぞれ図の点 X, Y で表されたとしましょう。どちらか1つの資産しか選べない場合，この無差別曲線を持つ投資家は，より左上方向にある資産 X を選択することになります。個別の資産でなく，複数の資産を組み合わせたポートフォリオについても同様です。ポートフォリオもそれぞれ固有のリターンとリスクを持ちますから，X や Y と同様に図の中の点として表すことができます。こうして表される投資可能な資産やポートフォリオの中から，最も高い効用をもたらす資産やポートフォリオが選ばれる，と考えるのが，平均・分散アプローチです。

▶無差別曲線
⇒2.3.1

7.2.3　ポートフォリオのリターンとリスク(1)──2資産のケース

ポートフォリオは複数の資産の組み合わせなので，そのリターンとリスクは，組み合わせる資産それぞれのリターンとリスク，そしてその組み合わせ方によって決まってくるはずです。ここでは，どのような資産をどう組み合わせると，ポートフォリオのリターンとリスクがどう変化するのかを説明します。資産を組み合わせることのメリットは，リスクを小さくできることです。以下では分散化のメリットとしてのリスクの低減を説明します。なお，厳密な説明には確率計算が必要ですが，ここでは図を使った直観的な説明にとどめています[15]。

《2つの資産（安全資産と危険資産）からなるポートフォリオ》　まず，図7-7(a)のように，世の中には安全資産 A と危険資産 B という2つの資産しかなかったとしましょう。この場合の資産選択の問題は，持っている資金を A と B との間でどのように配分するか，という問題になります。図に描かれているように，A のリターン（期待収益

---

[15] もう少し詳しい説明は，Web Appendix 7.1 にまとめてあります。さらに詳しく数学的にも厳密な説明は，ボディーほか（2010）などを参照してください。

■図 7-7　ポートフォリオのリターンとリスク：安全資産と危険資産

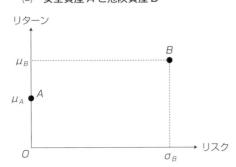
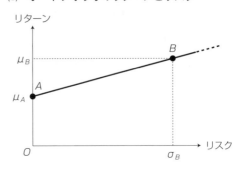

(a) 安全資産 A と危険資産 B　　(b) ポートフォリオのリターンとリスク

率）とリスク（収益率の標準偏差）は μ_A と 0，B のリターンとリスクは μ_B と σ_B だとします。

　分散化の説明で重要なのは，2 つの資産の保有割合に応じてポートフォリオのリターンとリスクがどう変化するかを理解することです。当然のことながら，資産 A を 100% 持つポートフォリオのリターンとリスクは点 A と同じ，資産 B を 100% 持つポートフォリオのリターンとリスクは点 B と同じです。このため，注目すべきはどちらの資産もゼロではないケースです。

　結論からいえば，安全資産 A と危険資産 B を組み合わせたポートフォリオのリターンとリスクは，元の資産のリターンとリスクを表す 2 つの点 A と B を直線で結んだ線分 AB 上の点として表されます（図 7-7(b)）[16]。たとえば A と B を半分ずつ持つと，そのポートフォリオのリターンとリスクはちょうど両資産のリターンとリスクの中間の値，図 7-7(b) でいえば線分 AB の真ん中になります。2 つの資産の割合を変えれば，線分 AB 上のさまざまなリターンとリスクの組み合わせを選ぶことができます。

　なお，図 7-7(b) では点 B よりも右に直線が伸びています。この部分は安全資産の保有割合がマイナスです。想像しづらいかもしれませんが，これは安全資産と同じ収益率（μ_A）を支払う約束で資金を借り，その資金も使って手持ち資金以上に（つまり手持ち資金の 100% 以上の）危険資産 B を買うケースにあたります[17]。

《2 つの危険資産からなるポートフォリオ》　安全資産と危険資産の 2 種類しかない上記の状況は，説明上は簡単かもしれませんが現実的ではなく，何より分散化のメリットを十分に説明できません。分散化のメリットを考えるためには，複数の危険資産をどのように組み合わせるべきかを考える必要があります。そこで図 7-8(a) のように，B

---

16) 詳しい説明は Web Appendix 7.1.1 を参照してください。
17) 現実には，借金するときの金利は自分が貸すときの金利より大きくなるのが普通ですが，ここでは説明の簡単化のためこのケースに注目します。複雑にはなりますが，金利が異なるケースもこの枠組みを応用して説明できます。

■図7-8 ポートフォリオのリターンとリスク：2種類の危険資産

(a) 危険資産 $B \cdot C$

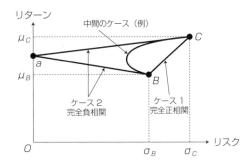
(b) ポートフォリオのリターンとリスク

に加えて新たな危険資産 C（リターン μ_C，リスク σ_C）にも投資できるようになったとしましょう。

資産 B と C を組み合わせたポートフォリオのリターンとリスクはどう表されるでしょうか。図7-7の(b)からすると，線分 BC だといいたくなりますが，結論からいうと，図7-8(b)に示すように，いくつかの可能性があります。線分 BC になるケース（ケース1），点 B から縦軸へ，縦軸から点 C へ，と左にとがった形になるケース（ケース2），そしてこれらの中間のケースです。中間のケースはケース1とケース2の間に無数に存在し，どれも点 B から出発したあと縦軸に突き当たらずに点 C に戻っていく曲線として表すことができ，図に描いているのはその1つの例です。

このように複数のケースがありうる理由は，ポートフォリオに組み込む資産 B と C の収益率の関係，正確には**相関関係**によって，ポートフォリオ全体のリターンとリスクが変わるからです。たとえば，同じ国でビジネスをしている自動車会社2社の例を考えると，両社の業績がその国の景気に応じて同じような動きをするならば，一方の株式の業績が良い（悪い）と他方も良い（悪い）という関係があり，株式の収益率も同じ方向に動くでしょう。これは，2つの危険資産の収益率に正の相関があるケースです。正の相関の中でも，一方が高い（低い）と他方も必ず高い（低い）という，相関が最も強い場合を，完全な正の相関と呼びます。これに対し，2社がライバル関係にあるならば，その業績（ひいては株式の収益率）には一方が良い（悪い）と他方が悪い（良い）という関係があるでしょう。このように逆方向の動きをするケースが負の相関です。負の相関についても，一方が高い（低い）と他方は必ず低い（高い），という相関が最も強いケースを完全な負の相関と呼びます[18]。

資産 B と C の収益率の相関の違いによって，ポートフォリオ全体のリターンとリスクがどう変わるのかを考えてみましょう[19]。まず，負の相関の場合を考えます。それぞれの資産の収益率はリスクがあるため高くも低くもなりますが，負の相関がある

---
[18] 相関関係に関するもう少し詳しい説明は，Web Appendix 7.1.2を参照してください。
[19] 以下の説明について，より詳しくは Web Appendix 7.1.3をみてください。

場合，一方の収益率が高い（低い）と他方は低く（高く）なります。両者を組み合わせれば，一方の低さが他方の高さで補われますから，全体としてのリスクは小さくなります。最も極端なケースである完全な負の相関の場合には，2資産の割合をうまく調整することで，ポートフォリオ全体の収益率を一定にする，つまりリスクをゼロにすることも可能になります。これが，図7-8(b)のケース2です。

以上を念頭において，資産Bだけを保有するポートフォリオ（点B）から出発し，少しずつ資産Cの比率を増やしていくとどうなるかを考えてみましょう。負の相関の場合，Bの収益率が低い（高い）ときにはCは高い（低い）ので，Cの比率を増やせばBの収益率の低さ（高さ）の一部はCの収益率の高さ（低さ）によって打ち消され，全体の収益率はそれほど低く（高く）なくなります。Cをさらに増やしていけば，ポートフォリオ全体の収益率はさらに安定し，リスクが小さくなっていきます。他方でリターンを考えてみると，資産CはBよりもリターンが大きな資産ですから，Cの比率を増やすにつれて，ポートフォリオ全体のリターンは増えていきます。

以上より，資産Cが増えるにつれて，ポートフォリオのリターンとリスクは図7-8(b)の点Bから左上の方向に向かうことがわかります。負の相関が最も強い，完全な負の相関の場合には（図7-8(b)のケース2），2つの資産の収益率の変動が完全に打ち消し合い，ポートフォリオ全体のリスクをゼロにするような組み合わせを作ることができます（点a）。

点aからさらに資産Cを増やしていくと，リターンの大きい資産Cが増えるために，ポートフォリオのリターンは引き続き増えていきます。しかし，しだいに資産Cの比率の方が高くなり，互いに収益率の変動を打ち消す効果が小さくなって，リスクは再び増えはじめます。結局，ポートフォリオのリターンとリスクはしだいに資産Cのリターンとリスク（点C）に近づいていきます。

同様に考えると，BとCの収益率が正の相関の場合も理解できます。正の相関の場合，2つの資産の収益率は同じ方向に動きます。このため，一方が小さいときにそれを補うように他方が大きい，という効果はあまり働きません。特に，収益率が完全に正の相関関係を持つ場合には，2つの資産を組み合わせてもリスクはまったく減らず，BのリスクとCのリスクを平均したもの（図7-8(b)では線分BC）と等しくなります。このため，結局は線分BCが完全な正の相関の場合のリターン・リスクの組み合わせを表すことになります（図7-8(b)ケース1）[20]。

資産の収益率の変動が完全に打ち消されるケース（ケース2）と，まったく打ち消されないケース（ケース1）が理解できれば，両者の中間のケースも理解できます。中間のケースでは，負の相関が強まる（ケース2に近づく）ほど打ち消し合う度合いが強く，リスクの減少が大きくなるので，ポートフォリオのリターンとリスクはケース2（図7-8(b)ではBaC）に近くなります。逆に正の相関関係が強まる（ケース1

---

[20] 正確にいうと，完全な正の相関の場合にポートフォリオのリターン・リスクが線分BCになるのは，リスクを標準偏差で測った場合だけです。詳しくはWeb Appendix 7.1.3をみてください。

に近づく）ほどリスクの減少は小さくなり，ポートフォリオのリターンとリスクはケース1（図7-8(b)では線分BC）に近づきます。

以上の結果は，分散化のメリットを示しています。完全な正の相関関係を持つ危険資産など現実には存在しないでしょうから，何か危険資産を2つ選べば，程度の差はあれ収益率の変動を互いに打ち消し合う効果が必ず得られるはずです。このため，全体の収益率の変動は，どちらかの資産だけを持つよりも小さくなり，リスクは減少します。図7-8(b)でいえば，資産BとCを組み合わせることにより，線分BCよりもリターンとリスクが左に位置するポートフォリオを作ることができるのです。図7-6に表したとおり，一般的な投資家はなるべく左上に位置するポートフォリオを選択したいので，分散化する（ここでは資金を危険資産BとCに分けて投資する）ことによって，投資家の期待効用は高まります。これが分散化のメリットにほかなりません。このメリットについては，もっと多くの資産が選択できるケースをみた後で再び触れたいと思います。

7.2.4　ポートフォリオのリターンとリスク(2)──複数資産のケース

《複数の危険資産からなるポートフォリオ》　危険資産が複数ある場合も，基本的な説明は図7-8と同様です。たとえば，さまざまなリターンとリスクを持つ危険資産が多数存在し，図7-9(a)のたくさんの点のように表されているとしましょう。多数あるといっても，その中から特定の2つの資産を取り出し，ポートフォリオを作ってみると，そのポートフォリオのリターンとリスクは図7-8(b)と同じようになるはずです。図7-9(a)は，資産GとCを組み合わせたポートフォリオのリターンとリスクが曲線GC，資産FとEを組み合わせたものが曲線FE，というように，任意の2つの点を結ぶ曲線によってそれぞれの資産を組み合わせたポートフォリオのリターンとリスクが表されている状況を示しています。

ここで，点Xをみてください。この点は，資産BとCを組み合わせたポートフォリオ上の点であり，資産BとCを何％かずつ組み合わせたポートフォリオのリターンとリスクを表しています。このポートフォリオ自体も1つの資産として考えると，

■図7-9　ポートフォリオのリターンとリスク：複数の危険資産

(a)　危険資産（ポートフォリオ）の組み合わせと選択可能ポートフォリオ

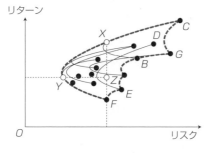

(b)　効率的フロンティア

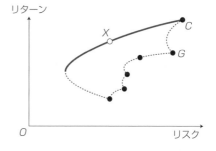

その資産と資産 F を組み合わせたポートフォリオ（といっても結局は資産 B, C, F の3つからなるポートフォリオ）を考えることもできます。このポートフォリオのリターンとリスクも，曲線 XF のように表すことができるはずです。

このように，あらゆる資産，あるいは資産を組み合わせたさまざまなポートフォリオの組み合わせからなるポートフォリオのリターンとリスクを図示していくと，結局図中の太い点線のような縁取りができてくるはずです。この縁取り上およびその内部の点は，選択可能な危険資産を使って作ることのできる，すべてのポートフォリオのリターンとリスクを表しています。この部分に入るポートフォリオは，特に**選択可能（達成可能，実行可能）ポートフォリオ**と呼ばれます。

ただし，選択可能ポートフォリオの中には，どの投資家も絶対に選ばないようなポートフォリオが含まれています。たとえば図 7-9 (a) の選択可能ポートフォリオのうち，点 Z で表されるポートフォリオをみてみましょう。このポートフォリオは，点 Y のポートフォリオとリターンが同じですが，リスクは Y よりも大きくなっています。同じリターンなら，わざわざリスクの大きな Z を選ぶ投資家はいないでしょう。また，点 Z を点 X と比べると，リスクは同じですがリターンが異なります。同じリスクであれば，リターンが大きな X が選ばれるはずです。このように，選択可能ポートフォリオの中にはほかのポートフォリオとリターンが同じでリスクが大きいポートフォリオ，あるいはリスクが同じでリターンが小さいポートフォリオが含まれており，こうしたポートフォリオは選択の対象とはなりません。選択の対象となりうるのは，選択可能ポートフォリオの中でも，そこより左上にはもう点がないような部分，つまり左上方向の境界（frontier：フロンティア）上の点だけです（図 7-9 (b) の太線）。この部分は特に，**効率的フロンティア**（あるいは**有効フロンティア**）と呼ばれています。

《安全資産と複数の危険資産からなるポートフォリオ》 最後に，複数の危険資産に加えて安全資産が1つ存在するケースを考えましょう[21]。図 7-7 (b) でみたとおり，危険資産1つと安全資産を組み合わせたポートフォリオのリターンとリスクは，それぞれの資産のリターンとリスクを表す点を結んだ直線で表されます。同じことは，危険資産が複数存在しても同じであり，また危険資産を複数組み合わせたポートフォリオと安全資産を組み合わせた場合も同じです。たとえば図 7-10 (a) には，資産 C と安全資産 A を組み合わせたポートフォリオ（直線 AC），資産 B と安全資産 A を組み合わせたポートフォリオ（直線 AB），資産 F と安全資産 A を組み合わせたポートフォリオ（直線 AF）が描いてあります。さらに，直線 AX, AT はそれぞれ，危険資産を組み合わせたポートフォリオ X, T と，安全資産 A の組み合わせを表しています。

図 7-9 (a) の点線で表されたすべての危険資産のポートフォリオ（選択可能ポートフォリオ）に対して同じことを考えると，結局安全資産と危険資産を組み合わせて作

---

[21] 先に説明したとおり，安全資産が複数ある状況は理論的には考えられません。

■図7-10 ポートフォリオのリターンとリスク：安全資産と複数の危険資産

(a) 危険資産（ポートフォリオ）と安全資産の組み合わせ

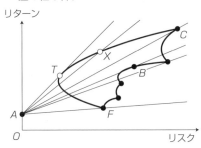

(b) 選択可能ポートフォリオと効率的フロンティア

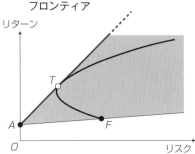

ることのできるすべてのポートフォリオを、図7-10(b)で塗りつぶされた部分のように表すことができます。この部分に入るポートフォリオは、安全資産と複数の危険資産が存在する場合の、投資家にとっての選択可能ポートフォリオです。また図7-9(b)と同様に考えると、どの投資家も選ばないようなポートフォリオを除いた効率的フロンティアは、直線ATで表されることもわかります。

なお、この直線ATは、曲線$FTXC$、あるいは安全資産がない場合の図7-9(b)で説明した（安全資産を考えない場合の）効率的フロンティアと接する直線であり、点Tはその接点を表しています[22]。このような点で表されるポートフォリオは、特に**接点ポートフォリオ**と呼ばれています。以下でみるように、**接点ポートフォリオ**は資産選択理論、さらには後の章で証券の価格を考えるうえで、非常に重要な意味を持ちます。

7.2.5 最適ポートフォリオの選択

効率的フロンティアがわかれば、あとはその中のどのポートフォリオを選ぶかを考えるだけです。実際に選ばれるポートフォリオは、無差別曲線の形状によって異なります。図7-11をみてみましょう。たとえばU'やU''のような無差別曲線を持つ投資家の場合、効率的フロンティア上で一番左上の無差別曲線上にある点は、効率的フロンティアと接する無差別曲線U''上の、接点X^*です。このため、この投資家は点X^*で表されるリターンとリスクを持つポートフォリオを選択します。同様に、V'やV''のような形をしている無差別曲線を持つ投資家は、点X^{**}で表されるポートフォリオを選びます。こうして選ばれた最も望ましいポートフォリオは、**最適ポートフォリオ**と呼ばれます。

ここで、最適ポートフォリオが分散化のメリットを示していることを確認しておき

---

[22] 図7-7(b)で説明したのと同様に、効率的フロンティアAT上で点Tよりも右上に位置するポートフォリオは、安全資産の金利を支払う約束で資金を借り、借りた資金で点Tのポートフォリオを手持ち資金の100%以上買うポートフォリオです。

■ 図 7-11　最適ポートフォリオ

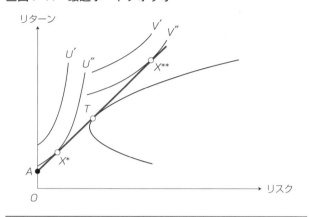

ましょう。個々の金融資産（図7-9の黒丸各点〔危険資産〕や図7-10(a)の点 A 〔安全資産〕）を1つだけ持つよりも，複数の資産（安全資産，危険資産）に分けて持つと，各資産の収益率の相関関係を利用して，ポートフォリオ全体のリスクを小さくできます。このため，より左に位置する（効率的フロンティア上の）リターンとリスクの組み合わせを選べるようになり，より左上の無差別曲線上の点を選択することが可能になります。これが，分散化のメリットです。

なお，危険回避的であるかぎり，どんな無差別曲線を持つ投資家であっても，選ぶ最適ポートフォリオは必ず効率的フロンティア（直線 AT）上のポートフォリオです。直線 AT は，安全資産 A と接点ポートフォリオ T を組み合わせてできるポートフォリオですから，結局どんな投資家もポートフォリオ T と安全資産 A を組み合わせて持つことになります。つまり，少なくとも危険資産に関するポートフォリオはどの投資家もまったく同じです。この結果は特に，最適ポートフォリオに関する**分離定理**と呼ばれています。

分離定理は，たとえ数多くの危険資産が存在し，数えきれないくらい多様なポートフォリオを組むことができる状況でも，結局誰もが同じ危険資産ポートフォリオと安全資産の組み合わせを選ぶことを意味しています。この結果は，資産選択理論のもとでは必ず得られる非常に強い結果です。しかし，現実には投資家が持つポートフォリオは人によって違いますから，現実の説明に使うには無理のある結果だともいえます。このため，この結果はむしろ，理論の設定のどこに無理があるのか，どこを修正すれば現実の説明が可能になるのかを考えるための基準（ベンチマーク）となる結果だといえます。

■ 練習問題

7.1 あなたでも購入できる投資信託を検索し，どのような分散化が行えるのか調べなさい。

7.2 あなたが納めた年金の保険料はどのように使われているのか調べなさい。

7.3 証券価格が低く（高く）なると，その証券の収益率が高く（低く）なることを理論的に説明しなさい。（ヒント：2.1.3節〔(2.1) 式〕）

7.4 理論上，安全資産は1種類しか存在しないことを説明しなさい。

7.5 平均・分散アプローチの無差別曲線が，危険回避的な投資家の場合には図7-6のように右上がりの曲線として表されることを確認しなさい。また，投資家が危険中立的である場合，危険愛好的である場合にはそれぞれどのような無差別曲線が描けるか，考えなさい。

■ 参考文献

大橋和彦（2010）『証券化の知識（第2版）』（日経文庫）日本経済新聞出版社。
ボディー，ツヴィ／ケイン，アレックス／マーカス，アラン・J.(2010)『インベストメント（第8版）』(平木多賀人・伊藤彰敏・竹澤直哉・山崎亮・辻本臣哉訳)，マグロウヒル・エデュケーション。
本多俊毅（2013）「リスクとリターン」『フィナンシャル・レビュー』平成25年第3号（通巻第114号），54～76頁。

第Ⅲ部

金融機関と金融市場

はじめに

第Ⅱ部では，おカネの貸し借り（金融取引）を困難にする要因（取引費用）を取り除くために考えられてきた，さまざまな仕組み（工夫）を説明しました。こうした仕組みのおかげで，貸手は余った資金を安心して貸し，借手はそれを有効利用できます。日本で最大の貸手部門は家計であり，借手部門は政府や企業ですから（2.2.1節の図2-5参照），さまざまな工夫や仕組みは，家計が政府や企業におカネを貸すのに役立っていることになります。

しかし，ここで疑問が浮かびます。ここまで説明してきたさまざまな仕組みは，貸手の代表である家計，つまり一般の人々にとって馴染みのあるものでしょうか。もちろん，中にはこうした仕組みをよく知り，自ら利用している人もいるでしょう。しかし，ほとんどの人は流動化・証券化などといわれてもよくわからないでしょうし，そもそも金融の勉強をしてはじめてこうした仕組みを知ったという方が大多数だと思います。ではなぜ第3，4章で説明したような大きな取引費用がある中で，第Ⅱ部で説明した仕組みの存在すら知らない家計部門が，政府部門や企業部門に多額の資金を貸しているのでしょうか。

この疑問の答えは，第Ⅱ部で説明していない2つの重要な金融上の仕組みにあります。金融の仕事を行う企業，金融機関と，金融取引に伴って発行された証券を取引するための場，金融市場です。第Ⅱ部で紹介した個々の仕組みと違い，金融機関は企業，金融市場は取引の場ですが，いずれも金融取引の取引費用を削減するためのものなので，本書でいう金融の仕組みに含まれます。以下で説明するように，この2つの仕組みはそれぞれ独立に，あるいは互いに補完し合いながら，家計のような貸手から企業や政府のような借手への資金提供を促進しています。

この第Ⅲ部は3つの章からなっています（次ページの図参照）。金融機関を取り上げるのは第8章と第10章で，金融市場を取り上げるのが第9章です。まず**第8章**では，金融仲介機関と呼ばれる金融機関を紹介します。金融機関は貸手と借手との間を仲介し，金融取引を促進しますが，そのやり方はさまざまです。第8章で紹介する金融仲介機関は，自ら貸し借りを行って仲介する金融機関で，借手として家計など本来の貸手から資金を借り，その資金を貸手として政府や企業などの本来の借手に貸します。本来の貸手からみると，自分に代わって資金を貸してくれる，「専門家に任せる」という金融の仕組みが金融仲介機関です。

金融仲介機関とは別な形で貸手からの資金提供を促進するのが，**第9章**で説明する金融市場です。金融市場は，貸借の条件が定まった，規格化された証券の取引を，迅速かつ大量に処理するために整備された場です。金融市場は，自ら判断して投資できるような，専門家に任せる必要のない投資家にとって，便利に取引できるようにするための金融の仕組みです。

第10章では再び金融機関の説明に戻り，金融仲介機関以外の2つのタイプの金融機関を紹介します。第1のタイプは金融市場と関わりの深い金融機関です。金融市場は金融機関とまったく関係のないものではなく，むしろ金融機関が整備することにより成り立って

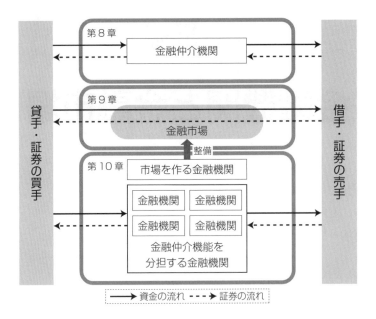

います。こうした金融機関は、市場を作る金融機関と呼ぶことができます。また第2のタイプとして、金融機関にはさまざまな金融機能に特化したものもあります。投資信託（7.1.3節参照）の仕組みに代表されるように、金融の世界では金融仲介機関が1社で担うのと同じ仕組みを、複数の金融機関が分担して提供することがあります。こうした金融機関は、金融仲介機能を分担する金融機関と呼ぶことができます。第10章では、市場を作る金融機関と金融仲介機能を分担する金融機関を順に説明した後、第8章で紹介した金融仲介機関も合わせ、金融機関全体に関する整理を行います。

第8章

金融機関(1)
●金融仲介機関

はじめに

　この章では、金融の専門家として「人に代わって貸す」金融機関と、その金融機関が提供する「専門家に任せる」という仕組みについて説明していきます。第Ⅱ部で紹介したさまざまな金融の仕組みは、どれも金融取引の取引費用を削減する仕組みですが、一般の人には馴染みのないものばかりです。それなのに、専門家でない家計が政府や企業におカネを貸すことができているのは、金融機関が存在するからです。

　その証拠として、日本における貸し借りの中で、預金を通じたものが大きな割合を占めていたことを思い出してください（2.2.1節の表2-3参照）。預金を預けることは、銀行におカネを貸すことでした。実は、銀行はそのおカネを使って、企業などの借手に貸出を行っています。このため、あなたの預金は銀行が別の借手に貸すときの元手になっており、銀行は「人に代わって貸す」仕事をしているといえます。このように、銀行などの金融機関は、資金を提供してくれる人に代わって資金を貸す専門家であり、本来の貸手に対して資金の運用を任せることのできる仕組みを提供しています。ただし、金融機関と呼ばれる企業の中には「人に代わって貸」さないものも存在します（第10章参照）。こうした金融機関と区別するために、「人に代わって貸す」金融機関は特に、金融仲介機関と呼ばれています。

　本章の構成は図8-1のとおりです。最初の8.1節では、金融仲介機関がどのような仕事をしているのかを、最も身近な金融仲介機関である銀行を例として説明します。続く8.2節と8.3節では、実際に日本にどのような金融仲介機関が存在するのかを説明します。図8-1のとおり、金融仲介機関は預金で資金を集める預金取扱金融機関と、それ以外の金融仲介機関の2つに分かれます。前者について説明するのが8.2節、後者について説明するのが8.3節です。

　8.4節では、金融仲介機関が発揮している金融仲介機能について、経済学の観点から説明します。最後の8.5節では、金融仲介機能を発揮するうえで、金融仲介機関が直面するリスクとその管理について説明します。なお、先に触れたとおり、金融機関

■図 8-1 本章の構成

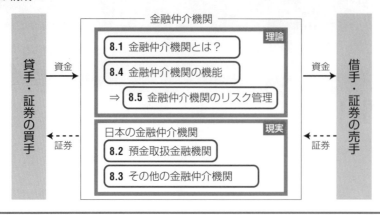

には金融仲介機関以外にもさまざまなタイプのものがあります。これらについては第10章（10.1節から10.2節）で説明することになりますが，こうした金融機関と金融仲介機関とを合わせて，金融機関全体に関するまとめは10.3節で行います。

8.1 金融仲介機関とは

この節では，金融仲介機関について説明します。とはいえ，いきなり金融仲介機関といってもピンとこないでしょうから，ここではしばらくの間，金融仲介機関の中でも最も身近な存在である，銀行を例にあげて説明を行います。銀行とその他の金融仲介機関との違いについては，この節の最後にまとめて触れることにします。

8.1.1 銀行預金と貸出

社会人であれば，ほとんどの人が銀行に預金口座を持っているでしょう。しばらく前までは，口座を開きたければ必ず営業時間内に銀行の窓口に出向く必要があり，印鑑を押して書類を提出し，預金通帳をもらっていました。口座にある預金の残高は，これも支店に出向いて通帳に記帳してみないとわかりませんでした。しかし，今ではインターネットを通じていつでもどこからでも口座を開設でき，残高の確認もネット上で可能です。通帳がない口座も増え，さまざまな金融サービスも合わせてネットから利用できるようになっています。

さて，こうして預金で預かった資金を，銀行はどうするのでしょうか。金庫かどこかに大切に保管するのでしょうか。実は，預金者にはみえないところで銀行はもう1つ重要な仕事をしています。預かったおカネを人に貸す，という仕事です。すでに2.2.1節の表2-3でみたとおり，金融機関はたくさんの貸出を行っています。このうちの多くは銀行によるもので，預金で預かった資金はこうした貸出などに使われています[1]。

8.1.2 銀行の貸し借りと利ざや*

預かったおカネを貸す，という銀行の仕事をもう少し深く理解するため，単純化した理論モデルを考えてみましょう。ある銀行が預金者から現金を預かり，預金 D が生まれたとします。この資金を使って銀行は貸出 L を行うものとします。ここでは単純に $L=D$，つまり預かった資金をすべて貸すものとしておきます[2]。次に，この銀行の収入と支出に関してですが，まず預かった預金に対する支出として，r_D という預金金利の支払いを約束するものとします。他方で，貸出からの収入として，r_L という利払いを受けるものとします。預金を預かるのにも貸出を行うのにも人件費や物件費などの営業費用がかかりますから，その大きさは C_D, C_L （どちらも正の値）で表すことにしましょう。

以上の設定のもとで，この仮想的な銀行の利益は次の式で表されます（⇒練習問題 8.2）。

$$r_L L - r_D D - (C_D + C_L) \tag{8.1}$$

利益がマイナスではビジネスが成り立ちませんから，銀行という企業が存在するためにはこの利益が正でなければなりません。しかし，この銀行の収入は，貸出からの金利収入である $r_L L$（第1項）だけです。この収入が預金に対する金利支払 $r_D D$（第2項）と営業費用 $C_D + C_L$（第3項）をカバーできてはじめて，銀行の利益は正になります。

ここで，$C_D + C_L > 0$ ですから，(8.1) 式が正であるためには少なくとも，

$$r_L L > r_D D \tag{8.2}$$

でないといけません。さらに，ここでは $L = D$ ですから，

$$r_L > r_D \tag{8.3}$$

である必要があります。この式からわかるように，銀行のビジネスは，借手として預金に支払う金利よりも，貸手として貸出から受け取る金利の方が大きい場合にのみ成り立ちます。2つの金利の差 $r_L - r_D$ は（預貸）**利ざや**と呼ばれますから，銀行のビジネスは正の利ざやを稼ぐことで成り立っていることがわかります[3]。

8.1.3 銀行の存在意義

以上のように，銀行の仕事は結局のところ，預金者のおカネを使って自分の借手に

---

1) ただし，銀行は預金で預かった資金だけを使って貸出を行っているわけではありません。8.4.5 節を参照してください。
2) 実際には，銀行は預かった資金をすべて貸してしまうことはできません。そんなことをすれば，預金者が払い戻しにきたときに応じられないからです。このため，本来は $L<D$ という状況を考えるのが自然です。この状況については 8.4.5 節で考えます。

貸す，つまり預金者に代わって人に貸すことです。しかし，預金者の立場で考えると，これはちょっとおかしな話です。結局自分のおカネが借手に貸されるのなら，預金者は自分で貸せばよいはずです。なぜ自分で貸さずに人（銀行）に貸してもらうのでしょうか。しかも，銀行のビジネスは預金金利を貸出金利より低くすることで成り立っています（上記 (8.3) 式）。預金者からすると，銀行に貸して r_D を受け取るより，銀行が貸している相手に自分で貸して r_L を受け取る方が得です。自分で貸すのであれば，わざわざ一度預金にする必要はありませんから費用 C_D も発生しません。

しかし，多くの人にとって，自分で貸すのは不可能です。たまたま資金に余裕があったとしても，それを貸すためにはまず借手を探す必要があります。しかも，あなたが貸したいだけの金額を，貸したい期間だけ借りてくれる借手でなければなりません。預金者が自分で借手を探して貸す費用は，銀行にとっての費用 C_L よりもはるかに大きいでしょう。自分で貸すなら，約束どおり返してくれないかもしれないという返済のリスク，突然必要になったときにおカネが足りないかもしれないという資金不足のリスクを自分で引き受けなければなりません。もうおわかりかと思いますが，こうした理由で金融取引が行われにくいことは，すでに第Ⅱ部で学んだことです。つまり，一般の人が行う金融取引には，大きな取引費用がかかるのです。

そう考えると，一般の人にとっては自分で貸すより銀行に預ける方がずっと簡単です。つまり，借手としての銀行は，自分に対する貸手（預金者）に対し，貸すことの取引費用を小さくし，安心して資金を提供できるようにしているわけです。この小さな取引費用が，「投資」ではなく「預ける」という言葉が持つ語感の源泉であり，誰もが余裕資金を銀行に預ける理由となっています。

ただし，銀行の方も，預かった資金を企業などに貸す際には，大きな取引費用に直面するはずです。それなのに，なぜ預金者は大きな取引費用を負担しなくて済むのでしょうか。資金は結局貸手（つまり預金者）から借手（企業など）に流れるのに，なぜ銀行が間に入ると貸手の取引費用が小さくなるのでしょうか。この問いに対する答えは 8.4 節で詳しく説明しますが，簡単にいえば，「銀行自身が金融取引の専門家として，第Ⅱ部で説明したさまざまな仕組みを用い，取引費用を削減しているから」が答えになります。この取引費用削減こそが，銀行の存在意義なのです。

8.1.4 銀行・預金取扱金融機関と金融仲介機関

ここまでは銀行を例として金融仲介機関のビジネスを説明してきましたが，金融仲介機関は銀行以外にも存在します。そこで，金融仲介機関の種類について触れておくことにしましょう。まず，金融仲介機関は預金取扱金融機関とその他の金融仲介機関

3）ここでは説明を簡単にするために，預金で集めた資金を貸出に回す，という単純な銀行を考えましたが，実際の銀行は預金以外の形でも借りて（資金調達を行って）おり，貸出以外の形でも貸して（資金運用を行って）います。この場合，資金運用から全体として得られるキャッシュインフロー（金利・配当など）の平均的な収益率から資金調達のために支払うキャッシュアウトフローの平均的な支払金利を引いた，**平均利ざや**がプラスであることが必要になります。

に分かれます。**預金取扱金融機関**は，その名のとおり預金を受け入れる金融仲介機関です。「代わりに貸す」ために本来の貸手からおカネを借りる際に，預金という形で借りるのが預金取扱金融機関です。預金取扱金融機関の代表は銀行ですが，銀行以外にも預金取扱金融機関は存在します。これらの金融機関については8.2節で紹介します。これに対して**その他の金融仲介機関**とは，預金取扱金融機関以外の金融仲介機関を指します。その他の金融仲介機関は，預金以外の形で資金を集めて資金を貸します。これらの金融機関については8.3節で紹介します。

　預金取扱金融機関もその他の金融仲介機関も，自分で資金を調達して貸す，という点では同じです。唯一の違いは，調達のために発行する証券が預金かどうかにあります。第1章（1.3.2節）で説明したとおり，預金は貨幣▶として用いられるため，経済の中で特別な役割を果たしています。この違いは，預金取扱金融機関が特に重要な金融機関として規制や政策上特別な取り扱いを受ける理由ともなっています（14.1.4節参照）。

▶貨幣⇒1.2

8.2　日本の金融仲介機関(1)――預金取扱金融機関

　この節からは，日本に実際に存在する金融仲介機関についてみていきます。前節で説明したとおり，金融仲介機関は預金取扱金融機関とその他の金融仲介機関に分かれます。それぞれに対応する実際の金融機関は，表8-1に示されているとおりです。まずこの節では預金取扱金融機関について，銀行から順に説明していきます。

8.2.1　普通銀行

《普通銀行とその業務》　日本で銀行について定めた法律，銀行法は，銀行業という仕事を行うものを**銀行**だと定め，銀行業とは次の2つのうちいずれかを行うことだとしています。第1は，(1)預金または定期積金の受入と資金の貸付または手形の割引▶とをあわせ行うこと，です。これはまさに「預金で借りてきたおカネを人に貸す」ことにほかなりません[4]。第2は，(2)為替取引を行うこと，です。為替▶は遠隔地間の決済という意味なので，(2)は第1章（特に1.6節）で説明した決済サービスの提供にあ

▶割引⇒5.1.1

▶為替⇒1.6.1

■表8-1　金融仲介機関

機能による分類		実際の金融機関（制度）	説明箇所
金融仲介機関 （分類：8.1節） （機能：8.4節） （リスク管理：8.5節）	預金取扱金融機関	普通銀行	8.2.1節
		信託銀行	8.2.2節
		協同組織金融機関	8.2.3節
		日本銀行	8.2.4節
	その他の 金融仲介機関	保険会社	8.3.1節
		貸金業者	8.3.2節
		政府系金融機関	8.3.3節

Column 8-1　金融技術革新とフィンテック

　昔から，金融の分野では情報通信技術を活用してさまざまな金融技術革新が行われてきました。その中でも近年の金融技術革新，あるいはその革新によって生まれた新しいサービスは，特に**フィンテック**（fintech）と呼ばれています（1.7節，Column 1-2 も参照）。フィンテックと呼ばれるサービスは実に多様です（表参照）。貨幣あるいは決済，つまりおカネそのものに関わるフィンテックに加え，おカネの貸し借り，つまり金融取引に関わるフィンテックもあります。フィンテックのサービスは，利用者に対して新しく便利な取引手段やプラットフォーム（取引に参加するために利用する場，舞台）を提供し，金融機関にとっては自らの業務に新たな技術を取り込み，提供するサービスを改善・向上するものだといえます。

　フィンテックのサービス提供者は，金融機関に限りません。むしろ，新しいサービスはスタートアップ企業（7.1.3 節参照）によって生み出されることが多く，フィンテックという言葉自体がこうした企業（**フィンテック企業**）のことを指す場合もあります。既存の金融機関からすると，フィンテック企業は自らの存在を脅かすライバルの場合もありますが，買収したり提携して，開発された技術を取り込む相手である場合もあります。

　買収の場合には必ず，そして提携の場合も資本提携であれば，相手先企業の株式の取得が行われます。しかし，日本の銀行の場合には，法律で認められている業務範囲に抵触する，として取得ができず，買収や提携が制約されるという問題がありました。この制約は銀行法の改正（2016 年 4 月）で一部取り払われ，その後も銀行に認められる業務の範囲は広がっています。規制が便利なサービスの提供を妨げる，という出来事は昔から発生していましたが，緩和しすぎれば銀行の健全性を脅かす可能性があり，どうバランスを取るかが重要です。

表　フィンテックの例

決済・預金	・モバイルバンキング ・暗号通貨 ・複数口座の同時管理サービス ・SNS（ソーシャルネットワークサービス）を利用した送金 ・ブロックチェーン技術
借手の資金調達	・クラウドファンディング（ネット上で募った不特定多数の支援者からの特定目的のための資金調達） ・P2P（peer to peer）貸出（ネット上で結びつける個人間の貸借） ・SNS の情報を用いた審査
貸手の資金運用	・モバイル投資 ・クラウドファンディング ・投資情報サイト ・人工知能を用いた投資アドバイス・投資評価 ・資産管理アプリ

たります。日本では決済の多くが普通・当座預金を通じて行われていますから，決済手段である預金で資金を集め，貸出を行うのが銀行だということになります。銀行業を営むには国から免許を受けなければならず，この免許を受けた銀行は一般に，**普通銀行**と呼ばれます[5]。

　普通銀行は，本来の業務（**固有業務**と呼ばれます）である(1)と(2)以外にもさまざまな業務を行うことが認められています[6]。まず，固有業務に付随して生じる業務（いわゆる**付随業務**）が銀行法の中で定められています。その中にはたとえば株式や公社債などさまざまな証券の取引（証券投資）が含まれ，銀行は貸出だけでなく証券を購入する形でも資金を運用する（貸す）ことができます。また決済サービス提供に付随する業務として**両替**があり，他者の持つ債権の保証▶やデリバティブ▶の取引や媒介・取次など，第Ⅱ部で紹介した仕組みを提供する業務も含まれます。さらに，証

▶保証⇒6.2.2
▶デリバティブ
⇒Web Appendix 6.1

---

4)　**定期積金**とは一定期間内に定期的に掛け金を払い込み，約束どおりに掛け金が払い込まれれば満期時に一定の金額を支払う，というものです。定期預金に似ていますが，一括して預けるものではありません。
5)　免許が必要な理由は 14.2.1 節で説明します。
6)　以下の業務に関して詳しくは，鹿野（2013）などを参照してください。

■表 8-2　日本の普通銀行（2023 年 11 月末現在）

1 都市銀行（4行）	第四北越銀行	阿波銀行	東日本銀行	南日本銀行
みずほ銀行	山梨中央銀行	百十四銀行	東京スター銀行	沖縄海邦銀行
三井住友銀行	八十二銀行	伊予銀行	神奈川銀行	4 その他の普通銀行（18行）
三菱UFJ銀行	大垣共立銀行	四国銀行	大光銀行	4-1 新たな形態の銀行
りそな銀行	十六銀行	福岡銀行	長野銀行	イオン銀行
2 地方銀行（62行）	静岡銀行	筑邦銀行	静岡中央銀行	SBJ銀行
北海道銀行	スルガ銀行	西日本シティ銀行	愛知銀行	au じぶん銀行
青森銀行	清水銀行	北九州銀行	名古屋銀行	GMO あおぞらネット銀行
みちのく銀行	百五銀行	佐賀銀行	中京銀行	PayPay銀行
岩手銀行	三十三銀行	十八親和銀行	富山第一銀行	SBI新生銀行
東北銀行	北陸銀行	肥後銀行	福邦銀行	住信SBIネット銀行
七十七銀行	富山銀行	大分銀行	みなと銀行	セブン銀行
秋田銀行	北國銀行	宮崎銀行	島根銀行	ソニー銀行
北都銀行	福井銀行	鹿児島銀行	トマト銀行	大和ネクスト銀行
荘内銀行	滋賀銀行	琉球銀行	もみじ銀行	みんなの銀行
山形銀行	京都銀行	沖縄銀行	西京銀行	楽天銀行
東邦銀行	関西みらい銀行	3 第二地方銀行（37行）	徳島大正銀行	ローソン銀行
常陽銀行	池田泉州銀行	北洋銀行	香川銀行	UI銀行
筑波銀行	但馬銀行	北日本銀行	愛媛銀行	4-2 旧長期信用銀行
足利銀行	南都銀行	仙台銀行	高知銀行	あおぞら銀行
群馬銀行	紀陽銀行	きらやか銀行	福岡中央銀行	4-3 国の関与が強い銀行
武蔵野銀行	鳥取銀行	福島銀行	佐賀共栄銀行	ゆうちょ銀行
千葉銀行	山陰合同銀行	大東銀行	長崎銀行	整理回収機構
千葉興業銀行	中国銀行	栃木銀行	熊本銀行	4-4 その他
きらぼし銀行	広島銀行	東和銀行	豊和銀行	埼玉りそな銀行
横浜銀行	山口銀行	京葉銀行	宮崎太陽銀行	

（出所）　金融庁「免許・許可・登録等を受けている業者一覧」（https://www.fsa.go.jp/menkyo/menkyo.html）。

券の発行や流通に関わる業務も一部認められています（10.1.3節参照）。

このほかにも銀行は，宝くじに関わる業務など銀行法以外の法律で認められた業務も行っていますし，リース，ファクタリング，消費者金融，クレジットカード（以上8.3.2節参照），ベンチャー・キャピタル（Web Appendix 10.1 参照）など，法律には定めがないため，銀行本体ではなく子会社等を通じて営む業務もあります。

以上のように，日本の銀行は「自ら貸し借りを行う」という金融仲介機関の業務を超えた業務を行っています。しかし，逆にいえば上記以外の業務は認められず，行える業務の範囲は規制されています（14.2.1節を参照）。この規制には銀行の健全性を守る，という重要な根拠があるのですが，この規制が新たなサービスの提供を制限することもあります。最近の銀行の業務を考えるうえでは，金融サービスの提供に情報通信技術を導入し，それまでにない新しいサービスを提供するフィンテックの動き（Column 8-1 参照）が重要ですが，こうしたサービスの提供も，規制で制約されることがあります。

《普通銀行の業態》　表 8-2 に示したのは，2023 年 11 月末現在で実際に免許を受けて営

業している日本の普通銀行です。日本の普通銀行はいくつかのタイプ（**業態**といいます）に分かれます。この表では監督官庁である金融庁の分類におおむね基づき，都市銀行，地方銀行，第二地方銀行，その他の銀行，という4業態に分けています。

第1の**都市銀行**は，日本の普通銀行の中で最も規模が大きい銀行からなる業態で，東京あるいは大阪に本拠地を置き，多数の従業員を雇用して全国，あるいは海外にまで幅広い支店網を展開する銀行です。規模が大きい銀行という意味で，一般には**メガバンク**と呼ばれる場合もあります。これらの銀行は，単体でもさまざまな業務を行っていますが，いずれも銀行持株会社▶の子会社であり，ほかのグループ金融機関も含めて大きな金融グループを形成し，全体として多様な金融サービスを提供しています（10.2.3 節，表 10-6 参照）。

▶銀行持株会社
⇒10.2.3

第2の**地方銀行**は，都市銀行に次いで規模の大きな銀行からなる業態で，全国の各都道府県に本拠地を置き，主にその都道府県内，あるいは隣接地域を営業基盤としています。同じように各都道府県に本拠地を置く銀行には，第3の**第二地方銀行**（**第二地方銀行協会加盟行**）もありますが，第二地方銀行は地方銀行よりも規模が小さな銀行からなる業態です。第二地方銀行は，**相互銀行**と呼ばれる中小企業金融専門の銀行から普通銀行に業態を転換した，という歴史的経緯を持ちます[7]。これらの銀行は，日本各地の地域の銀行として重要な役割を果たしており，以下で紹介する信用金庫や信用組合などとともに，**地域金融機関**とも呼ばれます。2023 年 11 月末現在，日本には 62 の地方銀行と 37 の第二地方銀行があります。

第4のその他の普通銀行は，上記3つの業態にあてはまらない銀行のグループです。日本の銀行の中心は伝統的に上記3業態でしたが，1990 年代以降には，この3つの業態にあてはめるのが難しい銀行が生まれるようになりました。こうした銀行は多様であり，ひとまとめにするのは難しいのですが，業務や成り立ちに基づくと，それまでの銀行とは異なるビジネスモデルを持つ(1)**新たな形態の銀行**に加え，(2)旧長期信用銀行，(3)国の関与が強い銀行，(4)その他，の4種類に分けることができます[8]。この4種類の普通銀行については Web Appendix 8.1 で詳しく説明しています[9]。

表 8-3（の上段）には，都市銀行，地方銀行，第二地方銀行の3つの業態の 2023 年 3 月末時点での財務指標を示しています。都市銀行は合計 816.5 兆円の資産を保有し，そのうち 310.2 兆円（38%）が貸出，148.6 兆円（18%）が有価証券です。預金は 538.4 兆円で，比率でいえば預金の 58% が貸出に使われていることになります。これに対して地方銀行は，全体でも総資産は 409.7 兆円で都市銀行に及びません。そ

---

[7] 1992 年に伊予銀行に転換した東邦相互銀行が，最後の相互銀行です。

[8] 表 8-2 では「その他」としていますが，埼玉りそな銀行は，いくつかの銀行が統合してりそなグループが生まれる際に，埼玉県内の営業を引き継いだ銀行です。その特徴から地方銀行に分類されることもあります。

[9] このほかに，外国の銀行が日本において銀行業を営む場合，通常は支店を日本国内に設置することに対して免許を受けます。こうした支店は**外国銀行支店**と呼ばれます。Web Appendix 8.1 も参照してください。

■表 8-3　預金取扱金融機関の財務指標

(単位：兆円, %)

		(a) 資産	(b) 貸出	(c) 有価証券	(d) 預金	(e) 貸出/資産 ((b)/(a) [%])	(f) 有価証券/資産 ((c)/(a) [%])	(g) 貸出/預金 ((b)/(d) [%])
普通銀行	都市銀行	816.5	310.2	148.6	538.4	38.0	18.2	57.6
	地方銀行	409.7	249.3	72.1	325.3	60.9	17.6	76.6
	第二地方銀行	80.7	54.5	13.1	68.5	67.6	16.3	79.6
協同組織金融機関	信用金庫	175.0	79.8	46.4	160.3	45.6	26.5	49.8
	信用組合	27.3	13.5	5.3	23.4	49.4	19.3	57.6
	農業協同組合		22.9		108.6			21.1

(注)　2023 年 3 月末時点. 都市銀行には埼玉りそな銀行を含む. 農協の貸出・預金は JA 貸出金・JA 預金の額.
(出所)　全国銀行協会「全国銀行財務諸表分析」, 信金中金地域・中小企業研究所「全国信用金庫概況」, 全国信用組合中央協会「全国信用組合主要勘定」, 農林中金「全国 JA 貯金・貸出金残高速報」.

のうち貸出が 61%, 有価証券が 18% を占めています. 325.3 兆円の預金を集めているため, 預金に対する貸出の比率は 77% です. 第二地方銀行は, 合計で総資産が 80.7 兆円, そのうち貸出が 68%, 有価証券は 16% であり, 預金の額は 68.5 兆円です.

8.2.2　信託銀行

　銀行業の免許を受けている銀行であるにもかかわらず, 通常普通銀行には含めない銀行として, 信託銀行があります. **信託銀行**は, 普通銀行と同様の業務を行う銀行ですが, それに加えて信託のサービスを提供する業務, つまり**信託業務**を主たる業務とし, 銀行業と兼営しています. 信託とは, 財産を持つ人が, 特定の目的のためにその財産を信頼できる人に管理・処分してもらう仕組みを指します（詳しくは 10.2.2 節参照）. 自分で借りてきたおカネを運用する銀行業務と, 他人の財産を管理する信託業務を区別するため, 信託銀行は前者と後者の会計を分別管理しています. 2023 年 11 月末現在, 日本には 13 行の信託銀行があります.

　なお, 信託業務を兼営する金融機関は信託銀行のほかにもあります. 主たる業務として信託業務を行い, 名前に「○○信託銀行」と付くのが信託銀行ですが, 普通銀行などほかの金融機関の中にも主たる業務としてではなく信託業務を行うものがあります. ほかの金融業務と信託業務を兼営するには認可を受ける必要があり, 認可を得た金融機関は**信託兼営金融機関**と呼ばれます. 2023 年 11 月末現在, 日本には信託銀行を含めて 58 の信託兼営金融機関があります.

8.2.3　協同組織金融機関

　銀行という名前は付いていませんが, 預金（または貯金）を受け入れて貸出を行う金融機関として, 協同組織金融機関があります. **協同組織金融機関**は, 加入している会員・組合員の相互扶助（助け合い）を目的とした金融機関です. 表 8-4 の左列にあるとおり, 協同組織金融機関には中小企業者・勤労従事者等を組合員あるいは会員とする**信用組合**（信用協同組合, 信組）や**信用金庫**（信金）, 労働組合・生活協同組合

■表 8-4　協同組織金融機関

各地の組織	地域の連合組織	中央組織
信用組合 （信用協同組合，信組）		全国信用協同組合連合会
信用金庫		信金中央金庫
労働金庫		労働金庫連合会
農業協同組合 （農協，単位農協）	信用農業協同組合連合会 （信農連）	農林中央金庫
漁業協同組合 （漁協，単位漁協）	信用漁業協同組合連合会 （信漁連）	

や労働者の団体を会員とする**労働金庫**（労金），農業者や農事組合法人等を組合員とする**農業協同組合**（農協），漁業者を組合員とする**漁業協同組合**（漁協）が含まれます。また，農協と漁協については各地域（都道府県）単位の連合組織である**信用農業協同組合連合会**（信農連）と**信用漁業協同組合連合会**（信漁連）が存在し，これらも協同組織金融機関に含まれます（表 8-4 中央）[10]。

　これらの組合・金庫等は，それぞれ決まった営業区域（地区）を持ち，そこに店舗を構えて会員・組合員に対する預金・貸出サービスを提供しています。たとえば信用組合・信用金庫なら，会員の中小企業に対する事業資金の貸出や預金受入，農業協同組合なら会員の農家に対する農機具購入資金の貸出や預金受入などです。相互扶助を目的とし，銀行のように営利を目的としていないのが協同組織金融機関の大きな特徴です。ただし，制限付きながら会員・組合員以外との間の預金受入，貸出も認められており，銀行との競合もみられます。

　各協同組織金融機関は，表 8-4 右列にある中央組織金融機関の会員になっています。中央組織は自ら預金取扱金融機関の業務を行うとともに，各組合・金庫等の余剰資金を集めて運用したり，各組合・金庫等が個別に提供することが難しいサービスの提供や経営支援等を行っています。また中央組織は銀行業務以外の金融サービスを提供する子会社・グループ会社も抱え，全体としてメガバンクのような金融グループを形成しています。このうち農林中央金庫が農協・信農連とともに銀行サービスを提供する際には **JA バンク**，漁協・信漁連とともに銀行サービスを提供する際には **JF マリンバンク**，という名前が使われています。

　2023 年 3 月末現在で，全国には信用金庫が 254 金庫，信用組合が 145 組合，労働金庫が 13 金庫存在します。また 2023 年 4 月 1 日現在で JA バンクは 538 の農協と 32

---

10) このほかに，協同組織金融機関に近い預金取扱金融機関として，**商工組合中央金庫**（**商工中金**）があります。商工中金は，中小企業に対する金融サービスを提供する金融機関として，戦前に政府と中小企業団体が出資して設立され，2008 年に株式会社化されました。その株式は政府と中小企業団体が保有していましたが，2023 年 6 月に民営化に向けた法改正が行われ，政府保有株は改正後 2 年以内にすべて売却されることになりました。

の信農連，JFマリンバンクは74の漁協と10の信漁連からなります。先の表8-3の下段には，これらの協同組織金融機関の財務数値を示しています。信用金庫は全体で175.0兆円の資産を持ち，そのうち46%が貸出です。預金は160.3兆円で，第二地方銀行よりも多くなっています。これに対して信用組合は，資産が27.3兆円，貸出が13.5兆円，預金は23.4兆円であり，農協の貸出・預金（それぞれ22.9兆円，108.6兆円）よりも少なくなっています。

8.2.4 日本銀行

預金取扱金融機関として最後に紹介するのは**日本銀行**です。日本銀行についてはすでに第1章で触れましたが，日本銀行も預金を受け入れて貸出等を行っていますから，預金取扱金融機関に分類されます。ただし，ほかの預金取扱金融機関のように広く一般から預金を集めたり，企業に直接貸し出したりすることはありません。日本銀行は日本の金融システムの中核をなす銀行であり，預金や貸出の相手先は金融機関や政府に限られています。こうした銀行は一般に**中央銀行**と呼ばれ，世界の多くの国に存在します。

日本銀行（中央銀行）が特別な銀行であることは，次の3つの特徴に表れています。第1に，日本銀行は**発券銀行**です。日本銀行が発券する日本銀行券は法貨▶であり，日本の貨幣として用いられています。第2に，日本銀行は**銀行の銀行**です。これは，日本銀行が民間の金融機関を相手に預金の受入や貸出を行っていることを意味します。特に，日本銀行が民間金融機関から受け入れた当座預金は，中央銀行決済システム▶を通じて企業や個人，さらには金融機関同士の決済の処理に用いられます。第3に，日本銀行は**政府の銀行**です。政府が持つおカネは日本銀行に預金され，民間金融機関を通じて政府と企業・個人間の決済に用いられるのです。たとえば国家公務員の給与は，政府が日本銀行に持つ預金口座から個人が民間金融機関に持つ預金口座に振り込まれます。

▶法貨⇒1.3.1

▶中央銀行決済システム⇒1.6.2

以上の特徴に加え，日本銀行は経済政策を運営するという点でも特別な存在です。日本銀行について定めた日本銀行法の第1条は，次のように規定しています。

> 第1条　日本銀行は，我が国の中央銀行として，銀行券を発行するとともに，通貨及び金融の調節を行うことを目的とする。
> 2　日本銀行は，前項に規定するもののほか，銀行その他の金融機関の間で行われる資金決済の円滑の確保を図り，もって信用秩序の維持に資することを目的とする。

この規定からは，日本銀行が(1)日本銀行券（お札）を発行すること，(2)通貨および金融を調節すること，そして(3)銀行などの金融機関の間で行われる資金決済（1.6節参照）の円滑の確保を図り，信用秩序を維持すること，つまり，金融システム▶を安定させること，の3つを行うことがわかります。(1)は発券銀行としての日本銀行を

▶金融システム⇒第IV部「はじめに」

規定したものですが，(2)および(3)は，日本銀行が行う2種類の政策に対応しています。

このうち(2)，つまり通貨および金融の調節のために行われる政策は，金融政策と呼ばれます。1.4節で触れたとおり，金融政策は主として物価の安定を図るために行われます。具体的には，日本銀行は民間金融機関等が行っている短期の貸し借りに参加し，さまざまな経済主体の活動に影響を与えようとしています。また(3)，つまり信用秩序の維持（金融システムの安定）▶を目的として行われる政策は，プルーデンス政策と呼ばれます。日本銀行は当座預金を預かっている金融機関に対して調査や分析を行い，経営実態を把握して個別金融機関のリスクを評価し，金融機関の破綻を未然に防いだり，金融危機が発生した場合には必要な資金を積極的に供給します。本書では，金融政策については第12章で，プルーデンス政策については第14章で，それぞれ詳しく説明します。

▶信用秩序の維持（金融システムの安定）⇒14.1.2

8.3 日本の金融仲介機関(2)——その他の金融仲介機関

次に，預金取扱金融機関以外の金融仲介機関（表8-1下段参照）を紹介しましょう。これらの金融機関も「自分で集めた資金を使って貸す金融機関」であり，利ざやで稼ぐ銀行（8.1.2節参照）と同様に，貸して返ってくるリターンと，集めた資金に対して支払うコストとの差が収益となります。ただし，その集め方や貸し方はさまざまです。

8.3.1 保険会社

《保険とその種類》 その他の金融仲介機関の代表は，保険のサービスを提供する保険会社です。保険とは，あらかじめ保険料と呼ばれるおカネを支払っておけば，事故（保険事故）として定めた何らかの出来事が起こった際に，損失をカバーすることができるだけの資金（保険金）を受け取ることができる，という仕組みです[11]。保険は，あまり頻繁に起こるわけではないが，いったん起これば大きな損失を被るような事故に対処するための仕組みです。

保険は，人の生存・死亡に対して一定額の保険金を支払う**生命保険**と，偶然の事故により生じる可能性のある損害に対して保険金を支払う**損害保険**とに大別され，後者は火災や地震による住まいへの被害という保険事故を対象とする火災保険・地震保険，自動車事故という保険事故を対象とする自動車保険などがあります。ただし，けがや病気を保険事故とする傷害保険や医療保険など，生命保険・損害保険のどちらともいえない保険もあり，こうした保険は**第三分野の保険**と呼ばれてます。なお，保険と類似の仕組みとしては，共済と呼ばれるものもあります（Column 8-2参照）。

[11) 6.2.3節では，債務不履行という事故を対象とした保険について説明しました。

> **Column 8-2　共　済**
>
> 　　**共済**は保険とほぼ同じ仕組みですが，特定の地域や職場等に属する人たちが相互扶助（助け合い）を行うためのもので，保険と同様に生命共済や医療共済，自動車共済などに分かれます。共済を提供しているのは，農業協同組合（JA 共済）や漁業協同組合（JF 共済）などの協同組織金融機関や，地域の生活協同組合（coop 共済，都道府県民共済）や労働組合（全労済共済）などであり，これらの組織も保険会社と同じ意味で，金融仲介機関だと考えることができます。なお，8.2.3 節では，協同組織金融機関が銀行と同様の預金・貸出サービスを会員・組合員向けに提供していることをみました。共済は，協同組織金融機関やその他の組織が非営利目的で会員・組合員向けに提供している保険サービスだといえます。

《**保険とその機能**》　保険の仕組みは，多くの人が同時に加入することで成り立っています。事故時に被保険者が受け取る保険金は，加入時に支払う保険料よりもはるかに大きな額に設定されています。そんなことが可能なのは，事故は頻繁に起こるわけではないために，多くの人が加入するほどその中で事故に遭う人の割合が小さくなり，支払う必要のある保険金も平均的に少なくなるからです。この点は，7.1 節で紹介した分散化と同様です。つまり，多くの人が保険に加入するほど集まる保険料が増えますから，ある程度の加入者が得られれば，保険金の支払いを十分カバーできるわけです。見方を変えれば，保険は事故に遭った人の損害を加入者全体でカバーする仕組みであり，事故による加入者（被保険者）の資金不足に対処し，資金不足のリスクを軽減する仕組みだといえます。

　ただし，厳密にいえば，保険は金融取引，つまりお金の貸し借りとは区別されます。保険の購入は，今資金（保険料）を提供する代わりに将来資金（保険金）を受け取る権利を得る，というものですから，確かに金融取引と似ています。しかし，将来資金を受け取れるのは，事故に遭った人だけです。どの人にも返済するわけではないので金融取引ではありません。とはいえ，事故が起こらなければ何も受け取れないというわゆる**掛捨型**の保険だけでなく，保険金以外の形で将来一定の金額を受け取ることが約束された**貯蓄型**の保険も存在します。後者は金融取引の性格を兼ね備えた保険だといえます[12]。

《**保険会社**》　さまざまな保険を商品として設計・販売する金融仲介機関が**保険会社**です。保険会社は多くの人から保険料を徴収し，集めた保険料の中から事故に遭った人に保険金を支払います。生命保険を提供するのは**生命保険会社**，損害保険を提供するのは**損害保険会社**であり，どちらもそれぞれ国から免許を得る必要があります。第三分野の保険についてはどちらの保険会社も扱うことができます。2023 年 11 月末時点で，日本には 42 の生命保険会社と 55 の損害保険会社（うち 21 社は外国の損害保険会社で外国損害保険業免許を受けた者）が存在します。

　保険料で資金を集めた保険会社は，集めた資金を運用しています。このため，保険

---

[12]　歴史的にみても，保険やその類似物はしばしば金融取引と切り離されることなく提供されてきました。たとえば下和田編（2014）の第 5 章，第 7 章を参照してください。

会社も自分で集めた資金を人に貸す専門家，金融仲介機関です。もちろん保険会社は保険金を支払う必要があるため，その支払いに備えて集めた保険料の一部を現金等の形で手元に置いておく必要があります。しかし，事前に予想される保険金の支払額を超える資金は，貸出やさまざまな証券の購入に充てられています。

8.3.2 貸金業者

その他の金融仲介機関には，**貸金業者**も含まれます。貸金業者とは，貸金業法という法律に基づいて国や都道府県に登録し，貸出を行うものです。貸出を行うという点では預金取扱金融機関と同じですが，そのための資金を預金で調達しません。主な調達源は，金融機関からの借入や，自らの債券発行です。貸出は行うが銀行ではない，ということで，**ノンバンク**と呼ばれることもあります。2023年11月末現在で，日本には267社の貸金業者が存在します。貸金業者は，数が多いだけでなく，さまざまな種類があります。

代表的な貸金業者は，一般消費者向けの貸出（消費者ローン）を行ういわゆる**消費者金融会社（消費者ローン会社）**と，企業向けの貸出を行ういわゆる**商工ローン会社**であり，後者には企業が保有する手形を割り引くことによって貸出を行う**手形業者**などが含まれます。貸金業者から借入を行うのは，銀行や信用金庫，信用組合等から借入を受けることが難しい借手です。こうした借手に関しては，多額の借金を負い生活に困る，いわゆる**多重債務者**の問題が昔から社会問題となってきました。

ただし，貸金業者はこうした業者だけではありません。たとえば，貸金業登録業者の中にはクレジットカード会社（信販会社），リース会社，ファクタリング会社などが含まれます[13]。**クレジットカード会社（信販会社）**は，代金を後払いする支払指図手段であるクレジットカード▶を発行する会社です[14]。**リース会社**は，利用者からリース料の支払いを受ける代わりに自ら所有する固定資産（車両，機器など）を利用させる，という**リース**のサービスを提供する会社です。リースはコピー機，建設機械から飛行機まで，さまざまな資産について行われています。**ファクタリング会社**は，企業がほかの企業に対して持つ債権（売掛金，受取手形や電子記録債権▶）を買い取って流動化する，**ファクタリング**と呼ばれるサービスを提供する会社です（Column 8-3 参照）。こうした貸金業者には，銀行や協同組織金融機関の子会社もたくさんあります（8.2.1節参照）が，事業会社の子会社や独立系の会社もあります。

▶クレジットカード
⇒1.5.1

▶売掛金・受取手形・電子記録債権
⇒Web Appendix 2.1

---

13) 厳密には，法律上はこうした会社の本業（クレジットカード発行，リース，ファクタリング）は貸金業ではないため，これらの業務だけを行う場合は貸金業の登録は必要ありません。しかし，こうした会社は実際には業務として通常の貸出も行っており，そのため貸金業に登録しています。

14) クレジットカード会社と信販会社の違いは明確ではありませんが，クレジットカードは銀行（の子会社）など他の業種の企業も発行できますから，クレジットカードを発行して購入代金の立て替え（信用販売）サービスを専門に提供する金融機関を信販会社と呼ぶことが多いようです。

Column 8-3　ファクタリングとフィンテック

　ファクタリングは，企業が持つ債権を買い取るサービスです。買い取ってもらう企業からすると，支払期日より前に資金を受け取れますから，ファクタリングも流動化のための仕組みの1つといえます。企業が持つ債権を流動化する手段としては，銀行が行う割引（5.1.1節参照）などもありますが，ファクタリングは割引と違って債権が完全に売却されます。このため，ローン・セールス（Column 5-1 参照）などと同様に，売った後で債務者が支払えなくなっても，肩代わりする必要がありません。

　ファクタリングのサービスは，フィンテック（Column 8-1）を取り入れることによって近年高度化しています。ファクタリング会社は，肩代わりした債権からの支払いが滞って損失を負うことのないよう，十分に審査して債権を買い取ります。この審査などにフィンテックを導入することで，従来よりも迅速に買取の判断が行われるようになっており，注文を受けた時点で買い取るようなファクタリングまで登場しています（新聞記事参照）。

（2021年1月29日付『日本経済新聞』）

8.3.3　政府系金融機関

　政府が設立し，民間の金融機関には提供することが難しい金融サービスを，政策の一環として提供する金融機関が**政府系金融機関**▶です。政府系金融機関にはいろいろなものがありますが，その他の金融仲介機関に分類できるものがいくつかあります。

▶政府系金融機関
⇒14.1.3

　第1に，**日本政策投資銀行**は，高度な金融手法の提供や長期の事業資金の供給を行う金融機関で，主として大企業向けに貸出等を行います。第2に，小規模企業や個人事業向け貸出事業，中小企業向け貸出事業，農林水産業者向け貸出事業，という3つの事業を主として行う**日本政策金融公庫**があります。これらの事業はそれぞれ，前身である**国民生活金融公庫**，**中小企業金融公庫**，**農林漁業金融公庫**，という3つの政府系金融機関から引き継いだものです。第3に，日本企業の輸出入や海外での経済活動促進のために，国際金融業務等を行っている**国際協力銀行**があげられます[15]。最後に，**沖縄振興開発金融公庫**は，沖縄における産業振興のために貸出などを行っています。こうした政府系金融機関は，民間金融機関を補完する金融機関として位置づけられていますが，民間金融機関と類似の業務に関して民間の仕事を奪っている，民業圧迫だ，として批判されることもあります。

　なお，上記の政府系金融機関はいずれも，財政投融資と呼ばれる国の制度を実施する機関（**財投機関**）です。**財政投融資（財投）**とは，国の政策上必要とみなされ，民

---

15) 国際協力銀行と上記3つの政府系金融機関が2008年に合併し，設立されたのが日本政策金融公庫です。しかし，国際協力銀行は後の2012年に再び独立の機関となりました。

間の金融機関には供給が難しい長期・固定・低利の資金，あるいは大規模・超長期のプロジェクトを実施するための資金を供給する制度です。たとえば過去には東名・名神高速道路，東海道・山陽新幹線の整備などに財投資金が活用されましたし，現在はリニア中央新幹線にも使われています。

　財政投融資は国の制度ですが，税金を使わず，一般会計とは別に独立採算で運営されています。現在の財政投融資制度では，主として**財投債**（財政投融資特別会計国債）と呼ばれる国債の発行によって資金調達が行われ，その資金が政府系金融機関による貸出，あるいは自ら事業を行う独立行政法人等の財投機関の事業資金などに用いられます。なお，過去の財政投融資制度は，ゆうちょ銀行▶の前身である郵便貯金や厚生年金等の「調達部門」が貯金・年金等によって資金を調達し，その資金を大蔵省の資金運用部を通じて「運用部門」である政府系金融機関や公社・公団等（日本電信電話公社，日本道路公団など）に供給する，という制度でした。しかし，民業圧迫に対する批判，調達・運用への市場原理の導入の必要性などを理由に資金運用部は2001年度に廃止され，調達部門も運用部門もそれぞれ独自に調達・運用を行う形になりました[16]。

▶ゆうちょ銀行
⇒Web Appendix 8.1

8.4　金融仲介機関の機能

　ここからは再び理論的な説明に戻り，金融仲介機関の機能を説明します。8.1.3節で説明したとおり，銀行に代表される金融仲介機関は，自らは取引費用が大きいはずの借手に貸しておきながら，預金者に対しては小さな取引費用で貸す機会を提供し，全体として金融取引の取引費用を削減しています。以下では，このような削減が可能になる理由，つまり金融仲介機関の機能について説明します。

8.4.1　直接金融と間接金融

《直接金融》　金融仲介機関の機能は，金融仲介機関が存在する状態としない状態とを比較（想像）してみればわかります。そもそも金融取引は，現在おカネを持っていないが使い道がある借手と，おカネは持っているが特に使い道のない貸手との間で行われるはずです（2.1.1節参照）。本来はこうした状態にあるわけではないが，資金を仲介するために貸し借りを行う金融仲介機関と区別するために，以下ではこうした本来の借手と貸手をそれぞれ，**最終的借手**と**最終的貸手**と呼ぶことにしましょう。

　金融仲介機関が仲介せず，最終的貸手と最終的借手だけの間で金融取引が行われる状況は，図8-2の上段に描かれています。この図は第2章の図2-2（の上段）とほぼ同じであり，実線は資金の流れ，点線は証券の流れを表しています。このような，最

---

[16]　財政投融資の運用部門の金融機関としては，住宅ローンの貸付を主たる業務とする**住宅金融公庫**も存在しました。住宅金融公庫は2007年に廃止され，自ら住宅ローンを貸し出すのではなく，民間金融機関の住宅ローンの証券化等の業務を行う**住宅金融支援機構**となりました。

終的貸手と最終的借手との直接の貸借を通じた資金の流れは，**直接金融**と呼ばれます。

ここで，以下の説明をわかりやすくするために，最終的借手が発行する証券のことを，本来の証券という意味で**本源的証券**と呼ぶことにしましょう。たとえば企業が発行する株式や社債，国が発行する国債などは，いずれも本源的証券です。最終的貸手が最終的借手を探して貸し，本源的証券を直接保有するのが直接金融です。もし最終的借手が返済できない場合，損失を被るのはその借手を選んだ最終的貸手自身です。

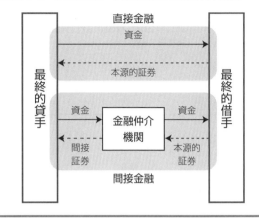

■図 8-2　直接金融・間接金融と金融仲介機関

《間接金融》　では，専門家である金融仲介機関を利用する場合はどうでしょう。図8-2の下段に示されているとおり，**金融仲介機関**★は自ら証券を発行して最終的貸手から資金を借り，最終的借手が発行した本源的証券を購入することによってその資金を貸す金融機関です。結局のところ，資金は最終的貸手の手から最終的借手の手に渡り，金融仲介機関はその手助けをするだけです。このように，金融仲介機関が間に入った資金の流れは**間接金融**と呼ばれます。金融仲介機関は，もともとおカネが余っていて貸すわけではないので最終的貸手ではなく，自分が使うために借りるわけではないので最終的借手でもありません。金融仲介機関が資金を仲介し，直接金融（図 8-2 上段）とは違った資金の流れである間接金融（図 8-2 下段）を可能にする，というはたらきは，**金融仲介機能**★と呼ばれています。

★金融仲介機関：自ら貸し借りを行うことによって最終的貸手と最終的借手の間の金融取引を仲介する金融機関

間接金融の場合，どの最終的借手に貸すかを判断し，実際に貸手となって本源的証券を保有するのは金融仲介機関です。最終的借手が返済できない場合，金融仲介機関が損失を被ります。金融仲介機関が保有する本源的証券（図 8-2 右下点線の矢印）には，株式，社債，国債，貸出などが含まれます。こうした本源的証券と，本来の借手ではない金融仲介機関が発行した証券（図 8-2 左下点線の矢印）とを区別するために，後者は**間接証券**と呼ばれます。間接証券の代表は預金であり，保険証券も間接証券にあたります。

★金融仲介機能：金融仲介機関が自ら貸し借りを行い，最終的貸手と最終的借手の間の資金の流れを生み出す機能

8.4.2　資産変換

《直接金融と間接金融の違い》　直接金融と間接金融の違いは，最終的貸手が本源的証券を保有するか，間接証券を保有するかにあります。これらの証券は特徴が大きく異なるため，どちらを保有するかは最終的貸手にとって大きな違いになります。本源的証券と間接証券の特徴は，表 8-5 のように表すことができます。

本源的証券（表上段）の第 1 の特徴は，購入に多額の資金が必要なことです。株や社債などは，大きな単位（あるいは金額）でしか売られていないからです（7.1.2 節参照）。第 2 に，本源的証券は返済のリスクが大きい証券です。返済が行われれば大

■表 8-5　資産変換

	1. 単位（金額）	2. （返済の）リスク	3. 満期（流動性リスク）
直接貸す場合 （例：株式, 社債）	多額	リスク大	長い（リスク大）
銀行に貸す場合 （例：普通預金）	少額 _{貸手は少額でも貸せる}	リスク小 _{貸手は貸倒れの不安なく貸せる}	短い（リスク小） _{貸手は資金不足の不安なく貸せる}

きなリターンが得られるかもしれませんが、返済されない可能性も高いのです。第3に、満期（返済期間）が長くなります。企業の設備投資資金の調達などを考えるとわかるように、本源的証券の返済は何十年も先になることがあります（2.2.3節参照）。期間が長いほど証券の保有者が資金不足のリスクに直面する可能性は高まります。最終的貸手にとっては、単位が小さく、返済のリスクが小さく、期間が短いほど貸しやすいので、本源的証券は最終的貸手のニーズに合った証券ではありません。

これに対して間接証券の場合（表8-5下段）、一般に少額で買えます。たとえば普通預金の場合、1円から預けることができます。また、間接証券は返済のリスクの小さな金融商品です。たとえば元本保証といわれるように、銀行は預かった預金の返済を保証しています。第3に、間接証券は満期の短い金融商品です。たとえば普通預金は預けた後いつ引き出してもかまいません。このように、間接証券は一般の投資家にも手の出やすい証券であり、取引費用が非常に小さいことがわかります。

《資産変換と金融仲介機能》　本源的証券と間接証券の特徴の違いは、金融仲介機関の機能によって生み出されます。金融仲介機関は実質的に資産の性質を変えているわけなので、この機能は特に**資産変換（機能）**と呼ばれます。3つの特徴に違いがあることは、それぞれ**単位（金額）の変換**, **（返済の）リスクの変換**, **満期の変換**が行われていることを意味しています。資産変換は、貸しやすくなった最終的貸手からの資金供給を促進し、結果として直接金融なら資金を得ることが難しかった最終的借手も借入が可能になります。すると、金融取引を通じた異時点間支出の最適化▶や資金の有効利用▶が可能となり、経済全体でみても大きなメリットが生まれます。資産変換機能は金融仲介機能に伴う形で発揮され、金融取引の取引費用を削減しているのです。

▶異時点間支出の最適化⇒2.3.2
▶資金の有効利用⇒2.3.5

なお、ここで1つ注意すべき点に触れておきましょう。説明の簡単化のため、ここまでは最終的借手が本源的証券を発行し、それを金融仲介機関が取得する状況を説明しました。しかし実際の金融仲介機関は、新規に発行された証券だけでなく、すでに発行された本源的証券や、ほかの金融仲介機関が発行した間接証券を保有することもあります。たとえば、銀行がすでに発行されていた株式を株主から購入すると前者にあたりますし、保険会社が銀行の定期預金に預け入れれば後者になります。前者の場合、図8-2の右側は最終的借手ではなく証券を流動化するかつての貸手（5.1.2節の図5-3参照）になり、新たな貸し借りが発生しているわけではありません。また後者の場合、最終的貸手と最終的借手との間に複数の金融仲介機関が介在することになり

ます。

8.4.3 資産変換の方法

《専門家が活用する3つのメリット》 金融仲介機関が資産変換を通じて金融取引の取引費用を削減していることはわかりました。しかし，こうした削減はなぜ可能なのでしょうか。その理由は3つのメリットの追求にあります。金融仲介機関は，専門化の利益，規模の経済性，範囲の経済性，という3つのメリットを活かしつつ，第Ⅱ部で説明したさまざまな仕組みを利用しています。これにより，最終的貸手にとって貸しやすい証券（間接証券）によって資金を集め，最終的借手にとって借りやすい証券（本源的証券）で貸す，という資産変換を効率的に行うことができるのです。

第1に，金融仲介機関は金融取引の専門家であり，貸し借りに関するさまざまなノウハウを持っているために，そうでない人に比べて小さな取引費用で金融取引を行うことができます。これが，**専門化の利益**です。たとえば，金融仲介機関が取引相手（最終的貸手あるいは最終的借手）をみつけるための取引費用は，最終的貸手・借手が自分で取引相手をみつける場合よりも小さいでしょう。また，専門家である金融仲介機関は金融取引を容易にするさまざまな仕組み（第Ⅱ部参照）に精通しており，最終的貸手と違って自分で利用することができます。

第2に，金融仲介機関は規模の経済を発揮することができます。一般に**規模の経済（性）**とは，企業が生産を行うときに，生産規模を拡大するほど産出量が規模以上に増大し，平均的な費用が減少して収益性が高まることを意味します。金融仲介機関の場合の規模の経済は，多くの貸し借りをまとめて行うことで，個別に取引した場合よりも全体としての費用を抑えることにあたります。規模の経済を生み出す最大の要因は，固定費用の存在です。金融取引に必要な費用には，取引相手をみつける，契約書を作る，といったように，取引件数や金額に応じて変わる**変動費用**と，店舗を構えたりシステムに投資する費用など，取引件数や金額にあまり左右されない**固定費用**とに分かれます。規模を大きくすればするほど取引・金額あたりの固定費用は小さくなるため，固定費用の大きな産業には規模の経済が働きます。金融業はその代表です。

第3に，金融仲介機関は範囲の経済も発揮します。一般に**範囲の経済（性）**とは，企業が生産する製品やサービスの種類を増やすほど，個別に生産した場合よりも全体的な費用が減少し，収益性が向上することをいいます。金融仲介機関の場合の範囲の経済は，さまざまな金融サービス（貸し借りに限らずそれに付随するさまざまなサービス）を同時に提供することで，個別に提供した場合よりも全体としての費用が抑えられることです。範囲の経済をもたらす要因としては，**共通的投入要素**があげられます。たとえば，借手の返済可能性を調べる情報生産を行う場合，同じ国，あるいは同じ業種の借手であれば，調べる内容に共通する部分があります。この情報をまとめて集めて共有すれば，個別に重複して調べるよりも安くつきます[17]。

《単位の変換の方法》 以上の3つのメリットを活かしつつ，金融仲介機関は第Ⅱ部で説

■表 8-6　資産変換の方法

1. 単位（金額）の変換		多くの最終的貸手から資金調達⇒大きな単位で投資
2. リスク（返済のリスク）の変換	(1) 個々の証券のリスクを削減する仕組みの利用	・証券設計（5.2.1 節, 5.2.2 節） ・情報生産（5.3 節） ・担保・保証・CDS の利用（6.2 節） ・デリバティブの利用（Web Appendix 6.1）
	(2) 全体のリスクを削減する仕組みの利用	・分散化（7.1 節）
	(3) 自らのリスク負担	・利益を削って・損失を計上して返済 ・保有資産を売って返済
	(4) 公的な救済（主に預金取扱金融機関）	・預金保険による保険金支払い・資金援助 ・国の資金による救済
3. 満期の変換		多くの最終的貸手から資金調達⇒流動性リスクの分散化（プーリング）

明したさまざまな金融の仕組みを利用し，資産変換を行います。その方法をもう少し具体的にみてみましょう。単位・リスク・満期の 3 つの変換それぞれに関し，資産変換を行う方法をまとめたのが表 8-6 です。

　まず，単位の変換はそれほど難しくありません。金融仲介機関は同時に多くの最終的貸手から資金を集めることで，単位の変換を可能にしています（表 8-6 の 1）。たとえば銀行を考えると，預金者 1 人 1 人はそれほど大きな額の預金をしていないかもしれませんが，表 2-3（2.2.1 節）の統計を思い出してもらえばわかるように，銀行は全体として巨額の資金を借りています。いくら本源的証券の単位が大きいといっても，こうして集まった預金からみれば小さなものです。金融仲介機関は，専門家として多くの貸手から資金を集め，規模の経済を発揮できるからこそ，個々の貸手に対して単位の小さな間接証券を発行できるのです。

　《リスクの変換の方法》　リスクの変換に関しては，金融仲介機関は 3 つの方法を用いています（表 8-6 の 2 の(1)から(3)）。金融仲介機関はまず，(1)第 5 章や第 6 章で説明した仕組みを用い，個々の本源的証券の返済のリスクを小さくします。貸すという仕事の専門家である金融仲介機関は，金利・収益率によってリスクプレミアムを調整し（5.2.1 節），財務制限条項や優先劣後関係（5.2.2 節）などの証券設計によって返済額・返済確率を高め，情報生産（5.3 節）によって返済確率が高い人を探したうえで，資金を貸します。また，返済されない場合に備えて担保・保証・CDS（6.2 節）を設定したり，デリバティブ（Web Appendix 6.1）を利用したりして，返済のリスクを低減させます。中でも，返済可能性が高い，優良な借手を探して貸すことは，専門家

---

17) 規模・範囲の経済について，詳しくは産業組織論の教科書，たとえば長岡・平尾（2013）などを参照してください。

である金融仲介機関だからこそ発揮できる重要な機能です。この機能は特に，金融仲介機関の**情報生産機能**と呼ばれます。

　このような方法を使っても，本源的証券のリスクをゼロにできるわけではありません。そこで，金融仲介機関は(2)分散化（7.1節）の仕組みを使い，自らが保有するポートフォリオ全体でリスクを小さくします。同じ金額でも，1人に貸すよりたくさんの借手に分けて貸せば，全体としての返済のリスクは小さくなります。多額の資金を集める金融仲介機関にとって，分散化は難しいことではありません。

　個別のリスクを小さくし，分散化を行ったとしても，リスクを完全にゼロにすることはできません。このため，最終的借手から返済される金額の合計が，最終的貸手に返済すべき額の合計よりも小さくなる可能性はあります。特に，景気が悪いときは借手からの返済が滞りがちであり，資金運用から得られる収益も小さくなります。こうした場合，金融仲介機関は(3)自ら返済のリスクを負担する，という形で最終的貸手のリスク負担を小さくします。

　具体的には，自らの利益を削ったり，損失を計上したり，あるいは持っている資産を切り売りしたりして不足を補い，最終的貸手に対して約束どおりの返済を行います。たとえば預金取扱金融機関であれば，資金運用から得られる収益の大小にかかわらず，預金に対して決まった額の払い戻しを行うことを約束していますし，保険会社は被保険者に対して決まった率（**予定利率**と呼ばれます）の保険金支払いを約束しています。こうしたいわゆる**元本保証**の金融商品は，金融仲介機関が自ら返済のリスクを負担している間接証券です。

　以上の(1)から(3)の方法を使い，それでもまだ最終的貸手に約束した返済ができない，という場合，金融仲介機関は経営破綻します。最終的貸手は，この状態になったときにはじめて約束どおりの返済を受けられないことになり，損失を被ります。

　ただし，金融仲介機関の中でも預金取扱金融機関の場合には，最終的貸手のリスク（損失）をさらに小さくする仕組みが用意されています。預金取扱金融機関は**預金保険**という保険に加入することが義務付けられており，あらかじめ保険料を払う代わりに破綻したときには保険金が預金者への払い戻しに充てられます。また，国が資金を出して金融仲介機関を救済することもあります。金融仲介機関が自ら用いる方法ではありませんが，こうした(4)公的な救済も，預金取扱金融機関にとってのリスク変換の1つの方法だといえます。1.6節でみたとおり，預金取扱金融機関が提供する決済サービスは経済活動を支える重要なサービスであり，もし預金取扱金融機関が破綻すれば，経済全体に大きな悪影響が及びます。公的な救済が行われるのはこうした理由からです[18]。

《満期の変換の方法》　第3の満期の変換の方法は，多くの最終的貸手から資金調達を行うことで，流動性リスクの分散化を行うことです（表8-6の3）。最終的貸手が短い

---

[18]　預金保険制度や金融機関の救済に関しては14.3節で説明します。

期間でしか貸さない最大の理由は、いつ流動性ショックが発生し、資金が必要になるかわからないからです。しかし、最終的貸手がたくさんいれば、全員が同時に流動性ショックに直面する可能性は減少します。ショックに遭わない貸手は資金を貸したままでも問題ありませんから、たくさんの最終的貸手から資金を集めるほど実際にショックに直面する貸手の割合は小さくなり、そうした貸手に対する返済資金だけを用意しておけば、残りは長い間貸せるのです。

▶分散化⇒7.1　　満期の変換は、返済のリスクの分散化▶と同じことを、流動性リスクに対して行うことにあたります。つまり、**金融仲介機関は流動性リスクの分散化**を行っているのです。流動性リスクの分散化は、たくさんの人の流動性（＝資金）をまとめる（プールする、といいます）、という意味で、**流動性のプーリング**、あるいは流動性リスクが発生した人に対する保険の提供、という意味で**流動性保険**、とも呼ばれます。ただし、返済のリスクの場合（7.2.3節参照）と同様に、分散化による流動性リスクの減少の程度は最終的貸手の間の流動性リスクの相関に依存します。すべての貸手が同時に流動性リスクに遭遇するような場合、貸手はいっせいに資金の返済を求めますから、満期の変換は維持できません。実際に、こうした事態は金融危機が起こった際にしばしば観察されます（13.2.3節参照）。

8.4.4　金融仲介機関の機能と業務

　ここまで金融仲介機能や資産変換機能について説明してきましたが、これらの機能は銀行や保険会社などの金融仲介機関が実際に行っているさまざまな仕事（業務）の意義を、経済学の視点から理論的に意味づけしたものです。つまり、金融仲介機関が日々のさまざまな仕事を行う中で、こうした機能が結果的に発揮されているといえます。

　では、金融仲介機関は実際にどのような仕事を行っているのでしょうか。これを図示したのが図8-3です。この図は基本的には図8-2の下半分と同じもので、間接金融を表す図ですが、金融仲介機関が実際に行うさまざまな仕事を、それぞれ対応する場所に示してあります。図からわかるように、こうした仕事は多岐にわたっています。

　まず、金融仲介機関は最終的借手に対し、
(1)　借手のことを調べて審査し（情報生産），
(2)　実際に貸す相手あるいはポートフォリオを決定します。また，
(3)　貸す条件，あるいは担保や保証の設定など，本源的証券の設計を行ったり，
(4)　借手に借り方・タイミング等を助言する，こともあります。こうしてはじめて，
(5)　貸す（投資を実行する），ことになりますが，貸した後には，
(6)　自ら証券を保有し，
(7)　返済が行われるようモニタリングを行ったり（情報生産），
(8)　ポートフォリオを組み替えたりもします。その後は，
(9)　返済（金利・元本等）を受け取り，受け取れない場合には，
(10)　取立や担保処分などによりできるかぎり回収を行います。

■図 8-3　金融仲介機能をもたらす金融業務

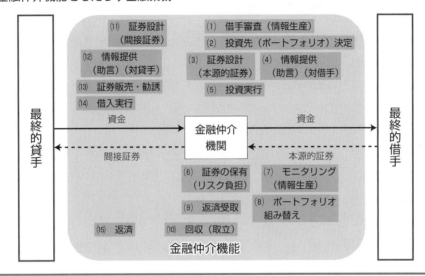

最終的貸手に対しても，

(11)　どのような間接証券を発行して資金調達を行うか，証券設計を行い，

(12)　貸手にその間接証券の情報を提供して資金提供を促し，

(13)　実際に勧誘して間接証券を販売し，

(14)　借入を受けて資金調達を行います。借りた後は，

(15)　返済（金利・元本等の支払い）を行います。

こうしたさまざまな仕事を通じて資産変換が行われ，金融仲介機能が発揮されているのです。

　ここで，第 10 章との関係で重要な注意点として，こうした間接金融は金融仲介機関だけが行うものではないこと，つまり，金融仲介機能は金融仲介機関だけが発揮するわけではないことを指摘しておきたいと思います。たとえば 7.1 節では投資信託や証券化を紹介しましたが，こうした仕組みを利用する投資家は，実質的には分散化されたポートフォリオを保有していることになります。最終的な投資の対象となる証券と，投資家が保有する証券（投資信託など）は異なるため，結果的には資産変換が行われ，金融仲介機能が発揮されています。それに対応するように，こうした機能が発揮される過程では，図 8-3 のさまざまな業務も行われています。

　ただし，金融仲介機関の場合にはこうした業務を 1 つの金融機関がすべて担当するのに対し，投資信託や証券化ではこれらを複数の金融機関が分担して担当します。詳しくは 10.2 節で説明しますが，近年では投資信託や証券化を通じた資金の流れも大きくなってきており，間接金融（金融仲介機能）は金融仲介機関，と単純に片付けることができなくなってきているのです。

8.4.5 預金取扱金融機関の機能*

《決済機能》 最後に、預金取扱金融機関とその他の金融仲介機関の違いについて、もう一度、今度は機能の観点から触れておきましょう。8.1.4節で説明したとおり、両者はどちらも金融仲介機関ですが、発行する間接証券が貨幣（預金）かどうかという点に違いがあります。このため、預金取扱金融機関はここまで説明した機能を発揮するだけでなく、追加的な独自の機能を発揮します。

▶決済機能
⇒1.2.1

▶決済システム
⇒1.6.1

独自の機能の1つは決済機能▶です。預金は貨幣ですから、最終的な決済手段として用いられ、決済機能を発揮しています。その預金を提供するのが預金取扱金融機関であり、預金取扱金融機関は決済システム▶を構築して預金が発揮する決済機能を支えています。この意味で、預金取扱金融機関は**決済機能**を発揮する金融機関だといえます。

《信用創造機能》 もう1つ重要な独自の機能が信用創造機能です。金融仲介機関は「人に代わって貸す」金融機関ですから、図8-4(1)のように、負債等で調達した資金（右側）を貸す（左側）ことで、金融仲介機能を発揮します[19]。預金取扱金融機関も預金などで資金を調達し、同様の機能を発揮しています。ただし、預金取扱金融機関の場合、借りなくても貸すことができるため、これとは別の形で貸出を行うことができます。

借りなくても貸せる、とはどういうことでしょうか。このことは、実際の銀行の貸出のやり方を考えればわかります。たとえば、ある銀行が企業に対して1000万円貸したとしましょう。このような場合、企業は借りた資金をいつでも引き出せる預金の形で受け取ります。つまり、1000万円の貸出に伴って、借手企業がその銀行に持つ預金口座の残高が1000万円増加します。銀行の帳簿上で考えてみると、貸出が行われれば資産（将来返済を受ける権利、債権）としての貸出と、その借手に対する負債（借りた資金の引き出しに応じる義務、債務）としての預金が同時に増加します（図8-4(2)）。この場合、調達してきた資金を貸しているわけではありません。

その他の金融仲介機関の場合、自分では貸すもの（貨幣）を提供していませんから、それをどこからか調達してこなければなりません[20]。しかし、預金取扱金融機関は預金自体が貨幣であるため、自分が貨幣を生み出すことで、貸す資金を創り出すことができます。こうして貸出（＝信用）と預金が同時に創り出されることを**信用創造**と呼び、信用創造を行うという預金取扱金融機関のはたらきを、**信用創造機能**と呼びます。

信用創造機能は、金融仲介機能とは異なる機能です。金融仲介機能は、金融仲介機

▶バランスシート
（貸借対照表）
⇒14.2.2図14-4

---

[19] この図は銀行が保有する資産と負債を表すバランスシート▶を単純化したものです。

[20] その他の金融仲介機関も、たとえば1000万円の貨幣を渡す代わりに1000万円の価値のある保険や社債を新たに発行して借手に渡す、というような「貸出」なら可能かもしれません。しかし、保険契約や貸金業者の社債をもらっても、それを支払いに充てることはできませんから、そんな「借入」を求める借手はいないでしょう。

関が負債を発行して資金を調達し，その資金を資産側で運用する，という機能ですから，借入（調達）があってはじめて貸出（運用）が可能になります（図8-4(1)）。銀行の場合でも，預金者から預金に預け入れられた資金や投資家に対して社債を発行して集めた資金を，証券投資などに回すケースはこれにあたります。これに対して信用創造機能では，預金（借入）と貸出が同時に創造されます（図8-4(2)）。借入の申し込みに応じて貸出を行い，その借手が貸された資金を普通預金や当座預金などの形で保有するためです。もちろん，実際にはどちらも日々行われているため，預金のうちどの部分が金融仲介機能に対応し，どの部分が信用創造機能に対応するかを特定することは困難です。

■図8-4　金融仲介機能と信用創造機能

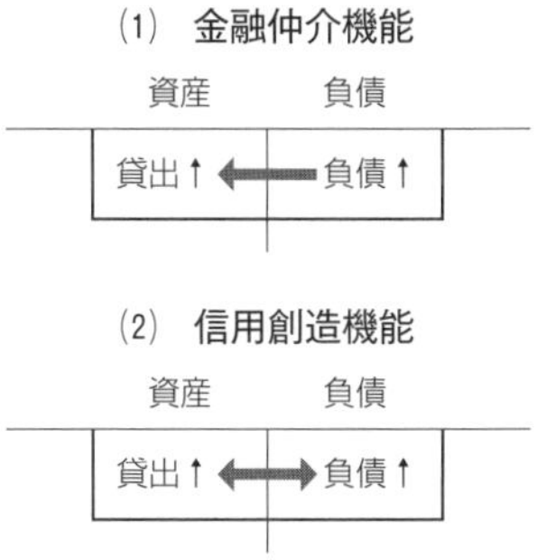

(1)　金融仲介機能

資産　　負債

貸出↑←負債↑

(2)　信用創造機能

資産　　負債

貸出↑↔負債↑

《信用創造の上限》　信用創造により貸出と預金を創造することのできる預金取扱金融機関は，好きなだけおカネを創り出せる錬金術師のようにも思えます。しかし，信用創造は無限に行えるものではありません。その規模の上限は，2つの要因によって決まります。まず第1に，考えてみれば当たり前ですが，いくら貸したくても借手がいなければ貸出は行えません。このため，信用創造は何よりも資金需要の大きさによって制約されます。しかも，需要は景気などに応じて変化しますし，銀行側も採算などを考えて需要通りに貸すわけではありません。

　第2に，信用創造の規模は，準備と呼ばれる預金取扱金融機関の保有資金の額によっても制約されます。借手は使う目的があって借りるわけなので，信用創造によって創り出された預金はそのうち引き出されます。資金がないのに信用創造を行えば，銀行は預金の払い戻しに応じられず，経営破綻してしまうでしょう。預金の払い戻しに備えて用意されている資金は**準備（現金準備）**と呼ばれ，預金に対する準備の比率は**預金準備率（準備率）**と呼ばれます。預金の払い戻しは，ATMなどによる現金引き出し，あるいは振込など他の銀行等への資金の移転の形を取り，後者は日本銀行への預け金（日銀預け金▶）を使って行われますから（1.6.2節参照），準備は現金と日銀預け金の形で保有しておく必要があります。

▶日銀預け金
⇒12.4.3

《信用創造乗数》　準備の額に対してどれだけの額の信用創造ができるか考えてみましょう。貸し出された資金（＝預金）の額を D で表し，このうち α の割合が当面銀行内にとどまり，$1-\alpha$ が払い戻されるものとしましょう。この α は歩留まり率と呼ばれます。また，銀行は将来の預金引き出しに備え，準備率が β の割合になるように準備を保有する必要があるものとします。預金のすべてが払い戻されてしまうようなことは通常ありませんから，β は100%である必要はありません。この状況では，銀行が持っていなければならない準備の額は，当面の預金の払い戻しに対応するための $(1-\alpha)D$ と，残った預金 αD の将来の払い戻しに備えるための $\beta\alpha D$ の合計，つまり $((1-\alpha)+\beta\alpha)D$ となります。

このことは，1単位の信用創造を行うためには，その$1-\alpha+\beta\alpha$倍の準備（＝現金＋日銀預け金）を保有する必要があることを意味しています。逆に考えると，準備を1単位保有している銀行は，その$1/(1-\alpha+\beta\alpha)$倍までは信用創造しても問題ないことになります。αとβはどちらも比率なので，0以上1以下の値を取ります。このため$1/(1-\alpha+\beta\alpha)$は1よりも大きくなります。つまり，銀行は保有している準備額よりも多くの信用を創造できるわけです。この倍数は，特に**信用（創造）乗数**と呼ばれています。

以上の説明は1つの銀行の話でしたが，同じことは銀行部門全体でもいえます。つまり，各銀行が保有している準備の合計額の$1/(1-\alpha+\beta\alpha)$倍までは，信用創造を通じて貸出とそれに対応する預金を生み出しても問題ありません。経済全体の現金通貨と日銀預け金の合計は，マネタリーベースと呼ばれます。銀行部門はマネタリーベースの信用乗数倍まで信用創造が可能です。以上をまとめると，経済全体での信用創造の上限は，以下のように表されます。

▶マネタリーベース
⇒12.4.2

信用創造（貸出・預金）額 ≦ max｛借入需要，信用乗数×マネタリーベース｝

ここで，第1章の表1-1（1.3.4節）をもう一度みてみましょう。そこでは，日本全体でみると，現金通貨をはるかに超える額の預金通貨が存在することを説明しました。現金と容易に交換できるはずの預金が現金よりもはるかに多い，というこの一見矛盾した状態は，準備の何倍もの預金を創造できる，という信用乗数の関係があればこそなのです[21]。

なお，上記の説明は因果関係や政策効果を表しているわけではないので注意してください。上で説明したのは，銀行部門が破綻しないためには信用乗数の範囲内でしか信用創造を行えない，という理論上の上限（制約）です。マネタリーベースが変化すれば（あるいは政策によって変化させれば）その信用乗数倍だけ貸出や預金が変化する，といわれることがありますが，需要がなければ貸せません。現金通貨と日銀預け金がいくらたくさんあっても（政策によって増加させても），それに比例して貸出や預金が増えるわけではありません。しかも，歩留まり率αや必要な準備率βは，状況に応じて変化します。このため，過去の信用乗数の値どおりに将来も信用創造が行えるとは限りません。実際に，データを使って信用乗数に対応するマネタリーベースと貨幣（M2＋CD▶）との比率を図示してみると，図8-5のように，少なくとも2000年代後半からほぼ一貫して低下しています。

▶M2, CD
⇒1.3.4

---

21) 正確にいうと，表1-1で示されているのは現金と預金の関係であって，ここでいう準備（日銀預け金を含む）と預金の関係ではありませんが，日銀預け金を含めても預金の額には及びません。

■図8-5　信用乗数（(M2＋CD)/マネタリーベース）

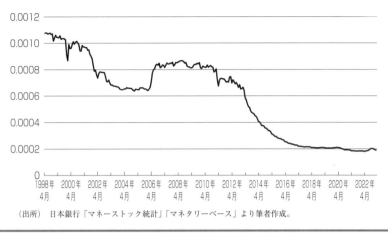

（出所）　日本銀行「マネーストック統計」「マネタリーベース」より筆者作成。

8.5　金融仲介機関のリスク管理[22]

8.5.1　金融仲介機関のリスク管理

　リスクの管理は金融仲介機関にとって重要な問題です。金融仲介機関が直面するリスクは，金融仲介機関が行うさまざまな選択の結果として決まります。リスクに影響を与える選択は，貸手としての資金運用面での選択，借手としての資金調達面での選択に分かれます。運用面，つまり保有する資産に関する選択は，どのような返済のリスクを持つ借手あるいはポートフォリオに貸すのか，そしてその際に第Ⅱ部で説明したさまざまな仕組みを用いてどのように返済のリスクを減少させるか，という選択です。こうした選択は，金融仲介機関が直面する返済のリスクを決定します。

　これに対して調達面での選択は，いつどれだけ返済が必要な形で資金を調達するか，そのためにどのような形でどれくらい返済資金を手当てしておくか，もし不足した場合は足りない資金をどう工面するか，といった選択です。こうした選択の結果，金融仲介機関が直面する流動性リスクが決定します。

　金融仲介機関が日々受け取るキャッシュインフロー，支払うキャッシュアウトフローは，以上の選択の結果として引き受けた返済のリスクと流動性リスクの大きさに応じて決まります。両者の差し引きであるキャッシュフローがマイナスになれば，資金不足に陥りますから，金融仲介機関はキャッシュフローを常にプラスに保ちつつ，どれだけ収益をあげられるかを考える必要があります。このように，自らが直面するリ

---

[22]　金融仲介機関のリスク管理については本書第13，14章も参照してください。本書より詳しい内容に関心がある方は，シン（2015），Crouhy et al.（2015）などを参照してください。なお，藤井（2023）は金融の世界で実際に発生した問題がどのようにリスク管理に影響を与えたかをまとめていて参考になります。

スクをコントロールしながら得られるリターンを最大化するのが，金融仲介機関の**リスク管理**です。このようなリスク管理のためには，運用（資産），調達（負債）両面を同時に考慮して，総合的にリスクを管理することが必要になります。こうした管理を特に表すために，**資産負債管理**（ALM：Asset-Liability Management）という言葉が使われます。

8.5.2 金融仲介機関が考慮すべきリスクと統合的リスク管理

金融仲介機関が考慮すべきリスクについて，もう少し詳しく考えてみましょう。本書ではここまで，約束どおりの返済が行われないという返済のリスクと，貸手自身が資金不足に陥るという流動性リスクに注目してきました（3.1.2節参照）。金融仲介機関の経営という観点からリスク管理を考えるうえでは，こうしたリスクをさらに分類して細かく考える必要があります。また，これら以外のリスクを考慮することも必要です。こうした観点から，金融仲介機関が直面するリスクを整理したのが表8-7です。詳細までは説明しませんが，この表からわかるように，リスク管理の観点から金融仲介機関が考慮すべきリスクは，多岐にわたっていることがわかります[23]。

こうしたリスクの管理は，金融仲介機関の組織内のさまざまな部門で行われます。たとえば市場リスクは金融市場での資金運用を行う部門（市場部門・トレーディング部門など）の問題ですし，信用リスクは貸出に関わる部門（融資部門・審査部門）の問題です。流動性リスクは主に資金調達部門，オペレーショナルリスクや法務・規制リスクは本部の管理・法務部門等で扱われ，ビジネスリスクや戦略リスクは経営企画部門の担当となるでしょう。

しかし，これらのリスクを個々の部門でばらばらに管理しているだけでは不十分です。ALMの観点からは，運用部門と調達部門のリスクを同時に管理する必要がありますし，またそれ以外の部門のリスクも含め，組織全体としてリスクを管理する必要があります。こうした全体的な管理は，**統合的リスク管理**と呼ばれています。近年，金融仲介機関は統合的リスク管理を専門的に扱う部門（リスク管理部門などと呼ばれます）を持つようになっています。

ただし，金融危機の経験からも明らかなように，金融機関が直面するリスクは年々多様化，複雑化しており，そもそも個々のリスクを把握すること自体が容易なことではなくなっています（13.2節も参照）。リスク管理，特に統合的リスク管理の重要性は，ますます増加しています。

8.5.3 金融仲介機能とリスク「管理」の意味

最後に，リスク管理と金融仲介機関の機能との関係について触れておきたいと思います。8.5.1節で定義したように，金融仲介機関のリスク管理とは，リスクをコント

---

[23] これらのリスクに関しては，Web Appendix 8.2で詳しく説明していますので参考にしてください。

■表 8-7　金融仲介機関が直面するリスク

(1) 信用リスク（債務不履行リスク，貸倒リスク）		事前に約束されていたとおりの返済が行われず，損失が発生するリスク（負債型証券の返済のリスク）
(2) 市場リスク		金融市場における証券価格の変動を原因として，損失が発生するリスク（市場で売買される証券の返済のリスク）
	(2-1) 価格リスク	証券価格が下落し，期待していたキャピタルゲインが得られないリスク
	(2-2) 金利リスク	変動金利の債券の金利が下落し，期待していたインカムゲインが得られないリスク
	(2-3) 為替リスク	為替レートの変動により，十分なリターンが得られないリスク
(3) 資金不足のリスク（流動性リスク）		必要なときに資金が不足するリスク（貸手が資金不足に陥るリスク）
	(3-1) 調達流動性リスク（資金調達リスク）	資金が必要な際に，ほかの金融機関等から借りてくる（調達する）ことができないリスク
	(3-2) 市場流動性リスク	保有している資産を，その資産の取引市場で売却して資金を調達することができないリスク
(4) オペレーショナルリスク		金融機関の業務上の問題，たとえばコンピュータシステムの問題や組織統制の問題，職員による不正や人為的なミスなどにより損失が発生するリスク
(5) 法務・規制リスク		法律・規制や政治体制の変更・変化により取引が妨げられたり，追加的な税金や手数料等が必要になったりするリスク
(6) ビジネスリスク		ビジネス自体への需要が小さくなり，損失が発生するリスク
(7) 戦略リスク		経営判断の失敗により，損失が発生するリスク
(8) 風評リスク		不正等により悪い評判が立ち，ビジネスに影響して損失が発生するリスク

ロールしながら得られるリターンを最大化することであり，リスクをゼロにすることではありません。もしリスクをゼロにしたいのなら，信用リスクであれば安全な貸手だけに貸せばよいですし，流動性リスクであれば負債として発行する証券の返済期間と同じ返済期間を持つ資産だけを保有すればよいでしょう。しかし，安全な貸手に貸してばかりいれば，リスクの高い借手に対する資金供給が行われませんし，また資産と負債の返済期間を同じにするのであれば満期の変換が行われません。つまり，リスクを減らせば減らすほど資産変換は行われず，金融仲介機能も十分に発揮されません。リスクをゼロにすることは，金融仲介機関が自らの存在意義を否定しているようなものです。

7.2.1 節でみたとおり，リスクはリターンとトレードオフ関係にあり，ある程度リスクを取らなければ，リターンは得られません。金融仲介機関は，その存在意義からして，リスクとリターンの適切なバランスを取ることが求められています。過度にリスクを避けるのではなく，自らが直面するリスクをコントロールしながら許容できる範囲でリスクを取り，その見返りとしてできるだけ多くのリターンを追求することが必要なのです。

■ 練習問題

8.1　あなたが銀行に預けたおカネは誰が借りて使っている可能性があるか，できるだけたくさんあげなさい。

8.2 8.1.2 節の設定のもとで，仮想的な銀行の利益が (8.1) 式で表されることを確認しなさい。

8.3 あなたの身の回りに支店や ATM を持つ金融仲介機関をできるだけたくさんあげ，それぞれどのタイプの金融仲介機関か考えてみなさい。

8.4 実在する銀行の損益計算書を入手し，貸出から得た金利収入ならびに預金に対する金利支払の額を調べなさい。

■ 参考文献

鹿野嘉昭（2013）『日本の金融制度（第 3 版）』東洋経済新報社。

下和田功編（2014）『はじめて学ぶリスクと保険（第 4 版）』有斐閣。

シン，ヒュン・ソン（2015）『リスクと流動性――金融安定性の新しい経済学』（大橋和彦・服部正純訳）東洋経済新報社。

長岡貞男・平尾由紀子（2013）『産業組織の経済学――基礎と応用（第 2 版）』日本評論社。

藤井健司（2023）『新 金融リスク管理を変えた大事件 20』金融財政事情研究会。

Crouhy, M., D. Galai and R. Mark（2015）『リスクマネジメントの本質（第 2 版）』（三浦良造ほか訳）共立出版。

第9章
金融市場

はじめに

この章では金融市場について説明します。モノやサービスが取引される場のことを**市場**といいますが，市場の1つである**金融市場**★は，金融取引に伴って発行された証券が取引（売買）される場です。株式市場に代表されるように，金融市場に関するニュースはよく耳にしますが，実際の金融市場を知っている人は少ないでしょう。一般の人には疎遠な存在であるこの金融市場とはどのようなもので，どのような役割を果たしているのでしょうか。こうした疑問に答えるため，この章では図9-1に示した構成に基づき金融市場について説明します。

まず9.1節では，金融市場とはどのようなものかを概説した後，金融市場を理解するのに役立ついくつかの分類を説明します。この分類に基づいて，日本に実際に存在

★金融市場（広義）：金融取引に伴って発行された証券が取引される場

■図9-1 本章の構成

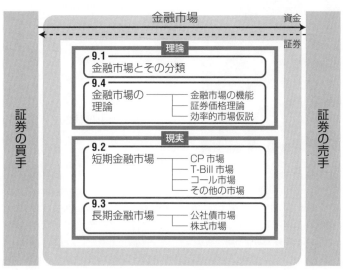

する市場について説明するのが9.2節と9.3節です。これらの節は，貸し借りの期間に基づく金融市場の分類に対応しており，短期の貸し借りのための短期金融市場について9.2節で，長期の貸し借りのための資本市場について9.3節で，それぞれ説明します。最後に9.4節では，金融市場に関する理論的な説明を行います。そこでは，金融市場の機能を説明したうえで，金融市場で証券価格がどのように決まるのかを考える証券価格理論，証券価格と情報との関係を表す効率的市場仮説を紹介します[1]。

9.1　金融市場とその分類

9.1.1　金融市場の実体と多様性

　冒頭に定義したとおり，金融市場は証券取引の場です。しかし，いきなり金融市場といわれても，どのようなものかよくわからないという人が多いのではないでしょうか。素人からみて金融市場がわかりにくい理由の第1は，具体的な場所や取引がイメージしづらいところにあります。モノの取引の市場であれば，東京の豊洲市場や各地の中央卸売市場，あるいは大阪の黒門市場といった小売の市場（この場合は「いちば」と読みます）のように，売手と買手が集まり，実際に物を取引する場所があります。しかし，現代の金融市場はこうした特定の場所を持たなくなっています。

　現代の金融市場では，売手・買手がオンライン上で売買注文を出し，互いが顔を合わせることなくネットワーク上で取引が行われます。取引される証券も多くはペーパーレス化されており，実体がありません。一般の人でも多少耳にする株式市場も同様です。かつては証券取引所の建物の中に，売手と買手が集まるスペース（**立会場**：写真参照）があり，紙の株券が売買されていましたが，立会場は取引のオンライン化に伴って廃止され（東京証券取引所では1999年），株券も2009年に電子化されました。取引が行われる場はもはや物理的な場所ではなく，ネットワークシステム上のバーチャルな存在になっており，金融市場は非常に抽象的なものになっています。

東証の旧立会場（1981年．写真提供：時事通信フォト）

　金融市場がよくわからない理由の第2は，その多様性です。証券が取引される場を金融市場と呼ぶ，といっても，世の中にはさまざまな証券が存在し，それぞれ取引のやり方も異なります。誰が，何を，どのような形で取引する市場か，と考え出すと，金融の世界に

---

[1] おカネの貸し借りをする，という意味での「金融」の市場ではありませんが，通常金融市場に含められる非常に重要な市場として，デリバティブの取引を行う**デリバティブ市場**や，異なる通貨を取引する**外国為替市場**があります。紙幅の関係上本書では取り上げられませんが，デリバティブ市場についてはWeb Appendix 6.1や可児・雪上（2012）など，外国為替市場については国際通貨研究所編（2018）などを参照してください。

はひとまとめにできないくらいさまざまな市場が存在します。

このように抽象的で多様な金融市場を理解するためには，各市場をさまざまな側面から分類し，タイプに分けて整理するのが有用です。以下では発行市場と流通市場（9.1.2節），短期市場と長期市場（9.1.3節），競売買市場と相対(あいたい)市場（9.1.4節），狭義の市場と広義の市場（9.1.5節），という4つの分類について説明します。

9.1.2 発行市場と流通市場

《「金融」取引の市場と「証券」取引の市場》　この章の「はじめに」で説明したとおり，金融市場の定義は「証券取引（証券売買）が行われる場」です。しかし，「金融」市場なのに，なぜ「金融」取引ではなく「証券」取引が行われる場なのでしょう。実は，この定義では意図的に証券取引という言葉を使っています。証券取引と金融取引は異なり，金融市場で行われているものとしては，前者をあげるのが正確だからです。

証券取引と金融取引は一見同じにみえます。金融取引とはお金の貸し借りであり，証券は貸し借りに伴って発生する返済の約束（2.1.1節）ですから，金融取引は必然的に証券の取引です。しかし，では逆に証券の取引はみな金融取引か，というと，そうではありません。証券の取引には，流動化▶のための取引，つまりすでに発行された証券の二次取引（転売）が含まれます。金融市場にも，新規発行証券を売買する市場（金融取引の場）だけでなく，すでに誰かにおカネを貸し，証券を保有していたかつての貸手が新たな貸手に証券を売るための，二次取引の市場があります。一般には後者も金融市場に含められますから，両者を合わせて「証券取引」の場を金融市場と定義するのが適切です。なお，これら2種類の金融市場を区別するために，新規発行証券を売買する市場は**発行市場**（プライマリー〔primary：一次取引の〕マーケット），すでに発行された証券を取引する場は**流通市場**（セカンダリー〔secondary：二次取引の〕マーケット）と呼ばれます。車でいえば，発行市場は新車の市場，流通市場は中古車の市場です。

▶流動化⇒5.1

発行市場と流通市場との間には密接な関係があります。まず，証券が発行されなければ二次取引は行われませんから，発行市場の存在は流通市場が存在するための十分条件です。そして，発行市場にとっても流通市場は重要です。流通市場が存在すれば，将来流動性リスクに直面する可能性がある人も，発行市場で安心して貸すことができるからです。流通市場は流動性リスクを原因とする取引費用を削減し，発行市場を活性化させます。また，流通市場で決まった証券価格は同じような証券を新たに発行する際の価格の基準になりますし，新たな証券発行は流通市場での供給を増加させ，流通市場価格にも影響します。

《**流通市場の有無**》　ただし，流通市場はすべての証券に対して存在するわけではありません。5.1.1節で説明したとおり，流動化するのが難しい証券も多いからです。貸借の条件や返済のリスクがわかりにくい証券には買手がつきませんから，世の中に存在する証券の多くは流動化が難しく，流通市場が存在しません。ただし，優良企業の

株式や国債など，規格化の進んだ一部の証券であれば，当初の貸し借りに関わっていない投資家でも条件等がわかりやすいので，流動化のための取引が行われて流通市場ができ上がります。

なお，経済ニュースなどでは有名企業の株価がよく報道されますが，こうした価格は多くの場合，流通市場における取引価格です。企業はそう頻繁には株式を発行しませんから，投資家は新しい株の発行を待っていてはなかなか取引ができません。しかし，多くの企業は過去にたくさんの株式を発行しており，それを手放したいと思う株主もたくさんいます。こうした株主と新たに株式を手に入れたいと思う人たちとの間で取引が行われ，結果として決まった価格がわれわれにとって比較的身近な「株価」となるのです。

9.1.3 短期・長期金融市場

金融市場は，各証券の貸し借りの期間を基準として分類されることもあります。期間が短い場合は**短期金融市場**，長い場合は**長期金融市場**です。短期金融市場は**マネーマーケット**，長期金融市場は**資本市場**とも呼ばれます。一般に，1年以内の貸し借りは短期金融市場，それ以上は長期金融市場に分類されます。期間の違いは借りた資金の使途と深く関わっています。先に，2.2節において，経済主体ごとにキャッシュフローと貸し借りの関係をみましたが，金融取引は日々の資金の過不足を調整する資金繰りのための貸し借りと，より大きな金額が貸し借りされる長期の貸し借りとに分かれます。前者の取引が行われる場が短期金融市場であり，後者が長期金融市場です。

なお，短期・長期の分類は，基本的には新たな貸し借りが行われる発行市場に関する分類です。流通市場はすでに発行された証券を後で転売する場であり，長期・短期の分類をあてはめるのは適切でありません。もちろん，流通市場における買手からすると，自分が貸す期間は購入した証券の残存期間ですが，売手からすると，流動化は貸し借りをやめるための取引ですから，期間を考える意味はありません。また，そもそも期間が短い証券はすぐ換金できますから，流通市場はあまり必要とされません[2]。これに対して，期間が長い貸し借りほど流動性リスクが大きくなるため，流通市場の存在は長期の証券ほど重要になります。

ここまでの分類をまとめたのが図9-2です。新たな貸し借りのために証券が発行される発行市場は短期・長期の市場に分かれます。これに対し，発行された証券を二次的に取引するのが，流通市場です。発行市場で発行された証券の一部には流通市場が存在しますが，ほかの証券，特に短期の証券の多くには流通市場は存在しません。

9.1.4 競売買市場と相対市場

《競争・相対売買と競売買・相対市場》　金融市場の分類としては，証券の売買方法による分類もあります。証券売買の方法は，取引参加者の数と取引条件の決定方法によっ

---

[2] ただし，9.2節でみるようにいくつかの短期証券には流通市場が存在します。

て，競争売買と相対売買とに分かれます。それぞれに対応して，金融市場も競売買市場と相対（売買）市場とに分けることができます。

まず**競争売買**とは，不特定多数の取引参加者が取引条件（主に価格）について競り合い，結果として決まった条件に従って取引が行われるような売買です。競争売買によって取引が行われる市場を**競売買（競争売買）市場**と呼びます。一般に，競り合いは**オークション**（auction）とも呼ばれ，取引相手にとって，より望ましい条件を出した売り・買い注文を優先的に成立させる，というルールで取引を成立させていきます。マグロのセリなどを思い浮かべてもらうとイメージが湧くでしょうか。

■図 9-2　発行・流通市場と短期・長期金融市場

競売買市場では，参加者同士が条件を競り合う結果，供給に比べて需要が大きい証券は高い価格で，供給の方が大きい証券は低い価格で取引されます。多くの売手と買手が参加し，大量の売り注文と買い注文が釣り合うように価格が調整されるような競売買市場は，ミクロ経済学でいう完全競争の状況に近い市場です[3]。ただし，競争売買が行われるためには，売買の対象となる証券がよく知られたものでなければなりません。規格化され，誰にとっても特徴がわかりやすい証券であれば，価格を評価しやすいので，多くの売手・買手が取引に参加して競り合う競争売買に向いています。しかし，規格化されていない証券は評価が難しく，売手・買手もあまり存在しないので，競争売買には向きません。

競争売買に向いていない証券も，相対売買であれば取引が可能です。**相対売買（相対取引）**とは，特定の売手と特定の買手が価格や数量などの取引条件を個別に交渉し，取引を行うような売買です。相対売買での証券取引が行われる市場が**相対市場**であり，交渉による条件決定は**バーゲニング**（bargaining）とも呼ばれます。相対売買では証券の性質や取引参加者の事情に合わせ，取引ごとに異なる条件で取引を行うことができます。たとえば借手に問題がありそうな場合はすぐに返済してもらう財務制限条項を組み込んだり（5.2.2節），優先権を設定したり（5.2.2節），担保や保証を設定したり（6.2節）することも容易になります。このようにして，いわばオーダーメイドの条件で取引するのが相対売買です。

《発行・流通市場と競売買・相対市場》　競売買・相対市場の分類と，発行・流通市場の分類とを合わせて考えてみましょう。まず流通市場には，競売買市場も相対市場も存在します。たとえば株式の流通市場（9.3.3節参照）は前者，国債の流通市場（9.3.

3）　完全競争とは，売手と買手の数がきわめて多く，個々の取引参加者は価格決定力を持たず，すべての情報を得たうえで取引する，という状態です（14.1.4節 Column 14-1 参照）。

2節参照）は後者です。このうち競売買の流通市場では，売買を成立させる代表的な方法が2つあります。1つ目は**板寄せ**方式と呼ばれる方法で，取引開始時などすでに多くの注文（通称「板」と呼ばれます）が出されている状況で用いられます。板寄せでは，より高い値段での買い注文，より低い値段での売り注文を優先させながら，売りと買いが釣り合って，なるべく多くの取引が成立するように価格を1つ決め，その価格で一度に取引を成立させます。もう1つは**ザラバ**方式と呼ばれる方法で，日中（ザラバと呼ばれます）の取引のように新たな注文がどんどん出される状況で用いられます。ザラバでは，出てきた注文を，価格優先・時間優先の原則でその都度突き合わせていきます[4],[5]。

次に発行市場ですが，特定の証券が新規に発行されるという場合，複数の借手が共同で借りるなどということは稀ですから，売手（借手）の数は通常1です[6]。このため，買手（貸手）の数も1であれば純粋な相対市場です。貸手が複数の場合には競売買市場に近くなりますが，借手が複数の貸手と交渉して証券を発行するケースもあります。

この点に関連して，証券の発行市場では公募と私募という区別もあります。**公募**の発行は不特定多数の買手を相手に証券を発行すること，**私募**の発行は少数・特定の者を相手に発行することです。たとえば企業が社債を発行する場合，幅広い投資家向けに公募発行することも，特定の投資家，たとえば既存の取引先や株主を対象に私募発行することもあります。国債の発行市場は非常に整備された公募の市場です。公募の場合，あらかじめ設定した価格で証券が売り出される，**募集**による発行もあれば，価格等の条件自体を競わせて買手を決める，**入札**による発行もあります。後者は買手にとっては競売買市場だといえます。

以上からわかるように，競売買市場・相対市場という分類は概念的な分類であり，実際の金融市場にあてはめる場合にはどちらかに明確に分類することが難しいことがあります。関連して，個々の取引は相対で行われているものの，同様の取引がたくさん行われ，全体としては多数の参加者による競争売買に近いような市場もあります。たとえば，国債の流通市場などでは，証券会社が在庫として持つ証券を使って投資家の買い注文に応じることがあり（10.1.3節参照），個々の取引は相対取引ですが，証券会社は同様の取引を多くの投資家と行っており，全体としては競争売買に近いといえます。

---

[4] 板寄せ方式とザラバ方式の詳細や，売買の具体的なルールに関しては，証券取引所や証券会社などがホームページで公開している解説がわかりやすいので参考にしてください。

[5] 証券の売りと買い（供給と需要）をマッチさせて取引を成立させるルールにはどのようなものがあるか，ルールの違いによって市場全体の機能にどのような違いが生じるのか，といった点は，**マーケット・マイクロストラクチャー**と呼ばれる分野で分析されます。マーケット・マイクロストラクチャーについては坂和・渡辺（2016）などを参照してください。

[6] 共同で借りる例としては，複数の地方公共団体が共同で債券を発行する**共同債**などがあげられます。

9.1.5 狭義と広義の金融市場

《金融仲介機関と狭義の金融市場》 最後に，狭義と広義の金融市場について説明しておきましょう。本章の「はじめに」の定義のとおり，金融市場とは金融取引に伴って発行された証券が取引される場です。実は，この定義は広い意味での定義，つまり**広義の金融市場**の定義といえます。たとえば，預金者による銀行への預金預け入れや，企業同士の売買における企業間信用▶による実質的な貸借なども，新たに証券が発行され貸し借りが行われる，という意味で，この（広い）意味での金融市場での取引に含めることができます（どちらも相対市場）。実際に，これらはそれぞれ預金市場，企業間信用の市場，などと呼ばれています。しかし，これらの市場と株式の流通市場のような市場との間には大きな違いがあります。そして，金融市場という言葉は，後者のような市場だけを指して（狭い意味で）使われることがあります。

▶企業間信用
⇒2.2.3, Web Appendix 2.1

この狭い意味での金融市場を理解するには，金融仲介機関との比較が役に立ちます。前章でみたとおり，金融仲介機関は最終的貸手に間接証券を提供し，たとえ少額の資金であっても小さなリスクで短い期間貸すことを可能にする仕組みでした。しかし，巨額の資産を持ち，金融の知識も十分持っているような最終的貸手には，預金のようにリターンが小さい間接証券は魅力的ではありません。たとえリスクが大きく，長い期間返済されないとしても，よりリターンの高い本源的証券に直接投資したいと考えるでしょう。

もちろん，誰も知らない借手を探し出して貸す，というようなところまですべて自分でやるとなると，手を出す投資家はさすがに少ないかもしれません。しかし，株式流通市場のように，リスクは高いが規格化された証券を簡単に取引できる場が整備されていれば，積極的に参加しよういう投資家は多いでしょう。こうした市場は，ある程度規格化された証券の市場であって，大量の取引を迅速に処理する取引システムや取引のルールが整備されています。取引に必要な情報も十分に提供され，それに基づいて活発な取引が行われます。このような形で十分整備された証券取引の場が，金融仲介機関に頼る必要のない投資家が自分で投資するために利用する，**狭義の金融市場**★です。

★ 金融市場（狭義）：規格化された証券を容易に取引することのできる，整備された証券取引の場

《金融機関と狭義の金融市場》 狭義の金融市場の代表で，最も整備された金融市場は，流通市場の1つである証券取引所です。証券取引所▶は，大量の売買注文を迅速に処理するシステムを提供し，証券取引を成立させる場です。証券が証券取引所における取引の対象となることを上場▶といいますが，上場するには厳しい基準を満たす必要があり，この基準が証券の規格化を担保しています。ただし，現代では証券取引所は株式会社化されるようになっており，それ自体が金融機関の一種となっています（10.1.2節参照）。

▶証券取引所
⇒10.1.2

▶上場⇒10.1.2

また，同じく金融機関の一種である証券会社▶も，狭義の金融市場で重要な役割を果たしています。証券取引所での取引には認められた者しか参加できないため，一般

▶証券会社
⇒10.1.3

の投資家は証券会社を通じて取引を行います。また，証券会社は証券取引所では扱われていない未上場証券の二次取引も仲介し，流通市場を整備しています。この流通市場は，投資家が証券会社（の店）に対して注文を出す市場だということで，特に**店頭市場**と呼ばれます[7]。インターネット上のものも含め，証券会社は多くの店舗を持ち，投資家から売買の注文を受け付けるだけでなく，さまざまな情報を提供します。このように，証券会社を通じて参加できる証券取引所や店頭市場は，非常に整備された市場だといえます[8]。

以上からわかるように，狭義の金融市場とは，証券取引所や証券会社などの金融機関によって整備された市場です。これらの金融機関は，第8章でみた金融仲介機関のように自ら貸し借りすることはありませんが，さまざまな形で投資家が低い取引費用で迅速に証券取引を行えるよう市場を整備し，最終的貸手と最終的借手を仲介します。こうした金融機関については10.1節で詳しく説明します。

9.1.6 まとめ

ここまで金融市場のさまざまな分類をみてきましたが，これらをまとめて示したのが図9-3です。この図の上部では，競売買・相対市場（9.1.4節）と広義・狭義の金融市場（9.1.5節）の対応関係を示しています。下の表では，これらの分類と発行・流通市場（9.1.2節），長期・短期市場（9.1.3節）の分類を組み合わせ，代表的な市場がどこに該当するのかを示しています。

このうち，競売買・相対市場と広義・狭義の金融市場の関係（図の上部）について補足しておきましょう。まず，証券取引が行われる場，という広い意味での金融市場の中に，投資家が小さな取引費用で自ら金融取引を行えるように整備された，狭義の金融市場が含まれます。競売買市場はこの狭義の金融市場の中に含まれます。不特定多数の投資家が競り合う形で多数の取引が成立する競争売買が行われるためには，注文を突き合わせ，価格を決定し，資金や証券をやり取りするシステムが整っていなければなりませんから，競売買市場は必然的に狭義の金融市場です。

これに対して相対売買の場合，特定の貸手と借手が個別・独立に交渉して貸し借りするため，必ずしも市場が整備されている必要はありません。ただし一部の相対市場は非常に整備されており，狭義の金融市場に含まれます。たとえば国債の流通市場は相対売買の市場ですが，証券会社などの金融機関が取引を仲介し，資金・証券の授受を行うシステムが整えられています。

▶市場の流動性
⇒9.4.1

7）　なお，企業が一般の投資家に対して自社の株式に投資できる機会を提供することを，**公開**といいます。ここまでの説明からわかるように，株式の公開の方法には証券取引所への上場と証券会社の店頭での公開の2種類があります。

8）　ただし，店頭市場は一般に証券取引所よりも取引が少ないため，市場の流動性▶が低く，迅速に売買ができない可能性があります。

■図9-3　競売買・相対市場と広義・狭義の金融市場

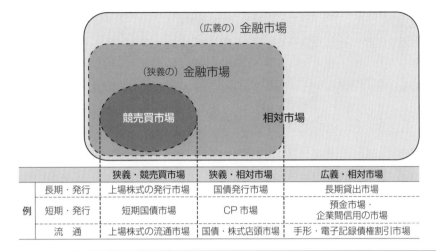

		狭義・競売買市場	狭義・相対市場	広義・相対市場
例	長期・発行	上場株式の発行市場	国債発行市場	長期貸出市場
	短期・発行	短期国債市場	CP市場	預金市場・企業間信用の市場
	流通	上場株式の流通市場	国債・株式店頭市場	手形・電子記録債権割引市場

9.2　短期金融市場

　ここからは，日本に実在する狭義の（整備された）金融市場をみていくことにしましょう。実際の金融市場を紹介する場合，短期と長期の分類に基づくのが最もわかりやすいので，以下では短期金融市場を本節，長期金融市場を次節で説明することにします。

9.2.1　日本の短期金融市場

　短期金融市場は，期間の短い貸し借り（通常1年以内）を行うために整備された市場です。この市場は，短期間の収入と支出のタイミングのずれを調整し，日々の経済活動を維持する資金繰りを行うための市場です。2.2節で紹介したように，資金繰りのための短期の貸し借りはさまざまな経済主体が行っていますが，特に短期金融市場を使うことが多いのは，巨額の資金を日々貸し借りする必要のある，金融機関や大企業などです。資金が巨額なら，たとえ1日であっても貸せば大きなリターンが得られるため，こうした企業は短期金融市場で活発に取引を行います。このように専門家が集う市場であるため，短期金融市場は一般の人には非常にイメージが湧きにくい世界ですが，少しでも金融に関わる仕事をする人なら理解しておく必要があります[9]。

　短期金融市場はオープン市場とインターバンク市場に分類されます。**オープン市場**は特に参加者に限定のない市場で，一般の企業（事業法人）も参加します。これに対して**インターバンク市場**は，参加者が金融機関（銀行，証券会社，投資信託，保険会

---

[9]　日本のさまざまな短期金融市場に関して，より詳しくは東短リサーチ株式会社編（2019）を参照してください。以下の記述も同書を参考にしています。

■表 9-1　日本の短期金融市場とその規模

分類	短期金融市場		残高（兆円）
オープン市場	CP（コマーシャルペーパー）市場	（9.2.2 節）	19.7
	T-Bill（国庫短期証券）市場	（9.2.3 節）	149.8
	CD（譲渡性預金）市場	（9.2.5 節）	30.6
	債券現先市場	（9.2.5 節）	214.6
	債券貸借（レポ）市場	（9.2.5 節）	71.0
インターバンク市場	コール市場	（9.2.4 節）	11.8（無担保） 2.1（有担保）

（注）　残高は 2023 年 3 月末現在。債券貸借（レポ）市場の数値は現金担保のもののみ。
（出所）　コール市場，T-Bill 市場，CD 市場は日本銀行「短期金融市場残高」，CP 市場は証券保管振替機構「短期社債振替制度発行者区分別残高状況」，債券現先市場，債券貸借市場は日本証券業協会「公社債投資家別条件付売買（現先）月末残高」「債券貸借取引残高等状況」より筆者作成。

社等）に限定されており，金融機関同士で短期の資金の過不足を調整する場です。

表 9-1 には，日本の主要な短期金融市場をあげています。このうち CP 市場，T-Bill 市場，CD 市場，債券現先市場，債券貸借市場はオープン市場，コール市場はインターバンク市場です。表には 2023 年 3 月末現在の各市場の規模も合わせて示しています。最も規模が大きいのは債券現先市場であり，215 兆円もの残高があることがわかります。次に大きいのは 150 兆円の T-Bill 市場であり，債券貸借市場（71 兆円），CD 市場（31 兆円）が続いています。これらの市場に比べると，インターバンク市場であるコール市場は規模が相対的に小さく，合計で 14 兆円ほどです。

9.2.2　CP（コマーシャルペーパー）市場

企業は短期の収入と支出のずれを調節するために，日々資金繰りの問題に直面しています。資金不足の場合，金融機関からの短期借入や，仕入先に対する掛けでの支払い，つまり買掛金や支払手形を用いた企業間信用▶が用いられます。しかし，これらは相対での貸借であるため，資金繰りにおいて多額の資金を機動的に貸し借りする必要のある大企業にとっては不便です。そこで用いられるのが短期の社債，**CP**（Commercial Paper：**コマーシャルペーパー**）で，その市場が **CP 市場**です。日本の CP 市場は 1987 年の創設で，当初の CP は約束手形の一種とみなされて紙ベースで発行されましたが，その後 2002 年から発行可能となった，電子化された CP（電子 CP）に取って代わられました。

CP の発行者（借手）は，多くが一般の企業ですが（新聞記事参照），銀行や証券会社などの金融機関が発行することもあります。また，CP は証券化商品として発行される場合もあります。器である SPV▶として**特定目的会社**（**SPC**）と呼ばれる企業が設立され，その企業が CP（資産担保コマーシャルペーパー▶）を発行する場合です。CP は期間が 1 週間以内のものから 1 年近いものまであります。CP の発行市場では

▶企業間信用
⇒2.2.3, Web Appendix 2.1

CP 1000 億円発行　手元資金手厚く　JR 東海

JR 東海は総額 1000 億円のコマーシャルペーパー（CP）を発行する。10 日の定例記者会見で金子慎社長が明らかにした。同社によると，償還期間は 9 カ月，発行利回りは 0％程度で，コロナ禍で同社がまとまった資金を調達するのは初めて。新型コロナウイルスの影響から東海道新幹線などの収入が急減しており，手元資金を積み増しマイナスになるという。

（2020 年 6 月 11 日付『日本経済新聞』）

多くの場合，銀行，証券会社等が仲介してCPをいったん買い取り（ディーリング▶），それを投資家に販売する形で，主として私募の発行が行われます。CPを買い取っている主な投資家は，投資信託や保険会社等です。CP発行の際には，返済される可能性が高いかどうか買手が判断できるように，格付▶が行われています。

▶SPV（特別目的事業体）⇒7.1.4
▶資産担保コマーシャルペーパー⇒13.2.3
▶ディーリング⇒10.1.3
▶格付⇒10.1.4

9.2.3 T-Bill（国庫短期証券）市場

政府も収入と支出の短期的なずれを調整する必要があります。まず，政府は支出が多い時期に資金不足に陥ることのないように，資金繰りのための短期の証券を発行します（2.2.4節参照）[10]。また，過去に発行された国債の償還，つまり借金の返済のための資金繰りもあります。国債の残高は巨額にのぼっており（9.3.2節参照），返済期日を迎えたものを，税金などの収入だけで一度に返済することは難しいため，新たな国債の発行による借り換えが行われています。このうち，一時的な資金不足を補うために発行される証券は**政府短期証券**（Financial Bills），借り換えのために発行される証券は**割引短期国庫債券**（Treasury Bills）と呼ばれていました。現在は**T-Bill**（Treasury Discount Bills：**国庫短期証券**）という名前で統一して発行され，流通していますが，法律上は区別が残っています。T-Billを一般的に**短期国債**（**割引短期国債**）と呼ぶこともあります。

T-Billは，償還期間（貸借の期間）が2カ月，3カ月，6カ月，および1年と決まっており，割引債▶として発行されます。T-Billは，買手が希望する条件を提示して申し込む入札方式で発行されます。この入札に参加できるのは，特に認められた金融機関（銀行，証券会社，短資会社▶など）だけです。T-Billは国が発行する証券なので，信用リスクが小さく，特に安全な証券だと考えられており，流通市場でも金融機関を中心に活発な取引が行われています。

▶割引債⇒2.1.2

▶短資会社⇒10.1.3

9.2.4 コール市場

巨額の資金をやり取りする金融機関にとって，短期の資金繰りは企業や政府にも増して重要です。たとえば，自ら貸し借りを行う金融仲介機関（第8章参照）の場合，貸出・証券購入による資金の流出と，返済による資金の流入のずれに常に直面しています。また，金融仲介機関の中でも預金取扱金融機関は，資金調達源である預金が決済手段として用いられていますから（1.3.2節参照），自分がコントロールできない形で預金の払い戻しや受入が発生します。決済は，各金融機関が日本銀行に預けた当座預金を通じて行われますから（中央銀行決済システム▶），その残高を適正に管理できないと円滑な決済が行えません。また金融機関は，資金に余裕ができた場合も不足する場合も，その額は巨額になります。たとえ短期であっても適切に運用しなけれ

▶中央銀行決済システム⇒1.6.2

---

[10] 2.2.4節の図2-9では，政府が資金繰りに使う預金口座の残高を示していました。この残高（調整後）が本来の収支（調整前）よりも大きい時期があれば，その時期には短期の証券発行が行われています。

■図 9-4　コール市場

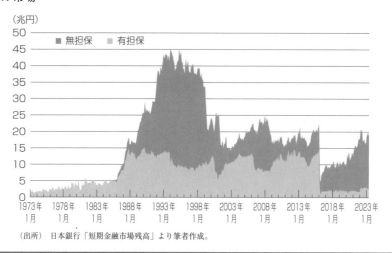

(出所)　日本銀行「短期金融市場残高」より筆者作成。

ば，巨額の金利収入を失ったり経営危機に陥ったりすることになります。金融の専門家である金融機関にとって，資金繰りは1カ月どころか1日単位，あるいはもっと短い時間で考える必要のある問題なのです。

　金融機関が資金繰りのために利用する市場として最も重要なのが，**コール市場**です。コール市場は明治時代に生まれた最も古い短期金融市場です。金融機関だけが貸し借りできるインターバンク市場であり，その金利は**コールレート**と呼ばれます[11]。コール市場での取引には，担保を必要としない無担保物と，国債などを担保とする有担保物があります。貸借の期間としては，翌日（次の営業日）が返済期日となっているものから1年後のものまでさまざまです。中でも，契約した当日に資金を受け渡し，翌営業日に返済する無担保**オーバーナイト物**の金利は，金融政策の操作目標（12.4.2節参照）としても重視されます。

　コール市場での貸し借りにおいて，借入を行っている状態は**マネー・ポジション（コール・マネー）**，貸出を行っている状態は**ローン・ポジション（コール・ローン）**と呼ばれます。大手銀行や証券会社等は恒常的に資金不足状態にあるためマネー・ポジションを取ることが多く，これに対して預金は集まるが相対的に貸出先が少ない地域金融機関（地方銀行，第二地方銀行，信用金庫等）や，資金余剰状態にあってコール市場で資金を運用したい信託銀行や投資信託等はローン・ポジションを取ることが多くなります。コール市場での取引は，**短資会社**▶と呼ばれる金融機関が仲介しています。

▶短資会社
⇒10.1.3

　図9-4は，コール市場の月次の平均残高を，有担保物と無担保物とに分けて示したものです。当初は有担保物のみだったコール市場は，市場改革により利便性が向上し

---

11)　コール市場と同様のインターバンク市場としては，手形を売買することで短期の貸し借りを行う**手形売買市場**もあり，コール市場でカバーされない比較的長い期間の短期貸借が活発に行われていましたが，近年ではほとんど取引されていません。

て残高が全体的に増加する中で，無担保物の規模の方が大きくなりました。しかし，1990年代の後半には景気悪化と金融政策の変更により残高が急減します。その後も2016年1月に急減がみられますが，この減少も金融政策の影響を受けています（12.6.3節参照）。

9.2.5 その他の短期金融市場

短期金融市場は，以上のほかにもたくさんのものがあります。その中でも特に規模が大きいのが，債券現先市場と債券貸借市場です（表9-1も参照）。**債券現先市場**は，将来買う（買い戻す，ともいいます），あるいは売る（売り戻す），という条件付きで債券を売買する**債券現先取引**が行われる市場です。これに対して**債券貸借市場（レポ市場）**は，現金を担保として債券を貸借する**債券貸借（レポ）取引**が行われる市場です。どちらも結局は短期の貸し借りのための市場なのですが，新たに証券を発行するのではなく，すでに発行された証券と現金を一定期間交換する，という形で貸し借りが行われます。このように変わった形の取引が行われるようになったのは，顧客に販売するために在庫として債券を大量に保有する証券会社が，それを担保として短期の借入を始めたことに起因しています。これらの取引については，Web Appendix 9.1でもう少しわかりやすく説明しています。

その他の短期金融市場としては，**CD市場**もあげられます。CD（Certificate of Deposit）（譲渡性預金）▶は預金の一種ですが，一般の預金と違って譲渡，つまり流動化が可能であるという特徴を持ちます。CDの発行市場では，預金取扱金融機関が発行者（借手）となり，企業や地方公共団体等が購入しています。このほかに，外国の通貨を使った貸し借りを行うための**ドルコール市場**や，外国との間の貸し借りを行うための**東京オフショア市場**も短期金融市場に含まれます[12]。

▶ CD（譲渡性預金）⇒1.3.4

9.3 資本市場

9.3.1 日本の資本市場

資本市場（長期金融市場）は，1年超の長い期間の貸し借りを行うために整備された市場です。長期の資金調達は，住宅ローンなどを借りる家計も行っていますが（2.2.2節），整備された市場で巨額の長期資金を調達するのは，設備投資などのための資金を調達する企業（2.2.3節）と，長期的な歳入不足を補うために資金を調達する政府（2.2.4節）です。

資本市場は通常，資金調達に用いられる証券のタイプに応じて2種類に分けられます（図9-5）。1つは**公社債市場（債券市場）**です。公社債は，国や地方公共団体等が長期の資金調達のために発行する債券と，企業が発行する社債等の債券を合わせた呼

---

[12] 東短リサーチ株式会社編（2019）などを参照してください。

■図 9-5　日本の資本市場

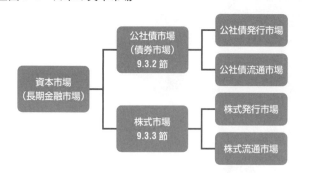

▶負債型証券
⇒2.1.2
▶株式型証券
⇒2.1.2

▶利付債⇒2.1.2

▶財投機関
⇒8.3.3

▶長期信用銀行
⇒Web Appendix 8.1.1
▶商工中金
⇒8.2.3

▶転換社債
⇒2.1.2

び方で，将来一定額の返済を約束する負債型証券▶です。もう1つは**株式市場**であり，企業が発行する株式型証券▶である株式が取引される市場です。公社債市場も株式市場も，発行市場と流通市場に分かれます。

9.3.2　公社債市場

まず，公社債の発行市場の規模を表す統計として，表9-2は主な公社債の発行額を示しています。一見してわかるように，最も発行が多いのは長期国債であり，毎年100兆円を超える額が発行されていることがわかります。**長期国債**はすべて，利子が支払われる利付債▶であり，利子の額があらかじめ決まっている固定利付債，経済状況に応じて利子が変動する変動利付債，物価に応じて元本自体が変動する物価連動国債があり，満期は2年から40年までさまざまです。また一般の国債に加え，特に個人投資家向けに発行される個人向け国債もあります。

国債に比べると，ほかの債券はあまり発行されていません。都道府県や市町村など地方公共団体が発行する地方債の発行は，近年は5～7兆円です。政府関係機関（日本高速道路保有・債務返済機構や住宅金融支援機構など）や特別の法律に基づく株式会社（中部国際空港や日本政策投資銀行など）が発行し，政府が返済を保証する**政府保証債**や，財投機関▶が発行し，政府が元本や利子の支払いを保証しない**財投機関債**は，いずれも近年は地方債よりも少ない発行額になっています。

残りの債券は，民間企業が発行する主要な債券です。このうち**普通社債**は企業が発行する最も一般的な社債であり，近年では国債を除くほかの債券よりも発行額が大きくなっています。**金融債**は，かつて金融機関の資金調達環境が現在ほど整っていなかった時代に，特別の目的のために設立された金融機関の資金調達を行うために発行された債券です。過去には長期信用銀行▶，商工中金▶などが多くの金融債を発行しましたが，金融機関の資金調達手段の多様化，長期信用銀行の普通銀行化などにより発行する金融機関数は減り，発行額も年々減少しています。証券化によって発行される証券化商品の1つである**資産担保型社債**，株式に転換することのできる転換社債▶はそれほど発行されていません。

公社債の流通市場に関しては，店頭市場における売買高を表9-3に示しています。公社債の中には取引所に上場されているものもありますが，上場債券の流通市場での取引はほとんど行われていません。これは，公社債が借入期間や利息（クーポン）など貸借の条件において多様であり，規格化されていないため，取引所で集中して売買するよりも相対（店頭市場）での取引に向いているからです。表9-3からわかるように，流通市場での売買も国債の取引に偏っており，近年では取引のほとんどが国債です。

■表 9-2　公社債発行市場の規模

(単位：兆円)

年度	合計	長期国債	地方債	政府保証債	財投機関債等	普通社債	資産担保型社債	転換社債	金融債	その他
2010	163.0	130.4	7.5	4.2	5.1	9.9	0.1	0.1	3.8	1.9
2011	167.0	137.3	6.7	3.3	5.7	8.3	0.2	0.0	3.4	2.0
2012	174.1	145.0	6.6	4.7	5.3	8.2	0.2	0.0	3.0	1.1
2013	180.0	150.2	7.1	5.1	4.7	8.1	0.1	0.1	2.6	2.2
2014	177.9	149.4	6.9	4.2	4.0	8.7	0.1	0.1	2.5	2.1
2015	173.6	147.9	6.8	3.1	4.5	6.9	0.1	0.2	2.4	1.8
2016	172.1	143.0	6.2	3.1	4.9	11.4	0.1	0.1	1.7	1.6
2017	159.5	132.1	6.1	4.0	4.8	10.1	0.1	0.1	1.3	1.1
2018	156.1	127.1	6.3	3.1	5.0	10.5	0.3	0.0	1.4	2.4
2019	152.6	121.4	6.5	1.8	5.0	15.8	0.0	0.0	1.1	1.1
2020	172.3	140.5	7.0	1.4	6.3	15.6	0.0	0.0	1.0	0.5
2021	177.6	148.5	7.2	1.1	4.1	14.9	0.0	0.0	1.0	0.8
2022	174.9	149.9	5.5	0.9	3.5	12.9	0.0	0.0	1.0	1.1

（注）　統計の定義変更により，2017 年度以前の数値と 2018 年度以降の数値は連続していない。
（出所）　日本証券業協会「公社債発行額・償還額等」より筆者作成。

■表 9-3　公社債流通市場の規模

(単位：兆円)

年度	合計	長期国債	公募地方債	政府保証債	財投機関債	普通社債	資産担保型社債	転換社債	金融債	非公募債	その他
2010	5,227.2	5,124.8	15.3	15.2	11.0	35.2	0.9	0.7	11.6	7.7	4.8
2011	5,846.9	5,738.7	15.9	15.5	17.9	39.8	0.4	0.5	10.1	4.1	4.0
2012	6,038.2	5,940.2	13.7	15.1	12.4	35.7	0.5	0.4	14.3	2.9	3.0
2013	6,722.2	6,629.7	13.3	16.4	11.1	32.8	0.5	0.2	11.0	3.7	3.5
2014	7,986.5	7,873.6	19.4	23.1	11.6	32.2	1.5	0.1	12.7	6.1	6.0
2015	8,155.6	8,011.1	51.0	26.4	19.6	20.6	0.2	0.2	8.6	12.2	5.7
2016	8,006.4	7,932.7	18.7	22.2	8.7	14.6	0.1	0.3	2.9	4.7	1.3
2017	8,298.4	8,211.1	26.8	23.0	10.4	20.6	0.1	0.1	2.1	3.2	1.0
2018	13,235.5	13,154.0	29.2	16.6	11.2	16.7	0.1	0.1	1.3	3.2	3.0
2019	17,318.1	17,238.2	22.4	17.9	11.2	22.2	0.1	0.1	1.3	3.4	1.4
2020	16,974.9	16,923.9	10.9	4.9	6.3	24.8	0.0	0.0	1.1	1.7	1.0
2021	21,827.6	21,773.4	10.7	8.8	7.2	23.5	0.1	0.0	1.1	1.7	1.2
2022	32,245.5	32,200.5	12.6	8.8	6.3	14.5	0.0	0.0	0.5	1.3	1.1

（注）　統計の定義変更により，2017 年度以前の数値と 2018 年度以降の数値は連続していない。
（出所）　日本証券業協会「公社債種類別店頭売買高」より筆者作成。

9.3.3　株式市場

公社債市場と並ぶもう 1 つの資本市場が，株式会社が発行する株式を売買する株式市場です。表 9-4 には，日本の証券取引所の中で最も規模の大きい東京証券取引所で株式が取引されている（上場▶されている）企業の数（2023 年 3 月末時点）を示して

▶上場⇒10.1.2

■表9-4　上場企業数（東京証券取引所）

プライム	スタンダード	グロース	Tokyo PRO Market	合計
1,834 (1)	1,446 (2)	523 (3)	71 (0)	3,874 (6)

（注）　2023年3月末時点の社数．カッコ内は外国会社数（内数）．
（出所）　日本取引所グループ「上場会社数・上場株式数」より筆者作成．

います。東京証券取引所には，海外投資家の投資対象ともなる，日本を代表する企業が上場するプライム市場，株式が十分な流動性を持つなど公開市場での投資対象となる要件を満たした企業が上場するスタンダード市場，成長企業向けのグロース市場，プロの投資家向けの TOKYO PRO Market があります[13]。これらを合わせると，合計で3874社が上場していることがわかります。上場するには上場基準▶という厳しい基準をクリアする必要がありますが，この基準を満たした上場企業は，日本に存在するたくさんの企業の中ではほんの一握りでしかありません（Column 9-1参照）。

▶上場基準
⇒10.1.2

　上場企業の株式発行市場の規模を示したのが表9-5です。この表では，株式の発行方法ごとに数値が示されています。公募，**株主割当**（既存株主に対する私募），**第三者割当**（ほかの投資家向けの私募）による発行の3つの方法をみると，件数では第三者割当が近年多くなっていますが，額では公募も大きな値を取っています。公募の中では，新たに上場した企業（**新規公開企業**）による件数も増えています。以上の3つの方法の右側の「新株予約権の権利行使」は，株式を取得する権利が行使されたことに伴って新株が発行されたものです。具体的には，ワラント▶の行使に伴う発行や，経営者に対する報酬として株式が発行されたケースであり，件数が最も多い方法となっています。一番右の列の「優先株式等」は，一般の株式（普通株）よりも配当受取などに関して優先権を有する優先株式（優先株）▶の発行です。優先株も多く発行されており，ほとんどが私募の形を取っています。

▶ワラント
⇒2.1.2

▶優先株式（優先株）⇒5.2.2

　株式の流通市場に関しては，表9-6に東京証券取引所における売買代金，つまり二次取引においてやり取りされた金額を示しています。各市場を合計すると，2022年の売買高は873兆円であり，特に，代表的な企業が上場しているプライム市場で活発な取引が行われていることがわかります。また，流通市場では発行額（表9-5）とは桁の違う額の取引が行われていることもわかります。これに対してほかの市場での売買はあまり活発ではありません。

---

[13] 2022年4月に変更される前の市場区分は，代表的な大企業・中堅企業が上場する第一部と第二部，第一部上場を目指す企業向けのマザーズ，成長企業向けのJASDAQ，プロの投資家向けのTOKYO PRO Marketの5つでした。

Column 9-1　日本の企業数

日本にはどれくらいの数の企業が存在するのでしょうか。企業には，人と同じように権利・義務を負うことを認められた法人が経営する**法人企業**と，個人が法人格を得ずに経営する**個人企業（個人事業）**とがあります(注)。法人企業（会社企業）には，設立に必要な資金（資本金）や経営者の責任の範囲などの違いによってさまざまな組織形態があり，その1つが株式を発行して資金を調達する株式会社です。

下の表は，日本の企業の全体像を捉えるために，ほぼすべての企業を対象として定期的に行われる調査「経済センサス」で示された，2021年6月1日現在の日本の企業数です。表からわかるように，日本の全企業370万社弱のうち，半分弱の162万社は個人経営の企業です。残りの企業のうち法人企業は178万社ほど

で，多くは株式会社です。この数と比べると，表9-4に示されているような上場企業は，株式会社のごく一部でしかないことがわかります。

なお下の表には従業員数も示しています。個人経営の企業は従業員が少ないため，多くの人は株式会社で働いていることがわかります。なお，少子高齢化を反映して，日本の企業数は近年一貫して減少しています。2012（平成24）年の経済センサス活動調査によると，2009年7月1日時点の全企業数は412万8215社でした。

(注)　法人のうち，株式会社や有限会社など営利目的の法人を会社企業（会社）と呼び，一般には会社企業を法人企業と呼びます。法人にはそれ以外の法人（社団法人・財団法人・学校法人・医療法人・宗教法人など）もあります。

表　企業の形態と企業数（2021年6月1日現在）

	法人				個人	合計
	会社企業（法人企業）			会社以外の法人		
		株式・有限・相互会社	その他			
企業数等	1,781,323 48.4%	1,724,835 46.8%	56,488 1.5%	284,161 7.7%	1,618,565 43.9%	3,684,049 100.0%
常用雇用者数	39,318,401 78.8%	38,989,107 78.1%	329,294 0.7%	8,286,488 16.6%	2,286,707 4.6%	49,891,596 100.0%

（出所）　総務省統計局「令和3年経済センサス——活動調査」より筆者作成。

■表 9-5　株式発行市場の規模

年	合計		公募				株主割当		第三者割当		新株予約権の権利行使		優先株式等			
	件数	額(億円)	件数	(うち新規公開)	額(億円)	(うち新規公開)	件数	額(億円)	件数	額(億円)	件数	額(億円)	件数	(うち私募)	額(億円)	(うち私募)
2010	308	39,433.4	50	(11)	33,089.1	(2,013.4)	1	6.9	88	5,356.1	159	245.9	10	(10)	735.6	(735.6)
2011	289	14,583.6	45	(20)	9,678.1	(1,112.4)			66	3,951.5	171	261.0	7	(7)	693.0	(693.0)
2012	316	19,087.9	53	(29)	4,517.7	(320.4)	1	4.1	71	1,593.3	174	217.8	17	(17)	12,755.1	(12,755.1)
2013	619	17,969.7	114	(47)	11,137.0	(3,735.5)	1	9.8	151	3,718.6	350	1,904.3	3	(3)	1,200.0	(1,200.0)
2014	745	21,037.0	129	(66)	13,780.0	(2,346.5)			190	3,928.4	412	1,087.0	14	(14)	2,241.6	(2,241.6)
2015	762	19,583.2	131	(79)	9,619.7	(830.7)	1	0.6	187	1,635.5	437	814.8	6	(5)	7,512.7	(2,521.1)
2016	737	11,190.7	95	(72)	2,577.2	(1,757.9)	1	2.2	151	6,230.2	483	901.3	7	(7)	1,479.8	(1,479.8)
2017	889	15,598.6	116	(75)	4,242.2	(681.8)	2	1.1	238	8,815.9	526	1,926.0	7	(7)	613.4	(613.4)
2018	1,035	9,034.2	129	(80)	4,016.3	(1,560.1)			303	2,145.7	597	2,277.2	6	(6)	595.0	(595.0)
2019	982	14,241.2	93	(73)	2,197.9	(915.6)			307	9,104.1	572	1,431.0	10	(10)	1,508.2	(1,508.2)
2020	1,086	15,523.8	108	(82)	7,328.3	(823.7)	1	4.3	342	4,041.8	624	2,202.6	11	(11)	1,946.7	(1,946.7)
2021	1,372	35,332.1	159	(109)	13,691.7	(1,762.5)	1	2.3	467	17,791.0	709	2,234.8	36	(36)	1,612.4	(1,612.4)
2022	1,209	5,895.0	85	(77)	1,292.6	(737.6)	1	0.7	440	2,733.1	665	1,239.0	18	(18)	629.6	(629.6)

（注）　上場会社の資金調達額。
（出所）　日本取引所グループ「その他統計」より筆者作成。

■表 9-6　株式流通市場の規模

(単位：兆円)

年	合計	第一部	第二部	マザーズ	TOKYO PRO Market	JASDAQ スタンダード	JASDAQ グロース
2010	359.2	354.6	0.9	3.7			
2011	347.1	341.6	1.0	4.5			
2012	310.9	306.7	0.9	3.3			
2013	682.7	640.2	3.6	27.8	0.000	10.0	1.1
2014	643.2	576.5	7.7	35.0	0.000	21.6	2.3
2015	746.0	696.5	8.3	23.1	0.003	16.6	1.6
2016	691.7	643.2	6.1	30.2	0.002	10.6	1.9
2017	741.4	683.2	12.8	27.5	0.001	16.0	1.9
2018	794.0	740.7	11.1	23.9	0.002	15.9	2.5
2019	640.4	598.2	6.2	24.9	0.003	9.6	1.5
2020	742.3	671.7	10.7	44.4	0.002	14.5	1.1
2021	831.6	765.3	8.5	42.0	0.004	13.7	2.1

年	合計	プライム	スタンダード	グロース	TOKYO PRO Market		
2022	872.6	605.6	16.5	25.3	0.004		

(注)　売買代金。
(出所)　日本取引所グループ「統計月報」より筆者作成。

9.4　金融市場の理論*

　この節では金融市場に関する理論を紹介します。以下ではまず金融市場の機能を整理したうえで、市場での取引を通じて証券の価格がどのように決まるのかを説明する証券価格理論を紹介します。その後、これらの理論と密接に関係する効率的市場仮説を紹介し、情報を集約して証券の価値を決める、という金融市場の機能について、改めて説明します。

9.4.1　金融市場の機能

《狭義の取引費用削減》　先にも触れたとおり、金融仲介機関も金融市場（狭義）も最終的貸手が持つ資金を最終的借手に貸す、という点では同じ機能を発揮しており、どちらも金融取引の取引費用を削減する仕組みといえます。ただし、金融仲介機関は最終的貸手に間接証券を提供し、資産変換を通じて取引費用を削減するのに対し、金融市場（狭義）は規格化された証券を簡単に取引できる場を整備することで、ある程度のリスクを負っても高いリターンを求めたいと思うような最終的貸手の参加を促進します。

　こうした違いは、削減する取引費用のタイプの違いだといえます（3.1.2 節参照）。金融仲介機関が削減するのは、返済のリスクや資金不足のリスクなど、取引終了まで

に時間がかかることから発生する金融取引固有の取引費用です。これに対して金融市場が削減する取引費用は，取引相手を探す，取引条件について交渉する，といった取引費用，つまり**狭義の取引費用**です。さまざまな商品やサービスについて，取引を促進するために市場が存在し，狭義の取引費用を削減しているのと同様に，金融市場も金融取引の狭義の取引費用を削減する仕組みだといえます。

▶狭義の取引費用
⇒3.1.2

《価格発見機能》　金融市場の重要な機能は，価格発見機能です。狭義の取引費用が削減される結果として，金融市場にはその証券の価値に関してさまざまな情報を持つ投資家が参加し，その情報が証券価格に反映されていきます。たとえば，ある証券のリターンが想定より高いという情報を得た投資家は，値上がりを期待してその証券を買おうとするでしょう。逆に，価格が割高だという情報が得られれば，投資家は価格が高いうちにその証券を売ってしまおうとするでしょう。前者（後者）のような情報を得た投資家がたくさんいるほどその証券の需要（供給）は増加し，証券価格も上昇（下落）するはずです。このように，金融市場では多様な情報が集約され，証券の価値に見合った価格が形成されると考えられます。この機能が，金融市場の**価格発見機能**です。

　価格発見機能が発揮されるためには，市場において取引が活発に行われていなければなりません。市場取引の活発さは，（市場の）**流動性**という言葉で表されます。売手も買手もたくさん参加し，活発に取引が行われる市場が流動性の高い市場であり，その逆が流動性の低い市場です。市場の流動性は，成立した取引の数（売買高），結果的にやり取りされた資金（売買代金）の総額など，取引の規模を表す指標によって測ることができます。ここからさらに転じ，取引規模そのものを市場の流動性と呼ぶこともあります[14]。

《証券の理論価格》　証券の価格は，直接的にはその証券に対する需要と供給で決まると考えられます。しかし，需要や供給は取引される証券の特徴，取引する投資家の状況など，さまざまな要因によって変わるはずです。たとえば，たくさん返済が行われるような証券は価値が大きいので，高い値段で取引されるでしょう。このように，証券の価値に影響しそうな要因を考慮に入れ，その証券に付くと考えられる価格を求めるのが**証券価格理論（資産価格理論）**です。考慮に入れる要因や考える設定の違いにより，証券価格理論にはさまざまなものがあります。それぞれの理論では，その設定のもとでは必ず得られるだろう価格，**理論価格**が求められます。以下ではこうした理論の中でも特に重要だと考えられる，割引現在価値，裁定，そしてCAPMという3つの理論について説明します[15]。

---

14) 流動性という言葉は，市場での取引の活発さではなく，証券の性質，つまり貨幣との交換のしやすさを表す場合もあります（1.3.3節参照）。流動性の高い市場で取引されている証券は，貨幣と交換しやすいので流動性の高い証券です。また，流動性の高い市場では，資金不足に陥った投資家が証券を売ることも容易になります。

なお，各理論の説明に入る前に，これらはあくまでも理論であって，現実そのものではない，という点を注意しておきたいと思います。さまざまな証券価格理論は，実際に証券価格が決定される複雑なプロセスの中から，特に重要だと思われる部分を切り取って理論モデルを構築し，そのモデルの中で理論的に「正しい」価格を求めます。しかし，現実はこうして切り取られた理論モデルの想定どおりに動くわけではありませんから，実際の価格は理論どおりになるとは限りません。むしろ，特定の理論に過度に依存して証券取引を行うことで，かえって大きな損失を被る可能性もあり，こうした損失を負うリスクは**モデルリスク**と呼ばれています。

9.4.2 割引現在価値

《返済額と証券価格》　証券は，借手が将来の返済を行うことを約束したものですから，証券価格は約束された返済額を基準に決まるはずです。ではたとえば，明日1万円返済することを約束する証券の価格はいくらになるでしょうか。明日もらえる1万円を今いくらで買うか，と聞かれているのと同じですから，もし価格が1万円を超えていれば誰も買わないでしょう。これに対して1万円未満の価格が付いていれば，買うと儲かります。とはいえ，1万円より安いかぎりは，もう少し高い価格で買ってもよい，という投資家が常に現れるでしょうから，価格は上がるはずです。結局，この証券には1万円以外の価格は付かないでしょう。

ただし，もう少し違う設定では異なる価格が付くかもしれません。第1に，たとえば1万円の返済が明日ではなく，1年後，あるいは10年後だったとしたらどうでしょう。どうも1万円では買いたくない気がしますね。また第2に，返済は明日だとしても，約束どおりの返済があまり見込めない場合ではどうでしょうか。これも1万円では買いたくないはずです。

第1の点は，同じ1万円であっても，明日受け取るのと1年後に受け取るのとでは価値が違うことを意味しています。このために，返済期間が長くなるほど証券価格は低くなるでしょう。返済期間によって証券の価値が異なる一番の理由は，再投資ができることです。返済を早く受け取ると，受け取った資金を新たな証券の購入や実物投資などに充てることができます。たとえば預金金利が1％であれば，明日受け取った1万円を銀行預金で再投資すると，その1年後には100円の金利が付きます。これは，明日の1万円が1年後には1万100円の価値を持つこと，逆に明日から1年後の1万円は，明日の時点では1％増えたら1万円になるような金額の価値しか持たないことを意味しています。同じ理由で，今日の1万円と明日の1万円も，厳密には同じ価値ではありません。

第2の点は，同じ1万円でも確実な1万円と不確実な1万円では価値が違うこと，

---

15)　これらの理論に関するより詳しい説明，ならびにほかのさまざまな証券価格理論の説明に関しては，ファイナンスに関する教科書，たとえば大村（2010），齊藤（2000），ボディーほか（2010）を参照してください。

証券価格は返済のリスク▶が大きくなるほど低くなること，を意味しています．3.1.2節でみたとおり，どんなに信用できる借手であっても約束どおりに返済が行われる可能性は100％ではありません．このため，不確実だが1万円の返済を約束する証券は，より確実な1万円を約束する証券よりも価値が低いと考えるのが自然でしょう．たとえ返済が明日であっても不確実性は存在しますから，明日1万円を返済する証券でも1万円より安くなる可能性はあります[16]．

▶返済のリスク
⇒3.1.2

《割引と割引現在価値(1)──返済のリスクがないケース》 以上からわかるように，証券価格を求めるためには，返済期間と返済のリスクという2つの要因を考慮に入れ，将来得られる収益の，証券を購入する時点における価値，しかもリスクを割り引いた価値，を計算する必要があります．この価値の求め方を考えてみましょう．

ある証券 X が，$t(=1, 2, \cdots, T)$ 年に R_t という返済を約束しているとします．R_t は，この証券から得られるキャッシュインフロー▶です．毎年利払いを行い T 年後に元本を償還する利付債なら，R_1 から R_{t-1} は受け取る金利，R_T は最終の利払い＋元本を表します．また，時点の違いによる価値の違いを考えるために，この世界ではある年の1円がその1年後には $1+s/100$ 円の価値を持つこと，つまりこの世界における一般的な投資の収益率（上の例では預金金利の1％）は s％ だったとしましょう．

▶キャッシュインフロー⇒2.1.3

この設定で，証券価格，つまり購入時点でのこの証券の価値はどのようにして求められるでしょうか．簡単な例から始めるために，まず返済のリスクは後で考えるとして，キャッシュインフローは確実に得られるものとします．ここでは1年後に1万円を返済する証券 X' ($R_1 = 10000$，$R_t = 0$ ($t = 2, \cdots, T$)) を考え，$s = 5$％ とします．証券 X' を持つことは，1年後に1万円を持つということですから，1年後の1万円の現時点での価値が，証券 X' の価格になるはずです．

1年後の1万円には現在どれだけの価値があるのでしょう．まず $s = 5$％ ですから，今1万円持っていれば1年後には1万500（$= 10000 \times (1+0.05)$）円に増やせます．つまり，現在の1万円は1年後には1万500円の価値を持ちます．これを逆に考えると，1年後の1万円の現在の価値は，$10000/(1+0.05)$ 円となります．このことから，1年後に1万円を返済する証券 X' の価格は，$10000/(1+0.05)$ 円であることがわかります．

以上の結果を一般化すると，証券 X の価格 P は，次の式で表されます．

$$P = \frac{R_1}{1+s} + \frac{R_2}{(1+s)^2} + \cdots + \frac{R_T}{(1+s)^T} \tag{9.1}$$

この式の各項 $R_t/(1+s)^t$ は，各期に得られるキャッシュフロー R_t を現在の価値に直したもので，キャッシュフロー R_t の**割引現在価値（現在価値）**と呼ばれます（⇒練習問題9.4）．(9.1) 式は，この各期のキャッシュインフローの現在価値を足し合わせ

---

[16] 返済期間が長いほど返済のリスクも増大しますから，第2の点は第1の点の理由にもなっています．

たものが，その証券の価値となることを表しています．現在価値を求めるために，キャッシュフローを割り引くのに使われる比率 s（ここでは一般的な投資の収益率）は，**割引率**と呼ばれます．(9.1) 式を用いれば，R_t や s に具体的な値を代入することによって，さまざまな証券の価格を求めることができます．例として Web Appendix 9.2 では配当の現在価値から株価を求める**配当割引モデル**を紹介しています．

なお，(9.1) 式は 2.1.3 節の (2.1) 式

$$L = \frac{R_1}{1+\rho} + \frac{R_2}{(1+\rho)^2} + \frac{R_3}{(1+\rho)^3} + \cdots \qquad (2.1：再掲)$$

とよく似ています．しかし，両者は意味がまったく異なるので注意してください．(2.1) 式は ρ の定義式，つまり右辺の分母にある証券の収益率 ρ を求めるための式です．この場合，キャッシュフロー R_t と価格 L が与えられた状況で，当初投資した資金 L がどれだけの割合で増えるかを計算しています．これに対して (9.1) 式は，割引率 s とキャッシュインフロー R_t がわかる場合に，その値から証券の理論価格を求める式です．

《金利と証券価格》 (9.1) 式は，金利と証券価格との関係を表す式でもあります．利払いのある証券では，金利が高いほどキャッシュインフローが大きくなりますから，右辺の分子が増加し，証券価格も上がります．つまり，ほかの条件を一定にするかぎり，(9.1) 式から次のことがいえます．

　　　　　　［支払金利と証券価格の関係］　支払う金利が高いほど証券価格は高い

ただし，その証券の金利ではなく，一般的な金利水準と証券価格の関係を考える場合には，「金利」と価格の関係は逆になります．(9.1) 式では，キャッシュインフローが変わらないかぎり，割引率 s が高くなるほど証券価格が下がります．ここでの割引率は，一般的な投資の収益率ですから，経済全体の金利や収益率の水準が高いほど割引率も高くなります．このため，(9.1) 式からは次のこともいえます．

　　　　　　［金利水準と証券価格の関係］　経済全体の金利水準が高いほど証券価格は低い

金融実務の世界ではよく，「金利」と債券・株式価格との間に負の相関関係がある，といいますが，これはこの後者の関係を指しています．

《割引と割引現在価値(2)――返済のリスクがあるケース》　さて，ここまでは R_t が確実に得られると想定していましたが，将来のキャッシュフローは実際には不確実です．リスクが存在する場合，証券価格はどのように求めればよいでしょうか．ここで，たとえば将来確実に 10 万円の返済が行われる証券と，不確実だが平均的に 10 万円の返済が見込まれる証券があったとしましょう．ほかの条件が同じであれば，普通の（危険回避的▶な）人は前者を選びますから，前者の方が後者よりも高い価格が付くはずです．つまり，リスクが大きいほど証券の価値が小さくなるでしょう．

▶危険回避的
⇒3.2.4

こうした関係を表すためには，確実なリターンを前提とした (9.1) 式を修正する必要があります．理論的にはいくつかの修正方法がありますが，最も簡単なのは次のような方法です[17]．まずリターンは確実ではないので，右辺の分子 R_t には各期に平均的に得られるキャッシュインフローを用います．次に，割引率 s は，リスクが大きいほど大きな値を用います．こうすると，リスクが大きい証券ほど右辺の分母が大きくなり，価格が安くなります．実際の計算では，リスクが同程度のほかの証券の収益率を割引率に用います．このようにしてリスクを調整した割引率は，特に**資本コスト**と呼ばれます．

資本コストは，その証券に投資することの機会費用を表しています．一般に，ある選択を行った場合の**機会費用**とは，それとは別の選択を行ったならば得られたであろう利益のことをいいます．つまり，ある選択を行うことの費用として，その選択自体に要する費用ではなく，別の選択を行えば得られたはずの，失った利益を費用だと考えるのが機会費用の考え方です．資本コストは，その証券ではなく同程度のリスクを持つ別の証券に投資した場合に得られたであろう収益率を表しますから，機会費用そのものです．なお，リスクが大きいほど資本コストを大きくすることは，リスクが大きいほど求められる収益率（正確にはリスクプレミアム）が高くなることと対応しています (7.2.1 節を参照)．

《割引現在価値の問題点》 割引現在価値に基づく証券価格は，考え方としてはわかりやすく，また計算もそれほど難しくありません．ただし，実際の証券価格の導出に用いる場合には，いくつか問題があります．第 1 に，(9.1) 式右辺分子のキャッシュインフロー R_t にどのような値を使えばよいかわかりません．多くの債券は利払いや元本の返済額を定めているのでそれを用いることができますが，返済のリスクを考慮に入れる場合，平均的なキャッシュインフロー，つまりどの程度確実に受け取れるのかは正確にはわかりません．さらに，株式の場合には，R_t にあたる配当やキャピタルゲイン自体が業績や経済状況によって変動し，事前に値を決めることが困難です．実際には過去の返済確率や配当動向などから予測した R_t を用いることになりますが，将来の配当や株価は過去と同様に決まるとは限りません．

第 2 の問題として，資本コスト s についてもどのような値を用いればよいのかが問題になります．上記のように，一般論としてはその証券と似たようなリスクを持つ証券の収益率を用いればよいといわれますが，どのような証券が似たリスクを持っているのか判断するのは容易ではありません．

第 3 に，割引現在価値に基づく証券価格理論は，証券の価格がその証券のキャッシュフローのみによって決まると考えるため，各証券の価格はそれぞれ独立に決まることを想定しています．しかし，さまざまな証券の価格は，少なくとも部分的には互いに影響し合って決まると考える方が自然でしょう．以下で紹介する裁定理論や

---

[17] ほかの方法についてはボディーほか (2010) を参照してください．

CAPMは，この点を考慮することのできる理論です。

9.4.3 裁　定

《裁定と証券価格》 さまざまな金融市場は完全には独立ではなく，複数の証券価格は互いに影響し合って決まる，という点を考慮することのできる理論の代表が，裁定理論です。**裁定**（裁定取引）とは，ある商品の市場が複数存在し，市場の間で価格差が存在しているとき，その価格差を利用して取引者が利益を得ようとする行為を指します。同じものに異なる価格が付いている状況は，**裁定機会**が存在する状況と呼ばれます。裁定機会が存在する場合，安く売られている市場で買って，高く売られている市場で売る，という裁定取引により確実に儲けを得ることができます。この儲けを逃すまい，とさまざまな市場の価格情報が収集され，裁定取引が行われれば，価格の安い市場では需要が増えて価格が上がり，価格の高い市場では供給が増えて価格が下がるため，結局同じものには同じ値段が付き，**一物一価**が成立するはずです。このように，裁定取引によって価格が等しくなることを，**裁定が働く**，といいます[18]。

裁定が働いている場合，証券の価格を別の証券の価格から求めることができます。たとえば，「1年後の天気が雨であれば1万円受け取ることができる」ことを約束した証券（証券Xとしましょう）が1000円で売られているとします[19]。また「1年後の天気が曇りであれば1万円受け取ることができる」ような証券（証券Yとしましょう）が500円で売られていたとしましょう。この場合，「1年後の天気が晴れでない場合に1万円を受け取ることができる」ような証券（証券Zとしましょう）の価格はいくらになるでしょうか。証券Zを持つことで得られるキャッシュフローは，証券XとYを両方持つことで得られるキャッシュフローと同じです。このため，証券Zの価値は証券Xの価値とYの価値を合わせたものとなり，証券Zは1500円で売られるはずです。このように，ある証券（全体）の価格はその証券の構成要素（部分）に相当する証券の価格の和になるという関係は，裁定に基づく証券価格理論の重要な結論の1つです[20]。

裁定を表す例としては，**金利の期間構造**と呼ばれるものもあげられます。同じ借手が発行した同質の債券で，返済までの期間（残存期間）だけが異なるものの間の金利の関係を金利の期間構造といいます。短期の貸借を繰り返せば，長期の貸し借りをす

▶デリバティブ
⇒Web Appendix 6.1

18) 厳密には，実際に商品を各市場で売買したり輸送したりするのに費用（取引費用）がかかるので，こうした費用の分だけ価格差は残ります。
19) 変な例だと思われるかもしれませんが，天候に応じて業績が変わる会社（たとえばイベント運営会社）の株式や，天候に応じて作物の出来が変わる農家が購入する天候デリバティブと呼ばれるデリバティブ▶などがこうした証券にあたります。
20) ここで示した例は，さまざまな証券が，将来の状況に応じて一定の金額を支払うような証券の組み合わせに等しい，と考える**アロー・ドブリュー価格理論**（ミクロ経済学の中でも登場する理論）に基づく裁定理論です。裁定に基づくその他の証券価格理論としては，裁定機会が存在しないような状態において，個々の証券の価格がどう決まるのかを考える，**APT**（Arbitrage Pricing Theory：**裁定価格理論**）と呼ばれる理論があります。

9.4 金融市場の理論

Column 9-2　江戸時代の米相場

大阪は商売の街などと呼ばれますが，江戸時代には全国で取れた米が大阪（当時は「大坂」）に集められ，米取引の中心地となっていました。このため，大坂の米市場（右の絵参照）での取引価格（相場）は裁定取引を通じて全国の米相場の基準となっていました。この裁定を支えるため，大坂の相場情報をほかの市場に伝える仕組みが整備されていたといわれています。

その1つは飛脚，つまり手紙等を運ぶ運送業（今でいう郵便・宅配事業者）です。その名のとおり，飛脚は脚によって（走って）全国の街道の宿場間を往復し，情報を伝えていました。ほかに興味深い仕組みとしては，旗振り通信があります。これは，高い山の決まった場所で，決まったルールに従って旗を振り，情報を伝えるものです。根拠が不明な伝承も多いようですが，たとえば高槻（2011）では史料に基づいてこうした仕組みの

（『摂津名所図會』国立国会図書館ウェブサイト）

実態を説明しています。コンピュータネットワークを通じて一瞬で世界中に情報が伝わる現代からすると，江戸時代の情報通信手段は非常に素朴で原始的ですが，直観的にわかりやすいのでかえって興味を湧かせます。

るのと同じことになりますから，期間構造は短期の債券と長期の債券との裁定を考えることで求めることができます（Web Appendix 9.3 参照）。

なお，裁定は，厳密な意味ではまったく同じ商品が異なる市場で取引されている場合に働くものですが，似たような商品や代替品との間にもある程度の裁定は働くでしょう。つまり，完全に同じ商品でなくても類似の商品価格は同じような水準に決まり，同じような動きをすると考えられます。証券の場合にも，よく似たものの間にはある程度の裁定が働くはずです。ただし，こうした不完全な裁定は確実に儲かるものではありません。また，証券には返済のリスクがありますから，裁定が働いたとしても事後的には損失が発生する可能性があります。このような裁定は，確実に儲かる裁定と区別して，特に**リスク裁定**と呼ばれることがあります。

《**裁定と情報**》　裁定においては情報が重要な役割を果たします。たとえば財市場における興味深い例として，江戸時代には全国の米市場の情報が飛脚や旗振りといった手段でやり取りされ，全国的に米の価格の裁定が働いていました（Column 9-2 を参照）。現代の金融市場においてはインターネットを通じて金融機関などからさまざまな情報が提供され，巨額の資金が動いて裁定が働きます。

関連しますが，裁定取引は情報通信技術▶と密接な関係があります。情報通信技術の発展は，各国のさまざまな証券の市場に関する情報を，世界的規模で瞬時に伝達することを可能にしました。また，情報通信技術により遠く離れた国の金融市場で取引することも容易になっています。これらの変化は，裁定取引を通じて世界各国の金融市場の緊密な連関をもたらし，金融のグローバル化を促進しました。他方で，こうした緊密な連関は，ある国の金融市場で起きた問題が遠く離れた国の金融市場にまで波及する，という効果ももたらし，金融危機の世界的な伝播にも貢献する結果となっています。

▶情報通信技術（ICT）⇒1.7

9.4.4 CAPM

《CAPMの出発点》 証券価格がほかの証券価格と影響し合って決まることを説明する理論としては，**CAPM**（Capital Asset Pricing Model：**資本資産価格モデル**，通称「キャップエム」）と呼ばれるモデルもあります。CAPMは，第7章で分散化に関連して学んだ資産選択理論▶をベースにした証券価格理論です。資産選択理論は，特定の効用（無差別曲線）を持つ投資家が，複数の金融資産をどう組み合わせて保有するかを考える理論でした。CAPMは，世の中の投資家がみなこの理論に従って証券を選択しているとしたら，市場ではどのように各証券の価格が決まるのか，を考える理論です。なお，CAPMは価格ではなく期待収益率（リターン）の決定理論として説明されることが多いので，ここでも証券の期待収益率の決定をみていきます。収益率と価格は連動していますから（2.1.3節参照），どちらで考えても大きな違いはありません。

▶資産選択理論
⇒7.2.1

CAPMは，資産選択理論の結論である分離定理▶，つまりすべての投資家は安全資産と接点ポートフォリオを組み合わせて保有する，という結果から出発します。図9-6は，7.2.5節で分離定理を説明する際に用いた図7-10(b)と同じように，危険回避的な投資家が選択する可能性のあるポートフォリオを表す直線，つまり効率的フロンティアを描いたものです。この図の縦軸は資産やポートフォリオのリターン（平均値）であり，横軸はリスク（標準偏差）です。効率的フロンティアは，安全資産（図の点F）と接点ポートフォリオ（点M）を組み合わせたものであり，どの投資家も危険資産に関しては同じポートフォリオMを持ちます[21]。

▶分離定理
⇒7.2.5

CAPMは，世の中のすべての投資家が資産選択理論に従ってポートフォリオを選択していると想定します。この場合，世の中に存在する危険資産は，誰かに選択され保有されているわけですから，必ず接点ポートフォリオの中に含まれているはずです。このため，接点ポートフォリオは，この世に存在するあらゆる危険資産が，この世に存在する（保有されている）比率で含まれたポートフォリオであるはずです。あらゆる資産からなる，という点を強調するために，接点ポートフォリオ（図7-10(b)の点T）のことをCAPMでは特に**マーケットポートフォリオ**（図9-6の点M）と呼び，マーケットポートフォリオと安全資産を組み合わせたポートフォリオを表す直線（つまり効率的フロンティア）を特に**資本市場線**と呼びます。

ここで，以下の議論のために，資本市場線を表す式を求めておきましょう。マーケットポートフォリオのリターン（平均値）とリスク（標準偏差）はμ_Mとσ_Mであり，安全資産Fのリターンはμ_Fだとします（図9-6）。資本市場線上の任意のポートフォリオXのリターンとリスクをμ_Xとσ_Xとすると，

$$\mu_X = \mu_F + \sigma_X \cdot \frac{\mu_M - \mu_F}{\sigma_M} \tag{9.2}$$

---

[21] なお，図7-10(b)では安全資産を表す点はA，接点ポートフォリオを表す点はTで表していましたが，ここでは説明の都合上，あえて記号を変えています。

という関係が得られます（⇒練習問題9.5）。これが，資本市場線を表す式であり，この式を満たすような (μ_X, σ_X) の組み合わせが，資本市場線上の点を表します。

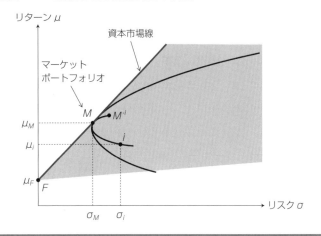

■図9-6 分離定理と個別資産の価値

《個別資産の価格》 この状況において，個別資産のリターン（期待収益率）はどのように表されるでしょうか。ここで，i という危険資産が取引されていたとしましょう。この資産のリターンとリスクは，図9-6のように μ_i と σ_i だとし，またこの資産 i とマーケットポートフォリオ M の収益率の連動の度合いを表す共分散を，σ_{iM} と表すことにします。分離定理より，この資産 i もマーケットポートフォリオの中に一定割合含まれていることになります。

ここで，この資産の保有割合を変えてみたらどうなるか考えてみましょう。マーケットポートフォリオのほかの資産の保有比率は変えず，資産 i だけをゼロにしたポートフォリオをポートフォリオ M^{-i} とすると，M^{-i} と資産 i とをさまざまな割合で組み合わせたポートフォリオを考えることで，資産 i の保有割合の変化を考えることができます。ポートフォリオ M^{-i} のリターンとリスクが図9-6の点 M^{-i} で表され，資産 i のリターンとリスクが点 i で表されるとすると，ポートフォリオ M^{-i} と資産 i を組み合わせたポートフォリオは，次のような興味深い特徴を持つことがわかります（⇒練習問題9.6）。

(1) このポートフォリオのリターンとリスクの関係は，曲線 iMM^{-i} のような形で表される[22]。
(2) 曲線 iMM^{-i} は資本市場線（直線 FM）より左上に突き出ることはない。
(3) 曲線 iMM^{-i} は，ちょうど点 M において資本市場線に接する。

(3)からわかるように，曲線 iMM^{-i} の点 M における接線は，資本市場線そのものです。ここで，曲線 iMM^{-i} の点 M における接線の傾きを求めると，

$$\frac{\mu_i - \mu_M}{(\sigma_{iM} - \sigma_M^2)/\sigma_M}$$

であることがわかっています（導出は Web Appendix 9.4 参照）。この傾きが資本市

---

[22] この図では資産 i とポートフォリオ M^{-i} の収益率の相関が，完全な正の相関あるいは完全な負の相関ではないケースを描いています（7.2.3節の図7-8(b)を参照）。

場線を表す (9.2) 式の傾きと等しいわけですから,

$$\frac{\mu_M - \mu_F}{\sigma_M} = \frac{\mu_i - \mu_M}{(\sigma_{iM} - \sigma_M^2)/\sigma_M}$$

となります。この式を整理すると,

$$\mu_i = \mu_F + \beta_i(\mu_M - \mu_F) \quad \left(\text{ただし } \beta_i = \frac{\sigma_{iM}}{\sigma_M^2}\right) \tag{9.3}$$

が得られます。こうして得られた (9.3) 式が, CAPM における期待収益率の決定式です。

《CAPM の意味》 式は何とか出てきましたが, この式は何を意味しているのでしょう。(9.3) 式右辺には2つの項があります。CAPM は, 資産 i の期待収益率がこれらの項の和となることを表しています。右辺の第1項は μ_F であり, 安全資産の収益率です。これに第2項が加わっているわけですから, 資産 i の収益率は安全資産の収益率よりも大きくなります。右辺第2項は, この資産のリスクの大きさに応じて, 安全資産の収益率に上乗せされる必要のあるリターン, を表しています。この上乗せ分は, 7.2.1 節で説明したリスクプレミアムにほかなりません。要するに, CAPM は, 各資産の期待収益率が, 安全資産の収益率とその資産のリスクプレミアムを足したものになる, といっているのです。

もう少し深いところまで理解しておきましょう。リスクに応じて上乗せされるべきリターンが右辺第2項のリスクプレミアムだ, といいましたが, この第2項は証券 i のリスク σ_i とは無関係に決まっています。つまり, CAPM では証券 i 自体のリスクはその証券のリスクプレミアムや期待収益率に影響しません。右辺のうち, 資産ごとに異なる部分（記号 i が付いている項）は β_i だけであり, さらによくみると σ_{iM}（資産 i とマーケットポートフォリオの収益率の共分散）だけです。つまり, 証券 i のリスクプレミアムは, その証券の収益率とマーケットポートフォリオの収益率がどれくらい連動するかに応じて決まるのです。証券自体のリスク（σ_i）ではなく, マーケットポートフォリオとの連動度合いとして表されるリスク（σ_{iM}）が期待収益率を決める, というのが CAPM の重要な結論です。

なぜ証券 i 自体のリスクがその証券の期待収益率に影響しないのでしょうか。その理由は, 資産選択理論の背後にある分散化にあります。個別の証券は確かにそれぞれリスク（σ_i）がありますが, その中には分散化によって小さくできるものがあります。各資産は最も望ましいポートフォリオであるマーケットポートフォリオの構成要素であり, ほかの資産と組み合わされることによって, 個別のリスクの一部は取り除くことができます。このようにして取り除かれたリスクはもうリスクではありませんから, 後に残った取り除くことのできないリスクだけが考慮すべきリスクであり, 価格に反映される, というわけです。

CAPM において, 各資産のリスク（σ_i）のうち, 分散化によって取り除くことのできる部分は（資産 i の）**アンシステマティックリスク**（あるいは**固有リスク**）と呼ば

れ，取り除かれずに価格に反映される部分は（資産 i の）**システマティックリスク**と呼ばれます。(9.3) 式の β_i は，システマティックリスクの指標であり，各資産の特徴を表す値として，文字どおり「**ベータ**」（ベータ値）と呼ばれて注目されます。上記の議論からわかるように，CAPM ではシステマティックリスク（ベータ）が大きな証券ほど期待収益率（リターン）が大きくなります。このベータとリターンとの関係は，(9.3) 式をベータとリターンとの関係式だとみることで，図 9-7 のような直線として図示

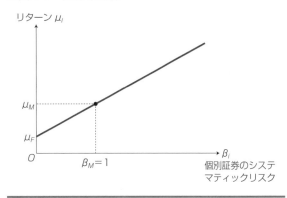

■図 9-7　証券市場線

できます（⇒練習問題 9.7）。この直線は，マーケットポートフォリオのベータを β_M （=1）と表した場合に点 $(0, \mu_F)$ と点 (β_M, μ_F) を通る直線であり，特に**証券市場線**と呼ばれています[23]。

《CAPM の重要性と限界》　CAPM は証券価格の決定に関する 1 つの理論にすぎませんが，実務の世界では幅広く活用されています。その一番の理由は扱いやすさにあります。CAPM によると，資産の収益率は，安全資産の収益率，マーケットポートフォリオの収益率，そしてその資産とマーケットポートフォリオの共分散，という 3 つの要因だけで決まります。また，必要な計算も，(9.3) 式のように単純な足し算と掛け算だけです。データを集めて式に代入すれば，さまざまな資産の期待収益率がすぐに求まります。今ではインターネットを検索すれば，個別の株式のベータはいくらか，といった情報が簡単に手に入ります。

　ベータの値を CAPM の理論に忠実な形で求めるには，マーケットポートフォリオを表すすべての資産からなるポートフォリオを組んだうえで，個別資産のベータを計算する必要があります。しかし，実務的には特定の金融市場の全体的な動きを表すインデックス（指標・指数）によってマーケットポートフォリオを代理する，という簡便法が使われています。特に便利でよく使われるのは，多数の銘柄の株価を一定の公式に従って 1 つの指数として表した，**株価指数**です。たとえば日本では東京証券取引所▶のプライム市場に上場する企業の株価をもとにして作られている**日経平均株価**や **TOPIX**（東証株価指数）などの株価指数が有名であり，海外でも S&P500 指数，NASDAQ 総合指数（どちらもアメリカ），ハンセン株価指数（香港）などさまざまなものがあります。また，指数に組み込まれている銘柄を実際に組み込み，しかも上場商品として活発に売買することを可能にした**指数連動型上場投資信託受益権**

▶東京証券取引所
⇒10.1.2

---

23) 名前は紛らわしいですが，証券市場線は個々の証券のシステマティックリスクとリターンの関係を表すもので，効率的ポートフォリオを表す資本市場線（図 9-6）とは別物です。図 9-6 と図 9-7 の横軸の違いに注意してください。

(ETF：Exchange-Traded Funds)という投資信託▶も存在し，実際にマーケットポートフォリオに近いものを簡単に売買できるようになっています。

▶投資信託
⇒7.1.3

ただし，よいことばかりではありません。簡単に使えるというメリットの裏返しとして，CAPMはさまざまな問題点も抱えています。まず，CAPMは資産選択理論を出発点としているため，資産選択理論で前提としている非現実的な仮定が原因となって，非現実的な理論価格を導いてしまう可能性があります[24]。また，CAPM自体もいくつかの非現実的な想定を置いています[25]。さらに，CAPMでは基準となる安全資産の収益率を除くと，マーケットポートフォリオに関わる要因しか証券価格に影響しません。しかし，現実のデータはマーケットポートフォリオ（を代理するインデックス）以外の要因も証券価格に影響を与えていることを示しています[26]。

こうした問題に加え，CAPMの一番の問題といえるのが，マーケットポートフォリオという概念そのものです。そもそもマーケットポートフォリオとは何でしょうか。理論的には，「世の中に存在するすべての資産が含まれるポートフォリオ」と簡単に定義できますが，実際にマーケットポートフォリオを探すのは簡単ではありません。上記のとおり，実務の世界では株価指数などが使われますが，本当はあらゆる金融資産，さらには実物資産（不動産など）も含めたポートフォリオを考える必要があるはずで，一部の株式しか含まない株価指数で代理するのはかなり乱暴だといえます。しかも，もし多くの資産を含めたいと思っても，期待収益率などのデータが利用できる資産はごくわずかです。当然のことながら，マーケットポートフォリオとしてどのようなポートフォリオを用いるかによって，得られる価格は異なります。この点はCAPMの最大の問題点だといえます。

9.4.5 効率的市場仮説

《情報と効率的市場》　金融市場に関する理論の最後として，以上の理論と密接に関連する効率的市場仮説に触れておきたいと思います。実際の金融市場では，さまざまな情報が価格発見機能を通じて集約され，証券の価値に見合った価格が形成されると考えられます。中でも特に重要な情報は，いわゆるファンダメンタルズに関する情報です。

ファンダメンタルズ（fundamentals：基礎的・本源的要因）とは，その証券から得られる収益（キャッシュインフロー）に直接影響するような要因です。たとえば株式の配当，社債の利払いは企業の業績に依存しますから，企業業績は株価や社債価格に対する重要なファンダメンタルズの1つです。

---

24) たとえば，投資家の効用はポートフォリオのリターンとリスクの2つの値だけで決まる，という単純化の仮定（7.2.2節参照）があげられます。
25) たとえば，安全資産が存在する，という想定や，すべての投資家が同じ情報を持っている，という想定などです。ただし，一部の想定については修正しても大きな問題はないことがわかっています。大村（2010），ボディーほか（2010）などを参照してください。
26) 要因がマーケットポートフォリオ1つしかないCAPMは，**シングルファクターモデル**と呼ばれる理論モデルの1つです。複数の要因を考えるモデルは**マルチファクターモデル**と呼ばれます。マルチファクターモデルで考慮する要因としては，GDP，為替レートなどがあります。

効率的市場とは，ファンダメンタルズをはじめとするさまざまな情報が価格に反映されるメカニズムに関する，1つの（極端な）考え方です。**効率的（な）市場**とは，その時点で利用可能な情報がすべて反映されて価格が決まっている市場であり，価格発見機能が瞬時に発揮されるような市場です。そして，現実の市場はこの想定どおりに効率的な市場だ，とする考え方を**効率的市場仮説**と呼びます[27]。効率的市場は，新しい情報が得られればそれに基づいて瞬時に取引が行われ，価格に反映されるような市場です。そこでは，すでによく知られているような情報はすべて価格に織り込まれており，裁定機会▶も存在しません。誰も知らない特別の情報がないかぎり，他人を出し抜いて利益を得ることはできません[28]。

▶裁定機会
⇒9.4.3

《効率的市場と投資家の合理性》 市場が効率的であるという考え方の背後には，投資家が合理的であるという想定があります。効用や収益の最大化を目指すという意味で**合理的**な投資家は，利用可能な情報はすべて利用し，収益機会があるとわかれば必ずその収益を獲得するために取引を行うはずです。こうした合理的な投資家ばかりが市場に参加していれば，あらゆる情報は瞬時に価格に反映され，市場は効率的になるはずです。

もちろん，現実には，利用可能な情報を無視してしまう，収益機会があっても取引を行わない，といった非合理的な投資家も存在するでしょう。しかし，市場に参加するのは非合理的な投資家ばかりだとは考えにくいですし，そもそも非合理的な投資家の行動は合理的な投資家の行動によって打ち消されてしまうと考えられます。たとえば，価格が高すぎるという情報があるときに，もっと買いたいという非合理的な投資家の注文が出てきたら，合理的な投資家は喜んで売るでしょう。このため，ある程度合理的な投資家が存在すれば，市場の効率性は達成される，と考えるのは，もっともらしい考え方です。

《効率的市場仮説とアノマリー》 とはいえ，効率的市場仮説はあくまで理論です。理論的に正しいから，説得力があるからといって，現実の市場も効率的市場だとは限りません。では，現実の市場は効率的市場仮説がいうように効率的なのでしょうか。理論の妥当性を検証するのは実証分析，つまりデータを用いた経済分析の仕事です。効率的市場仮説に関しても，古くから数多くの実証分析が行われています。こうした分析は，証券価格がファンダメンタルズを表すデータと連動しているかどうかを調べたり，思わぬ好業績といった新しい情報が得られたときに，証券価格が瞬時かつ正確に反応して動いているかどうかを調べたりします。

---

27) ここでいう効率（無駄のなさ）は，情報が適切に価格に反映される，という意味での効率であり，経済学の中心的概念である資源配分の効率性▶，つまり希少な資源を人々の欲望充足の対象となる財・サービス生産に適切に割り当てること，とは異なります。

▶資源配分の効率性
⇒14.1.4

28) この点で，効率的市場仮説は4.1節のColumn 4-1（「必ず儲かる」は儲からない）の理論的根拠だといえます。

これまでの実証分析からは，実は効率的市場仮説では説明が難しいような現象が数多く発見されています。たとえば毎年1月には必ず株価が高くなる，規模の小さい企業の株ほど大きな企業の株より儲かる，といった現象です。こうした現象が起きているのであれば，1月までに株を買って1月に売るという裁定取引を行ったり，規模の小さな企業の株だけ買って大きな企業の株を持たないという投資行動を取ることで，収益を上げることができます。こうした現象は，効率的な市場では発生するはずがありません。効率的市場仮説では説明の付かないこれらの現象は**アノマリー**（anomaly）と呼ばれ，アノマリーによって得られる，理論では説明できない儲けを**超過収益**と呼びます[29]。

もちろん，アノマリーも効率的市場仮説によって説明することは可能です。毎年1月にはすべての企業の業績がよくなる，規模の小さい企業の方が常に業績がよい，かもしれないからです。しかし，そう片付けるのは難しいほどアノマリーはたくさん報告されており，効率的市場仮説に否定的な考え方が広まってきています。

《行動ファイナンスと効率的市場仮説》 このような状況を受けて，アノマリーの存在を説明できる（効率的市場を想定しない）理論が検討されてきました。そうした理論の代表が，**行動ファイナンス**の理論です。行動ファイナンスは効率的市場仮説とは異なり，投資家が合理的でないことを前提とします。非合理性を考える際に，行動ファイナンスでは人間の心理に関するさまざまなバイアス，つまり認知や判断のゆがみに関して心理学の分野で得られた知見を取り入れます[30]。それを目的としているので当然のことですが，行動ファイナンスの分析は実際にさまざまなアノマリーを説明できます[31]。

行動ファイナンスの成果をみるかぎり，現実の金融市場はしばしば効率的市場からかけ離れてしまうことがあると判断せざるをえないでしょう。ただし，だからといって効率的市場仮説がまったく無意味かというと，それもいいすぎでしょう。理論的にいえば，行動ファイナンスは効率的市場仮説で説明のつかない現象を説明するために発達してきたものであり，ベースとなった効率的市場仮説が理解できなければ行動ファイナンスが何を批判しているのかもわかりません。また現実にもあらゆる市場でいつもアノマリーが発生しているわけではありませんから，効率的市場仮説が実際に成立していると考えられるケースも多いでしょう。市場は効率的かどうか，と二者択一で問うのではなく，市場はいつ，どの程度効率的か，と問うのが正しいといえるでしょう。

---

29) 13.4節で説明するバブルもアノマリーの1つです。
30) たとえば，特に根拠もないのに他人よりも自分の方が投資判断に優れていると考える心理（自信過剰），多くの投資家が買い（売り）注文を出しているので（理由はわからないが）自分も買う（売る）のがよいと考える心理（**横並び・群衆心理**），などがあげられます。
31) 岡田（2010）などを参照してください。

■ 練習問題

9.1 表 9-1 に示された各短期金融市場の，最新時点の規模を調べなさい。

9.2 表 9-2，9-3，9-5，9-6 に示された公社債・株式の発行・流通市場の，最新時点での規模を調べなさい。

9.3 証券会社のインターネットサイトを探し，そこで投資できる株式の中から，(1) 発行市場での取引，(2) 流通市場での取引，(3) 新規に公開された株式への投資，にあたるものをそれぞれ探しなさい。

9.4 9.4.2 節の返済のリスクがないケースにおいて，割引率が s のとき，t 期に得られるキャッシュフロー R_t の割引現在価値が $R_t/(1+s)^t$ になることを示しなさい。

9.5 資本市場線が (9.2) 式で表せることを確かめなさい。

9.6 (1) 図 9-6 において，ポートフォリオ M^{-i}（マーケットポートフォリオからほかの資産の保有は変えずに資産 i だけをゼロにしたポートフォリオ）と資産 i とを組み合わせたポートフォリオを作った場合，そのリターンとリスクが曲線 iMM^{-i} のように表されることを確かめなさい。

(2) 曲線 iMM^{-i} は資本市場線（直線 FM）より左上に突き出ないことを確かめなさい。

(3) 曲線 iMM^{-i} は，ちょうど点 M において資本市場線に接することを確かめなさい。

9.7 (1) CAPM が (9.3) 式で表される場合，マーケットポートフォリオのベータと安全資産のベータを求めなさい。

(2) さまざまな資産のシステマティックリスクとリターンとの関係を表す証券市場線が，図 9-7 のように点 $(0, \mu_F)$ と点 $(1, \mu_M)$ を通る直線として表されることを確かめなさい。

■ 参考文献

大村敬一（2010）『ファイナンス論——入門から応用まで』有斐閣。

岡田克彦（2010）『伝統的ファイナンスから行動ファイナンスへ——ファイナンス研究の新しいフロンティア』関西学院大学出版会。

可児滋・雪上俊明（2012）『デリバティブがわかる』（日経文庫）日本経済新聞出版社。

国際通貨研究所編（2018）『外国為替の知識（第 4 版）』（日経文庫）日本経済新聞出版社。

齊藤誠（2000）『金融技術の考え方・使い方——リスクと流動性の経済分析』有斐閣。

坂和秀晃・渡辺直樹（2016）『金融自由化で日本の証券市場はどう変わったか——市場流動性とマーケット・マイクロストラクチャー分析』ミネルヴァ書房。

高槻泰郎（2011）「近世日本における相場情報の伝達——米飛脚・旗振り通信」『郵政資料館研究紀要』第 2 号，91～108 頁。

東短リサーチ株式会社編（2019）『東京マネー・マーケット（第 8 版）』有斐閣。

ボディー，ツヴィ／ケイン，アレックス／マーカス，アラン・J.（2010）『インベストメント（第 8 版）』（平木多賀人・伊藤彰敏・竹澤直哉・山崎亮・辻本臣哉訳），マグロウヒル・エデュケーション。

第10章

金融機関(2)
●金融仲介機関以外の金融機関

はじめに

この章では、第8章に続いて再び金融機関に注目します。第8章では、自ら貸し借りを行い、人に代わって貸すことで最終的貸手と最終的借手との間を仲介する金融仲介機関について学びました。しかし、金融機関は金融仲介機関以外にもたくさんあります。本章ではこうした金融機関を扱います。

金融仲介機関以外の金融機関は、担っている経済的機能からみて、2つのタイプに分類することができます。第1のタイプは、（金融）市場を作る金融機関です。前章で説明したように、金融市場（狭義の金融市場▶）は証券取引所や証券会社などの金融機関が整備することで成り立っています。こうした金融機関が市場を作る金融機関です。第2のタイプは、金融仲介機能を分担する金融機関です。このタイプの金融機関は、金融仲介機関ではないものの、金融仲介機関が発揮している機能の一部を、専

▶狭義の金融市場
⇒9.1.5

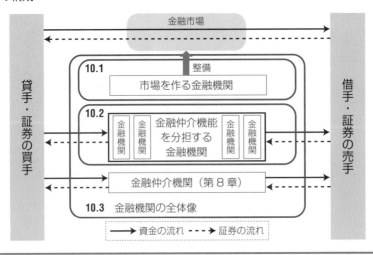

■図10-1　本章の構成

■表10-1 市場を作る金融機関

機能による分類		実際の金融機関（制度）	説明箇所
市場を作る金融機関 （分類：10.1.1節） （機能：10.1.5節）	証券売買を仲介する金融機関	証券取引所	10.1.2節
		証券会社	10.1.3節
		短資会社	10.1.3節
	情報を提供する金融機関	格付会社	10.1.4節
		投資助言業者	10.1.4節

門家として特化して発揮する金融機関です。こうした金融機関は，投資信託や証券化などの仕組みを提供する中で，最終的貸手から最終的借手への資金の流れの各段階に関わり，全体として金融仲介機関が提供しているのと同じ機能を発揮します。

本章の構成は図10-1のとおりです。市場を作る金融機関については10.1節で，金融仲介機能を分担する金融機関については10.2節で，それぞれ説明します。各節では，該当する金融機関をさらに分類した後，日本で実際に存在する金融機関を紹介し，最後に機能を説明します。10.1節と10.2節，そして第8章を合わせると，金融機関の全体像が把握できます。本章最後の10.3節では，金融機関全体の分類を示し，その機能についてまとめます。

なお，8.1節の表8-1には金融仲介機関の全体像を示していましたが，同様の表は，市場を作る金融機関については10.1節の表10-1，金融仲介機能を分担する金融機関については10.2節の表10-4で示します。すべてを合わせた金融機関全体の分類は，10.3節の表10-7にまとめていますので，適宜参照してください。

10.1 市場を作る金融機関

10.1.1 市場を作る金融機関の分類

第9章で説明したように，金融市場（整備された，狭義の金融市場▶）は証券売買において発生する狭義の取引費用を削減するための仕組みであり，特定の金融機関が整備することによって成り立っています。こうした金融機関が**市場を作る金融機関**です。表10-1に示したように，市場を作る金融機関は，その機能に基づいて2つのタイプに分けることができます[1]。

▶狭義の金融市場
⇒9.1.5

第1のタイプは**証券売買を仲介する金融機関**であり，証券の売手と買手から注文を受け，売りと買いをつないで取引を成立させる役割を果たす金融機関です。こうした

---

[1] 以下で紹介するもの以外に，市場を作る金融機関に含めることのできる金融機関として，金融デリバティブ商品の取引を仲介する**金融先物取引業者**，証券の取引が成立した後に資金や証券の決済（1.6節参照）を行う**清算機関**や**振替機関**などがあげられます。

金融機関は，金融仲介機関のように自ら貸し借りすることで最終的貸手と最終的借手の間を仲介するわけではありませんが，証券の売手と買手が自ら行う取引を仲介し，証券売買を促進する重要な役割を果たしています。こうした金融機関の代表は，証券取引所，証券会社，短資会社です。

　市場を作る金融機関のもう1つのタイプは，**情報を提供する金融機関**です。証券を売買する投資家は，売買のための判断材料として，そもそもどのような証券が取引できるのか，その証券はいくらで売られているのか，返済のリスクはどれくらい大きいのか，といった情報を必要としています。十分な情報が得られなければ，たとえ証券会社などが売買を仲介してくれるとしても，投資家は取引に参加しないでしょう。証券や借手に関するさまざまな情報を収集して提供し，対価として手数料を受け取るのが情報を提供する金融機関です。

　ただし，よく考えてみると，経済に関する一般的な情報，あるいは経済に限らず一般的なニュースなど，どのような情報であっても程度の差はあれ証券売買に関係します。広く捉えるなら，こうした情報を提供する企業，たとえばマスコミ（新聞・テレビやインターネットメディアなど）まで情報を提供する金融機関に含まれてしまいます。これではさすがに広すぎますから，以下ではもう少し狭く，金融機関と呼ぶのに適切だと思われる企業として，格付機関と投資助言業者を取り上げます。

10.1.2　証券売買を仲介する金融機関(1)──証券取引所

　証券取引所は，最も整備された金融市場である上場証券の市場（流通市場）を整備し，証券売買を成立させる金融機関です。**上場**とは，ある証券が証券取引所での売買の対象となることであり，上場するためには**上場基準**と呼ばれる厳しい基準を満たす必要があります[2]。この基準は，ある程度返済に問題がない，あるいは一定のリターンを生み出す可能性が高い，と考えられるような証券だけを取り扱うことを保証するためのもので，この基準があるため一般の投資家でも安心して取引に参加することができます。また，**上場企業**と呼ばれるように，基準をクリアした借手は優良な借手として知名度も上がり，その後の資金調達も容易になります[3]。

　証券取引所で取引ができるのは，特に認められた取引参加者，具体的には次の10.1.3節で紹介する証券会社だけです。証券会社は自ら，あるいは顧客の注文を受けて，上場証券の売買注文を証券取引所に出します。こうして出された大量の注文の中から，あらかじめ定めたルールに従って売りと買いを突き合わせ，取引を成立させていくの

---

[2]　たとえば株式の場合，すでに多くの株主がいること，多くの株式が流通していること，企業規模が大きいこと，一定以上の利益を得ていること，会計書類に問題がないこと，といった基準が定められています。

[3]　過去には，上場証券の売買は原則として証券取引所で行わなければならない，という，いわゆる**市場集中原則**が定められていました。この原則は現在では撤廃され，証券取引所を通さずに取引できる，**私設取引**（**PTS**：Proprietary Trading System）市場を一部の証券会社が開設しています。

が証券取引所の役割です（9.1.5 節も参照）。

　証券取引所が金融機関となった，つまり企業という形態を取るようになったのは最近のことです。証券取引所は，もともとは証券会社が自分たちの取引を集中的・効率的に処理するために作った会員組織でした。しかし，金融取引はしだいにコンピュータネットワーク上で電子的に行われるようになり，証券取引所も大量の証券取引をコンピュータで処理するようになります。証券取引は巨額の資金が短時間でやり取りされる世界であり，投資家は自分が得た情報を使って簡単に，より早く取引を行いたいというニーズを持ちます。投資家の利便性を高める情報システムの開発・整備には巨額の投資が必要で，その資金は会員である証券会社だけでは負担できなくなってきました。また，グローバル化が進む中で，証券取引所の競争は世界的な規模で行われるようになり，迅速な経営判断が必要とされるようになりました。こうした背景のもとで，規模の大きな証券取引所はしだいに自ら資金を調達し，独立して経営判断を行う株式会社になったのです。

　日本には 2023 年 11 月末現在，東京証券取引所，名古屋証券取引所，札幌証券取引所，福岡証券取引所，という 4 つの証券取引所があります。東京証券取引所と名古屋証券取引所は株式会社ですが，札幌証券取引所と福岡証券取引所は現在でも会員組織の法人です。この中で，最も規模が大きく日本を代表する証券取引所は**東京証券取引所**（東証）です。東京証券取引所は 1878（明治 11）年創立の東京株式取引所を前身とし，広島証券取引所，新潟証券取引所との経営統合を経たのち，2013 年には国内第 2 の証券取引所であった大阪証券取引所と経営統合しました。前章で説明したとおり，東京証券取引所にはプライム市場，スタンダード市場，グロース市場，TOKYO PRO Market という 4 つの市場があり（9.3.3 節，表 9-4 を参照），特に多くの企業が上場するプライム市場は世界的な取引所の 1 つとなっています。

　証券取引所は，法律上は金融商品取引所と呼ばれる免許制の金融機関に分類されます。**金融商品取引所**は，株式や債券といった証券に限らず，こうした証券を現物とするデリバティブ（Web Appendix 6.1 参照）などさまざまな金融商品を取り扱います。東京証券取引所と大阪証券取引所との経営統合の際，大阪証券取引所の現物取引の市場は東京証券取引所に統合されましたが，デリバティブ取引に関しては強みを持っていた大阪証券取引所（現，大阪取引所）が引き継ぎ，両者は日本取引所グループを形成しています[4]。

10.1.3　証券売買を仲介する金融機関(2)——証券会社と短資会社

《証券会社とその業務》　証券会社も証券の売買を仲介する金融機関です。証券会社は，上場証券に関しては顧客である投資家からの注文を証券取引所に取り次ぐ役割しかあ

---

[4] 金融商品のデリバティブを扱う金融商品取引所としては，このほかに東京金融取引所があります。なお，名称は似ていますが金融商品ではなく石油や貴金属，穀物等の商品のデリバティブを扱うのが**商品取引所**であり，東京商品取引所，堂島取引所があります。

> Column 10-1　証券4業務
>
> 　証券会社の業務は4つに分けることができます。まず**アンダーライター**（underwriter：引受）**業務**（**アンダーライティング**）とは，自ら積極的に証券の発行に関わる業務であり，証券の発行者に対して資金調達の条件（証券の種類，期間，金利，発行時期など）に関する助言を行い，決まった条件のもとでの発行を手助けし，発行された証券を投資家（貸手）に売りさばくとともに，自分でも発行された証券を買い取ります。
> 　この中でも重要なのは，買い取りであり，特に**引受**と呼ばれています。引受には売れ残った証券だけを買い取る**残額引受**と，最初にすべて買い取ってから売りさばく**総額引受**があります。もし発行した証券が売れない場合，借手は必要とする資金を調達できないわけですから，その資金を使って行おうとしていた事業等に支障が生じます。アンダーライターは，自ら資金を出して引受を行うことで，貸手の資金調達におけるリスクを低減しているわけです(注1)。ただし，引受を行わず，証券の売りさばきだけを行う場合もあります。これが**セラー**（seller）**業務**（**セリング，ディストリビューティング**）です。
> 　流通市場における業務は，**ブローカー**（broker）**業務**（**ブローキング**）と**ディーラー**（dealer）**業務**（**ディーリング**）の2つです。どちらの業務も，すでに発行された証券について，すでに保有している投資家（売手）と，新たに保有したいと考えている投資家（買手）との間で売買を仲介します。このうち，単純に売手と買手をつなぐのがブローカー業務で，自ら売買して投資家からの注文に答えるのがディーラー業務です(注2)。ディーラーがいなければ，投資家の注文はちょうど同じタイミングで反対取引の注文が出ていなければ成立しません。これでは買いたい（売りたい）ときに買え（売れ）ず，市場の流動性（9.4.1節参照）も低下して，リスクを取引する流通市場の機能が発揮されません。また，取引のないときには価格が付きませんから証券の価値がわからず，たまに得られる価格は乱高下することもあるため，金融市場の価格発見機能（9.4.1節）も発揮されません。ディーラーは，投資家の注文に迅速に答え，取引を成立させて市場の流動性を高めることで，流通市場を機能させる役割を担っています。市場を作る役割を担っている，ということで，ディーラーは**マーケットメーカー**とも呼ばれます。
>
> (注1)　資金調達額が巨額の場合，引受はアンダーライターにとっても大きなリスクです。このリスクを分散化するために，複数のアンダーライターが**シンジケート**（**シンジケート団**）と呼ばれるグループを組んで，一緒に引受を行うことがあります。シンジケート団を代表し，借手と交渉して契約を結ぶ証券会社は**幹事**（幹事証券会社），幹事が複数の場合に代表となる証券会社は，**主幹事**（主幹事証券会社）と呼ばれます。
>
> (注2)　証券取引の注文において，「この価格であれば売り（買い）に応じる」という価格のことを，**気配値**（**売り気配，買い気配**）と呼びます。ディーラーは自ら恒常的に気配値を公表し，その価格での取引に応じます。

▶店頭市場⇒9.1.5

りませんが，非上場の証券を取り扱い，自ら店頭市場▶を整備することもあります[5]。また，証券会社は売買を仲介する際に，売手と買手に対してさまざまな情報を提供します。この点で，以下で説明する，情報を提供する金融機関の役割も担っています。

　証券会社による仲介は，新規の資金調達が行われる発行市場での仲介と，すでに発行された証券の売買が行われる流通市場における仲介とに分かれます（発行・流通市場については9.1.2節参照）。また，いずれにおいても，証券会社は単に売買をつなぐだけの場合と，自ら証券を保有して売買に関わる場合の2つがあります。このため証券会社が行う業務は4つに分類され，アンダーライター業務（発行市場・保有あり）・セラー業務（発行市場・保有なし）・ディーラー業務（流通市場・保有あり）・ブローカー業務（流通市場・保有なし）と呼ばれます（Column 10-1参照）。証券会社の主な収入源は，これら4つの業務の対価として得られる手数料です[6]。なお，これらの業務のすべてを行っている証券会社もあれば，一部しか行っていない証券会社

---

5) ただし，非上場証券の取り扱いは実際にはあまり多くありません。
6) こうした手数料の1つが株式の売買を仲介する手数料（**株式売買委託手数料**）です。株式売買委託手数料は，1999年10月に完全自由化されるまで規制によって決まっていましたが，自由化によって手数料をめぐる競争が激しくなりました。

もあります。

　流通市場における証券仲介に関連して，信用取引にも触れておきましょう。証券を取引したいなら，買いたければ購入代金が，売りたければ証券自体が必要です。しかし，実際にはこれらがなくても取引が可能です。証券会社が仲介する場合，投資家は手持ちの自己資金を超えて証券を買う，あるいは保有していない証券を売る，という**信用取引**が可能だからです。この場合，証券会社は不足する資金あるいは証券を貸すことで取引を可能にしています。その代わり，証券会社は取引総額の一定割合にあたる**委託保証金**と呼ばれる資金，あるいは証券そのものを預かり，損失が発生した場合に備えます[7]。信用取引を可能にすることで，証券会社は投資家が保有資金・証券の制約を超えて売買することを可能にし，取引を促進しています。

■表10-2　日本の主な証券会社

(単位：億円)

証券会社	最終損益
大手証券	
みずほ証券	918
野村證券	585
大和証券	535
三菱UFJモルガン・スタンレー証券	218
SMBC日興証券	14
ネット証券	
楽天証券	125
松井証券	47
マネックス証券	42
auカブコム証券	10

(注)　2023年4～9月期決算。
(出所)　『日本経済新聞』(2023年11月1日付記事)より筆者作成。

《日本の証券会社》　日本の証券会社の業界団体である日本証券業協会の統計によると，日本には2023年11月末時点で273の証券会社があります。このうち主な証券会社9社を示したのが表10-2です。この表の上部に示された証券会社5社は大手と呼ばれ，店舗をたくさん構えて営業する証券会社です。表の下部にはインターネット上だけで営業するネット専業の証券会社（ネット証券）が示されています。どちらのタイプの証券会社も，このほかに多数存在します。店舗を構える証券会社には，日本各地に所在する規模の小さな証券会社（地場証券と呼ばれます）もたくさんあります。

　実は，証券会社，あるいは証券会社が行う証券業は，現在の日本の法制度では規定されていません。**証券業**は，**証券取引法**（1948年施行）に基づく昔の制度で定められており，上記4つの証券業務（アンダーライター，セラー，ディーラー，ブローカー業務：Column 10-1参照）のいずれか，あるいはすべてに関して免許を取得したものを指しました。しかし，同法を引き継いだ**金融商品取引法**（2007年施行）では，証券業はほかの業務も含め，より包括的な括りである金融商品取引業の中に含められ，証券会社も金融商品取引業者に含まれるようになりました[8]。金融商品取引業は，第一

---

7)　信用取引に応じる証券会社に，そのための資金・証券を貸し付ける金融機関として，**証券金融会社**と呼ばれる金融機関が存在します。かつては大阪証券金融株式会社，中部証券金融株式会社，日本証券金融株式会社の3社が存在していましたが，合併や自主廃業などにより2017年10月以降は日本証券金融株式会社が唯一の証券金融会社となりました。

8)　金融商品取引法と金融商品取引業について，詳しくは黒沼（2021）や松尾（2023）などを参照してください。

Column 10-2　クラウドファンディング

　クラウドファンディングとは，企業や団体などが，クラウド（crowd：群衆）からファンディング（funding：資金を集める）する，つまり広く一般から資金を集める仕組みです。具体的には，インターネットを通じて少額の資金を多くの人から調達します。このため，クラウドファンディングはまさに，情報通信技術の発展によって可能になった金融サービスであり，フィンテック（1.7 節や 8.2.1 節の Column 8-1 参照）の代表といえます。クラウドファンディングには，寄付として資金を集める寄付型，購入代金の前払いとして資金を集める購入型，株式（未上場）やファンドへの出資の形で資金を集める投資型（出資型，株式の場合は株式型），そして貸付の形で資金を集める融資型（貸付型）の４つのタイプがあります。いずれの場合も借手がアイデアを実現するための資金を募り，その資金を使って事業化等が行われるため，資金の提供者が直接アイデアを評価して資金を出す面白い仕組みです。また，借手にとってはマーケティングや宣伝の手段でもあります。

　上の４つのタイプのうち，寄付型と購入型は将来の返済を見込んだ資金提供ではないので，金融取引にはあたらないのに対し，投資型と融資型は金融取引です。この２つはそれぞれ株式型証券と負債型証券（2.1.2 節参照）による貸借に対応し，あらかじめ返済を約束するかどうかが違います。日本では，さまざまな団体が寄付型（記事参照）や購入型を利用して話題になっていますが，投資型や融資型はそこまで利用されていないようです。どのタイプであれ，クラウドファンディングは専門の仲介業者がインターネットのサイトを運営し，企業や団体と資金提供者を結び付けます。金融取引である投資型・融資型の場合，運営業者は証券売買を仲介することになりますから，証券の種類に応じて第一種・第二種金融商品取引業の登録が必要になります。

国立科学博物館に 9.2 億円
運営費寄付，目標の１億円上回る
支援者 5.7 万人　国内最多

　国立科学博物館（東京・台東）は，運営などに必要な資金を集めるクラウドファンディング（CF）で約 9 億 2 千万円の寄付が集まったと発表した。目標額の１億円を大幅に上回った。動植物や化石などの標本の管理費や返礼品の製作費などにあてる。目標額を募ったCF仲介サービスの運営会社としては，国内の CF では最高支援額という。支援者は約 5 万 7 千人にのぼり，こちらも国内最多としている。

　標本のレプリカを作製する事業などに約 1 億円を使うほか，全国の博物館と連携し保管や修復などに使うほか，大規模災害時に標本を素早く保存するための資材を各地に備蓄するための取り組みも検討している。寄付金のうち約 3 億 2 千万円は，研究者によるオリジナルの図鑑などの返礼品の作製や CF の手数料などにあてる。支援者が返礼品に選んだ人が約 3 万人で最多だった。図鑑は制作中で 2024 年 3～4 月には支援者に届ける予定。

　国立科学博物館は 2020 年以降，新型コロナウイルス流行の影響で入館料収入が減り，光熱費の高騰も打撃になった。国からの運営費交付金が年々減少傾向にあることも重なり，標本の状態が悪化するなど運営に支障が生じた。

　篠田謙一館長は 6 日「大変驚いており支援者の方に感謝している。博物館が経営的に危機にあると多くの人に伝わったことが多くのご支援につながったのではないか」と話した。その上で「CF は世間に訴える効果は大きいが長続きしない。今後は運営を継続的に支援してくれる賛助会員などを増やしたい」と語った。

（2023 年 11 月 7 日付『日本経済新聞』）

返礼品にする図鑑のイメージ（6 日，東京都台東区）

種金融商品取引業，第二種金融商品取引業，投資助言・代理業，投資運用業の４つに分かれており，いずれも内閣総理大臣の登録を受けた者でなければ行うことができません[9]。このうち旧証券業に対応するのは第一種・第二種金融商品取引業の一部です。2023 年 11 月末現在で，金融商品取引業者は 1950 社存在します。

　第一種・第二種金融商品取引業について，もう少し説明しておきましょう。これらは基本的には上記４つの証券業務，すなわち証券の販売・勧誘を行う仕事ですが，第一種は一般の投資家も参加して活発に取引されるような，流動性の高い証券を扱うのに対し，第二種はより複雑で取引に専門的知識が必要な証券を扱います。たとえば上場株式の取り扱いには第一種金融商品取引業の登録が必要ですが，ファンドや証券化等の仕組みを使って発行された証券の販売を行うためには第二種金融商品取引業の登録が必要です[10),11)]。また近年クラウドファンディングの仕組み（Column 10-2 参照）

9）　投資助言・代理業，投資運用業についてはそれぞれ 10.1.4 節と 10.2.2 節で説明します。

が注目を集めていますが，この運営業者には第一種や第二種の金融商品取引業者の登録が必要とされる場合があります。2023年11月末現在で，第一種金融商品取引業と第二種金融商品取引業の登録企業数は，それぞれ300社と1210社です。

ただし，証券会社という名前の金融機関と第一種・第二種金融商品取扱業者とは，厳密には対応していません。「証券会社」が投資助言・代理業や投資運用業，あるいは他の金融業を行っている場合もありますし，「証券会社」という名前の付かない第一種・第二種金融商品取引業者もたくさんあります。

このような状況になっている理由は，金融商品取引法の成立の経緯と関係しています。この法律以前は，証券取引法などさまざまな法律（業法）のもとで，証券の販売・勧誘，投資助言，資産の運用といった業務が完全に分離され，特定の業務を行う企業が別の業務を行うことは禁じられていました。こうした縦割り行政が効率的なサービス提供を阻害している，という問題意識のもとで，預金等を除いた投資性の強い金融商品に関し，横断的な法制度を定めるためにできたのが金融商品取引法です。

現在では，多くの金融機関が実際に複数の業務を行っています[12]。このため，さまざまな業務の間には範囲の経済性▶が働いており，縦割り行政は弊害だったといえます。ただし，昔の法律に基づいた金融機関の名前（「○○証券会社」，「○○投資顧問」，「○○アセットマネジメント」，「○○投信株式会社」等）はそう簡単には変わりませんから，現在では登録内容を確認しないかぎり，実際に行われている業務を知ることはできません。

▶範囲の経済
⇒8.4.3

《金融業務の兼業》　証券業務に関しては，銀行など金融仲介機関が行う証券業務についても注意する必要があります。日本では，銀行など預金取扱金融機関や保険会社が上記のような証券業（第一種・第二種金融商品取引業）を行うことは，原則として禁止されています。これは，一方の業務にとって望ましい行為が，他方の業務の関係者に不利益となる，という**利益相反**を生む可能性があるためです。銀行業務と証券業務との間の利益相反の例としては，企業に貸した資金の返済が危ぶまれるときに，銀行がその企業に社債等を発行させて返済に充てる，といったケースが考えられます。この場合，社債購入者の犠牲のもとに，銀行（の預金者）が利益を得ることになります。

ただし，利益相反が生じる可能性が低い，一部の業務に関しては，国に登録を行うことで，金融仲介機関も本体で営むことができます。代表的なのは，公共債に関する有価証券関連業務，債券の私募の取り扱い，投資信託の販売勧誘です。この登録を受

---

10)　登録を行うには厳格な条件を満たす必要がありますが，金融機関などプロの顧客だけを相手にする場合には，簡易な届出だけで業務を行うことが可能です。

11)　これらの業務のほかに，第一種金融商品取引業の業務としては，証券取引所ではない私設取引（PTS）▶市場を運営する業務，投資家から証券を預かって管理する**預託**の業務，ペーパーレス化された証券の取引の際に，名義上の所有者の移転を行う**振替**の業務が含まれます。

12)　たとえばファンドの運営は，販売と運用を合わせてファンド業務と呼ぶように，これらの業務をともに行うのが効率的です。このため，第一種・第二種金融商品取引業と投資運用業に両方登録している業者がたくさん存在します。

▶私設取引（PTS）
⇒10.1.2

けた金融機関は，**登録金融機関**として公表されています。また，銀行を含む金融機関は，役員の兼任を禁止するといった形の利益相反を防ぐ仕組み（**ファイアー・ウォール**と呼ばれます）を導入することを前提に，証券子会社を設立することで証券業務を行うことができますし，また同じ金融持株会社▶を親会社とする別会社により，証券業務を行うこともできます。これらとは別に，金融仲介機関は資金運用目的で自ら貸手となり，株式や債券などを保有することができます[13]。

▶金融持株会社
⇒10.2.3

《**証券会社と投資銀行**》　名称に関して最後にもう1つ説明しておきましょう。証券会社に関連する言葉として，海外では**投資銀行**（investment banks）という言葉がよく使われます。投資銀行は，名前に「銀行」と付くものの，金融仲介機関の一種である銀行（8.2節）とはまったく別物であり，むしろ証券会社に対応する金融機関です[14]。何をもって投資銀行と呼ぶか，定義は必ずしも定まっていませんが，アンダーライター，セラー，ディーラー，ブローカーの4つの業務すべてを行い，中でも引受（アンダーライター）を中心として行う金融機関，あるいは（かつ）企業の買収・合併やリストラクチャリングに対する助言・サポート業務を中心的に行う規模の大きな金融機関が投資銀行と呼ばれるようです。

《**短資会社**》　証券会社と同様の業務を行うものの，一般にはあまり知られていない金融機関に，短資会社があります。**短資会社**は，金融の専門家が取引を行う短期金融市場において，証券売買を仲介する重要な金融機関です。短資会社が主として仲介するのは，金融機関相互の短期の貸借（インターバンク市場▶での貸借）です。特に，短資会社はコール市場において，貸借を仲介したり，自ら貸借を行うことによって，市場を機能させる重要な役割を果たしています（9.2.4節参照）。また，短資会社は前出の登録金融機関として，公共債やCP▶などに関する有価証券関連業務も行っています。2023年11月末現在，日本には上田八木短資，セントラル短資，東京短資の3つの短資会社があります。

▶インターバンク市場⇒9.2.1

▶CP⇒9.2.2

10.1.4　情報を提供する金融機関

《**格付と格付会社**》　「情報を提供する金融機関」の代表は，格付を行う**格付会社**（**信用格付会社**，**格付機関**）です。**格付**（**信用格付**）とは，借手でも貸手でもない第三者が借手を客観的に評価したもので，レストランの格付（「3つ星」など）のようなものです。格付は，信用格付と呼ばれることからもわかるように，債務が返済されるかどうか，つまり信用リスクを評価し，記号の形で表します。細かくは格付会社ごとに異なりますが，「AAA（トリプルA）」といった最上位の格付は，返済にまったく問題

---

[13]　ただし，特に銀行の場合，経営の健全性維持のため，こうした投資には一定の規制がかけられています（14.2.2節参照）。

[14]　投資銀行と銀行を区別する場合，後者は特に**商業銀行**（commercial banks）と呼ばれます。

■表10-3　格付の例：日本格付研究所（JCR）の長期発行体格付

格付	定義
AAA	債務履行の確実性が最も高い。
AA	債務履行の確実性は非常に高い。
A	債務履行の確実性は高い。
BBB	債務履行の確実性は認められるが，上位等級に比べて，将来債務履行の確実性が低下する可能性がある。
BB	債務履行に当面問題はないが，将来まで確実であるとはいえない。
B	債務履行の確実性に乏しく，懸念される要素がある。
CCC	現在においても不安な要素があり，債務不履行に陥る危険性がある。
CC	債務不履行に陥る危険性が高い。
C	債務不履行に陥る危険性が極めて高い。
LD	一部の債務について約定どおりの債務履行を行っていないが，その他の債務については約定どおりの債務履行を行っているとJCRが判断している。
D	実質的にすべての金融債務が債務不履行に陥っているとJCRが判断している

（注）　AAからBまでの格付記号にはさらに，同一等級内での相対的位置を示すものとして，プラス（＋）あるいはマイナス（－）の符号による区分を付す。
（出所）　日本格付研究所ホームページより一部改変。

がないことを，「C」や「D」など低位の格付は，債務不履行の危険性が高い，あるいはすでに債務不履行に陥っていることを表します（表10-3）。格付は，特定の債券（たとえば何年何月に発行された社債）を評価するものから，借手の全体的な債務返済能力を評価する発行体格付まで，さまざまなものがあります。

格付会社は日本では**信用格付業者**の登録が必要で，2023年11月末現在で7社が登録を行っています。日本格付研究所，格付投資情報センターという日本の格付機関に加え，アメリカの信用格付会社Moody'sグループの2社（ムーディーズ・ジャパン，ムーディーズSFジャパン），同Standard & Poor'sグループの2社（S&Pグローバル・レーティング・ジャパン，S&PグローバルSFジャパン），そして，同Fitchグループのフィッチ・レーティングス・ジャパンです。

《**格付の誘因と正確性**》　通常，格付は証券の発行者が格付会社に依頼して取得します[15]。発行者が自ら格付を取得しようとする理由は，格付を取得していることが上場の基準となっていたり，高い格付を取得するほどよい条件（たとえば低い金利）で資金を調達することが可能になるからです。このように，企業が格付を受けようとする理由は，自ら投資家に向けてさまざまな情報を発信する，ディスクロージャー▶の場合と同じだといえます[16]。依頼を受けた格付会社は，発行者の情報を内部・外部からさまざまな形で集め，自らの判断で格付を行います。このため，同じ債券・発行者でも格付会

▶ディスクロージャー（情報開示）
⇒5.3.2

---

15)　発行者からの依頼に基づかず，格付会社が自発的に（勝手に）評価する格付は**勝手格付**と呼ばれます。

16)　自らの情報発信は，理論的にはシグナリング▶にあたります。

▶シグナリング
⇒5.3.2

社によって判断が異なることがあります。

　格付はどの程度正しいのでしょうか。高格付の債券が頻繁に債務不履行に陥ったり，低格付の債券があまり債務不履行に陥ることがなかったりすると，格付会社の能力が疑われることになります。このため，格付会社は正確な格付を行おうとする誘因を持っています。しかし，ある格付会社だけが重要な情報を得たような場合，情報を持たないほかの格付会社が似たような評価をしている中，1社だけまったく違う評価を行えば，投資家からはかえって能力を疑われてしまうかもしれません。この場合，横並び的な格付が行われてしまう危険があります。また，発行者が依頼者であるために，格付会社は発行者の意向に添わない（低い）格付を付けにくいともいわれています。

　2000年代後半に発生した世界金融危機においては，格付会社が最高の評価を与えた証券化商品が軒並み債務不履行に陥る事態が発生し，格付の信頼性が大いに疑われました（13.2.2節参照）。とはいえ，信用リスクを正確に予測することはそもそも難しいものであり，特に金融危機のような特殊な状況においてはなおさらでしょう。

《投資助言業者》　格付の情報は，売買したい証券が決まっている投資家にとっては役に立つ情報です。しかし，どのような証券を買いたいか決まっていない投資家にとっては，直接役には立ちません。そのような投資家に対して投資に関する助言を行うのが**投資助言業者**であり，その仕事は**投資助言業**と呼ばれます。投資助言業者は，投資に関する助言を行う見返りに対価を受け取る，という契約を顧客である投資家と結んだうえで，情報を提供します。この契約は**投資顧問契約**と呼ばれます。このように，投資助言業者は個々の投資家に対してオーダーメイドの情報提供を行う金融機関だといえます。投資助言業者は，4つある金融商品取引業▶の1つである**投資助言・代理業**を行う業者として登録を受ける必要があります。「代理業」とあるのは，投資家がほかの業者と投資顧問契約を結ぶ仲介を行う仕事（代理業）も含まれるからです。2023年11月末現在，投資助言・代理業の登録を受けている企業は991社あります。

▶金融商品取引業
⇒10.1.3

　投資助言・代理業も，金融商品取引法（2007年施行）によって定められた業種であり，それ以前は**投資顧問業**と呼ばれていました[17]。このため，日本で投資助言・代理業を行っている金融機関の多くには「○○投資顧問」という名前が付いており，その業界団体は日本投資顧問業協会です。同協会の会員一覧をみるとわかるように，投資助言・代理業者は実にさまざまで，独立系の業者もあれば，不動産業者が会員となっていることもあります。また「○○投資顧問」という名前でほかの金融商品取引業の登録を受けている金融機関や，「○○投資顧問」という名前でなくても投資助言・代理業の登録を受けている金融機関があります。投資助言・代理業は助言を行うことしかできませんから，助言した証券の取引を仲介するためには第一種金融取引業等の登録が必要になります。

---

17) 旧投資顧問業には，投資助言だけでなく10.2.2節で紹介する投資運用業の仕事も含まれていました。

10.1.5 市場を作る金融機関の経済的機能

　以上のような，市場を作る金融機関はどのような経済的機能を発揮するのでしょうか。金融仲介機関の機能は資産変換▶を通じた取引費用削減でしたが，市場を作る金融機関は自ら貸し借りすることがないので資産変換を行いません。市場を作る金融機関の機能は，他人の証券取引（一次・二次取引）を手助けすることで取引費用を削減し，取引を促進することにあります。金融仲介機関と同様に，これらの金融機関も専門化の利益，規模の経済性，範囲の経済性を活かして取引費用を削減します（8.4.3節）。ただし，そのやり方は証券売買を仲介する金融機関と情報を提供する金融機関とで異なります。

▶資産変換
⇒8.4.2

　証券売買を仲介する金融機関は，手数料を得る代わりにさまざまな証券の売手と買手をつなぎ，取引を成立させます。9.4.1節でも説明したように，こうした仕事を通じて証券売買を仲介する金融機関が発揮する機能は，さまざまな取引費用の中でも特に狭義の取引費用を削減することです。金融取引を成立させるのに必要な取引費用（広義）は，取引相手を探したり，取引条件を決め，取引を成立させる，といった活動にかかる狭義の取引費用と，将来の不確実性に起因する取引費用とに分かれます（3.1.2節参照）。市場を作る金融機関の活動は，主として前者の削減に役立ちます。

　狭義の取引費用は，金融取引ではなくモノの取引においても発生します。モノの取引の場合にも，売手（生産者）と買手が直接モノとおカネを交換するのではなく，間に仲介者が入ることが多くなっています。たとえば消費者にモノを売るのは小売業者の仕事ですし，その小売業者にモノを売る卸売業者も生産者ではありません。商社と呼ばれる企業もさまざまなモノの取引を仲介しています。証券会社や短資会社は，こうした仲介業者と同じような存在です。これに対して，証券取引における証券取引所の役割は，モノの取引でいう卸売市場のようなものです。多くの売手と買手が一堂に会して注文を出せる場を提供し，それらを突き合わせて大量の取引を成立させます。市場を作る金融機関は，証券会社・短資会社のように売手と買手を仲介するタイプと，証券取引所のように取引の場を用意するタイプに分けることができます。

　これに対して，情報を提供する金融機関の機能はやや異なります。これらの金融機関は，証券売買を行おうと思っている売手・買手に対し，必要な情報を提供する代わりに手数料収入を得ます。モノやサービスの取引においても，取引されるモノやサービスに関する情報，たとえば価格，品質，取引できる場所，といった情報は重要であり，こうした情報を提供することを仕事にしている企業も存在します。しかし，金融取引の場合には不確実性・リスクが伴い，また情報の非対称性も存在しますから，返済可能性に関してさまざまな情報が必要です。情報を提供する金融機関は，こうした情報を提供することによって，狭義の取引費用だけでなく，将来の不確実性に起因する取引費用の削減も行っているのです。

10.2 金融仲介機能を分担する金融機関

10.2.1 金融仲介機能を分担する金融機関の分類

　ここまで金融仲介機関（第8章の表8-1）と市場を作る金融機関（10.1節の表10-1）を説明してきましたが，金融機関はこれらの金融機関以外にも存在します。以下でみるように，その役割から考えると，こうした金融機関の多くは金融仲介機関が発揮している役割の一部を，専門家として特化して発揮する金融機関であることがわかります。このため，こうした金融機関は**金融仲介機能を分担する金融機関**と呼ぶことができます。

　この節では，金融仲介機能を分担する金融機関にはどのようなものがあり，どのような役割を果たしているのかを説明します。ただし，これらの金融機関は専門的な金融機関であり，一般には馴染みが薄いものです。このため，以下では具体的な例から説明を始め，最後に理論的整理を行うことにしましょう（表10-4参照）。具体的な例としては，投資信託▶の仕組みを取り上げ，この仕組みに関わる金融機関を説明します[18]。この説明を踏まえたうえで，次に金融仲介機能を分担する金融機関の分類を行います。機能面から考えると，金融仲介機能を分担する金融機関は，証券売買を仲介する金融機関，情報を提供する金融機関，資産運用を行う金融機関，そして資産管理を行う金融機関の4種類に分けることができます。このうち最初の2つは，すでに10.1節で紹介した，市場を作る金融機関そのものです。

　以上の分類に基づき，金融仲介機能を分担する金融機関に分類される，実際の金融機関について説明するのが10.2.2節です。ただし，上記4種類の金融機関のうち最初の2つは10.1節ですでに説明していますから，本章では資産運用を行う金融機関と資産管理を行う金融機関に注目し，それぞれに該当する実際の金融機関を説明します。最後に10.2.3節では，金融仲介機能を分担する金融機関の機能について，金融

▶投資信託
⇒7.1.3

■表10-4　金融仲介機能を分担する金融機関

機能による分類		実際の金融機関（制度）	説明箇所
金融仲介機能を分担する金融機関 （投資信託の例：10.2.1節） （分類：10.2.1節） （機能：10.2.3節）	証券売買を仲介する金融機関	証券取引所	10.1.2節
		証券会社	10.1.3節
		短資会社	10.1.3節
	情報を提供する金融機関	格付会社	10.1.4節
		投資助言業者	10.1.4節
	資産運用を行う金融機関	投資運用会社	10.2.2節
	資産管理を行う金融機関	信託会社（信託銀行）	10.2.2節
		債権回収会社	10.2.2節

仲介機関と対比させながら説明します。

《投資信託と金融機関》 投資信託は，少額の資金しか持たない投資家でも分散化ができるようにする金融商品であり，投資家の小口の資金をまとめてさまざまな証券に投資する仕組みです（7.1.3節参照）。比較的購入しやすい金融商品である点や，集めたおカネがさまざまな証券に分散

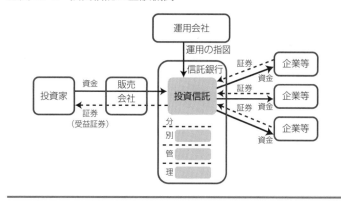

■図10-2 投資信託と金融機関

投資される点において，投資信託は預金とそれほど違いがありません。しかし，預金の場合は最終的な分散投資まですべて預金取扱金融機関が行いますが，投資信託は複数の金融機関が関わることによって提供されています（図10-2参照）。

　投資信託に関わる金融機関の中心は，間接証券である投資信託，正確には（投資信託）**受益証券**▶という金融商品を設計し，投資信託という仕組みを運営する**運用会社**です。運用会社は，株式中心，新興国中心，高リスクで値上がり益重視，といった各投資信託の投資目的に合わせ，どのような証券にどれくらいの規模で投資し，投資家に対してどのような受益証券を発行するかを決めます。また，受益証券を売って集めた資金をさまざまな証券に実際に投資し，その後もポートフォリオを継続的に組み替えていきます。運用会社はこのような**資産運用機能**を担う金融機関です[19]。表10-5には，日本の投資信託の中で，2023年10月と11月の間に資金の流入（購入）が最も多かった10のファンドと運用会社の名前をあげています。

▶（投資信託）受益証券⇒7.1.3

　ただし，投資信託では多くの場合，運用会社が自分で受益証券を投資家に販売することはありません。投資家と直接やり取りをする窓口となるのは，**販売会社**と呼ばれる第2の金融機関です[20]。販売会社の代表は，すでに市場を作る金融機関として10.1.3節で紹介した証券会社です。最近では銀行も重要な販売会社となっており，銀行の窓口でも投資信託が買えます[21]。販売会社は，投資信託の購入を考えている投資家に対して商品の情報提供を行い，購入を勧誘して販売し，投資家の口座を作って購入

---

[18] その他の例として，Web Appendix 10.1では証券化▶やベンチャー・ファンド▶に関わる金融機関を説明しています。あわせて参照してください。

[19] 投資信託に限らず，運用会社の内部で個々のファンドの運用を任される人物は，**ファンド・マネージャー**と呼ばれます。

[20] いわゆる独立系の運用会社，つまり運用会社と販売会社をともに抱えるような金融グループに属さない運用会社の場合には，インターネット等を通じて自分で直接投資信託を販売する場合もあります。この場合，投資家にとっても販売会社に支払う手数料が節約されるというメリットがあります。

[21] 制度上こうした販売会社は，証券会社なら第一種金融商品取引業者，銀行なら有価証券関連業の登録を受けた金融機関（登録金融機関）にあたります（10.1.3節参照）。

▶証券化⇒7.1.4
▶ベンチャー・ファンド⇒7.1.3

■表 10-5 投資信託上位 10 ファンドと運用会社

順位	ファンド名 [運用会社]	商品分類	資金流出入（百万円）
1	日興 FW・日本債券 F [三井住友 DS アセットマネジメント]	債券・内外	131,016
2	eMAXIS　Slim 米国株式（S&P500）[三菱 UFJ アセットマネジメント]	株式・海外	86,088
3	eMAXIS　Slim 全世界株式（オール・カントリー）[三菱 UFJ アセットマネジメント]	株式・内外	82,611
4	インベスコ世界厳選株式オープン F（毎月決算型）《世界のベスト》[インベスコ・アセット・マネジメント]	株式・内外	73,694
5	外国債券 SMTB セレクション（SMA 専用）[三井住友トラスト・アセットマネジメント]	債券・海外	51,189
6	ドナルド・スミス米国ディープバリュー株式 F　B コース（為替ヘッジなし）[三井住友 DS アセットマネジメント]	株式・海外	43,758
7	アライアンス・バーンスタイン米国成長株投信 D 毎月決算型（F）予想分配金提示型 [アライアンス・バーンスタイン]	株式・海外	33,068
8	SBI・V・S&P500 インデックス F《SBI・V・S&P500》[SBI アセットマネジメント]	株式・海外	26,371
9	FW りそな国内債券インデックス F（FW 専用 F（スタンダードコース））[りそなアセットマネジメント]	債券・国内	25,079
10	日経 225 ノーロードオープン [アセットマネジメント One]	株式・国内	23,496

（出所）投資信託協会ホームページ「投信総合検索ライブラリー」のランキングより筆者作成（基準日：2023 年 12 月 15 日）。

資金の払い込みを受けたり，得られた収益（分配金や償還金）の分配を行います。販売会社は**情報提供機能**と**販売機能**という 2 つの機能を発揮する金融機関だといえます。

▶信託銀行
⇒8.2.2

投資信託に関わる第 3 の金融機関は，**信託銀行**▶です。受益証券を販売して集めたおカネを管理するのは，運用会社や販売会社ではありません。信託という仕組み（詳しくは次の 10.2.2 節参照）を使って信託銀行が管理します。信託銀行は，集めたおカネをまとめて預かり，その資金を使って実際に証券を売買します。このため，売買の名義は投資家ではなく信託銀行になります[22]。こうした**資産管理機能**を担うのが信託銀行です。資産管理機能と資産運用機能は別物です。いつどの証券をいくら売買するか決めるのは運用会社であり，信託銀行は運用会社の指示（**運用指図**といいます）に従って売買します。運用会社が自分で管理せずに信託銀行に管理してもらう理由は，運用会社による資金の悪用や倒産などによって投資家が損失を被らないようにするためであり，**倒産隔離**と呼ばれています。

《金融仲介機能を分担する金融機関の分類》　投資信託に関する以上の説明を頭に入れておくと，以下で紹介する金融機関のイメージをつかむことができます。上記の説明からわかるように，金融仲介機能を分担する金融機関は大きく 4 つのタイプに分類されま

---

22) 正確には，各信託銀行内で投資信託ごとに資産を分別管理する，**信託口**と呼ばれる口座が投資家となります。たとえば，投資信託が株式を購入すると，その会社の株主リストには「○○信託銀行株式会社（信託口）」などと記載されます。

す（表10-4も参照）。

　第1は，投資信託でいう運用会社のように，金融商品（証券）を設計し，集めた資金を運用する，という資産運用機能を担う金融機関であり，**資産運用を行う金融機関**と呼ぶことができます。第2は，投資信託でいう販売会社のように，運用会社が設計した金融商品を投資家に向けて販売する，販売機能を担う金融機関です。このタイプの金融機関は，証券会社のように証券の売手と買手を仲介する金融機関であり，10.1.1節で説明した証券売買を仲介する金融機関です。

　第3のタイプは，金融商品の情報を投資家に提供する，情報提供機能を担う金融機関であり，前節で説明した（10.1.1節）情報を提供する金融機関です。投資信託の場合には販売会社が情報提供も行いますが，投資信託以外の仕組みでは，投資助言会社や格付機関のように，独立の金融機関が情報を提供することがあります。最後に第4のタイプとして，投資信託でいう信託銀行のように，証券を保有して資産の管理を行う，資産管理機能を発揮する金融機関があげられます。こうした金融機関は**資産管理を行う金融機関**と呼ぶことにしましょう。

　投資信託は，最終的貸手が投資信託受益証券という間接証券を購入し，その購入資金が投資先のさまざまな借手に貸される仕組みであって，金融仲介機関が提供する金融仲介機能と同じ機能が提供されています。ただし，細かくみれば，この金融仲介機能は上記4つのタイプの金融機関がそれぞれ独自の機能を発揮する結果として提供されるものです。このように，複数の金融機関が関わることで金融仲介機能が発揮される仕組みは，投資信託だけではありません。ほかのさまざまなファンドや証券化などにおいても同様です。Web Appendix 10.1 では，証券化とベンチャー・ファンドのケースを説明していますが，投資信託とは形が異なるものの，やはり上記4つのタイプの金融機関が関わっています。詳しくは10.2.3節で説明しますが，こうした仕組みは一般に，**集団投資スキーム**▶と呼ばれます。上記4つのタイプの金融機関，つまり金融仲介機能を分担する金融機関は，全体として金融仲介機関と同じ役割を発揮し，集団投資スキームを提供する金融機関だということができます。

▶ベンチャー・ファンド⇒7.1.3

▶集団投資スキーム⇒10.2.3

10.2.2　資産運用・資産管理を行う金融機関

　以上の分類を理解したところで，金融仲介機関を分担する金融機関として，実際に日本にはどのような金融機関が存在するのかみていくことにしましょう。上記のとおり，4タイプあるこうした金融機関のうちの2つは，10.1節ですでに説明していますので，以下では残り2つのタイプ，つまり資産運用を行う金融機関と資産管理を行う金融機関に絞ってみていくことにしましょう。

《投資運用会社》　資産運用を行う金融機関は，間接証券を作って多くの投資家から資金を集め，その資金を使って誰に貸すのか，どのような証券を買うのかを決める金融機関です。日本におけるこうした金融機関の代表は，金融商品取引業▶の1つである**投資運用業**を行う業者として登録を受けた，**投資運用会社**です。2023年11月末現在，

▶金融商品取引業⇒10.1.3

日本には431の投資運用会社が存在します。

投資運用業の業務は，ファンドの運用業務と投資一任業務に分かれます。**ファンド運用業務**は，あらかじめ定めた基準に従って投資するファンドを設定し，投資家から集めた資金をそのファンドで運用する仕事です。ファンド運用業のうち，投資信託の運用を行う仕事は，金融商品取引法（2007年施行）以前は**投資信託委託業**と呼ばれ，その運用会社は**投資信託委託会社**と呼ばれていました。今では「○○投信」や「○○アセットマネジメント」という名前の会社がこうした投資運用会社にあたります（表10-5も参照）。

▶投資顧問業
⇒10.1.4

これに対して**投資一任業務**とは，特定の投資家と契約（**投資一任契約**）を結び，その投資家のために，自らの判断で投資先を選んでオーダーメイドのポートフォリオを組み，資金を運用する仕事です。投資一任業務は，金融商品取引法以前は投資顧問業▶の一部でした。このため，同業務を行う運用会社の多くは今でも**投資顧問会社**と呼ばれます。なお，個人投資家に対して販売される投資一任契約の金融サービスとして，**ラップ口座**と呼ばれるものがあり，数百万円程度から運用を任せることができます。

《**信託会社**》　資産管理を行う金融機関の代表は，信託のサービスを提供する信託会社です。**信託**とは，金銭や土地などの財産を持つ者（**委託者**と呼ばれます）が，その財産をほかの者（**受託者**と呼ばれます）に移転し，委託者自身や第三者（**受益者**と呼ばれます）のために（具体的な目的を**信託目的**といいます），その財産を管理・処分してもらう仕組みです。この説明からわかるように，信託が対象とする資産は幅広く，特に金融資産に限られているわけではありません。この信託の仕組みを支えるのが，受託者となって資産（財産）管理を行う**信託会社**です。信託会社は預かった資産（財産）を自分の名義で所有し，管理・処分します。信託会社には銀行業務を兼営する信託銀行▶と専業の信託会社があります。

▶信託銀行
⇒8.2.2

先にみた投資信託の場合，信託銀行が受託者として投資家（委託者）の金銭を預かり，その投資家（受益者）のために管理を行います。ただし，不動産投資信託の場合には専業の信託会社が資産管理を行うこともあります[23]。その他の信託の例としては**年金信託**があげられます。この信託は，年金保険料として集めた資金を運用するための金融商品で，年金基金等が委託者かつ受益者，信託銀行が受託者となります。また信託は，証券化において資産管理を行うための器であるSPV▶として用いられることもあります（Web Appendix 10.1参照）[24]。

▶SPV（特別目的事業体）⇒7.1.4

▶不動産投資信託
（REIT）⇒7.1.3

---

23)　信託の仕組みを用いる投資信託は，運用会社と信託銀行の間の信託契約に基づくため**契約型投資信託**と呼ばれますが，不動産投資信託▶の場合には信託の仕組みを使わず，**投資法人**（日本では特に**J-REIT**と呼ばれます）という会社を作って不動産（土地，ビルなど）を所有させ，投資法人が発行する**投資証券**という証券を投資家が購入する形を取ります。投資法人を用いる投資信託は，**会社型投資信託**と呼ばれます。

24)　ベンチャー・ファンドの場合などのように，SPVとしては，組合の形式を取るものもあります（Web Appendix 10.1参照）。

なお，信託銀行・信託会社が運用まで行う場合もあります。金銭信託と呼ばれる信託は，投資信託と似た金融商品ですが，信託銀行が自分で運用，そして販売も行います。信託銀行以外の信託会社で運用まで行う信託会社は**運用型信託会社**と呼ばれ，これに対して資産管理だけを行う信託会社は**管理型信託会社**と呼ばれます。運用型・管理型信託会社は国への登録が必要であり，2023 年 11 月末現在でそれぞれ 12 社，23 社存在します。

《債権回収会社》 投資信託には関わりませんが，資産管理を行う金融機関としては，債権回収会社もあげられます。**債権回収会社（サービサー）** とは，すでに行われた金融取引の貸手から委託を受けたり債権を譲り受けて，その債権を管理したり回収することを仕事とする会社です。信託会社のように資産を保有しない場合でも，回収に特化する形で資産管理に関わるのが債権回収会社です。債権回収会社になるには国の許可が必要で，債権回収会社は全国サービサー協会という業界団体を組織しています。ただし，債権回収の仕事をするのは専門の金融機関である債権回収会社だけではなく，たとえば弁護士も債権回収において重要な役割を果たしています。

債権回収会社は，証券化の仕組みには不可欠な存在です。証券化において資産を保有する SPV はペーパーカンパニーのような器であるため，自ら債権回収・管理を行えないからです。ただし，債権回収会社は証券化以外のケースでも債権回収・管理を行います。一般に，債権の回収は不良債権，つまり返済が滞った債権の回収（取立）が重要ですが，サービサーは約束どおり返済が行われている正常債権の回収・管理も行います。

10.2.3　金融仲介機能を分担する金融機関の経済的機能

《金融仲介機能の分担とアンバンドリング》 最後に，一部復習にもなりますが，金融仲介機能を分担する金融機関の経済的機能を整理しておきましょう。ここまで説明してきたとおり，本書でいう金融仲介機能を分担する金融機関とは，金融仲介機能のさまざまな部分を分担して担う，専門的な金融機関です。金融仲介機能▶とは，資産変換▶を伴いつつ，最終的貸手と最終的借手との間を仲介し，金融取引の取引費用を削減することであり，この機能を 1 社ですべて発揮するのが第 8 章で紹介した金融仲介機関でした。しかし，金融仲介機関が行っている仕事にはさまざまなものがあります（8.4.4 節の図 8-3 参照）。これらの仕事を個別にみると，金融仲介機関のようにすべてまとめて行うわけではなく，特定のものに特化して専門的に行う金融機関が存在します。これが，金融仲介機能を分担する金融機関です。ただし，一部にしか関わらないから重要ではない，というわけではありません。むしろ，各業務に特化し，その業務を専門的かつ集中的に行うエキスパートだと考えた方がよいでしょう。

▶金融仲介機能
⇒8.4.1
▶資産変換
⇒8.4.2

金融仲介機関と金融仲介を分担する金融機関の違いは，機能のバンドリング，アンバンドリングという言葉を使うとよく理解できます。金融仲介機関は，最終的貸手から資金を調達するところから，最終的借手から返済を受けるところまで，すべての機

■図 10-3　金融仲介機能とアンバンドリング

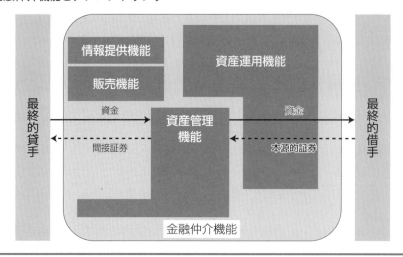

能を**バンドル**（bundle：束にする）して，つまりまとめて提供しています。これに対し，金融仲介機能を分担する金融機関は，これらの機能をばらばらに**アンバンドル**（unbundle：束をほどく）して提供していると考えることができます。本章では，金融仲介機能を4つの機能，すなわち資産運用機能，資産管理機能，情報提供機能，販売機能に分けることで，アンバンドリングを説明しました。この関係を図示したのが図 10-3 です。厳密ではありませんが，この図は 8.4.4 節の図 8-3 とおおむね対応しており，4つの機能が金融仲介機能のどの部分に対応するのかがわかります。

《**集団投資スキームと間接金融**》　一般に，多くの投資家の資金をプールし，これを専門家が運用・管理する仕組みを**集団投資スキーム**と呼びます。投資信託や証券化は集団投資スキームの例であり，ほかのファンド，あるいはクラウドファンディング▶なども集団投資スキームです。金融仲介機能を分担する4つのタイプの金融機関は，集団投資スキームの仕組みを提供する金融機関であって，集団投資スキームは金融仲介機能を発揮する仕組みだということができます。ただし，集団投資スキームは金融仲介機関のように1つの企業としてではなく，複数の金融機関が全体として提供する「仕組み」として金融仲介機能を発揮します。つまり，集団投資スキームはスキーム（scheme：仕組み）全体が1つの企業である金融仲介機関に対応しており，機能面から考えると金融仲介スキームとでも呼ぶことができます[25]。

▶クラウドファンディング⇒10.1.3
Column 10-2

金融仲介スキームとしての集団投資スキームを理解するうえでは，8.4.1 節で説明

---

[25]　なお，集団投資スキームと似た言葉として**市場型間接金融**という言葉があります。この言葉は金融市場を通じた間接金融，つまり本源的証券や間接証券の取引が金融市場で行われるような間接金融を意味しており，特に集団投資スキームで金融市場が関わるものを指します。さらに関連して，集団投資スキームの負の側面を強調した，影の銀行システム，という言葉もあります。詳しくは 13.2.3 節を参照してください。

した直接金融・間接金融との関係（図8-2）をみておくのが有益です。図8-2では，最終的貸手から最終的借手への資金の流れとして，本源的証券を通じた直接的な流れである直接金融と，自ら貸し借りすることによって仲介を行う金融仲介機関が間に入る間接金融の2つを描いていました。金融仲介スキームとしての集団投資スキームも，基本的には金融仲介機関と同じ役割を担っているわけですから，間接金融の資金の流れを生み出すものです。これらを合わせると，図10-4のように示すことができます。

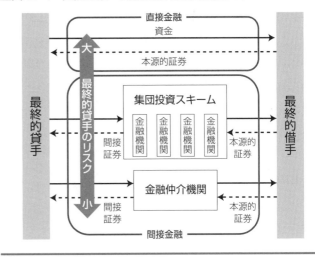

■図 10-4 直接金融・間接金融と集団投資スキーム

　金融仲介機関が仲介する間接金融（図の下部）では，金融仲介機関が間接証券を発行し，得た資金で本源的証券を購入することで，自らの貸し借りを通じて最終的貸手と最終的借手との間をつなぎます。証券の性質を変える資産変換▶を行うのも金融仲介機関です。これに対して集団投資スキーム（図の中央）では，最終的貸手はやはり本源的証券を直接保有せず，少額ではあるもののさまざまな貸手に対する分散化が行われた証券（たとえば投資信託受益証券）を保有します[26]。

▶資産変換
⇒8.4.2

《金融仲介機関と集団投資スキームの違い》　ただし，同じ間接金融であっても，金融仲介機関が仲介する場合と，アンバンドリングが行われる集団投資スキームが仲介する場合とでは，いくつかの違いがみられます。1つはリスク負担の違いです。金融仲介機関による仲介の場合，金融仲介機関が本源的証券を保有します。金融仲介機関は分散化などさまざまな金融の仕組みを使ってリスクを小さくし，また自らもリスクを負担しますから，最終的貸手が保有する間接証券のリスクは大幅に低減されます（8.4.3節の表8-6参照）。

　しかし，集団投資スキームによる仲介の場合，分散化などは行われますが，自らリスク負担を行う金融機関は存在しません。本源的証券のポートフォリオから十分な収益が得られない場合，投資家がその損失を直接負担します。この意味で，集団投資スキームを通じた間接金融は，金融仲介機関を通じた間接金融よりも最終的貸手が負担するリスクが大きく，この意味で直接金融に近いといえます。図10-4の縦の矢印は，この最終的貸手が負うリスクの違いを描いたものです。

---

[26] なお，8.4.2節の最後で金融仲介機関に関して触れたことと同様ですが，集団投資スキームが保有する本源的証券は，新規に発行されたものとは限りません。流動化された既発行証券の場合もあり，その場合には新たな貸し借りは発生しません。

もう1つ重要な違いは，金融機関にとってのインセンティブの違い，そしてその結果として生じうるモラルハザード▶の可能性の違いです。金融仲介機関は資金を集めて貸すところまですべて自前で行いますから，仕事の巧拙が自分の収益に直接反映されます。しかし，集団投資スキームの個々の金融機関は，特定の金融サービス提供に対して手数料の形で対価を受け取ります。このことは，そのサービス提供に特化し，専門化の利益や規模の経済性を働かせるうえでは大きなメリットですが，その反面モラルハザードの問題を引き起こす可能性もあります。たとえば情報を提供する金融機関の手数料は，その情報を用いた投資の最終的な収益とは無関係です。このため，コスト節約のため十分な調査を行わずに情報を提供するかもしれません。また，運用会社も最終的な投資成果には直接の責任を負いませんから，投資家が望むような運用を行わないかもしれません。こうした問題は，特に2000年代後半の世界金融危機の際に，証券化に関して実際に観察されました（13.2.2節参照）。

▶モラルハザード
⇒4.2

《集団投資スキームに関わる金融仲介機関》 最後に，金融仲介機関と集団投資スキームの関係について触れておきましょう。図10-4では説明のために両者を別々に描きましたが，両者はまったく独立なものではありません。第1に，金融仲介機関が集団投資スキームを使うことがあります。集団投資スキームによって発行された証券に金融仲介機関が投資するケースなどであり，その例としては機関投資家向けに設定されたファンドや証券化商品に対して金融仲介機関が投資するような場合があげられます。この場合，最終的貸手と最終的借手との間に金融仲介機関と集団投資スキームが並んで介在することになります。

第2に，金融仲介機関と集団投資スキームは相互に補完しあう存在でもあります。たとえば表10-6は，メガバンクと呼ばれる都市銀行▶を中心とした金融グループの金融機関を示したものです。こうした金融グループは，さまざまなタイプの金融機関を子会社に持つ**金融持株会社**（銀行を子会社とする場合は**銀行持株会社**）のもとで，各金融機関が互いに補い合いながら，一体として金融サービスの提供を行います。提供されるサービスは，銀行による伝統的な預金・決済・貸出といったサービスから，大口投資家向けの資産運用，資産管理サービスまで実にさまざまです。このような金融グループは，表10-6のメガバンクグループ以外にも，証券会社系，信託銀行系，保険会社系などさまざまなものがあります。

▶都市銀行
⇒8.2.1

第3に，金融仲介機関自身も積極的にアンバンドリングに関わり，集団投資スキームを支える金融機関になることがあります。その顕著な例は，金融仲介機関が自ら保有する債権を証券化するケースであり，たとえばRMBS▶による証券化においては，銀行はオリジネーターとして当初の貸出を行った後，その債権をSPVに譲り渡して証券の保有やリスク負担を外部にアンバンドルします。またオリジネーターは，アンバンドルした後でもサービサーの業務に関わったりします。

▶RMBS（住宅ローン担保証券）
⇒7.1.4

なお，この例のように，自分が作り出した（オリジネートした）債権を金融仲介機関が流動化（売却）する，あるいは流動化を前提に当初の貸出を行うようなビジネス

■表10-6　メガバンクグループと主な構成企業

	三井住友	みずほ	三菱東京UFJ	りそな
持株会社	三井住友フィナンシャルグループ	みずほフィナンシャルグループ	三菱UFJフィナンシャル・グループ，三菱UFJ証券ホールディングス	りそなホールディングス，関西みらいフィナンシャルグループ
銀行	三井住友銀行	みずほ銀行	三菱UFJ銀行	りそな銀行，埼玉りそな銀行，関西みらい銀行，みなと銀行
証券会社	SMBC日興証券	みずほ証券，PayPay証券会社	三菱UFJモルガン・スタンレー証券，auカブコム証券	
運用会社	三井住友DSアセットマネジメント	アセットマネジメントOne	三菱UFJアセットマネジメント	りそなアセットマネジメント
信託銀行	SMBC信託銀行	みずほ信託銀行	三菱UFJ信託銀行，日本マスタートラスト信託銀行	

（注）2023年11月末現在。各グループのホームページ（グループ企業紹介）を参考に筆者作成。

モデルを，**オリジネート・トゥ・ディストリビュート**（originate to distribute：売るためにオリジネートする）モデルと呼びます。これに対して伝統的な金融仲介機関の業務のように，自ら貸した債権を保有し続けるモデルは**オリジネート・トゥ・ホールド**（originate to hold）モデルと呼ばれます。実は，証券化の発達の背景には，後者のモデルから前者のモデルに移行したいという欧米の金融仲介機関の誘因がありました。前者のモデルにはさまざまなメリットがみられたからで，たとえば自ら債権を保有しないことによる返済のリスクの減少，流動化（証券化）で得た資金を再び運用することによる新たな収益，売却による保有資産額減少から得られる規制上のメリット，などがあげられます。

10.3　金融機関の分類と経済的機能（まとめ）

《金融機関の分類》　最後に第8章と本章前節までの議論をまとめ，すべての金融機関をまとめて分類することで，金融機関の全体像を確認しておくことにしましょう。ここまで，金融仲介機関（表8-1），市場を作る金融機関（表10-1），そして金融仲介機能を分担する金融機関（表10-4）について説明してきました。これらをすべてまとめたのが表10-7で，この表が金融機関の全体像になります。

なお，表の一番下に「その他」として示しているように，以上の分類にうまくあてはまらない金融機関もいくつか存在します。たとえば決済▶に関わる仕事に関しては，送金サービスを提供する資金移動業者▶，前払式の電子マネー▶を発行する**前払式支払手段発行者**などが存在します。また，金融先物や商品先物などのデリバティブ取引に関しては，仲介業者として銀行や証券会社以外の専業の業者が存在します。さらに，金融に関するさまざまな業務には，顧客を専門の業者に取り次ぐ仕事をする代理業者・仲介業者がたくさん存在します。銀行等代理業者，金融商品仲介業者，保険代理業者，信託契約代理業などです。これらの業者はここまでに説明した金融機関には分

▶決済⇒1.2.1
▶資金移動業者
⇒1.6.4
▶電子マネー
⇒1.5.1

■表 10-7　金融機関の機能別分類（まとめ）

機能による分類			主な実際の金融機関（制度）	説明箇所
金融機関	金融仲介機関 （分類：8.1節） （機能：8.4節） （リスク管理：8.5節）	預金取扱金融機関	普通銀行	8.2.1節
			信託銀行	8.2.2節
			協同組織金融機関	8.2.3節
			日本銀行	8.2.4節
		その他の金融仲介機関	保険会社	8.3.1節
			貸金業者	8.3.2節
			政府系金融機関	8.3.3節
	市場を作る金融機関 （分類：10.1.1節） （機能：10.1.5節）	証券売買を仲介する金融機関	証券取引所	10.1.2節
			証券会社	10.1.3節
			短資会社	10.1.3節
		情報を提供する金融機関	格付会社	10.1.4節
			投資助言業者	10.1.4節
	金融仲介機能を分担する金融機関 （投資信託の例：10.2.1節） （分類：10.2.1節） （機能：10.2.3節）	（証券売買を仲介する金融機関）	（上記参照）	（上記参照）
		（情報を提供する金融機関）	（上記参照）	（上記参照）
		資産運用を行う金融機関	投資運用会社	10.2.2節
		資産管理を行う金融機関	信託会社（信託銀行）	10.2.2節
			債権回収会社	10.2.2節
	その他			

類されませんので，表ではその他に含まれます。

《金融機関の機能のまとめ》　以上からわかるように，一言で金融機関といってもやっていることはさまざまであり，一括りにするのが難しいほどバラエティに富んでいます。しかしあらゆる**金融機関**★は 1 つの共通の機能を持っています。金融取引に関わり，取引費用を減少させるという機能です。取引費用▶は，それを誰かが負担しなければ取引が行えないようなあらゆる費用を意味し，金融取引の取引費用には，取引を成立させるために必要な，モノやサービスの取引費用と共通の取引費用（狭義の取引費用）と，将来の不確実性に起因する金融取引固有の取引費用がありました（3.1.2節参照）。これらの取引費用を，専門化の利益，規模の経済性，範囲の経済性，といったメリットを活かして減少させるのが**金融機関の機能**です。

　ただし，さまざまな金融機関はそれぞれ異なった方法でこれらの取引費用を削減します。金融仲介機関の場合，その方法は単位，リスク，満期の 3 つのタイプの資産変換です（8.4.3節参照）。これに対して市場を作る金融機関は，売買注文の仲介や取引の場の提供といった形で証券取引を直接手助けしたり，投資家に対して必要な情報を提供することで間接的に手助けし，前者の場合は狭義の取引費用，後者の場合は不確実性に起因する取引費用を削減します（10.1.5節参照）。最後に金融仲介機能を分担する金融機関は，金融仲介機能を分担して提供し，全体として金融仲介機関と同じ形で取引費用を削減します（10.2.3節参照）。

★金融機関：金融取引に関わり，取引費用を削減する機能を果たす企業

▶取引費用
⇒3.1.1

《なぜ機能を理解する必要があるのか》 以上のように，本書では各金融機関が経済的に発揮している機能に基づいて，表10-7のように金融機関を分類してきました。ただし，ここまでの説明からもわかるように，機能による分類は，現実の金融業の業種あるいは制度上の分類とは必ずしも一致しません。たとえば，銀行は預金で資金を調達する預金取扱金融機関ですが，定期預金や社債で調達する部分だけをみればその他の金融仲介機関にあたり，また証券会社と同様の仕事もしています。証券会社も，証券売買を仲介するだけでなく情報も提供し，投資運用業者として資産運用を行うこともあります。現実の制度はさまざまな歴史的経緯により決まってくるため，理論的に整理される機能と対応しているわけではありません。しかも，制度上の違いは法律にも書かれていて明確ですが，機能の違いは抽象的でわかりにくいものです。

とはいえ，機能を理解することは非常に重要です。その第1の理由は，個々の機能に各金融機関の存在意義が表れているからです。金融機関が得る収益は，さまざまな機能を発揮することの対価です。金融仲介機能の対価は資金運用益と資金調達費用との差（利ざや▶）ですし，自ら貸すことのない金融機関はさまざまなサービスの提供の対価として手数料を受け取ります。モノやサービスの場合，利用者が求めるものをより効率的に（安く）提供できる企業が競争に勝って対価を受け取れます。金融機関が提供するサービスも同様です。しかも，制度上は別の金融機関であっても，類似の機能を提供しているのであれば競争相手となります。たとえば過去には投資顧問会社と投資信託委託会社という別の業種がともに資産運用サービスを提供していました。こうした競争関係は，個々の制度だけをみていてもわかりません。

▶利ざや⇒8.1.2

機能の違いを知る必要のある第2の理由は，制度の硬直性です。金融制度は，制度設計の時点においてはその時点で機能が最も適切に発揮されるように設計されるかもしれません。しかし，経済環境の変化や科学技術の発展などにより，金融の世界はさまざまな環境変化にさらされ，大きく変化しています。つい数年前までは常識だった金融サービスもすぐに時代遅れになり，革新的なサービスもどんどん登場してきます。たとえば普通預金と定期預金を統合管理する総合口座サービスや，ATM・ネット上での資金の出し入れは，今ではまったく目新しいものではありませんが，登場した当時は画期的なサービスとして注目を集めました。現実の目まぐるしい動きに比べ，制度の整備は常に遅れてしまいます。こうした新しい動きの本質は，機能に注目しなければ理解できません。

過去のさまざまな法律を改正して2007年に施行された金融商品取引法も，その一番の目的は，当時の制度と機能のギャップを解消することでした。同法の成立により，金融機関の分類，そしてそれを含めた日本の金融制度は，機能の分類とかなり整合的なものになりました。しかし，これから登場する新しい金融の動きにより，現在の制度もそのうちきっと現実に合わなくなるでしょう。制度の理解は当然重要ですが，制度だけを知っていれば十分だというわけではありません。実際に起こっている金融の動きを機能の面から理解するという視点が必要とされるのです[27]。

■ 練習問題

10.1 あなたの身近に店舗を持つ証券会社について，(1) 4 つの金融商品取引業のうちどれに登録しているか，(2) 実際にどのような業務を行っているか，を調べなさい。

10.2 投資信託に関して，インターネット上で具体的な商品を 1 つみつけ，その投資信託にはどのような運用会社・信託銀行・販売会社が関わっているのかを調べなさい。

10.3 インターネット上で，出資の形で資金を提供するクラウドファンディングファンドを探し，(1) どのような借手にどのような投資を行うファンドか調べるとともに，(2) そのサイトの運営会社がどの金融商品取引業に登録しているのか調べなさい。

■ 参考文献

内田浩史（2024）『現代日本の金融システム——パフォーマンス評価と展望』慶應義塾大学出版会，近刊。

黒沼悦郎（2021）『金融商品取引法入門（第 8 版）』（日経文庫）日本経済新聞出版社。

松尾直彦（2023）『金融商品取引法（第 7 版）』商事法務。

---

27) 金融機関の機能に関してさらに詳しく知りたい方は，金融システム全体の機能を整理した内田（2024，第 2 章）を参考にしてください。

第Ⅳ部

金融のマクロ的側面

はじめに

　この第Ⅳ部の目的は，マクロ的な側面からみた金融について学ぶことです。ここまでの3つの部で皆さんは，金融取引とは何か，それはなぜ難しいのか，その難しさを克服するためにどのような工夫や仕組みが用いられているのか，を学びました。これらの部では，視点は基本的に個々の金融取引のレベル，つまりミクロレベルの金融に置かれていました。皆さんは金融のミクロ的側面に関し，実際の金融の最先端にもつながる内容を学んだことになります。

　ただし，経済や国など，個々の経済活動を集計したマクロのレベルでみると，膨大な金融取引が積み重なり，全体として大きな資金の流れが生まれています。景気と金融，金融政策，金融危機など，金融に関してよく耳にする言葉の多くはマクロレベルの金融に関するものです。マクロはミクロの集まりですから，こうした現象や問題も基本的にはこれまでみてきたミクロレベルの知識で理解できます。しかし，部分で正しいことが全体にあてはまるとは限らない（このことを**合成の誤謬**といいます）ように，ミクロがわかればマクロがすべて理解できるわけではありません。そこで，この第Ⅳ部では顕微鏡や虫眼鏡といったミクロの視点から離れ，経済全体を大きく鳥瞰するマクロの視点から，金融のマクロ的側面についてみていくことにしましょう。

　マクロレベルで経済活動を捉える場合，実際の財やサービスのやり取りに関する部分は，経済（活動）の**実物面**，あるいは**実体経済**★と呼ばれます。これに対して実物面を支える資金の貸し借りや授受，つまり金融取引や決済に関する部分が経済（活動）の**金融面**★です。経済主体や制度，環境などさまざまな要素が有

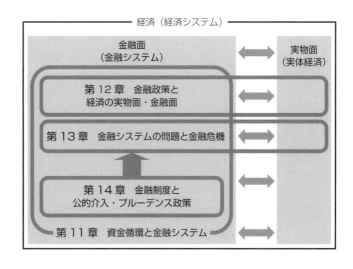

機的に関連し合い，全体としてまとまった機能が発揮されている集合体として経済全体を捉えた場合には，**経済システム**という言葉が用いられ，経済システムの中で，貸借を通じた資金の循環や決済に関する部分が**金融システム**です。以下では経済の金融面（金融システム）について，実物面（実体経済）との関係も含めて説明します。

★経済の実物面・実体経済：マクロレベルの経済活動のうち，財やサービスのやり取りに関する部分
★経済の金融面・金融システム：マクロレベルの経済活動のうち，金融取引や決済に関する部分

前のページの図に示したとおり，この第Ⅳ部は4つの章からなります。最初の**第11章**では，経済の金融面あるいは金融システムの全体像を捉える，資金循環の考え方を説明します。資金循環は，個別に行われている膨大な数の金融取引を集計し，経済全体の資金の流れを捉えます。この資金循環の考え方を詳しく説明し，実際に捉えられた日本の資金の流れを概観するのが第11章です。

続く**第12章**では，経済の実物面と金融面のリンクと金融政策に注目します。実物面と金融面との間には密接な関係があり，実物面での経済活動が金融面に影響を与えるだけでなく，金融面の経済活動も実物面に影響を与えます。後者の影響を利用して，金融面での経済活動をコントロールすることで実物面に影響を与え，マクロ経済の安定を達成しようとするのが金融政策です。ただし，金融面と実物面との関係は単純なものではなく，金融政策のメカニズム自体も複雑です。こうした点を整理し理解するのが第12章です。

第13章では金融システムに発生する問題を扱います。金融システムは，経済活動に必要な資金の貸し借りを効率的に行うためのさまざまな仕組みが組み合わされたもので，第Ⅱ部，第Ⅲ部で学んだように，金融取引に発生する取引費用を削減し，貸し借りを促進します。しかし，金融危機の経験が教えるように，現実の経済の金融面にはさまざまな問題が発生し，実体経済にまで影響を与えることがあります。こうした問題の背後にあるメカニズムを整理し理解するのが第13章です。

最後に**第14章**では，第13章で紹介した金融システムの問題を解決・軽減するために，国など公的当局が行っている民間の経済活動への介入，つまり公的介入について説明します。そこでは，金融制度と公的介入について理解したうえで，金融システムの安定のために行われるプルーデンス政策について説明します。

第 11 章
資金循環と金融システム

はじめに

この章では経済の金融面の全体像を捉えることのできる，資金循環について説明します。**資金循環**★（英語では flow of funds）とは，経済の中で行われている膨大な数の金融取引によって生み出される，経済全体の資金の流れを捉える概念です。多くの国ではこの概念に基づき，実際に行われている金融取引のデータを収集・整理し，経済の金融面の実態をマクロ的に捉える統計を整備しています。日本の資金循環を表す統計は，日本銀行が公表している**資金循環統計**です。

本章の構成は図11-1に示されています。まず準備として11.1節では，資金循環が経済全体の資金の流れをどのように捉えようとするのか，その考え方を説明したうえで，実際の日本の資金の流れを捉えた資金循環統計を概観し，その見方を解説します。

11.1節での準備を踏まえ，11.2節以下では資金循環統計からみた日本の資金循環

★資金循環：膨大な数の金融取引により生み出される経済全体の資金の流れ

■図 11-1　本章の構成

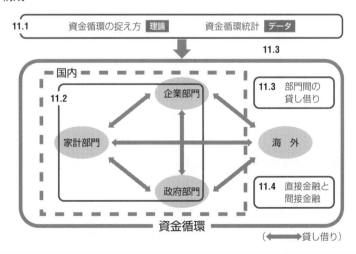

▶最終的貸手，最終的借手⇒8.4.1

の実態を確認していきます。まず 11.2 節では日本で最終的貸手あるいは最終的借手▶の役割を果たしている 3 つの代表的な経済部門（家計部門，企業部門，政府部門）に注目し，それぞれの貸し借りの実態を確認します。その確認を踏まえ，日本経済においてどの部門からどの部門に資金が流れているのか，部門間の貸し借りの実態を確認するのが 11.3 節です。そこではまた，資金循環統計が捉える経済の金融面が，実物面と密接な関係にあることも確認します。

最後に 11.4 節では，資金循環統計に表れる直接金融と間接金融に注目します。最終的貸手から最終的借手への資金の流れは直接金融と間接金融という 2 つのルートで行われる可能性があり（8.4.1 節参照），また後者は金融仲介機関を通じる場合と集団投資スキームを通じる場合とに分かれます（10.2.3 節参照）。日本の金融システムではどのルートを通じて資金が流れ，どのような特徴がみられるのかを確認するのが 11.4 節です[1]。

11.1 資金循環と資金循環統計

11.1.1 資金循環の捉え方

《一定期間の貸し借り》 ある一定期間（たとえば去年 1 年間）を考えましょう。その期間内にはさまざまな経済活動が行われ，たくさんの貸し借りが行われたはずです。金融取引が行われたのですから，貸手からみれば（金融）資産，借手からみれば（金融）負債が新たに発生したはずです。他方で，その期間内にはすでに行われた貸し借りの返済も行われたでしょうから，金融資産・負債の減少もみられたはずです。

こうした状況を，記号を使って表してみましょう。世の中には経済主体（個人，企業など）が N という数だけ存在するものとし，個々の経済主体を i ($=1, \cdots, N$) で表します。経済主体 i が時点 t で保有している資産（asset）の残高を $A_i^t(\geq 0)$，負債（liability）の残高を $L_i^t(\geq 0)$ とします。すると，時点 t（たとえば去年の 1 月 1 日）から時点 $t+1$（たとえば去年の 12 月 31 日）までの一定期間の金融資産・負債の変化は，変化分を表すギリシャ文字の Δ（デルタ）を使って，それぞれ $\Delta A_i^t(=A_i^{t+1}-A_i^t)$, $\Delta L_{it}(=L_i^{t+1}-L_i^t)$ と表すことができます。ここで，A や L は残高なので，ある時点における量（ストック）を表すのに対し，ΔA や ΔL は変化額（増減額）なので，一定期間における量（フロー）を表すことに注意してください（Column 11-1 参照）。

《黒字主体と赤字主体》 ΔA_i^t がプラスの人は，t から $t+1$ までの期間に貸している額が増えた人であり，ΔL_i^t がプラスの人は，借金が増えた人です。金融資産も金融負債も

---

[1] 11.2 節以下の内容について興味のある方は，内田（2024, 第 4 章）でより詳しい検討を行っているので参照してください。

> **Column 11-1　ストックとフロー**
>
> 　経済活動を量的に把握する場合，ストック（stock）とフロー（flow）の概念を理解することが重要です。何かの量について，ある一時点における量を測ったものは**ストック**（量）と呼ばれ，ある一定期間における量を測ったものは**フロー**（量）と呼ばれます。たとえば図のように，蛇口をひねって一定時間内に出てくる水の量はフロー量であり，一定時間後にたまった水の量はストック量です。経済統計でいえば，
>
> 　「総人口は1億2494万7千人で，前年に比べ55万6千人（−0.44％）の減少となり，12年連続で減少しています。」（総務省統計局ホームページ「人口推計（2022年（令和4年）10月1日現在）結果の要約」より）
>
> の「1億2494万7千人」はストック量であり，「55万6千人の減少」がフロー量です。当たり前のことですが，ストックとフローはまったく無関係なものではなく，ある2時点のストック量の差を計算すれば，その2時点間という一定期間のフロー量が求められます。

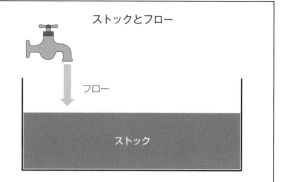

増えた，つまり以前よりたくさん貸したが借金も増えた，という人もいるかもしれません。そこで，金融資産・負債の変化額の差し引き（ネット）の大きさ $\Delta A_i^t - \Delta L_i^t$ を考え，その正負に応じて各経済主体を黒字主体，あるいは赤字主体，と呼ぶことにしましょう。つまり，

$$\Delta A_i^t - \Delta L_i^t > 0 \iff 経済主体 i は（その期間の，ネットの）\textbf{黒字主体}$$
$$\Delta A_i^t - \Delta L_i^t < 0 \iff 経済主体 i は（その期間の，ネットの）\textbf{赤字主体}$$

とします[2]。なお，第8章（8.4.1節）で説明した最終的借手（おカネは持たないが使い道がある）と最終的貸手（おカネは持つが使い道がない）はそれぞれ赤字主体，黒字主体に対応します。

《**経済全体での貸し借り**》　さて，金融取引は貸手と借手が両方そろってはじめて成立し，貸した額と借りた額は当然一致します。経済全体で集計しても，誰かが貸している額は誰かが借りている額ですから，貸し借りの総額は一致していなければなりません。つまり，ある時点 t において（ストック〔残高〕ベースで），

$$経済全体の金融資産総額 = 経済全体の金融負債総額$$

であり，上の記号と合計を表す記号 Σ を使うと，

$$\sum_{i=1}^{N} A_i^t = \sum_{i=1}^{N} L_i^t \tag{11.1}$$

です[3]。また，t 時点の（11.1）式と $t+1$ 時点の（11.1）式を両辺それぞれ引き算し

---

2) どちらでもない（$\Delta A_i^t - \Delta L_i^t = 0$）ケースは黒字主体でも赤字主体でもないケースです。
3) $\sum_{i=1}^{N}$ は，その右側にある変数を $i=1$（番目）から $i=N$（番目）まで合計することを表す数学記号です。

てフローの式を求めると，$\sum_{i=1}^{N}(A_i^{t+1}-A_i^t)=\sum_{i=1}^{N}(L_i^{t+1}-L_i^t)$，つまり，

$$\sum_{i=1}^{N}\Delta A_i^t=\sum_{i=1}^{N}\Delta L_i^t \tag{11.2}$$

です。これは，ある t から $t+1$ という期間において（フロー〔変化額〕ベースで），

経済全体の金融資産変化額＝経済全体の金融負債変化額

であることを表しています。

ここで，(11.2) 式より $\sum_{i=1}^{N}(\Delta A_i^t - \Delta L_i^t)=0$，つまり，

$$(\Delta A_1^t - \Delta L_1^t) + (\Delta A_2^t - \Delta L_2^t) + (\Delta A_3^t - \Delta L_3^t) + \cdots + (\Delta A_N^t - \Delta L_N^t) = 0 \tag{11.2'}$$

です。この式は，経済全体の資金の流れを表す式だといえます。左辺の各カッコ $(\Delta A_i^t - \Delta L_i^t)$ は経済主体 i（$=1,\cdots,N$）の一定期間の貸し借りのネットの変化額であり，これがプラスなら黒字主体，マイナスなら赤字主体です。(11.2') 式は，これらを全経済主体で足し合わせるとゼロになることを表しています。つまり，その期間に行われた膨大な数の金融取引により，誰か（黒字主体）の資金が必ず誰か（赤字主体）に貸され，全体として貸し借りの額が一致します。

ストックでみた場合も同様のことがいえます。つまり，(11.1) 式より，

$$(A_1^t - L_1^t) + (A_2^t - L_2^t) + (A_3^t - L_3^t) + \cdots + (A_N^t - L_N^t) = 0 \tag{11.1'}$$

ですから，ある時点 t において，誰かの資金が誰かに貸されています。このように，フローであれストックであれ，金融取引によって資金の流れが生まれ，経済全体ではバランスします。この経済全体の資金の流れが資金循環なのです。

《経済部門間の貸し借り》 実際の経済における資金循環を考える場合には，現実に存在する膨大な数の経済主体をそのまま考えて $N=1$ 億人などとすると細かすぎるので，似たような特徴を持つ経済主体をまとめて考えます。一般的には，国内の家計部門，企業部門，政府部門，そして海外部門の4つを考えます。ここでは部門（sector）を記号 s で表すことにし，家計（household）部門は $s=h$，企業（corporation）部門は $s=c$，政府（government）部門は $s=g$，海外（foreign）部門は $s=f$ とします。そして，各部門の時点 t の金融資産残高を A_s^t，金融負債残高を L_s^t，時点 t から $t+1$ までの期間の金融資産，金融負債の変化をそれぞれ ΔA_s^t，ΔL_s^t とします。

すると，上記と同様に各部門について，

$\Delta A_s^t - \Delta L_s^t > 0 \Leftrightarrow$ 経済部門 s は（その期間の，ネットの）**黒字部門**

$\Delta A_s^t - \Delta L_s^t < 0 \Leftrightarrow$ 経済部門 s は（その期間の，ネットの）**赤字部門**

と考えることができます。また，部門で表した場合の経済全体の資金循環は，ストックベースで，

$$(A_h^t - L_h^t) + (A_c^t - L_c^t) + (A_g^t - L_g^t) + (A_f^t - L_f^t) = 0 \qquad (11.3)$$

フローベースで，

$$(\Delta A_h^t - \Delta L_h^t) + (\Delta A_c^t - \Delta L_c^t) + (\Delta A_g^t - \Delta L_g^t) + (\Delta A_f^t - \Delta L_f^t) = 0 \qquad (11.4)$$

となります．カッコ内がプラスの部門からマイナスの部門に資金が貸されているわけです．

《各証券ごとの貸し借り》 ここまで一括りに金融資産あるいは金融負債といってきましたが，実際の貸し借りは何らかの証券（金融商品）を使って行われています．証券には預金，債券，株式など，さまざまなものが存在しますから（2.1.2 節参照），ここまで考えてきた金融資産・負債に関する関係は，さまざまな証券ごとに考えることもできます．つまり，どの証券も誰かが貸した（買った）分だけ誰かが借りて（売って）いますから，(11.3) 式や (11.4) 式（あるいは (11.1′) 式，(11.2′) 式）のような関係は，個々の証券においても成立します．このため，証券の違いを j という記号で表すとすると，ある証券 j について

$$(A_{hj}^t - L_{hj}^t) + (A_{cj}^t - L_{cj}^t) + (A_{gj}^t - L_{gj}^t) + (A_{fj}^t - L_{fj}^t) = 0 \qquad (11.3')$$

あるいは，

$$(\Delta A_{hj}^t - \Delta L_{hj}^t) + (\Delta A_{cj}^t - \Delta L_{cj}^t) + (\Delta A_{gj}^t - \Delta L_{gj}^t) + (\Delta A_{fj}^t - \Delta L_{fj}^t) = 0 \qquad (11.4')$$

となります．この式は，以下で実際に日本の資金循環を表す統計をみる際に役に立ちます．

11.1.2 資金循環統計

《日本の資金循環統計》 以上が資金循環の考え方ですが，この考え方に基づいてデータを収集し，日本経済の実際の資金の流れを捉えたのが資金循環統計です．資金循環統計は，「一つの国で生じる金融取引や，その結果として，保有された金融資産・負債を，企業，家計，政府といった各経済主体毎に，かつ金融商品毎に包括的に記録した統計」（日本銀行「資金循環統計の概要」ホームページより）であり，日本に限らず統計制度が整った国では重要な統計の1つとして必ず公表されています．しかも，その集計には国際的な基準が定められ，国際比較も可能です．

日本の資金循環統計で最も重要なのは2種類の表です．第1の表は**金融取引表**で，ある一定期間の金融資産・負債の増減額（フロー）を記録するフロー表です．第2の表は**金融資産・負債残高表**であり，ある一定時点に存在する金融資産・負債の残高（ストック）を記録するストック表です[4]．日本銀行は年ベース（フローは1月1日〜12月31日，ストックは12月31日時点），年度ベース（フローは4月1日〜3月31日，ストックは3月31日時点），四半期ベース（フローは各四半期間〔3カ月間〕，

ストックは各四半期末時点）の3種類の数値を公表しています。

《資金循環統計の見方》 表11-1に示したのが，2022年度（2023年3月末時点）の実際の金融資産・負債残高表を整理したものです。金融取引表も，ストックではなくフローの数値を記録する点以外はほとんど同じ形をしていますから，ここではこの金融資産・負債残高表を使って説明したいと思います[5]。細かくて一見難しそうな表ですが，見方がわかればこの表には日本の金融取引に関する重要な情報がぎっしり詰まっていることがわかります。

まず，この表は多くの行と列に細かく分かれています。各行は，A行の「現金・預金」からN行の「その他」まで，さまざまな証券（資金循環統計では「取引項目」）に分かれています。これらは上記の説明の記号 j に対応します。これに対して各列は，さまざまな経済部門（上記の記号 s）を表しています。表からわかるように，実際の資金循環統計は「企業」（非金融法人企業），「政府」（一般政府），「家計」，「海外」の4部門に，「金融機関」および「対家計民間非営利団体」（非営利で家計向けにサービスを提供する私立学校，労働組合，政党，宗教団体等）の2部門を加えた6つの経済部門に分かれています。なお，表では省略していますが，実際の資金循環統計ではさらに細かい内訳を示す行や列があります。

表に示されている数値は，その行の証券を使ってその列の経済部門が行った金融取引の大きさです。左側（資産〔A〕）はどれだけ貸しているか（A_{sj}^t），右側（負債〔L〕）はどれだけ借りているか（L_{sj}^t）を表します。たとえば一番上の「A 現金・預金」行の「家計」の「資産」の列に記されている数値は11,057,880ですが，これは，日本の家計部門が資産として保有する現金と預金の合計が，2023年3月末時点で1105.8兆円にのぼることを示しています。同様に，同じ行のほかの列の資産欄をみれば，各部門がどれだけ現金・預金を資産として保有しているかがわかります。これに対してA行で「負債」欄に数値が入っているのは「金融機関」と「海外」だけです。これは，各経済部門が保有する現金や預金を発行している，あるいは預かっているのがこれらの2部門だけであることを示しています。

BからNまでの行についても同様です。そして，各部門ごとにすべての行を（縦方向に）集計したのが，Z行に示された「合計」です。この数値は各経済部門ごとの資産・負債残高の合計を表しています。ただし，よくみるとどの経済部門も資産残高の合計と負債残高の合計が一致しています。これは，たまたま両者の残高が一致したのではなく，一致するように1つ上のY行で調整を行っているからです。実際の資産・負債残高の合計は，この調整を行う前の値であり，Y行の数値には次にみるよう

---

4) これら2つの表のほかに，**調整表**と呼ばれる表も存在します。理論的にはストックとフローの数値は厳密に対応するはずですが，実際には集計上の誤差や，証券の価値（たとえば株価）の変化などの要因によって，金融取引表と金融資産・負債残高表の数値にはずれが生じます。調整表はこうしたずれを記録しています。

5) より詳しい説明については日本銀行調査統計局（2023）などをみてください。

■表 11-1　金融資産・負債残高表（2023 年 3 月末）

(単位：億円)

		金融機関		非金融法人企業		一般政府		家計		対家計民間非営利団体		海外	
		資産 (A)	負債 (L)	資産 (A)	負債 (L)	資産 (A)	負債 (L)	資産 (A)	負債 (L)	資産 (A)	負債 (L)	資産 (A)	負債 (L)
A	現金・預金	8,042,460	23,980,033	3,547,734		1,094,319		11,057,880		420,251		113,471	296,082
B	財政融資資金預託金	108,895	354,444	250		245,299							
C	貸出	17,247,456	7,823,411	784,985	5,611,282	200,380	1,567,426	1,819	3,661,638	39,324	162,839	2,580,540	2,027,908
D	債務証券	12,273,493	3,184,268	411,990	982,833	771,614	12,016,995	268,593		114,656		2,343,750	
E	株式等・投資信託受益証券	4,382,109	4,744,862	4,037,846	11,498,488	2,003,336	204,444	3,316,892		67,315	132,005	2,772,301	
F	保険・年金・定型保証	144,333	5,353,186	41,637	164,370			5,331,586					
G	金融派生商品・雇用者ストックオプション	1,036,316	1,076,046	41,811	40,442	333	98	14,578	14,438			395,382	357,396
H	預け金	220,757	365,230	405,105	454,246	104,338	54,645	180,948			1	49,819	86,845
I	企業間・貿易信用	16,094	25,133	2,485,152	2,194,969	20,951	199,020	32,825	66,979	279		37,260	106,460
J	未収・未払金	403,398	417,659	83,335	150,989	244,452	100,563	64,320	59,120	1,854	76	227,182	296,134
K	対外直接投資	543,815		2,058,315									2,602,130
L	対外証券投資	3,980,077		140,993		2,663,864		240,674					7,025,608
M	その他対外債権債務	353,175	503,420	16,443	10,310	383,924	77,990					591,720	681,862
N	その他	452,359	343,915	170,768	196,176	25,987	144,725	48,641	24,456	23,745	12,228	0	0
Y	金融資産・負債差額		1,033,130		−7,077,741		−6,607,109		16,732,125		360,275		−4,369,000
Z	合計	49,204,737	49,204,737	14,226,364	14,226,364	7,758,797	7,758,797	20,558,756	20,558,756	667,424	667,424	9,111,425	9,111,425

（出所）日本銀行「資金循環統計」より筆者作成。

に重要な意味があります。

《資産負債差額と資金過不足》　金融資産・負債残高表の調整項目（Y 行）は，「金融資産・負債差額」と呼ばれ，重要な意味を持っています。たとえば表 11-1 の「非金融法人企業」列の Z 行には，資産の合計値も負債の合計値も 14,226,364 が入っていますが，Y 行をみると負債の列にだけ −7,077,741 と入っています。これは，N 行までの負債合計から 707.8 兆円を引かなければ資産合計と一致しない，ということを表しています。つまり，企業部門の貸し借りは，707.8 兆円分借りている額の方が多いわけです。11.1.1 節の記号を用いれば，資産残高 A_c^t が 1422.6 兆円，資産と負債の残高の差 $A_c^t - L_c^t$ が −707.8 兆円であるため，L_c^t，つまり実際の負債残高は 2130.4 兆円だということになります。このように，金融資産・負債残高表の Y 行「**金融資産・負債差額**」は，その時点のその経済部門の貸し（資産）と借り（負債）を差し引きした結果，（プラスなら）どれだけ貸している額（資産）の方が多いか，あるいは（マイナスなら）どれだけ借りている額（負債）の方が多いか，を表します。

Y 行の意味は，金融取引表でも同様です。金融取引表の Y 行は「**資金過不足**」と呼ばれ，集計の対象となった期間における各経済部門の貸しと借り（資産と負債）の増減額の差を表しています。11.1.1 節の記号を使うと，貸した額の増減は ΔA_s^l，借りた額の増減は ΔL_s^l でしたから，資金過不足は $\Delta A_s^l - \Delta L_s^l$ となります。ここで，$\Delta A_s^l - \Delta L_s^l$ の符号によって，その経済部門を黒字部門あるいは赤字部門と呼ぶことにしたことを思い出しましょう。資金過不足は，その経済部門が当該期間に黒字部門だったのか赤字部門だったのかを表しているのです。

《資金循環統計の留意点》 見方がわかったところで，実際の資金循環統計の留意点に触れておきましょう。現実に利用可能なデータは限られているため，実際の資金循環表に示されている数値は必ずしも 11.1.1 節の理論どおりにはなっていません。第 1 に，日本の資金循環統計はそれ専用の調査を行って作られるものではありません。考え方どおりのデータを集めて作ることができれば理想的ですが，1 つ 1 つの貸し借りの情報を集めるには莫大なコストがかかります。そこで，資金循環統計は別の統計にまとめられたさまざまな経済主体の財務情報，証券の取引情報などを集計・加工して作っています。つまり，資金循環統計は別の統計（一次統計）をもとにして作られる二次統計です。

関連して第 2 に，資金循環統計はすべての貸し借りを捕捉した完璧な統計ではありません。ごく私的に行われる貸し借りを第三者が把握することが困難なように，すべての貸借のデータ，特にフローの取引データを得るのは非常に難しいことです。そこで，金融取引表のフローの数値の多くは，ストックの数値の変化分，つまり期間の初めと終わりの残高を引き算したものとして求めます。このため，貸し借りから返済まで同一期間内で終わったような短期の取引は，フローの値には反映されません。

とはいえ，以上のような問題はあるものの，資金循環統計が重要な統計であることには変わりありません。この統計は，日本における資金のマクロ的な流れを捉える唯一の統計であり，注意して賢く使うかぎり，日本の金融の現状に関して実にさまざまな情報を与えてくれます。

11.2 日本の資金循環の実態 (1)——各経済部門の貸し借り

では，日本の資金循環統計を具体的にみてみることにしましょう。この節ではまず家計・企業・政府，という 3 つの経済部門の貸し借りを，フローの金融取引の状況およびストックの資産・負債の額（残高）それぞれで確認します。とはいえ，前節の最後で触れたように，フロー（金融取引表）の数値は必ずしも実際のフローの取引額を表したものではありません。そこで，以下では主としてストック（金融資産・負債残高表）の数値を中心にみていくことにしたいと思います。

11.2.1 家計部門の貸し借り

2.2.2節で説明したように，家計は主として労働を提供することの対価として所得を得て，その所得の中から消費を行う経済主体です。家計の中には借金して消費をしているものも存在するでしょうが，消費しなかった所得を貯蓄に回して貸手になっている家計の方が多いでしょうから，部門全体としては貸手部門であることが予想されます。

金融資産・負債残高表と金融取引表から，家計部門の資産側の数値を抜粋したのが表11-2です。まずは左側に示されたストック（残高）ベースの数値から，家計部門がどのような形でどれだけ貸しているかみてみましょう。一見して明らかなように，家計部門の資産の約半分は現金・預金です。表には示していませんが，このほとんどは普通預金などの流動性預金や定期預金であり，現金はごく一部でしかありません。次に多いのは保険や年金（保険・年金・定型保証）であり，

■表 11-2　家計部門の資産（2022年度）

（単位：億円，％）

	(1) ストック (2023年3月末残高) 資産 (A)	(%)	(2) フロー (2022年度中の変化) 資産 (A)
現金・預金	11,057,880	53.8	173,741
貸出	1,819	0.0	258
債務証券	268,593	1.3	15,235
国債・財投債	127,694	0.6	2,273
地方債	893	0.0	−33
政府関係機関債	15,721	0.1	−75
金融債	14	0.0	0
事業債	70,410	0.3	10,736
信託受益権	53,861	0.3	2,334
株式等	2,412,883	11.7	16,278
投資信託受益証券	904,009	4.4	45,585
保険・年金・定型保証	5,331,586	25.9	−38,388
金融派生商品・雇用者ストックオプション	14,578	0.1	405
その他	567,408	2.8	−5,413
金融資産合計	20,558,756	100.0	207,701
金融負債合計	3,826,631		83,113
金融資産・負債差額	16,732,125		
資金過不足			124,588

（出所）　日本銀行「資金循環統計」より筆者作成。

全資産の25％程度を占めています。以上に比べると，ほかの証券の保有は多くありません。株式（株式等）や投資信託受益証券がやや多いですが，国債（国債・財投債）も社債（事業債）もあまりありません。表の下（金融資産合計）にあるとおり，家計部門が保有する金融資産の残高は2055.9兆円です。

では，負債側，すなわち借手としての家計部門はどうでしょうか。詳細は省略しますが，表11-2の下から3行目に示したとおり，日本の家計部門の負債残高の合計は，382.7兆円しかありません。家計部門は貸している額が借りている額を大幅に超過していることがわかります。なお，表には示していませんが，家計の負債は借入，しかも民間・公的金融機関からの住宅ローン（住宅貸付）がほとんどで，ほかのほとんどの証券については数値がゼロです。

フロー（金融取引表：表11-2右側）の数値もみてみましょう。ストックの場合と同様に，フローでも資産としてはやはり現金・預金が増加しています。またストックと同様に投資信託受益証券が増加していますが，保険・年金は減少しています。預金には及びませんが，投資信託に対する家計からの資金の流れが増えていることがわかります。すべての資産を合計すると，2023年度中の増加は20.8兆円ですが，表の下

から3行目（金融負債合計）にあるように負債側の増加はこれよりも小さく，資金過不足欄はプラスです。つまり，2023年度の日本の家計部門は，貸す額の増加の方が借りる額の増加よりも大きい，黒字部門であったことがわかります。

11.2.2　企業部門の貸し借り

　企業は人や資金などの資源を調達し，モノやサービスを作り出して提供する経済主体です。2.2.3節でみたとおり，企業は資金繰りのために短期の資金調達や，実物投資のために長期の資金調達を行いますから，部門全体としても借手部門あるいは赤字部門であるはずです。このため，資金循環勘定においても，負債側でどのように資金を調達しているかが主な関心となります。

　日本の企業部門の金融取引表，金融資産・負債残高表から重要な項目を抜粋したのが表11-3です。まずストックの負債面に注目すると（(1)列目右側（L）），割合が一番多いのは株式等であり，約半分にのぼっています。次に多いのは負債としての「貸出」，つまり企業にとっての借入です。その次に多いのは企業間・貿易信用であり，国内（企業間信用▶）あるいは海外（貿易信用）の企業からモノやサービスを買った代金をしばらく借りる，という短期の資金繰りのための借入が多いことを表しています。以上に比べると，社債（事業債）やCP（コマーシャルペーパー）などは少ないことがわかります。

▶企業間信用
⇒2.2.3, Web Appendix 2.1

　企業部門は本来実物投資が仕事ですから，あまり金融資産を持つとは考えられない部門です。しかし，ストックの資産面（(1)列目左側）をみるとわかるように，実際には日本の企業部門は相当な額の金融資産を保有しています。とはいえ，資産の項目をみてみると，その多くは企業の経済活動を反映した結果であることもわかります。たとえば現金・預金が多いのはさまざまな支払いを行うためでしょうし，企業間・貿易信用が多いのは取引相手にモノ・サービスを売った代金を貸している企業が多いことの裏返しです。しかし，株式等，つまり他企業の株式等の保有はこれらよりも比率が高くなっています。この中には子会社や関係会社の株式が含まれます。ただし，合計すると（下から3行目）資産よりも負債の方が大きく，企業部門はやはり借りる額の方が多い経済部門です。

　フローではどうでしょう。表11-3の右側をみるとわかるように，負債側では借入（貸出）や社債（事業債），株式（株式等）が増加しています。企業が外部から積極的に資金を借り，事業活動を行っていることがわかります。企業間・貿易信用も多く，企業間での貸し借りも活発です。これに対して資産をみると，対外直接投資による海外への投資（海外企業の買収等）が最も大きく増加しており，現金・預金も大きく増えています。

　全体としては，資産の増加の方が負債の増加を上回っており（下から3行目），資金過不足はプラスです。2023年度の1年間では，日本の企業部門は負債の増加よりも資産の増加の方が多い，黒字部門なのです。ただし，貸出や証券投資を行って貸手になったのではありません。海外企業への投資を積極的に行うとともに，現金・預金

■表 11-3　企業（非金融法人企業）部門の資産と負債（2022 年度）

(単位：億円，%)

	非金融法人企業					
	(1) ストック (2023 年 3 月末残高)				(2) フロー (2022 年度中の変化)	
	資産 (A)	(%)	負債 (L)	(%)	資産 (A)	負債 (L)
現金・預金	3,547,734	24.9			94,344	
貸出	784,985	5.5	5,611,282	26.3	14,986	201,902
債務証券	411,990	2.9	982,833	4.6	22,998	2,319
国庫短期証券	0	0.0			0	
国債・財投債	81,128	0.6			6,759	
地方債	13,343	0.1	23,072	0.1	3,460	0
政府関係機関債	42,284	0.3	36,027	0.2	1,601	−22,893
金融債	9,596	0.1			992	
事業債	64,947	0.5	725,026	3.4	3,132	40,581
居住者発行外債	99	0.0	136,287	0.6	−5	−6,567
CP	8,667	0.1	62,421	0.3	−11,327	−8,802
信託受益権	72,469	0.5			3,044	
債権流動化関連商品	119,457	0.8			15,342	
株式等	4,012,225	28.2	11,316,004	53.1	−4,853	11,504
投資信託受益証券	25,621	0.2	182,484	0.9	1,165	4,277
保険・年金・定型保証	41,637	0.3	164,370	0.8	−1,564	−17,977
金融派生商品・雇用者ストックオプション	41,811	0.3	40,442	0.2	0	405
企業間・貿易信用	2,485,152	17.5	2,194,969	10.3	92,964	79,569
対外直接投資	2,058,315	14.5			160,021	
対外証券投資	140,993	1.0			−7,468	
その他対外債権債務	16,443	0.1	10,310	0.0	6,874	2,806
その他	659,458	4.6	801,411	3.8	−37,418	−635
合計	14,226,364	100.0	21,304,105	100.0	342,049	284,170
金融資産・負債差額	−7,077,741					
資金過不足					57,879	

(出所)　日本銀行「資金循環統計」より筆者作成。

の保有や企業間の貸付が増加したのです。定義上は黒字主体（最終的貸手）となるため資金を貸す部門というイメージを持ちがちですが，実態は異なります。

11.2.3　政府部門の貸し借り

政府は，税金を徴収して公共投資や社会保障などさまざまな公共サービスを提供する経済主体です（2.2.4 節参照）。金融取引への関わり方は，短期の資金繰りを別にすれば，税収不足（財政赤字）を公共債の発行によって賄う，という形だと考えられます。企業部門と同様に，基本的には金融資産をたくさん保有する部門だとは考えられません。

■表 11-4 政府部門の負債 (2022 年度)

(単位：億円, %)

	一般政府		
	(1) ストック (2023 年 3 月末残高)		(2) フロー (2022 年度中の変化)
	負債 (L)	(%)	負債 (L)
貸出	1,567,426	10.9	21,389
債務証券	12,016,995	83.6	329,949
国庫短期証券	1,497,970	10.4	−54,985
国債・財投債	9,773,870	68.0	389,833
地方債	735,746	5.1	−6,019
政府関係機関債	1,573	0.0	1,120
居住者発行外債	7,836	0.1	0
株式等	204,444	1.4	271
その他	781,485	5.4	−21,969
金融負債合計	14,365,906	100.0	329,369
金融資産合計	7,758,797		142,264
金融資産・負債差額	−6,607,109		
資金過不足			−187,105

(出所) 日本銀行「資金循環統計」より筆者作成。

表 11-4 には，政府部門の金融資産・負債残高表と金融取引表から負債側の数値をまとめています。まずストック面 (左側) からみてみると，なんといっても債権 (債務証券) が非常に多いことが目につきます。その中心は国債・財投債▶であり，977.4 兆円の残高があります。ほかには，債券発行以外の借入 (貸出) や，資金繰りのための国庫短期証券の残高も多くなっています。表の下にあるとおり，資産側の合計は 775.9 兆円であり，負債の残高合計 1436.6 兆円を 660.7 兆円下回っています。上記の予想どおり，日本の政府は残高ベースで資産よりも借金の方が多い部門であることがわかります。

フロー面ではどうでしょうか (表 11-4 右側)。ストック面と同様に，増加額が一番大きいのは国債・財投債で，約 39.0 兆円の増加です。2022 年度の国の税収 (決

▶財投債⇒8.3.3

算) は 71.1 兆円ですから，国は税収の半額以上の国債を発行しています。資金繰りのための国庫短期証券は減少していますが，負債の合計は 32.9 兆円増加しています。資産は 14.2 兆円の減少であり，資金過不足は 18.7 兆円のマイナスですから，2022 年度の政府部門は赤字部門であったことがわかります。

11.3 日本の資金循環の実態 (2)——部門間の貸し借り

11.3.1 直近時点での貸し借り

前節では各部門ごとの貸し借りの状況を確認しましたが，この節では資金の流れ，つまり各部門間の貸し借りの関係について確認してみましょう。一部前節と重複しますが，資金循環統計から日本の各経済部門が 2022 年度に貸手・借手どちらの役割を果たしていたのかをまとめたのが表 11-5 (この表は兆円単位) です。この表ではストック (残高ベース) の数値を左側 (1) に，フロー (変化額ベース) の数値を右側 (2) に示しています。ストックとフローのいずれにおいても，各部門の資産・負債合計とその差，そしてその部門がストックで資産超過 (貸手) か負債超過 (借手) か，あるいはフローで黒字部門か赤字部門かを示しています。なお，この表では一番下に金融機関部門も示していますが，この部門は資金を仲介する部門であるため，資金循環 (最終的な貸し借り) をみる場合には重要ではありません。

■表 11-5　経済部門間の貸し借り（2022 年度）

（単位：兆円）

	(1) ストック（2023 年 3 月末残高）				(2) フロー（2022 年度中の変化）			
	資産（A）	負債（L）	A−L	貸手/借手	資産（ΔA）	負債（ΔL）	ΔA−ΔL	黒字/赤字
家計	2,055.9 >	382.7	1,673.2	貸手部門	20.8 >	8.3	12.5	黒字部門
非金融法人企業	1,422.6 <	2,130.4	−707.8	借手部門	34.2 >	28.4	5.8	黒字部門
一般政府	775.9 <	1,436.6	−660.7	借手部門	14.2 <	32.9	−18.7	赤字部門
対家計民間非営利団体	66.7 >	30.7	36.0	貸手部門	4.3 >	0.3	4.0	黒字部門
海外	911.1 <	1,348.0	−436.9	借手部門	16.5 <	25.8	− 9.3	赤字部門
金融機関	4,920.5 >	4,817.2	103.3	（貸手部門）	32.9 >	27.2	5.7	黒字部門

（出所）　日本銀行「資金循環統計」より筆者作成。

　まず一見してわかるように，ストックでみて 2022 年度の日本経済における最大の貸手（$A-L$ が最大）は家計部門であり，フローでも資金過不足（$\Delta A-\Delta L$）は家計部門がプラスで最大です。しかし，フローでみた場合には企業部門（非金融法人企業）も資産を増加させており，黒字部門になっています。ただし，フローで黒字といっても先にみたように資産増加の多くは対外直接投資であって，一般的な貸手のイメージとは異なります。現に，企業部門はストックでは借手部門であり，負債残高（L）は最も多く，資産・負債差額（$A-L$）もマイナスで最大です。借手としては，政府部門（一般政府）もフロー・ストック両面で大きなマイナスを示しており，海外部門も同様です。

　以上をまとめると，2022 年度の日本の資金循環の特徴は，過去から積み上げられた残高（ストック）をみる場合と 1 年間の変化（フロー）をみる場合とで多少異なります。残高ベースでは，家計から企業や政府，あるいは海外への資金の流れが日本の資金循環の特徴であり，膨大な金融資産を保有する家計が国内外の事業や財政赤字を支えている状態にあります。しかし，年度中の変化としては家計だけでなく企業も金融資産を増加させており，その資金が政府や海外に回っています。ただし，企業の資産増加には海外の事業展開のための資金供給も多く，企業が金融機関のような貸手になっているわけではありません。

11.3.2　時系列的な変化[6]

　以上はあくまで単年度の状況ですが，金融構造はもっと長い期間をみたうえで把握する必要があります。図 11-2 は，表 11-5 の右側に示されたフローの資金過不足を，1980 年度から図示したものです。この図をみると，表 11-5 の右側に示されているような傾向は，おおむね 1990 年代の終わりからみられることがわかります。つまり，

---

[6]　資金循環からみた日本の金融構造の変化について，より詳しくは内田（2024，第 4 章）を参照してください。

■図11-2 資金過不足の時系列変化

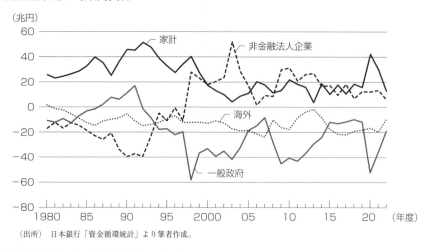

（出所）日本銀行「資金循環統計」より筆者作成。

　日本ではフローでみると1990年代以降一貫して，家計部門と企業部門が黒字部門，政府部門と海外部門が赤字部門です。また，家計部門についてはその前の期間も含めてずっと黒字部門であることもわかります。

　しかし，1990年代半ばまでの時期をみると，企業部門・政府部門は傾向が異なります。まず，企業部門は1990年代半ばは黒字部門でも赤字部門でもなく，その前の1990年代初めまでの期間は赤字部門です。1980年代後半から1990年代の初めまではいわゆるバブル期と呼ばれる時期で，景気が過熱していた時期でした。このバブルが収束した1990年代初め以降の時期は，その時々で**失われた10年／20年／30年**などと呼ばれた経済停滞期です。企業部門の資金過不足からは，バブル期まで赤字部門として活発に資金を調達していた企業部門が，その後の不況期に借金（金融負債）を減らすとともに，金融資産を蓄積し，黒字部門に変わっていったこと，そして未だにその状態が続いていることがわかります。

　これに対し，今ではたくさんの借金を抱えている政府部門が恒常的に赤字部門になったのは，1990年代に入ってからです。その後，2000年代以降も毎年借金を蓄積してきたことがわかります。しかし，1980年代は必ずしも赤字部門ではなく，バブル期には黒字部門でした。

　こうした毎年の変化が積み上がった姿を表すのが，ストック（残高）ベースの金融資産・負債差額の動きを示した図11-3です。この図の一番右端は，表11-5の左側に対応します。表11-5に示された傾向は，時系列的にみてもほぼ変わらないことがわかります。つまり，家計部門は一貫して貸手として資金を供給し，それを企業・政府・海外の3つの部門が借りています。ただし，フロー（図11-2）の傾向と整合的に，企業部門はバブル期まで増えてきた借金の残高がその後増加せず，2000年代半ばまでは増減を繰り返しましたが，2010年代以降はやや増加傾向がみられます。これに対して政府部門は，1990年代以降ほぼ一貫して借金の残高を増やしており，2000年代後半以降は企業部門と並ぶ借手となっています。政府部門の借金は税収不

■図 11-3　金融資産・負債差額の時系列変化

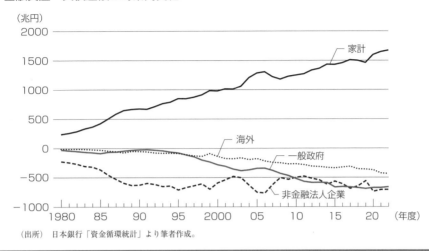

（出所）　日本銀行「資金循環統計」より筆者作成。

足による財政赤字の裏返しですが，毎年の財政赤字により債務が積み上がり，黒字部門となった企業部門と並んで大きな借手部門となっていることがわかります。

11.3.3　金融と実体経済

《実物面と金融面の関係》　以上からもわかるように，日本の資金循環に表れるマクロの資金の流れは，その裏側にある実体経済の動きと密接な関係にあります。経済の金融面と実物面は連動しており，実物面で経済活動が停滞しているときには金融取引も停滞し，活発なときには資金の貸し借りも活発になるからです。

この点を，11.1.1 節で説明した資金循環の考え方に戻ってもう少し考えてみましょう。簡単化のため，ここでは家計（$s=h$），企業（$s=c$），政府（$s=g$）の3つの経済部門だけを考えます。ある期間（フロー）に各経済部門が実物面での経済活動から得た収入を Y_s としましょう。Y_s は，家計部門では労働の対価として得る賃金，企業部門では生産等から得た収益，そして政府部門では租税収入などです。同様に，各経済部門が実物面で行った支出を E_s としましょう。E_s は，家計部門では消費や税金の支払い，企業部門では実物投資や税金の支払い，そして政府部門では公共事業や社会福祉のための政府支出などです。

こうした実物面での経済活動と，資金循環に表される金融面での活動は，どのように関係しているのでしょうか。ある期間に各経済部門が得る資金は，実物面で得た収入と，金融面で資金調達（＝負債発行〔ΔL〕）により得た資金の合計です。この資金が実物面での支出か金融面での金融資産の購入（ΔA）に充てられているわけですから，次の関係が得られます。

$$Y_s + \Delta L_s = E_s + \Delta A_s \tag{11.5}$$

これを書き直すと，経済の実物面と金融面との関係を表す次の式が得られます。

$$\Delta A_s - \Delta L_s = Y_s - E_s \qquad (11.5')$$

この式からわかるように，金融面に表れる資金過不足（左辺）は，実物面でみた収入と支出の差（右辺）に等しくなります。

《日本における金融と実体経済のリンク》 この式より，資金過不足から実体経済の動きをある程度知ることができます。まず家計部門は2022年度（表11-2）において，住宅ローン等の負債が8.3兆円増加しましたが（$\Delta L_h>0$），金融資産は20.8兆円増加しており（$\Delta A_h>0$），資金過不足は12.5兆円のプラス（$\Delta A_h-\Delta L_h>0$）でした。(11.5′)式より，実物面においては賃金等から得られる収入（Y_h）が支出（E_h）を上回っていることになります。この傾向は，長期にわたって一貫してみられます（図11-2）。

次に企業部門は，2022年度（表11-3）において，金融負債（ΔL_c）を28.4兆円増やしましたが，それ以上（34.2兆円）に金融資産（ΔA_c）を増加させ，資金過不足では5.8兆円のプラス（$\Delta A_c-\Delta L_c>0$）でした。このため，(11.5′)式からして企業部門も所得（Y_c）が支出（E_c）を上回っていることになります。実物投資をはじめとする支出がそれほど多くなく，事業収入などより少なかったと考えられます[7]。しかし，1990年代初めまでは資金不足で支出が収入を上回っており，資金過不足もマイナスでした（図11-2）。

最後に政府部門は，負債発行（ΔL_g）が32.9兆円であるのに対し，金融資産（ΔA_g）は14.2兆円の増加で，資金過不足はマイナスです（表11-4）。(11.5′)式からすると，この背景には社会保障費などの政府支出（E_g）の増加に対し，収入となる税収（Y_g）が十分でない状況があります。ただし，過去には税収が政府支出に対して十分得られ，借金が必要なかった時期もあります（図11-2）。

このように，資金循環統計に示された金融面での経済活動は，実物面における経済活動と密接な関係があります。ただし，実物面をより詳しく把握することは，経済の金融面を捉える資金循環統計ではできません。消費，投資や政府支出といった実物面の動きを把握するためには国民経済計算など別の統計が必要で，実物面と金融面のリンクはこうした統計と資金循環統計を組み合わせて分析する必要があります[8]。また，(11.5′)式の関係は，実物面と金融面との恒等関係を表しているだけであって，どのようなメカニズムでその関係が得られたのかまではわかりません。実物面と金融面を

---

7) ただし，先に表11-3でみたように，対外直接投資の形で海外での実物投資は増えています。

8) 本書ではこれ以上詳しく触れませんが，(11.5′)式の各項をその構成要素に分解すると，実物面でのマクロの経済活動を捉える統計である国民経済計算（SNA）と資金循環統計を対応させ，マクロ経済学でいう貯蓄投資バランスと資金過不足との対応関係を明らかにする式になります。齊藤ほか（2016，第3章）などを参照してください。なお，マクロ経済学でいう**貯蓄**は，所得から消費を引いたものとして機械的に定義され，本書での意味，つまり資金を「貸す」こと（2.1.1節参照）とは異なります。

つなぐメカニズムに関しては，金融政策とあわせて次の第12章でみていくことになります。

11.4 直接金融・間接金融と金融仲介

11.4.1 日本の資金循環の構造

《資金の流れの3つのルート》　前節では，日本経済においては家計部門が貸手となり，企業・政府・海外部門に資金が流れていることを確認しました。第8章の言葉でいえば（8.4.1節参照），家計が最終的貸手であり，企業・政府・海外部門が最終的借手です。この節では，こうした資金の流れをもう少し細かくみることで，金融仲介の形態，つまりどのようなルートで資金が最終的貸手から最終的借手まで流れているかをみてみましょう。

最終的貸手から最終的借手までの資金の流れには，直接金融，金融仲介機関を通じた間接金融，そして集団投資スキームを通じた間接金融という3つのルートがありました（10.2.3節の図10-4参照）。日本の資金循環において，この3つのルートはそれぞれどれくらい重要なのでしょうか。3つのルートの相対的な重要性を知る一番簡単な方法は，最終的貸手である家計部門がどのような証券を保有しているのか，つまり家計部門が保有する金融資産の構成をみることです。つまり，家計部門が保有する証券の中で，本源的証券，金融仲介機関が発行する間接証券，集団投資スキームを通じて発行される間接証券の割合を比較すれば，3つのルートの資金の流れの大きさを比較できます。家計部門の金融資産の構成は，すでに表11-2でみたとおりです。ここではその数値を拾いながら比較を行ってみましょう。

《3つのルートの実態》　第1に，本源的証券についてみてみましょう。資金循環勘定に示された証券の中で，本源的証券の代表は，企業や国が発行する「債務証券」と「株式等」です。「債務証券」のうち，「国債・財投債」「地方債」「政府関係機関債」を通じた資金の流れは，家計が政府（中央政府・地方政府）や公的機関に直接貸す直接金融を表します。表11-2をみると，これら3つの残高の合計は2022年度中に増加していますが（フロー），家計が保有する金融資産の1%にも達していません（ストック）。他方で，企業が発行する本源的証券は「事業債」や「株式等」ですが，これらの合計も2022年度中に増加はしていますが（フロー），残高は1割弱です（ストック）。以上より，家計部門から政府部門あるいは企業部門への直接金融の資金の流れは，額が非常に少ないことがわかります。

第2に，金融仲介機関が発行した間接証券はどうでしょうか。その代表は預金取扱金融機関発行の間接証券である預金です。資金循環統計では「現金・預金」の大部分が「預金」なので，表11-2の「現金・預金」をみてみましょう。家計部門による現金・預金の保有は非常に多く，ストックで5割超にものぼっています。また，保険会

社発行の間接証券に対応する「保険・年金・定型保証」も3割弱です。これらを合わせると，残高ベースでは日本の家計部門が保有する金融資産の8割程度が金融仲介機関発行の間接証券であり，金融仲介機関を通じた間接金融が日本の資金の流れの大半を占めていることがわかります。

最後に，集団投資スキームを通じて発行された間接証券はどうでしょうか。その代表は投資信託であり，資金循環勘定では「投資信託受益証券」として表されています。残高でみると，投資信託受益証券は金融資産全体の4.4%にすぎません。ただし，フローでは現金・預金に次ぐ増加を示しています。集団投資スキームを通じた間接金融は，額はまだまだ少ないものの，少しずつ増加していく可能性はありそうです。

11.4.2　国際比較と日本の特徴

ここで，比較のために他国の家計部門の資産構成をみてみましょう。図11-4は，日本，アメリカ，ユーロエリア（ユーロ圏）の家計の資産構成を比較したものです。どの国においても常に家計部門が最終的貸手であるわけではないので注意が必要ですが，家計部門から流れる資金の構造を比較すると，興味深い違いが明らかになります。

上述のとおり，日本では預金や保険といった金融仲介機関発行の間接証券が重要です。しかし，アメリカでは預金の割合が非常に小さいことがわかります。その代わり，アメリカでは本源的証券である株式等が非常に多く，債務証券の割合も大きいことがわかります。アメリカでは，直接金融が重要なのです。投資信託も多いため，集団投資スキームを通じた間接金融も重要であることがわかります。

アメリカほどではありませんが，ユーロエリアも日本に比べると預金の割合が小さく，本源的証券（株式や債務証券など）や集団投資スキームを通じて発行される投資信託の割合が相対的に高くなっています。日本とアメリカの中間のような構造であることがわかります。

以上より，日本の資金循環の特徴としては，第1に金融仲介機関，特に預金取扱金融機関を通じた間接金融が最も重要であることがわかります。第2に，集団投資スキームを通じた資金の流れはかなり小さなものです。そして第3に，直接金融の流れは最も小さくなっています。この，金融仲介機関を通じた間接金融が優位である状況は，最近だけの話ではありません。日本の資金循環の特徴として古くから観察されており，日本の金融システムの特徴の1つです。

11.4.3　金融システムの特徴と問題

《日本の金融システムの特徴と問題》　金融仲介機関（預金取扱金融機関）を通じた間接金融の優位は，経済全体でのリスクの配分に対して大きな意味を持っています。8.4節でみたとおり，金融仲介機関の機能は資産変換を通じて最終的貸手にとっての取引費用，特に返済のリスクを減少させることです（8.4.2節）。中でもリスクの変換に関しては，さまざまな仕組みを使うとともに，金融仲介機関自らもリスク負担を行い，リスクを大きく減らします（10.2.3節，図10-4参照）。金融仲介機関を通じた間接

■図 11-4　家計部門の金融資産構成（国際比較）

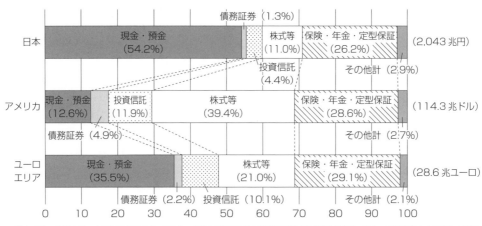

（注）「その他計」は，金融資産合計から，「現金・預金」「債務証券」「投資信託」「株式等」「保険・年金・定型保証」を控除した残差。
（出所）日本銀行調査統計局「資金循環の日米欧比較（2023 年 8 月 25 日）」より一部改変。

金融の優位は，金融仲介機関（預金取扱金融機関）が経済全体でみても大きなリスク負担を行っていることを意味しています。

高度成長期に代表されるように，日本経済が急速に成長した時代においては，金融仲介機関による大きなリスク負担は問題とはなりませんでした。これは，借手（特に企業）の債務不履行が深刻ではなく，銀行等が負っているリスクが損失の形で表面化しなかったからです。むしろ，間接金融の優位は，日本経済の急速な成長を支えた金融システムの特徴の1つとして，高く評価されていたほどです。しかし，金融仲介機関によるリスク負担の問題は，1990年代後半に発生した金融危機の際に，一気に顕在化しました。そこでは，銀行が抱えていた巨額の貸出の多くが返済の見込みが立たない不良債権となり，貸出等からの収益を主な収入源とする銀行の収入を減少させ，多数の銀行等の経営破綻，そして金融危機につながりました（13.1.1 節も参照）。

《集団投資スキームと金融システムの問題》　ただし，このような問題は金融仲介機関を通じた間接金融に限った話ではありません。海外の経験からは，集団投資スキームを通じた間接金融にも問題があることがわかっています。2000年代後半には世界的な金融危機が発生し，日本でも景気が大きく落ち込みました。詳しくは13.1.2節で説明しますが，世界金融危機と呼ばれるこの危機の主因の1つは，集団投資スキームの1つである証券化にあったことがわかっています。海外における証券化を通じ，さまざまな問題が国を越え，また金融システムから実物面にまで大きな影響を与えました。

金融システムにはしばしばこうした大きな問題が発生し，実体経済も含めて経済活動全体に深刻な悪影響を与えています。こうした問題はなぜ発生するのでしょうか。また，悪影響を防ぐためには，こうした問題にどう対処すればよいのでしょうか。これらの疑問に対する答えは，第12章で実物面・金融面のリンクを説明した後，第13章・第14章において詳しく説明することにしたいと思います。

■ 練習問題

11.1 日本銀行ホームページから最新の資金循環統計のファイルを入手し，以下に答えなさい。

(1) 実際の資金循環統計を調べ，表 11-1 はどの部分から作られているのか，それ以外にどのような統計表が含まれているのか確認しなさい。

(2) 家計部門・企業部門・政府部門の資金過不足，資産負債差額を確認し，資金循環の構造を把握しなさい。

(3) 直接金融，金融仲介機関を通じた間接金融，集団投資スキームを通じた間接金融の相対的な大きさを比較しなさい。

■ 参考文献

内田浩史（2024）『現代日本の金融システム――パフォーマンス評価と展望』慶應義塾大学出版会，近刊。

齊藤誠・岩本康志・太田聰一・柴田章久（2016）『マクロ経済学（新版）』有斐閣。

日本銀行調査統計局（2023）「資金循環統計の解説（2023 年 11 月）」（日本銀行ホームページよりダウンロード可）。

第 12 章
金融政策と経済の実物面・金融面

はじめに

前章では，資金循環統計が捉えた経済の金融面について説明したうえで，金融面での経済活動が実物面での経済活動と密接な関係にあることに触れました（11.3.3 節）。この関係を利用し，中央銀行が経済の金融面に働きかけ，経済活動をコントロールしてマクロ経済を安定させようとする政策が**金融政策**★です。金融政策の背後には，金融面が実物面に対して影響を及ぼすメカニズムが想定されています。しかし，両者の関係は単純なものではありません。また，そもそも金融政策が金融面に影響を与えるメカニズムも複雑であり，金融政策について理解するには政策の手段や目標なども知る必要があります。

本章の目的は，金融政策に関して学び，経済の実物面と金融面との関係を理解することです。本章の構成は図 12-1 に示されています。まず導入として 12.1 節では，経済の実物面と金融面のリンクを統計から簡単に確認します。12.2 節で金融政策の全

★金融政策：マクロ経済の安定のために中央銀行が経済の金融面に働きかけ，実物面での経済活動をコントロールする政策

■図 12-1 本章の構成

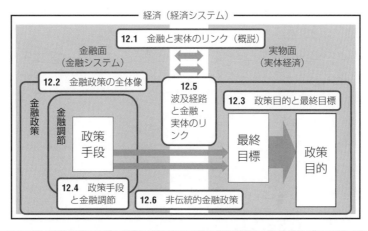

体像を示したあと，12.3 節以降では金融政策を構成要素ごとに，政策目的・最終目標（12.3 節），政策手段（12.4 節），そして効果が経済全体に波及するメカニズムである波及経路（12.5 節）を説明します。ただし，波及経路は実物面と金融面の間の複雑な関係のごく一部にすぎませんから，12.5 節ではそれ以外の実物面と金融面とのリンクについても触れます。最後に 12.6 節では，非伝統的金融政策と呼ばれる近年の政策を説明し，金融政策が大きく変化している状況を確認します。なお，金融政策は金融システムの安定を目的とするプルーデンス政策とも密接に関連しています。この点については第 14 章（特に 14.4 節）で説明します[1]。

12.1 実物面・金融面のリンクと金融政策

経済の実物面と金融面とは密接にリンクしています。こうしたリンクを実物面と金融面双方の統計を用いて捉えた 1 つの例が，図 12-2 です。この図は株価の全体的な傾向を表す**株価指数**▶，毎年金融機関による新たな貸出がどれだけ行われたかを示す新規貸出（設備投資用の貸出）の額，そして各期の経済活動の大きさを日本国内で生産された**付加価値**（生産額からその生産に用いられた中間投入を差し引いたもの）で表した**国内総生産**，の 3 つの指標の動きを示しています。新規貸出額は金融面の指標，国内総生産は実物面の指標であり，株価指数は金融面も表しますが実物面の影響を大きく受ける指標です[2]。実物面と金融面との関係のほんの一例にすぎませんが，バブル期（1980 年代後半）の経済・金融活動の拡大やその後の停滞など，経済の実物面と金融面が連動していることがわかります。

このような関係は，実物面での経済活動が金融面に影響を与えるメカニズム，あるいはその逆方向のメカニズムが存在することを意味しています。前者の例としては，実物面での財やサービスの取引が活発でないために，生産等に必要な資金が不要となり，資金の需要が減少して金融取引が起こらない，といったメカニズムが考えられます。また後者の例としては，金融面での何らかの問題により資金供給が減少し，必要な資金が得られないために生産や投資など実物面での経済活動が妨げられる，といったメカニズムがあげられます。経済の実物面と金融面は，どちらが原因にも結果にもなりうるものです。

このうち，金融面を原因とする後者のメカニズムは，政策的に重要な意味を持っています。もしそうしたメカニズムが働いているのであれば，金融面での経済活動をコントロールすることで，実物面に影響を与えることができるかもしれないからです。この想定は，中央銀行が行う金融政策を理論的に支える想定にほかなりません。しか

▶株価指数⇒9.4.4

---

[1] 金融政策について，さらに詳しくは小林（2020）を参照してください。また，より高いレベルで実際の政策運営やその背後にある制度・理論等を知りたい場合は白川（2008），内田（2024，第 8 章）をみてください。

[2] ここに示した株価指数は，流通市場における二次取引で決まった株価の平均的な水準であり，各時点の企業業績や企業価値を反映した，実物面も十分捉えた指標です。

■図 12-2　金融と実体経済のリンク

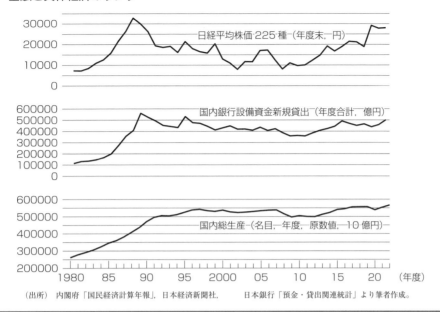

(出所) 内閣府「国民経済計算年報」，日本経済新聞社，日本銀行「預金・貸出関連統計」より筆者作成。

し，金融政策の効果はしばしば疑問視されています。金融政策によって実体経済に影響を及ぼすことは，実際に可能なのでしょうか。また，そもそも金融政策とはどのような政策なのでしょうか。

12.2　金融政策の全体像

　金融政策の全体像を示したのが図 12-3 です。金融政策は，一定の目的（**政策目的**）を達成するために行われます（図右端）。その目的が達成されたかどうか，どの程度達成されているかを判断するために，特定の経済指標に対して設定される具体的な目印が，金融政策の**最終目標**です。たとえば日本銀行の政策目的の代表は物価の安定ですが，「物価の安定」だけでは漠然としていますから，どのような状態ならば物価が安定しているといえるか明確にする必要があります。そのため特定の指標で測った物価の上昇率（インフレ率）を何％にする，といった最終目標が設定されます。

　最終目標を達成するために日本銀行が実際に行うことは，自らが利用可能な手段を用い，経済の金融面に働きかけることです。こうした働きかけにおいて日本銀行が用いる手段が**政策手段**で（図 12-3 左側），たとえば短期金融市場で日本銀行が取引を行うことがあげられます。どのような手段を用いるにせよ，金融取引や経済活動を活性化し，物価を上昇させる方向に向けて行われる政策は**金融緩和**（政策）と呼ばれ，逆に金融取引や経済活動を抑制し，物価を下落させる方向に向けて行われるものは**金融引締**（政策）と呼ばれます。

　ただし，日本銀行が政策手段によってコントロールできる範囲は限られています。政策目的は一国の経済全体に関して設定されるため，最終目標を示す指標（たとえば

■図 12-3　金融政策の全体像

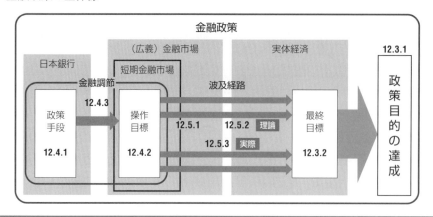

インフレ率）は無数の経済主体の経済活動の結果として決まるような指標です。数多くの経済主体の1つにすぎない日本銀行が直接操作できるようなものではありません。

　そこで，実際の金融政策の運営では，最終目標とまではいかないものの，日本銀行がある程度コントロールできる指標に関して目標を定めます。この目標は**操作目標（誘導目標）**と呼ばれています。操作目標には，その達成が最終目標の達成につながると考えられるものが用いられ，たとえば短期金融市場の金利水準などが用いられます。日本銀行が直接コントロールできるものではありませんが，操作目標が最終目標に影響を与える道筋・経路は，金融政策の**波及経路**と呼ばれています。

　このような壮大な枠組みを念頭に置きつつ，日本銀行は目前の操作目標の達成を目指して日々政策手段を操作し，金融市場における資金量の調整を行っています。この調整は，特に**金融調節**（金融市場調節）と呼ばれています[3]。金融政策とは，日本銀行が操作目標の達成を目指して金融調節を行い，経済の金融面での活動に働きかけることを通じて，結果的に政策目的の達成を目指すものなのです。

12.3　金融政策の目的と最終目標

12.3.1　金融政策の目的

　ここからは，図 12-3 に示されている金融政策の個々の構成要素について，詳しくみていきましょう。まず最初は政策目的とそれを表す最終目標です。日本銀行が目的とする「通貨及び金融の調節」に関し，日本銀行法は次のように定めています。

（通貨及び金融の調節の理念）

---

[3]　法律上も，日本銀行は「通貨及び金融の調節」（日本銀行法第1条第1項）を行うことを目的とした組織であると定められています。

第2条　日本銀行は，通貨及び金融の調節を行うに当たっては，物価の安定を図ることを通じて国民経済の健全な発展に資することをもって，その理念とする。

　ここで示されているのは，何のために調節を行うかという理念（＝根底にある考え方）ですから，金融政策の目的です。金融政策は，「**物価の安定**」，さらにはそれを通じた「国民経済の健全な発展」を政策目的としていることがわかります。

　物価の安定は非常に重要です。インフレが起きると同じ額の貨幣で買える財やサービスの量が減り，貨幣の価値が損なわれますから，誰も貨幣を持たなくなるかもしれません。また，インフレもデフレも，金融取引の貸手と借手との間で所得の移転を引き起こします（1.4節参照）。物価の変動から生じるこうしたさまざまな問題を防ぐため，日本に限らず多くの国で，物価の安定は金融政策の最大の目的として規定されています。

　ただし，物価の安定だけが金融政策の目的だ，とは言い切れません。たとえば，一般に持たれている金融政策のイメージは「景気をよくするためのもの」ではないでしょうか。景気が過熱しているときには逆に経済活動の抑制が求められますから，両者を合わせて**景気の安定**が金融政策の目的にあげられることがあります。ほかにも，あるいは関連して，**完全雇用の達成**（失業をなくす），**経済成長の促進**（経済を持続的に成長させる），**国際収支の均衡**（輸出入等のバランスを取る），**為替レート**（円と他国の通貨との交換比率）**の安定**，などがあげられることもあります[4]。これらはまとめて**マクロ経済の安定**とも呼ばれます。

　日本銀行法第2条の規定をみるかぎり，少なくとも日本においては物価の安定が最優先の目的だといえるでしょう。しかし，景気の安定などの目的も，「国民経済の健全な発展」に含まれていると考えることは可能です。物価安定以外の目的は，それを明確に規定している国もありますし，経済状況によっても注目される度合いが変わります。現在の日本では，物価の安定が最重要とされつつも，同じように重要，あるいは二次的に重要な目的として，景気の安定あるいは経済活動の安定があげられることが多いようです[5]。

　なお，広い意味では物価の安定もマクロ経済の安定の中に含められるでしょう。ただし，物価の安定と景気の安定は必ずしも両立しない可能性もありますから，「安定」という場合には何の安定を指すのか注意する必要があります。この点は，金融システムの安定を目的とするプルーデンス政策との違いを考えるうえで，特に重要です（14.4節参照）。マクロ経済の安定を目的として行われる政策は一般に**マクロ安定化政策**と呼ばれ，金融政策はマクロ安定化政策の1つです。ほかのマクロ安定化政策としては，政府が財政支出によって経済の実物面に働きかける，**財政政策**があります[6]。

---

[4] これらの目的について，詳しくはマクロ経済学の教科書（たとえば齊藤ほか 2016）を参照してください。
[5] 金融政策の目的と目標については白川（2008，第2章）を参照してください。
[6] 財政政策については齊藤ほか（2016）などを参照してください。

12.3.2　金融政策の最終目標

《日本銀行の最終目標》　では，政策目的を達成するために設定される最終目標はどのようなものでしょう。実は，日本銀行が最終目標を明確にしたのは比較的最近のことです。日本銀行は『「物価の安定」についての考え方』という文書（2006年3月）において，「消費者物価指数▶の前年比」で「0～2％程度」となっている状態が「中長期的にみて物価が安定している」状態だと「理解」して金融政策運営を行うことを明らかにしました。この「理解」が最終目標を意味するのかどうかはあいまいでしたが，その後に消費者物価の前年比上昇率を2％とすることを「物価安定の目標」として決定し（2013年1月22日の政策決定会合），最終目標を明確にしました[7]。このように，現在の日本の金融政策の最終目標は，消費者物価指数で測ったインフレ率に対して設定されており，物価の安定という政策目的に対応した最終目標となっています[8]。

▶消費者物価指数
⇒1.4

　こうして日本銀行が最終目標を明確化した背景には，1990年代後半に発生した金融危機以降，デフレの状態が長期間続き（1.4節の図1-4参照），金融政策の運営に批判が高まったことがあります。デフレ脱却の意思を明確化すべきだ，目標設定によりデフレ脱却が可能になる，といった声を受け，導入されることになったのが上記の目標です。ただし，2％という目標は明確化の後も長い間達成できなかったため（12.6.3節参照），目標を決めれば達成できる，といった単純な考え方は問題であったといえます。

《インフレーション・ターゲティング》　なお，中央銀行が物価の変化率（インフレ率）の具体的な値として最終目標を設定し，その達成を目指して金融政策を運営することを**インフレーション・ターゲティング**と呼び，その目標を**インフレーション・ターゲット**と呼びます。日本銀行も2013年にインフレーション・ターゲティングを採用したことになります。ただし，上記のとおり，金融政策によって物価が必ずコントロールできるわけではなく，インフレーション・ターゲティングは「設定さえすればデフレを脱却できる」というようなものではありません。

　もともとインフレーション・ターゲティングは，政策に対するコミットメントの手段として議論されていたものです。金融政策は，経済状況に応じて裁量的に政策を行うと，かえって政策目的の達成が難しくなるという**動学的不整合性の問題**（Web Appendix 12.1参照）を抱えていることが理論的に知られています。ただし，特定の政策ルールにコミットする（事前に約束したうえでそれに従って行動する）こと（**コミ**

---

[7]　安定を表す物価上昇率は0％のように思えますが，日本銀行は2％にする理由として，(1)消費者物価指数はもともと数値が高めに出る傾向がある，(2)将来の景気悪化に備えて金利を下げる余地を残す必要があり，金利水準は物価上昇率と連動するため0％では余地が小さい，(3)多くの国の中央銀行が2％を目標としている，の3つをあげています。

[8]　なお，その他の政策目的に関しては具体的な最終目標は示されていませんが，先に触れたようにそれらの政策目的が追求されていないわけではありません。

ットメント）で，この問題を解決できることもわかっています。このコミットメントの手段の1つがインフレーション・ターゲティングです。

12.4 金融政策の手段と金融調節

12.4.1 政策手段

《現在の政策手段》 日本銀行が実際に用いている金融政策の手段は，ホームページで公表されています。2023年11月末時点で用いられている手段を示したのが表12-1です。ただしこのうち網掛け部分のものは，近年の金融・経済環境の激変のもとで，従来の政策手段だけでは十分な政策効果が見込めないことから比較的最近導入されたもので，伝統的には使われてこなかったものです。こうしたいわゆる非伝統的金融政策に関連する手段は12.6.2節で詳しく説明しますので，ここでは伝統的な手段を説明します[9]。

　伝統的な金融政策の手段は，オペレーションと貸出の2種類です。**オペレーション**（operation：**オペ，公開市場操作**）とは，日本銀行が民間金融機関等との間で，入札などの方法により競争的に決まった条件で貸し借りや証券の売買を行い，資金を民間（市中ともいいます）に供給したり逆に吸収することです。これに対して**日本銀行貸**

▶入札⇒9.1.4

■表12-1　日本銀行の主な金融政策手段

分類	手段	形態	説明
オペレーション等	共通担保オペ	資金供給	日本銀行に差し入れられた担保を裏付けとして，資金を貸付
	国債現先オペ	資金供給・吸収	国債を売戻（買戻）条件付で入札により買入または売却
	国庫短期証券売買オペ	資金供給・吸収	国庫短期証券を入札により買入または売却
	CP買現先オペ	資金供給	日本銀行が適格担保としているCPを，売戻条件付で買入
	国債買入	資金供給	利付国債を入札により買入
	手形売出オペ	資金供給	日本銀行が振出す手形を入札により売却
	コマーシャルペーパーおよび社債等買入	資金供給	コマーシャルペーパーおよび社債等を入札により買入
	指数連動型上場投資信託受益権（ETF）等買入等	資金供給	指数連動型上場投資信託受益権（ETF）および不動産投資法人投資口（REIT）の買入等
貸出	補完貸付制度	資金供給	金融機関等の申込を受け，担保の範囲内で，原則として基準貸付利率により翌営業日を返済期限として受動的に貸付
	貸出支援基金	資金供給	適格担保を担保とする資金供給（民間金融機関による日本経済の成長基盤強化・貸出増加に向けた取り組み〔貸出〕を支援）
その他	補完当座預金制度	当座預金の付利	日本銀行が民間金融機関から受け入れる当座預金残高を3種類に分け，プラス金利，ゼロ金利，マイナス金利を適用する
	貸出促進付利制度	当座預金の付利	貸出支援基金等を利用する民間金融機関による貸出等をさらに促進するため，当座預金に利息を付す

（注）　網掛けは伝統的金融政策の手段ではない手段を表す。
（出所）　日本銀行ホームページ「オペレーション等の一覧」より筆者作成（2023年11月末現在）。

出は，特定の民間金融機関と個別・相対（あいたい）の形で資金を貸し付けることです。

　日本銀行が古くから用いている伝統的な政策手段は，短期の貸し借りを行うオペレーション（**短期オペ**）です。共通担保オペは，日本銀行が特定の証券等を担保として直接資金を貸し出すものであり，また国債現先オペ，国庫短期証券売買オペ，CP買現先オペ，手形売出オペは，それぞれの短期金融市場（9.2節参照）で日本銀行が証券の売買に参加することにより貸し借りを行います[10]。

　金融調節の中心である短期のオペレーションとは別に，日本銀行は長期の貸し借りによるオペレーションも行います（**長期オペ**）。表12-1では国債買入（長期国債買入）がそれにあたります。経済成長などに伴い継続的に資金供給を行う場合，長期のオペレーションを行えば短期のオペレーションを繰り返す手間を省けます。ただし，中央銀行による国債の直接買入は，政府が安易に借金を増やす原因になりかねませんから，**財政ファイナンス**（財政赤字ファイナンス）と呼ばれて禁止されています。具体的には，日本では国債買入は流通市場で行うこととされ，買入の上限を定める**銀行券ルール**と呼ばれるルールも設定されていました。ただし，非伝統的金融政策のもとでこのルールは緩和されており，問題視されています（12.6.3節参照）。

　日本銀行が行う貸付としては，あらかじめ定めた条件のもとで，金融機関側からの申込に対して日本銀行が受動的に短期の貸出を行う，**補完貸付制度**があります。この借入ができるのは，返済能力があると認められた金融機関だけで，あらかじめ差し入れた担保の範囲内でしか借入できません。なお，金融機関にとっては補完貸付も資金調達源の1つですから，短期金融市場と補完貸付のうち金利の低い方で借入を行おうとします。このため，短期金融市場の金利は日本銀行が定める補完貸付制度の金利（**基準貸付利率**と呼ばれます）以下に誘導されることになります[11]。

《**過去の政策手段**》　過去にはほかの政策手段も用いられていました。最も重要で，かつ長い間使われていたのは，公定歩合という政策手段を操作する**公定歩合操作**です。**公定歩合**は日本銀行がオペレーション以外の形で資金を貸す際の基準金利であり，現在では上記の基準貸付利率に相当します。昔の金融機関は日本銀行からの借入を用いて資金繰りの調整を行っていたため，公定歩合操作は重要な政策手段でした。しかしその後，資金繰り調整は短期金融市場で行われるようになり，オペレーションが最も重要な政策手段となりました。

　過去には預金準備率の操作も政策手段の1つとされていました。日本銀行は，銀行

---

9)　これら以外にも，主として金融システム安定化のために用いられる政策手段もあります。14.3.5節を参照してください。

10)　日本銀行から資金を借りる場合には担保が必要です。国債など特に認められた金融資産だけが担保として認められており，**適格担保**と呼ばれます。適格担保の範囲を広げる（狭める）と，日本銀行からの借入がより容易（困難）になるため，適格担保の種類の変更も金融政策の手段の1つとして用いられます。

11)　この点については，12.6.2節の補完当座預金制度の説明も参照してください。

等の預金取扱金融機関が日本銀行に保有する当座預金の額を，各金融機関が受け入れている預金の一定比率（預金準備率▶）以上とすることを義務づけています。この制度は準備預金制度と呼ばれ（14.2.3節参照），金融調節の有効性を支える重要な制度です（12.4.3節参照）。しかし，日本銀行は近年預金準備率を政策手段としては用いておらず，その水準も1991年10月以降変更されていません。

▶預金準備率
⇒8.4.5

　過去に重要だった手段としては，窓口指導もあります。**窓口指導（窓口規制，貸出増加額規制）**とは，日本銀行が主要な金融機関に対し，貸出の増加額を一定の範囲内にとどめるよう要請するもので，高度成長期に貸出の増加を抑えるために用いられました。窓口指導は法的な強制力はありませんでしたが，政策当局からの指導ということで有効に機能したと考えられています。ただし，対象となっていない金融機関との公平性，対象金融機関の中での貸出シェアの固定化などの弊害が指摘され，1991年7月に廃止されました。このように，使われなくなった政策手段の多くは，金融市場が発達しておらず，金利の水準をはじめ，さまざまな規制が行われていた過去の状況に合った政策手段だったといえます[12]。

12.4.2　操作目標

《金利指標と量的指標》　政策手段によって達成しようとする操作目標は，金融市場における貸し借りの値段である金利に関して設定される場合（**金利指標**）と，量（残高）に関して設定される場合（**量的指標**）があります。ごく単純なミクロ経済学の理論では，貸し借りの需要と供給とが釣り合うように，値段（金利）と量が同時に決まりますから（2.1.3節の図2-4も参照），両者は一対一の関係にあって，どちらに目標を設定しても違いはありません。

　しかし，実際の金融政策の運営では，操作目標は伝統的に金利指標に対して設定されてきました。その理由は，量的指標がもたらす影響の大きさです。資金の需要は季節などによって大きく変動するため，量的指標に対して一律の目標を設定すると，それを達成するために金利が激しく変動する，と考えられてきたからです。

　しかし，近年では金利の下限が問題となり，量的指標も用いられるようになりました。金利は名目上ゼロ以下にならないという下限があります。金利がマイナスなら貸すと減るので，貸さずに現金で持つ方が得だからです[13]。このため，もし金利をゼロにしたとしてもまだ金融緩和が十分でない場合，金利指標ではそれ以上の緩和ができません。後に触れるとおり，日本では実際にこうした状態に陥ったため，操作目標を量的指標に対して設定することが行われました。

---

[12] こうした政策手段とは別に，近年廃止された政策手段として，新型コロナウイルス感染症による経済活動への悪影響を抑えるために行われていた，新型コロナウイルス感染症対応金融支援特別オペ（2020～2023年）もあります。

[13] ただし，マイナス金利と呼ばれるように，ある程度小さいマイナスの金利は付く可能性があり，そうした状態は実際に発生しています（12.6.2節を参照）。

《日本銀行の操作目標》　日本銀行が設定している操作目標は，年8回開催される政策決定会合の直後に発表される「当面の金融政策運営について」という文書の中で，**金融調節方針**として公表されます。たとえば2023年10月31日の「当面の金融政策運営について」には，「長期金利：10年物国債金利がゼロ％程度で推移するよう，上限を設けず必要な金額の長期国債の買入れを行う」という記述があります。この記述は，金利指標である10年物国債金利をゼロ％程度にすることを操作目標とし，そのために長期国債買入という政策手段を用いることを示しています。

日本銀行が操作目標を明示するようになったのは1998年以降です。それまでは，日本銀行が自ら直接決定できる公定歩合，つまり政策手段について，その水準を公表していました。操作目標として最初に示されたのは，それまでの金融政策運営でも重視されてきたコール市場（無担保オーバーナイト物▶）の金利である**無担保コールレート（オーバーナイト物）**です。2001年3月までは，この金利が操作目標とされました。

▶オーバーナイト物
⇒9.2.4

しかし，金利をゼロに設定しても金融緩和が足りない状態に陥ったため，日本銀行は操作目標を，量的指標である日銀預け金▶（日本銀行当座預金）の残高に変更しました（2001年3月～2006年3月）。その後，操作目標はいったん無担保コールレートに戻されましたが（2006年3月～2013年4月），2013年4月からは量的指標であるマネタリーベース（日銀預け金と現金通貨の合計）が操作目標とされました[14]。その後の2016年9月には，マネタリーベースの拡大を継続しつつも，操作目標は短期・長期金利の水準に変更されました。

▶日銀預け金
⇒12.4.3

ただし，非伝統的金融政策の採用以降，特に2010年代に入ってからは，日本銀行は複数の政策手段を組み合わせてさまざまな操作目標の達成を目指すようになり，上記以外の政策手段や操作目標も用いられるようになっています。「当面の金融政策運営について」の記述も複雑になり，政策手段と操作目標との対応もわかりにくくなっています。非伝統的金融政策における政策手段と操作目標に関しては，それぞれ12.6.2節，12.6.1節で改めて説明します。

12.4.3　金融調節と操作目標のコントロール

《日本銀行のバランスシート》　ここまで，金融政策の手段と操作目標について説明してきました。では，政策手段をコントロールすると何が起き，どのようなメカニズムを経て操作目標の達成につながるのでしょうか。ここではこうした金融調節のメカニズムについて考えてみましょう。

---

14) マネタリーベース（monetary base）（ベースマネー〔base money〕，ハイパワードマネー〔high-powered money〕とも呼ばれます）とは，日本銀行が民間に供給するおカネの量を表す指標であり，現金通貨（日本銀行券の発行額と政府発行貨幣の流通額）に，日本銀行が預かっている当座預金（日銀預け金）の残高の額を合わせたものです。なお，金融機関が保有する現金通貨や日銀預け金は，マネタリーベースには含まれますが，マネーストック統計（M1▶，M2▶等）には含まれません。これは，前者が中央銀行が民間に供給する貨幣の量を測る指標であるのに対し，後者は金融部門全体として経済に供給している貨幣量を測る指標だからです。

▶M1，M2
⇒1.3.4

金融調節のメカニズムを理解するためには，日本銀行が持つ資産と負債の関係を理解する必要があります。一般に，企業が保有する資産と負債は，財務諸表の中のバランスシート（貸借対照表）▶に記録されています。**日本銀行のバランスシート**を簡単に表すと，図 12-4 のようになります。バランスシートには，保有している資産を左側に記録し，その資産を購入する資金をどのように調達したか，つまり負債を右側

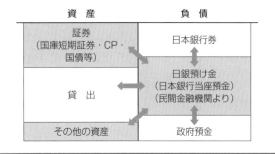

■図 12-4 日本銀行のバランスシート

に記録します。バランスシートは，資産側と負債側の動きを対応させる，複式簿記の原則のもとで記録されますから，資産の購入（売却）はそれに見合った負債の増加（減少）とあわせて記録され，資産の残高合計と負債の残高合計は常に等しくなります。

▶バランスシート（貸借対照表）⇒ 14.2.2 図 14-4

以下の説明のために，図のバランスシートの関係を式の形でも示しておくことにしましょう。

$$証券＋貸出＋その他の資産＝日本銀行券＋日銀預け金＋政府預金 \quad (12.1)$$

この関係は，ある一定時点における残高（ストック▶）ベースの関係です。これに対して，ある時点から別の時点までの一定期間における変化額，つまりフローベースの関係も，変化額（期間終了時点の額と開始時点の額の差）を記号 Δ を使って表すと，以下の式で表すことができます。

▶ストック⇒11.1.1 Column 11-1

$$Δ証券＋Δ貸出＋Δその他の資産＝Δ日本銀行券＋Δ日銀預け金＋Δ政府預金$$
$$(12.2)$$

日本銀行のバランスシートの各項目は，日本銀行の収入・費用，ひいては利益と結びついています。つまり，バランスシートの資産側からは収入（保有金融資産からの利子収入等）がもたらされ，負債側からは費用（発行した負債への利払い等）が発生し，両者の差からさらに人件費や物件費などの営業費用を差し引いたものが利益となります。この点は，日本銀行でも民間の預金取扱金融機関でも違いはありません（8.1.2 節参照）。ただし，民間の預金取扱金融機関との大きな違いとして，日本銀行は以下でみるように負債に対する利払いを原則として行っていません。

《**日本銀行の負債**》　日本銀行の特徴を理解するうえで重要であり，同時に難しいのは，バランスシートの負債側です。負債側の項目をもう少し詳しくみてみると，第 1 に日本銀行券の残高が計上されています。この残高は，日本銀行が発行した紙幣の額ですが，決済手段として流通している紙幣の残高と，預金者による引き出しに備えて民間の金融機関が保有している紙幣の残高の合計になります。日本銀行券は貨幣（法貨▶）であるため，保有者にとってはそれ自体が価値を持つ金融資産です。発行する日本銀行の側からすると，それを使って金融資産等を購入することができるため，日

▶法貨⇒1.3.1

本銀行券は資金調達の手段，つまり負債になります。

負債項目の第2は，日本銀行が民間金融機関から預かった**日銀預け金**（**日本銀行当座預金**）です。民間の預金取扱金融機関が受け入れる預金と違い，日銀預け金は誰でも預け入れできる預金ではありません。日本銀行は銀行の銀行▶として民間金融機関から預金を受け入れ，その資金で貸出を行ったり金融資産を購入します。また，後で説明するように，民間金融機関に対する信用創造▶の結果としても，日銀預け金が生まれます。

▶銀行の銀行
⇒8.2.4

▶信用創造
⇒8.4.5

日銀預け金は，民間決済システムとともに，日本の決済システムを支える中央銀行決済システム（1.6.2節参照）において，重要な役割を果たしています。中央銀行決済システムを通じた決済の処理は，日銀預け金を使って行われるからです[15]。決済目的で保有されている日銀預け金は，**準備預金**と呼ばれます。後の14.2.3節で説明する準備預金制度のもとで，金融機関は預金者から受け入れた預金の総額の一定比率（預金準備率▶）以上の準備預金（準備）を持つことを義務づけられています。この制度は，短期金融市場の金利を操作するうえで重要な役割を持っています。

▶預金準備率
⇒8.4.5

第3の負債項目は，政府から預った当座預金（**政府預金**）です。日本銀行は政府の銀行▶として国のお金を預かっています。税金の徴収や国債発行によって政府が受け入れた資金は，この当座預金に預けられます。また，公共事業や社会保障への支出，公務員に対する給与の支払いなど，政府が行う支払いは政府預金に預けられた資金を使って行われます。

▶政府の銀行
⇒8.2.4

日本銀行，あるいは各国の中央銀行は，原則として上記のような負債に対する利払いを行っていません[16]。このため，日本銀行が中央銀行券の発券や当座預金の受け入れと引き換えに金融資産を購入する場合，得られる金利収入等から発券や事務のための費用（銀行券の材料となる紙や印刷の費用，事務費用，人件費等）を除いた額は，そのまま日本銀行の利益（通貨発行益▶）になります。日本銀行が得た利益は国民の財産とみなされ，国庫納付金という形で国に納付されます。

▶通貨発行益
⇒1.3.1

こう書くと，日本銀行券は，刷れば刷るほど通貨発行益が得られる，国に都合のよい打ち出の小槌であるように聞こえます。しかし次に説明するように，日本銀行にとっての負債である日本銀行券や日銀預け金は，需要，つまりそれを資産として購入してくれる民間の経済主体が存在してはじめて発行できるものであり，無制限に発行できるものではありません。

《**金融調節と資金過不足**》　オペレーションを中心とする金融調節では，日本銀行が自ら貸し借りや証券売買を行うことでバランスシート左側の資産額を増減させ，それに対応してバランスシート右側の日銀預け金の残高を増減させます。民間に資金を供給す

---

15)　日銀預け金は，証券売買に伴う代金の授受にも用いられており，このため銀行だけでなく証券会社や短資会社等も日本銀行に当座預金口座を持っています。

16)　12.6.2節で説明する補完当座預金制度などはこの例外にあたります。

> **Column 12-1　日本銀行のバランスシート変化（例）**
>
> 【例1】　共通担保オペ：資金供給（△貸出＝△日銀預け金＞0）
>
> 　この場合，バランスシート左側の貸出が増加します。その貸出は，対象となる民間金融機関の当座預金残高を増やす形で行われますから，同時にバランスシートの右側で日銀預け金が増えます。
>
> 【例2】　国庫短期証券売買オペ（売りオペ）：資金吸収（△国庫短期証券＝△日銀預け金＜0）
>
> 　この場合，日本銀行が売った分だけバランスシート左側の国庫短期証券が減少します。相手先金融機関の代金の支払いは，その金融機関が持つ日銀預け金（の減少）によって行われます。
>
> 【例3】　国債買入：資金供給（△国債＝△日銀預け金＞0）
>
> 　この場合，相手先の民間金融機関から買い入れた分だけ，日本銀行のバランスシート左側の国債が増加します。購入資金の支払いは，その金融機関が持つ日銀預け金残高を増額することによって行われます。
>
> 【例4】　預金引き出しに対応した日本銀行券の補充（△日本銀行券＞0，△日銀預け金＜0）
>
> 　民間金融機関に預けていた預金を預金者が日本銀行券の形で引き出したため，手持ちの日本銀行券が減った金融機関がその後の引き出しに備えて日本銀行券を補充したいと考えたとします。その金融機関が日銀預け金を引き出して日本銀行券を手に入れたとすると，日本銀行のバランスシート上は，日銀預け金が減って日本銀行券が同額増え，結果的に日本銀行券が増発されたことになります。
>
> 【例5】　納税と日銀預け金・政府預金（△日銀預け金＜0，△政府預金＞0）
>
> 　納税者が，取引銀行に預けた預金からの口座引落しによって税金を支払ったとします。この場合，この支払いに対応して当該銀行の日銀預け金が減少し，その分だけ政府預金が増えます。

るオペレーションの場合，日本銀行が証券などを購入し，その代金を日銀預け金の増額によって支払います。日本銀行のバランスシートでいえば，左側の資産項目が増加する（(12.2)式左辺の「△証券」等）のに対応して右側の日銀預け金が同額だけ増加し（(12.2)式右辺の「△日銀預け金」），帳簿上の数字を増やすことによって支払いが行われます[17]。こうした動きは，民間の預金取扱金融機関が借手の預金を増加させることで貸し出す信用創造▶と同じであり，日本銀行は預金取扱金融機関に対して信用創造を行っていることになります。

▶信用創造
⇒8.4.5

　逆に，民間から資金を吸収するオペレーションの場合には，左側の資産項目（「△証券」等）と，右側の日銀預け金が，同額だけ減少することになります。日本銀行が証券を売却し，その代金は購入金融機関が保有する日銀預け金からの回収（残高の減額）として受け取るわけです。こうしたバランスシートの変化について，Column 12-1では3つの例（例1から3）を用いて説明しています[18]。

　ただし，日本銀行のバランスシートの変化は，上記のように日本銀行が能動的に行う金融調節だけから生じるわけではありません。民間経済主体が経済活動を行った結果，日本銀行の意図とは無関係に（受動的に），日銀預け金が変化することもあります。たとえば，預金者が自分の預金を日本銀行券の形で引き出すと，金融機関は日銀預け金を引き出して日本銀行券を手に入れようとするかもしれません。政府が税金を徴収しても，日銀預け金の残高が変わります。こうしたケースでは，(12.2)式の

---

[17]　こうした日本銀行のバランスシート上の変化に対応して，オペレーションの相手先金融機関のバランスシートも変化します。

[18]　日本銀行のバランスシートの動きについては，日本銀行企画局（2016）なども参照してください。

「Δ日本銀行券」あるいは「Δ政府預金」の動きに合わせて「Δ日銀預け金」がプラスやマイナスになります。(Column 12-1 の例 4, 5 を参照)。

以上のような日銀預け金の能動的・受動的な変化を表すために，先の (12.2) 式を次のように変形してみましょう。

$$
\underbrace{\Delta 日銀預け金 = (\Delta 証券 + \Delta 貸出 + \Delta その他の資産)}_{金融調節} - \underbrace{(\underbrace{\Delta 日本銀行券}_{銀行券要因} + \underbrace{\Delta 政府預金}_{財政等要因})}_{資金過不足} \tag{12.3}
$$

ここまでの議論からわかるように，この式は複式簿記の原理に従うバランスシートから導かれた恒等式であり，何か変化が起こる場合には必ずどれか 2 つの項目が同時に同額だけ増減します。このうち，日本銀行が能動的に，左辺の変化を右辺最初のカッコ内の変化と同時に起こすのが金融調節です。つまり，金融調節ではオペレーションによって右辺最初のカッコ内を増減させ，それに対応する左辺（日銀預け金）の増減を能動的に生み出します（Column 12-1 の例 1 から 3）。

これに対し，右辺 2 つ目のカッコ内の変化に対応して起こる左辺の変化が，日本銀行にとっての受動的な変化です。これは，民間・政府の経済活動の結果として日本銀行券の発行・還流や，政府預金の増減が起き，それに伴って左辺が増減するケースです（Column 12-1 の例 4, 5）。後者による変動，すなわち日本銀行が直接コントロールすることのできない要因による日銀預け金の変動は，特に**資金過不足**と呼ばれています。資金過不足のうち，日本銀行券の動きを原因とするものは**銀行券要因**，政府預金の動きを原因とするものは**財政等要因**と呼ばれます[19]。

《金融調節の難しさ》 以上の議論から，日本銀行が金融調節を行ううえではさまざまな制約が存在することがわかります。第 1 に，日本銀行は受動的に対応せざるをえない日銀預け金の動き（資金過不足）を考慮に入れたうえで，自らが求める目標に向かった能動的なコントロールを行う必要があります。いくらコントロールしたいと思っても，日銀預け金の残高は民間の経済活動によって時々刻々と変化していますから，こうした変化を読み込んだうえでコントロールを行う必要があります。

第 2 に，能動的なコントロール（金融調節）もそう簡単ではありません。金融調節は，民間金融機関との貸し借りや証券売買そのものです。このため，たとえばいくら日本銀行がオペレーションを呼びかけても，取引に応じてくれる取引相手がいなければ実行できません。相手先がみつからずに予定した額のオペレーションが行えない事態は**札割れ**と呼ばれます。

---

19) なお，(12.3) 式左辺はすべての民間金融機関の日銀預け金の合計を表しているため，決済等に伴う金融機関同士の日銀預け金のやり取りはこの式には表れません。

このように，金融調節による能動的なコントロールは，資金過不足の状況を把握するとともに，民間経済主体の行動を時々刻々観察し，取引相手が現れるように取引条件を工夫することによってようやく可能となります。「貨幣を発行できる日本銀行は無限に資金供給が可能である」などという説明は，大きな間違いであることがわかります。

《無担保コールレートのコントロール》　ここまでの説明で，日銀預け金（日本銀行当座預金）残高の決定メカニズムについては理解できたと思います。日銀預け金を操作目標とするケース（たとえば 2001 年から 2006 年の状況）では，このメカニズムをふまえてコントロールが行われます。では，その他の操作目標はどのようにコントロールするのでしょうか。日銀預け金が操作目標である場合，先の図 12-3 でいえば，日本銀行の内部（ただし政策手段の外）に操作目標が設定されていたことになります。しかし，こうしたケースはむしろ稀で，操作目標は一般的には日本銀行の外部に設定されます。

まず伝統的金融政策の操作目標であった無担保コールレート（オーバーナイト物）の場合（2001 年までと，2006～2013 年の状況）を考えてみましょう。この場合でも，日本銀行が行うことは基本的に上の説明と同じです。しかし，操作目標が日銀預け金の場合よりも遠く（図 12-3 でいえば短期金融市場の中）に位置することになるため，コントロールのメカニズムは少し複雑になります。具体的には，金融調節によって預金取扱金融機関による準備預金の調整行動に働きかけ，その結果として短期金融市場の需給を変化させることによって，操作目標の達成を目指します。

預金取扱金融機関は，決済のために常に一定額の日銀預け金（準備）を保有しておく必要があります。思ったより日銀預け金が減ってしまった金融機関は，準備不足を解消するために，何らかの形で資金を調達し，預け金を増やす必要があります。逆に，思ったより残高が増えてしまった金融機関は，余った資金を金利の付かない日銀預け金から引き出して運用しようとするでしょう。

こうした調達や運用に用いられるのが短期金融市場です。その中でも，預け金残高の日々の変化を調整するために必要な，ごく短期の貸し借りは，主に無担保コール市場で行われています。日本銀行は，民間金融機関が預けている日銀預け金の動向や，資金需給の動向をみながら金融調節を行い，資金を供給したり吸収したりします。この調整を通じて日本銀行は無担保コール市場の需給に影響を与え，無担保コールレートを操作するのです[20]。

《その他の操作目標のコントロール》　12.4.2 節で触れたとおり，非伝統的金融政策では

---

[20] 以上の説明では考慮しませんでしたが，現実には準備預金制度▶によって，実際に必要な準備額よりも大きな額の日銀預け金の保有が義務づけられています。この場合，民間金融機関は残高に余裕があるわけなので，短期金融市場への影響は多少緩やかになります。詳しくは白川（2008, 7-5 節）を参照してください。

▶準備預金制度
⇒14.2.3

その他の操作目標も用いられました。2016年9月には，長期金利の水準に対して操作目標が設定されました。この場合，操作目標は金融市場の指標ですが，短期金融市場の外（図12-3では右側）に位置します。これに対してそれ以前（2013年4月以降）の操作目標は，マネタリーベース▶に対して設定されていました。マネタリーベースの構成要素のうち，日銀預け金のコントロールは上記のとおりですが，現金通貨は民間の経済活動においてどれだけ貨幣が使われるかに依存して決まります。このため，マネタリーベースを操作目標とすることは，図12-3でいえば（広義の）金融市場のさらに外側（右側）の，実体経済の中に操作目標を置いたことになります。

▶マネタリーベース
⇒12.4.2

　上記のとおり，日銀預け金のコントロールは容易ではなく，短期金融市場金利のコントロールはさらに複雑です。まして，短期金融市場を超える部分のコントロールはさらに難しくなります。本来，こうした部分は金融調節を超えた，金融政策の波及経路の中にあり，日本銀行には直接コントロールできない部分です。波及経路については次節で紹介しますが，先へいくほど，つまり図12-3では右にいくほど外部のさまざまな要因の影響を受けるため，効果は不確かになります。このため，マネタリーベースなどをコントロールすることは，ほかの操作目標の場合に比べて非常に難しいことが想像できます。

12.5　金融と実体経済——金融政策の波及経路

　金融政策の波及経路は，操作目標の達成が最終目標の達成につながるメカニズムです。波及経路は，短期金融市場から金融市場全体に影響が及ぶメカニズムと，金融市場から実体経済に影響が及ぶメカニズムとに分けて考えるのが適切です。前者と後者とでは，想定される理論的なメカニズムの確からしさや，現実にコントロールが可能な程度が異なるからです。以下では前者について考えられている理論的メカニズムについて12.5.1節で，後者について考えられている理論的メカニズムについて12.5.2節で説明します[21]。

　なお，波及経路については理論的にいくつかのものが予想されていますが，理論どおりの効果が現実にもみられるとは限りません。このため，実際の効果はデータを用いて検証する必要があります[22]。関連して，波及経路は経済の金融面が実物面に影響を及ぼすメカニズムですが，経済の実物面と金融面との間には密接な関係があり（12.

---

21)　波及経路を二段階に分けて考える，という点では同じですが，本節とは大きく異なる説明として，金融政策の**二段階アプローチ**と呼ばれるものがあります。そこでは，最終目標を直接コントロールすることが難しいため，波及経路上の操作目標と最終目標との間に，ある程度コントロールが可能な**中間目標**と呼ばれる目標を置き，中間目標の動きをみながら金融調節を行う，と説明します。波及経路が明確で，中間目標が容易に特定でき，しかもコントロール可能である，という条件が満たされていれば，この考え方は有用かもしれません。しかし，以下で説明するように現実にはこうした条件は満たされていませんし，実際の金融政策でもこのような考え方はとられていません。

22)　実際の効果については12.5.3節，12.6.3節で触れますが，特に非伝統的金融政策に関しては内田（2024，第8章）も参照してください。

■図 12-5　金利の動き

(出所)　日本銀行「コールレート」「基準割引率および基準貸付利率」，財務省「利付国債応募者利回り」より筆者作成。

1節参照)，前者の方が後者に影響を及ぼすメカニズムも考えられます。以下ではこうした点についても触れることにしたいと思います。

12.5.1　短期金融市場から金融市場全体へ

　短期金融市場から金融市場全体への政策効果の波及は，さまざまな金融市場の間の相互関係を通じて起こります。この波及のメカニズムはある程度明確であり，また実際にも一定のコントロールが可能であることがわかっています。このメカニズムにおいて鍵となるのは裁定▶です。第9章でみたように，金融市場はさまざまな証券ごとに存在し，市場が整備されている度合いや取引の条件，リスクはそれぞれの市場で大きく異なります。しかし，どの市場も貸し借りが行われる場であることには変わりがないため，それぞれの間には何らかの形で裁定が働いています。つまり，金利の低い市場で資金を借り，金利の高い市場で運用する**金利裁定取引**が起こり，金利差が解消される力が働きます。特に，オーバーナイト物のコール市場とほかの短期金融市場は，同じ短期の貸し借りが行われる場として似たような金利の動きを示すはずです。

▶裁定⇒9.4.3

　金融政策の波及経路を考えるうえで特に重要なのは，短期金利と長期金利との間の裁定です。このメカニズムは金利の期間構造▶と呼ばれます（Web Appendix 9.3 参照）。実際に，短期の金利指標である無担保コールレート（オーバーナイト物）と長期国債の利回りを図示してみると（図 12-5），よく似た動きをしていることがわかります。こうした裁定を通じてさまざまな金融市場が連動しているために，金融引締は金融市場全体の金利水準の上昇を，金融緩和は低下をもたらします。

▶金利の期間構造⇒9.4.3

　なお，金融市場内での金融政策の波及経路としては，このような一方向の波及，つまり無担保コールレートからその他の短期金利，そして長期金利への波及を考えるわけですが，現実には一方向の影響だけが存在するわけではありません。逆に長期金利から短期金利，短期金利から無担保コールレートへの波及も存在するはずです。長期

■図12-6　想定される4つの代表的な波及経路

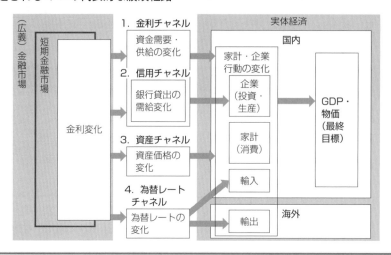

　金利や短期金利は長期的な経済成長の見通しや短期の資金需給などさまざまな要因によって変動しますから，この変動に逆らって金融調節を行ったとしても，あまり効果が出ないかもしれません。このため，日本銀行は民間の貸し借りによって決まる長短の均衡金利から独立に，好きなように金融調節の効果を波及させられるわけではありません。

12.5.2　金融市場と実体経済——理論

　では，以上のような金融市場全体の動きは実体経済（最終目標）にどのように影響するのでしょうか。金融市場から実体経済に至るまでの金融政策の波及経路としては，さまざまなものが考えられています。伝統的な金融政策に関しては，大きく分けて図12-6の4つの経路（チャネル）が存在すると考えられています[23]。以下ではこの4経路を順に説明します。なお，ここで説明する波及経路はあくまで理論的な予想であり，可能性を示しているだけであることに注意してください（12.5.3節参照）。

《1. 金利チャネル》　第1の経路は**金利チャネル**と呼ばれるもので，金利の全体的な変化が経済主体の資金調達・運用行動を変え，経済の実物面の経済活動に影響を与えると考えます。実体経済において，金利の影響を最も大きく受けるのは，資金を借りて事業を行う，という形で経済活動を行っている企業です。金融引締（緩和）によって資金調達のコストが上昇（下落）すると，資金を借りて設備投資を行うことから得られる利益が減少（増加）しますから，設備投資が抑制（促進）されます。また，金利の

---

[23]　以下の説明は白川（2008，9-2節）を参考にしています。なお，波及経路に関するこうした理論の背後には，そもそも貨幣量や物価がどのようにして決まるのか，というマクロ経済学の理論モデルがあります。こうした理論については白川（2008，3-2節）や齊藤ほか（2016，5-2，5-3節）などを参照してください。

変化は黒字主体として資金を運用する家計の消費行動にも影響するでしょう[24]。こうした投資・消費の変化は実体経済における経済活動，ひいては物価にも影響するでしょう。

《2. 信用チャネル》 金利チャネルは金融市場全体としての一般的な資金調達・運用（貸し借り）の容易さに注目するものですが，その中でも特に，銀行などが行う貸出の重要性に注目するのが**信用チャネル（〔銀行〕貸出チャネル）**です。この場合の信用とは，銀行が供与する信用▶，つまり銀行貸出そのものを指します。

▶信用⇒2.1.1

裁定によって金融市場全体にもたらされる金融調節の影響は，（広義の）金融市場の1つである銀行貸出市場にも及びます。銀行は自ら貸し借りを行うことによって最終的貸手と最終的借手の間を仲介する金融仲介機関ですから，金融市場における資金の調達が困難（容易）になれば，銀行は資金運用，特に貸出を減少（増加）させる可能性があります。貸出が減って（増えて）資金調達が困難（容易）になった借手企業，特に銀行以外から資金を借りることが難しい中小企業等は，設備投資などの事業活動を縮小（拡大）するでしょう。

このように，信用チャネルの基本的なメカニズムは金利チャネルで想定されているもの（の一部）と同じです。信用チャネルのポイントは，銀行からの借入にはほかの資金調達手段にはない特別な意味がある，と考える点にあります。このことは，信用リスクが大きく銀行借入に依存している中小企業等の借手を考えればわかります。信用リスクが大きい借手は，一般に資金調達が困難です。このため，借手をよく調べて貸すという情報生産機能▶を発揮することのできる銀行は貴重な資金調達源であり，その利用可能性は特に重要だと考えられます。このため，銀行貸出の変化には特に大きな効果がある，と考えるのが信用チャネルです。

▶情報生産機能
⇒8.4.3

もし信用チャネルが重要ならば，銀行の貸出行動に影響を与えるような出来事が発生すると，実体経済にも大きな影響が及ぶ可能性があります。たとえば，銀行が破綻すると，その銀行だけが情報生産を行っていたような企業は，ほかの銀行やほかの資金調達源から資金を調達できず，倒産してしまうかもしれません。

《3. 資産チャネル》 金利の変化は株式や土地といった金融・実物資産の価格を変化させます。この資産価格（価値）の変化を通じて金融政策が実体経済に及ぼす影響に注目するのが**資産チャネル**です。金利が資産価格を動かすメカニズムは，すでに9.4.2節で説明したとおりです。割引現在価値の考え方に基づけば，金利水準が全体として上昇（下落）すると，割引率の上昇（下落）を通じてさまざまな資産の価値は下がる（上がる）でしょう[25]。

---

24) 金利の変化が消費に与える影響は，理論的にはプラスもマイナスもどちらもありえます（2.3.4節参照）。
25) もちろん，実際にはキャッシュフローも変動するでしょうから，金利と資産価格の関係は必ずしも明確ではありません。

■図 12-7 為替レートチャネル

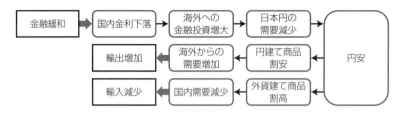

資産価値の変動は，さまざまな経済主体の活動に影響を与えるでしょう。たとえば，保有している株式の価値が下落した投資家は，支出（消費）を押さえようとするかもしれません。これは，**逆資産効果**と呼ばれるメカニズムです。また，企業であれば，保有している事業用の不動産（土地や建物等）を担保に借入を行うことがよくありますから，担保資産の価値が減少した企業は資金調達が困難になり，事業規模を縮小するかもしれません。このメカニズムは特に，**担保チャネル**と呼ばれることがあります。

《4.為替レートチャネル》 最後に，金融引締や金融緩和は為替レートの変化を通じて実体経済に影響を与える可能性があります。これが，**為替レートチャネル**と呼ばれる波及経路です（図 12-7 参照）。たとえば日本で金融緩和が行われ，国内の金利が下落したとしましょう。すると，日本の金利は外国の金利と比べて相対的に低くなります。すると，日本より海外で資金運用を行った方が得になりますから，投資家は日本円を他国の通貨（米ドルなど）に替え，海外に投資しようとするでしょう。この通貨交換は，外国の通貨の需要を増加させ，日本円の需要を減少させますから，外貨と日本円との交換比率である**為替レート**は円が相対的に低くなる円安の状態になるでしょう[26]。

為替レートの変化は貿易に影響します。円が安くなると，価格が円建ての商品は割安になります。たとえば 1 ドルが 100 円であったものが 150 円になると，日本円で 100 万円の車はドル建てでは 1 万ドルから 6666.7 ドルに値下がりします。このため日本の商品・製品に対する海外からの需要が増加し，輸出が増えます。逆に，外貨建ての海外の商品・製品は日本からみて割高になります。たとえば 1 万ドルの車は円建てでは 100 万円から 150 万円に値上がりします。このため海外からの日本への輸入は減るでしょう。こうした影響は，日本国内の経済活動水準を活発化させ，景気の悪化や物価の改善につながる可能性があります。

以上が伝統的な金融政策の主な波及経路として考えられている 4 つの経路です。波及経路の整理はこれが唯一ではなく，これ以外の，あるいはよく似た理論も存在しますし，用いられる用語も時代や論者によって異なることがあります。ただし，中身に

---

[26] 以上のメカニズムは，**金利平価説**と呼ばれる為替レートの決定理論です。金利平価説やその他の為替レートの決定に関する理論については国際金融の分野の教科書，たとえば永易ほか（2015）などを参照してください。

注目すると，さまざまな理論の多くは結局上記の説明のどこかに位置づけられます。

12.5.3 金融市場と実体経済——実際

《実証分析とその困難》 以上のような波及経路は，その予想どおりに現実にも存在するのでしょうか。経済学では，データを統計的に分析する**実証分析**によって，理論の検証を行います。つまり，理論が予測する経済指標間の関係がデータ上もみられるかどうかを確かめることで，理論の妥当性を評価する，というのが経済学（あるいは科学一般）のアプローチです。たとえば金利チャネルが存在するならば，金利の上昇は企業の設備投資の減少につながっているはずです。そこで，金利のデータと設備投資のデータを集めて統計的に分析し，そうした関係がみられるかどうかを確かめます。

とはいえ，実証分析はそう簡単ではありません。分析にさまざまな困難が伴うからです。特に大きな問題は3つあります。第1に，そもそも検証に必要なデータ，適切なデータが存在しないという**データの問題**があります。波及経路を調べようと思っても，その経路に位置する経済指標のデータがなければ分析できません。第2に，政策が効果を発揮するのに要する時間がわからないという，政策効果の**ラグの問題**があります。いつ行われた政策がいつ効果を発揮したのか（しなかったのか）を明らかにすることは容易ではありませんし，どの時点のデータを用いるかによっても評価が変わるかもしれません。第3に，さまざまな経済指標が政策以外の**ショック**（shock：錯乱要因）から影響を受ける，**ショックの問題**があります。政策の効果を測ろうと思えば，ショックの影響を取り除かなければなりません。

第2・第3の問題は，より一般的には識別の問題と呼ばれる問題の一部です。さまざまな経済活動は，相互に複雑に影響を与えあっています。その中からある特定のルートだけを通じた効果の有無を検証することを，その効果の**識別**（identification）といいます。効果の識別は簡単なことではありません（Column 12-2 参照）。この問題は，波及経路の検証に限らず経済学のさまざまな分析において，常に研究者の頭を悩ませる大きな問題です。

《実証分析の方法と結果[27]》 ただし，金融政策に関する経済学の実証分析は，上記の困難を克服すべく発展を続けています。まず，個々の波及経路を厳密に識別しなくてよい場合，つまり，細かい経路（Column 12-2 の図の下側でいえば個々の矢印）はさておき，重要な変数（図の X や Y）の間の因果関係だけを識別すればよい場合には，構造VAR分析と呼ばれる分析手法で効果の有無を明らかにすることができます。

構造VAR分析とは，複数の経済指標の過去および現在の値が互いに影響を及ぼし合っている，という相互関係を表すモデル（**VAR**〔Vector Auto Regressive：ベクトル自己回帰〕モデル）を考え，実際のデータを用いてその関係を特定したうえで，

---

[27] 本項の内容や，金融政策の効果に関する実証分析の詳細については内田（2024, 第8章）を参照してください。

Column 12-2　波及経路の識別

さまざまな経済指標は，複雑なルートを通じて相互に影響を与えあっています。その中で，特定のルートを通じた効果だけを取り出して調べることは簡単ではありません。自然科学であれば，実験環境を整えることで，特定の処置（たとえば投薬）がある場合とない場合とを比べ，効果の有無を識別することができますが，社会科学，特にマクロ経済に関して同じようなアプローチを取ることは困難です。

波及経路についても同様です。たとえば，ある波及経路が金融政策のスタンスを表す経済指標（操作目標）Xから，政策効果を表す経済指標（最終目標）Yへの影響を予想していたとしましょう（図上側）。しかし，たとえXとYとの関係が統計上確認できたとしても，その経路が実際に存在するとはいえません（図下側参照）。たとえばその関係はショックの影響でたまたま生じたものかもしれませんし，同じようにXとYの関係を予想する別の波及経路の効果かもしれません。また因果関係の識別も重要です。波及経路は経済の金融面から実物面に影響が及ぶメカニズムを考えますが，逆方向のメカニズムも働いているはずです。このため，たとえ経済指標Xと経済指標Yの間に理論どおりの関係がみられたとしても，金融政策が目標となる経済指標Yに影響を与えたのか，経済指標Yの方が経済指標Xを動かしたのか識別することは簡単ではありません。

図　波及経路の識別

金融政策により特定の指標に対してショックが与えられた場合に，各指標のその後の値が受ける影響を調べる，という分析です[28]。このため，たとえばコールレートなど操作目標を表す指標（Column 12-2の図でいえばX）の変化が，為替レートなど波及経路上の経済指標やインフレ率など最終目標（図でいえばY）のその後の値を変化させたかどうか，という因果関係を調べることができます。実際の分析では，1990年代前半までの時期においては，金融調節によるコールレートの変化がその後の金利水準や企業の生産活動，物価などに影響を与えていたが，1990年代後半から効果がみられなくなったことが示されています。

ただし，構造VAR分析でわかるのは各変数間の全体的な関係だけです。その関係がどのようなルートを通じて得られたのかはわからないため，細かい波及経路の識別はできません。特定の波及経路の検証に向いているのは，ミクロデータを用いた実証分析です。このアプローチは構造VARモデルとは異なり，特定の波及経路の中の個々の経済指標のつながり，場合によっては一部のつながりだけに注目し，個々の貸手や借手，あるいは個々の貸借といったミクロレベルの詳細で膨大なデータ（**ミクロデータ**）を用いて多面的な分析を行い，ほかにありうる代替的な説明を排除しながら識別を厳密に行います[29]。こうした研究によると，1990年代前半においてはコールレート（操作目標）の変化が銀行の貸出を変化させたこと，その影響は銀行の財務状況によって異なっていたこと，借手企業の設備投資にも影響を及ぼしたことなどがわ

28）構造VAR分析については宮尾（2006，第2章）などを参照してください。
29）こうした識別を支える計量経済学の手法については，末石（2015）などを参照してください。

かっており，信用チャネルを支持する結果が得られています。他方で金利水準の全般的な変化は企業の設備投資に直接影響しておらず，金利チャネルと矛盾する結果となっています。

ただし，ミクロの実証分析は波及経路の一部分を切り取って分析するため，全体的な効果の検証には向いていません。またミクロデータは利用可能性が限られることが多く，使えるデータによって分析の範囲や時期が制約され，得られた結果の一般性も必ずしも保証されません。

《金融政策の非対称性》　なお，実際の金融政策の有効性に関しては，政策の非対称性と呼ばれる現象の存在が指摘されています。**金融政策の非対称性**とは，金融引締が経済活動を抑制する効果はみられる（大きい）が，金融緩和が経済活動を活発化する効果はみられない（小さい），というものです。現に，1980年代後半の金利の引き上げ（12.5.1節の図12-5などを参照）の後にはバブルの崩壊と景気の減速がみられましたし，実証分析でも金融引締の効果を支持する結果は数多く得られています。これに対して金融緩和の効果はそこまで明確ではありません。1990年代以降一貫して大規模な金融緩和が行われましたが，デフレや景気低迷は続きました。こうした緩和がなければもっとデフレや景気低迷が深刻化していたことを示唆する研究はありますが，効果に否定的な実証分析もあります。

金融政策の非対称性は，経済の実物面と金融面との関係に関して重要な意味を持ちます。金融引締に効果があることは，資金供給の不足が実物面の経済活動を制約するという意味で，金融取引が経済にとって必要不可欠であることを意味します。これに対して金融緩和の効果が明確でないことは，資金は十分にあってもそれがすべて使われるわけではなく，緩めた分だけ経済活動が活発になるというものではないことになります。つまり，経済活動が低迷している時期にいくら資金を供給しても，その必要性（資金需要）が増大しないかぎり，実物面での経済活動の活性化にはつながらない可能性が高いのです。こうした状況は，非伝統的金融政策の時期に，実際に発生していたと考えられます。

《金融政策の運営》　以上のように，金融政策の効果を明らかにするのは簡単ではありません。特に，理論的に想定されるさまざまな波及経路のすべてについて，実証分析を行うことは困難ですし，また実証研究のさまざまなアプローチには一長一短があります。しかし，中央銀行は，データによる十分な裏付けがないからといって何もしないわけにはいきません。現実の経済の動きに合わせ，政策目的の達成を目指しつつ，日々の金融調節を行う必要があります。

金融政策を適切に運営するためには，金融実務の世界に精通していなければなりません。他方で，その潜在的な効果を理解するために，経済理論にも精通していなければなりません。また，実証分析によって何がどこまで明らかになっているのかという知識も必要です。政策効果を判断するためには，さまざまなアプローチを用いた実証

分析の結果を横断的・包括的に把握する必要があります。中央銀行の政策担当者には，金融の実務的知識にも学術的な知見にも精通し，捉えづらい金融政策の全体像を描き出したうえで，その時々の経済状況に合わせて適切な判断を行う，という高度な専門的能力が求められているのです。

12.6 非伝統的金融政策

　日本の金融政策は，1990年代後半に劇的に変化しました。金融危機を経て経済活動の停滞と物価の下落（デフレ）が続く中，それまでの金融調節が限界に達し，特別な政策手段・操作目標が取られることになったためです。それ以前の期間に行われてきた伝統的な金融政策に対し，大きく変化したこの特別な金融政策は**非伝統的金融政策**と呼ばれています。とはいえ，こうした政策によっても問題を克服することはできず，「非伝統」的金融政策は少なくとも本書執筆（2023年末）時点まで20年以上も継続されています。

　一口に非伝統的金融政策といってもその中身は多様であり，20年以上の歴史もいくつかの時期に分けることができます。ここではその変遷を追いながら，非伝統的金融政策について説明したいと思います。以下では12.6.1節で非伝統的金融政策の操作目標・最終目標を，12.6.2節で政策手段と波及経路を説明します。12.6.3節では非伝統的金融政策を評価し，その問題点を検討します[30]。

12.6.1　非伝統的金融政策の種類と操作目標・最終目標

《操作目標と非伝統的金融政策の種類》　まず，操作目標の変遷からみていくことにしましょう。12.4.2節でも多少触れましたが，非伝統的金融政策の変遷という点から主な操作目標を図示したのが図12-8です。この図には，1985年以降2023年3月までの日本銀行の主な操作目標（矢印）と，目標が設定された経済指標の実際の動きを示しています。ここに示された変化に対応して，非伝統的金融政策はいくつかの種類と時期に分けられます。図では，そうした種類ととられた時期を，上部に示しています。

　1998年以降明示されるようになった操作目標は無担保コールレート（オーバーナイト物）でしたが，日本経済は1990年代初めに資産価格バブルが崩壊し，金融システムが混乱に陥る金融危機の時代に入りました（13.1.1節参照）。日本銀行は一貫して金利を引き下げ金融緩和を進めましたが，経済活動の停滞は続き，1999年2月以降は無担保コールレートをほぼゼロに誘導することを操作目標とする，いわゆる**ゼロ金利政策**がとられることになりました。これが，非伝統的金融政策の始まり（第1段階）です。

　その後，2000年8月には，物価上昇の兆しがみえたとしていったん無担保コールレートの目標値が引き上げられましたが，景気後退の兆候を受けてすぐに引き下げら

30）本節の内容全般について，より詳しくは内田（2024, 第8章）を参照してください。

12.6 非伝統的金融政策

■図12-8 操作目標の推移

(出所) 日本銀行「マネタリーベース」「コールレート」「基準割引率および基準貸付利率」より筆者作成。

れます。さらに、それでも緩和が不十分だとして日本銀行は、2001年3月に操作目標を量的指標である日銀預け金（日本銀行当座預金）残高に変更し、ゼロ金利のもとで量的に資金供給を拡大する、いわゆる**量的緩和政策**を導入しました（第2段階）。

その後、ゼロ金利を脱することができる可能性が高まったとして、日本銀行は2006年3月に再び操作目標を金利指標（無担保コールレート）に戻し、7月にはその値をプラスに引き上げました。ここで伝統的金融政策への回帰が実現したかと思われましたが、デフレ・景気低迷により無担保コールレートの操作目標の値は再びゼロまで下げられます（ゼロ金利政策）。それでもまだ十分な物価上昇、景気改善がみられないため、2010年10月には長期・短期国債ならびにリスク資産の買入（資産買入）という新たな手段を用い、質的に異なる形で金融緩和を追求する、**包括緩和政策**を導入しました（第3段階）[31]。

その後も経済停滞は続いたため、日本銀行は2013年4月に、操作目標を量的指標であるマネタリーベースに変更し、オペレーションと資産買入を組み合わせてそれまでにない規模で資金供給を行う、**量的・質的緩和政策**を開始しました。2016年からは、同じ量的・質的緩和という言葉でマネタリーベースの拡大を維持しつつ、短期金利を操作するための日銀預け金への▶マイナス金利付与（1月）、長期金利（10年物利付国債金利）に関する操作目標の設定（9月）を行い、長期から短期金利まで金利体系全体のコントロールを行うことを操作目標としました（第4段階）。

▶マイナス金利
⇒12.6.2

---

[31] 包括緩和政策においても引き続き無担保コールレート（オーバーナイト物）が操作目標とされており、資産買入はそれに追加して導入されました。資産買入によって達成する操作目標は明記されていませんが、資産ごとに限度額を設定して買い入れることで、「長めの市場金利の低下と各種リスク・プレミアムの縮小を促す」ことが示されており（日本銀行『「資産買入等の基金運営基本要領」の制定等について』（2010年10月28日）別紙1）、長期金利とリスクプレミアムが操作目標だといえます。

《非伝統的金融政策の目的と最終目標》 12.3.2 節でみたとおり，日本銀行は非伝統的金融政策の途中から最終目標を明確に示すようになりました。2006 年以降，「中長期的な物価安定の理解」や「目途」というややあいまいな表現が示されるようになり，量的・質的緩和政策の開始直前の 2013 年 1 月には「消費者物価の前年比上昇率」を「2％とする」ことが，「物価安定の目標」として明示されました。なお，非伝統的金融政策ではデフレの脱却（物価の安定）に加えて経済活動の活発化も目的としており，最終目標は示されていないものの，12.3.1 節でみたほかの政策目的も追求されています。

政策目的に関しては，非伝統的金融政策の中でもゼロ金利政策（1999～2000 年）と量的緩和政策（2001～2006 年）は，プルーデンス政策▶の側面が強かったことにも触れておきたいと思います。これらの政策がとられた時期は，日本において発生した深刻な金融危機がピークを迎えた直後にあたります（13.1.1 節参照）。複数の金融機関が同時に経営破綻するような状況において，これらの政策は金融機関を救済し，金融システムの機能を維持するために実施されており，信用秩序の維持▶（金融システムの安定）が重要な政策目的だったといえます[32]。金融政策とプルーデンス政策の区別は難しく，どちらとして評価するかで評価が異なる可能性があります（14.4.3 節参照）。

▶プルーデンス政策
⇒14.1.3①

▶信用秩序の維持
⇒14.1.3①

12.6.2 非伝統的金融政策の政策手段と波及経路

伝統的金融政策と比べ，非伝統的金融政策は政策手段や波及経路に大きな違いがあります。伝統的な金融政策の政策手段については，先に 12.4.1 節で説明しました（表 12-1 の非網掛け部分）。非伝統的金融政策になってもこうした旧来からの政策手段は用いられていますが，それまでにない新たな政策手段（表 12-1 の網掛け部分）も用いられるようになっています[33]。波及経路に関しても，旧来の波及経路（図 12-6）も依然として重要だと考えられていますが，新たな政策手段がそれまでになかった形で政策効果をもたらすことが期待されています。

《量的緩和とその波及経路》 量的緩和政策（2001～2006 年）では，日銀預け金の残高に対して操作目標を設定し，大量の資金供給を行いました。日銀預け金のように，日本銀行のバランスシートの負債側に注目してその規模を拡大する政策は，一般に**量的緩和**と呼ばれます。もちろん 12.4.3 節でみたとおり，負債側の規模を拡大するには資産側も同時に拡大させる必要があります。何らかの資産を買い取る（あるいは日本銀行が貸し出しを行う）ことでしか日銀預け金を増加させることはできないからです。

量的緩和政策では，どの資産の買入によって日銀預け金を増加させるかは示されま

▶リーマンショック
⇒13.1.2

---

[32] 包括緩和政策（2010～2013 年）も，リーマンショック▶後の経済混乱に対応するという別の目的を持っていました。

[33] ただし，同表には 2023 年 11 月末以前に廃止された政策手段は示されていません。

せんでしたが，実際には金融機関が保有していた長期国債の買入（表12-1の「国債買入」）が行われました。包括緩和政策時には別建ての基金を設定し，買入上限額を示したうえで長期国債の買入が行われました。量的・質的緩和政策でも同様に上限を設定しましたが，買入の手段は国債買入です。国債買入は以前から行われていましたが，伝統的なオペレーションは短期の資金供給が中心でしたから，こうした長期国債の買入はその規模が「非伝統的」だといえます。

　量的緩和に期待される効果としては，2つの波及経路を通じたものが考えられています。第1は**期待チャネル**と呼ばれるもので，日本銀行が大量に資金を供給するという行動自体が人々の期待を改善し，支出の増加を促して実体経済活動を活発化させる，という経路です。第2のチャネルは**ポートフォリオ・リバランシング・チャネル**と呼ばれるもので，大量に供給された資金を投資家や金融機関がリスクの高い金融資産（貸出や債券・株式など）に振り向け（＝資産構成〔ポートフォリオ〕の組み替え〔リバランス〕をする），リスク資産を通じた資金供給が増加することで実体経済活動を活発化する，という経路です[34]。

《**信用緩和とその波及経路**》　包括緩和政策では，非伝統的金融資産（リスク資産）の購入，という新たな政策手段が用いられました。現在も続いているもの（表12-1）でいえば，「コマーシャルペーパーおよび社債等買入」，「指数連動型上場投資信託受益権（ETF）等買入等」がこれにあたり，後者には不動産投資法人投資口（J-REIT）の買入も含まれます[35]。これらの資産は，それまで伝統的に日本銀行が買い入れてきた，国債をはじめとする比較的安全な資産と違い，リスクが高い金融資産です。こうした非伝統的資産の買入は，**信用緩和**と呼ばれています[36]。

　信用緩和に関しても，期待チャネルとポートフォリオ・リバランシング・チャネルが働くことが期待されます。それまでになかったようなリスク資産の買入を行ってまで資金供給を行うことで，人々の期待が改善し，経済活動が活発化するかもしれません。また，リスク資産の買入はリスク資産の需要を増加させますから，資産価格を引き上げ，リスクプレミアムを低下させるでしょう。こうした変化は，投資家や金融機関のポートフォリオ選択を変化させる可能性があります[37]。

---

34)　表12-1に示した**貸出支援基金**も，ポートフォリオ・リバランシング・チャネルの効果が期待される政策手段です。この基金は，民間金融機関が日本経済の成長基盤の強化につながる貸出や，既存の貸出の増加をするための資金を供給するもので，貸出を増加させるというポートフォリオ・リバランシングを期待しています。

35)　コマーシャルペーパー（CP）については9.2.2節，社債については9.3.2節，ETFについては9.4.4節，J-REIT（日本のREIT）については7.1.3節を参照してください。なお，過去には株式が買入の対象に含まれていたこともあります。

36)　一般的にはリスク資産とはみなされませんが，長期国債の大量購入も信用緩和に含めることができます。伝統的な金融政策の主要な買取対象ではありませんし，大量に保有することで相応のリスクにさらされるからです。

《フォワードガイダンス》 非伝統的金融政策では，金融調節方針の示し方にも変化がありました。将来の政策の方針を約束する，**フォワードガイダンス**（forward guidance）が行われるようになったからです。たとえば，金融調節方針▶において「消費者物価指数の前年比上昇率が安定的に○％以上となるまで継続する」といった表現を用いるのがフォワードガイダンスです。フォワードガイダンスは，表12-1にも日本銀行のホームページにも政策手段としては示されていませんが，この「約束」は政策意図をもって記されるものですから，実質的には政策手段の1つといえます。

▶金融調節方針
⇒12.4.2

このような「約束」を示すことで，日本銀行は実際にその約束どおりに行動するというコミットメント▶を行っていることになります。すると，民間の経済主体の間には，低金利状態が一定期間続き，当面の短期金利だけでなく将来の短期金利もゼロになる，という期待が生まれ，長短金融市場の裁定を通じて長期金利も低下するでしょう[38]。このように，ゼロ金利継続の約束という形のフォワードガイダンスによって長期金利が低下する効果は，特に**時間軸効果**と呼ばれます[39]。こうした効果はさらに，将来にわたって資金調達が容易になるという期待を民間経済主体の間に生みますから，期待チャネルを通じた効果ももたらす可能性があります。

▶コミットメント
⇒12.3.2

ただし，具体的にどのような約束をすれば民間経済主体の期待がどのように変化し，それが実際にどの程度経済活動の変化として現れるのか，と考えると，こうした波及経路は確固たる効果が期待できるとは言い難いところがあります。また，そもそも将来の状況が変われば中央銀行は約束を翻して政策を変更するかもしれず，そこまで民間経済主体が予想するならば，そもそも民間経済主体の期待は変化しないでしょう[40]。

《超過準備に対する付利》 非伝統的金融政策において，日本銀行は負債に対する金利の付与という，それまでにない政策手段も導入しました。具体的には，民間金融機関から預かる日銀預け金のうち，準備預金制度▶で必要とされる所要準備額以上に預けられた額（超過準備）に対して金利を付与するものです。この金利は，**補完当座預金制度**と呼ばれる制度の中で定められています[41]。プラスの金利が付与されることで，民間金融機関にとっては日銀預け金に資金を預け入れるメリットが増え，オペレーショ

▶準備預金制度
⇒14.2.3

▶プルーデンス政策
⇒14.1.3①

37) ただし，日本銀行によるリスク資産の購入は，プルーデンス政策▶として包括緩和政策以前から行われていました（株式は2002年から，CP・社債は2009年から）。これらは，金融危機あるいはリーマンショックの際に，金融機関からリスクの高い資産を買い取ることで，金融機関の健全性を高めることを意図したものです。

38) この長期金利低下のメカニズムの理論的基盤となるのが，短期金利と長期金利の裁定を表す金利の期間構造です（Web Appendix 9.3）。

39) 一般に，中央銀行の発言が民間経済主体の行動を変化させ，経済活動に影響を与えることを，**アナウンスメント効果**と呼びます。時間軸効果もフォワードガイダンスも，広い意味ではアナウンスメント効果の中に含めることができます。

▶動学的不整合性の問題⇒12.3.2

40) この効果は，先に触れた動学的不整合性の問題▶です。Web Appendix 12.1を参照してください。

41) 付利を行う制度としては，貸出を増やした金融機関の当座預金に金利を付与する，**貸出促進付利制度**（表12-1参照）なども実施されています。

ンに応じたり，日本銀行に対して保有資産を売却する誘因が増します。量的指標に対して操作目標を設定し，大量の資金供給を行う量的緩和は，この制度によって支えられているといえます。

なお，金融機関にとっては日銀預け金も資金運用手段の1つなので，短期金融市場の金利が日銀の借入金利（補完当座預金の金利）よりも低ければ，市場で運用せず日本銀行に預けようとする誘因が働きます。このため，短期金融市場金利は裁定によって，補完当座預金の金利以上の水準に誘導されます[42]。他方で短期金融市場金利の上限は，調達手段としての短期借入と日銀の貸付金利（補完貸付制度の金利：基準貸付金利▶）との裁定によって決まります。補完当座預金制度で決まる下限と合わせると，日本銀行は短期金融市場の金利の上限も下限もともにコントロールできることになります。この金利幅は，**コリドー**（回廊）と呼ばれています。

▶基準貸付金利
⇒12.4.1

その後（2016年1月），補完当座預金制度のもとで，さらに新しい政策手段が導入されました。超過準備の一定額に対して負の金利を付与する，**マイナス金利**（政策）です[43]。マイナスの金利とは，預けた資金が減っていくことを意味します。マイナス金利政策は，市場金利をさらに低位に誘導することで，より大きな緩和効果をもたらすことを期待して導入されました。ただし，超過準備のすべてにマイナス金利が適用されるわけではありません。以前から預け入れられていた残高には，それまでの補完当座預金制度に引き続き，プラスの金利が付与されます。それを超える額で一定額までは金利なし，そしてその額も超える分にだけマイナス金利を適用する，というのが実際の制度です。預けすぎの当座預金についてのみ罰金を徴収する，というわけです。

《**イールドカーブ・コントロール**》 その後発表された「長短金利操作付き量的・質的金融緩和」（2016年9月）では，上記のマイナス金利に加えて長期金利の操作を導入し，長短金利を合わせて金利の期間構造▶全体を引き下げる，**イールドカーブ・コントロール**が行われるようになりました。マイナス金利は短期金利の低位誘導のための手段ですが，これに加えて10年物国債金利に対するゼロ％程度という操作目標が設定され，大規模な長期国債の買入を継続して長期金利も引き下げることが目指されました。全体的な金利水準の引き下げにより，伝統的な波及経路や期待チャネルを通じて緩和効果がさらに発揮されることが期待されています。他方で，以下でみるように，低金利環境は金融仲介機関の経営を圧迫するという問題の原因ともなっています。

▶金利の期間構造
⇒9.4.3, Web Appendix 9.3

---

42) そもそも補完当座預金制度は，金融システム安定化のための資金供給（プルーデンス政策）を補完するために，金利の低下を防ぐための措置として導入されたものです。制度導入当時（2008年11月）は，リーマンショックに対応するための流動性供給▶が必要とされていましたが，流動性供給は金利低下をもたらすため，無担保コールレートが操作目標値（当時は＋0.3％）を下回ることが懸念されました。補完当座預金制度は，金利低下を気にせず資金供給を行えるようにするための措置として導入されました。

43) ここではマイナス金利（政策）を，操作目標ではなく政策手段として扱っています。操作目標となる金利がマイナスに設定されたわけではなく，日本銀行が自身の当座預金の金利をマイナスに設定しただけだからです。

▶流動性供給
⇒14.3.5

■図 12-9 物価の推移（インフレ率）

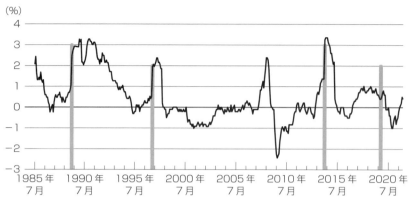

（注）　網掛けの縦線はその月に行われた消費税増税の増税率（％ポイント）を表す（1989 年 4 月導入〔3％：+3％ポイント〕，1997 年 4 月増税〔5％：+2％ポイント〕，2014 年 4 月増税〔8％：+3％ポイント〕，2019 年 10 月増税〔10％：+2％ポイント〕）。
（出所）　総務省統計局「消費者物価指数（CPI）」より筆者作成。

12.6.3　非伝統的金融政策の評価と懸念

《非伝統的金融政策の評価》　非伝統的金融政策の最終目標は達成されているのでしょうか。図 12-9 には目安となるインフレ率（物価上昇率）の変化を示しています。2％のインフレ率の達成が非伝統的金融政策の最終目標だとすると，2000 年以降で 2％を超えたケースは 2008 年と 2014 年の 2 回観察されています。しかし，2008 年のインフレ率は一時的で，同年 9 月に発生したリーマンショック▶による景気の落ち込みを反映してすぐに下落しています。2014 年には大きく上昇しているようにみえますが，図の縦棒で示したように，この上昇の多くの部分は消費税の引き上げを反映したものと考えられます。量的・質的緩和政策においては，2 年間という期限を区切って 2％の目標実現を目指したのですが，期間内にその目標は達成できませんでした。

▶リーマンショック
⇒13.1.2

　では，非伝統的金融政策には意味がないのでしょうか。拙速にそう結論づけるのは問題です。そもそも，政策効果にはラグやショックの問題があり，効果を識別するのは容易ではありません（12.5.3 節参照）。また，もし非伝統的金融政策が行われていなければ，もっと大きな問題が発生していたかもしれません。さらに，非伝統的金融政策に含められるものの中にはプルーデンス政策の性格を持つものもあり（14.3.5 節），どちらに注目するかで評価も変わります。

　内田（2024, 第 8 章）では，非伝統的金融政策のさまざまな政策手段と操作目標を整理し，複数の波及経路も考慮したうえで，膨大な数の実証分析の結果を踏まえて 2020 年までの非伝統的金融政策の評価を行っています。そこではまず，非伝統的金融政策は量的緩和政策まで（1990 年代後半から 2000 年代半ばまで）と，包括緩和政策以降（2000 年代半ばから 2020 年まで）に分けて評価するのが適当であることが示されています。前者の時期の評価としては，日本銀行の政策は金融市場や金融機関にまでは影響を与え，実体経済活動を下支えしたが，物価に対する影響を持たなかった

という点で，金融政策としての効果は不十分だったと結論づけられています。ただし，この時期の日本銀行の政策はプルーデンス政策として行われており，金融危機のさらなる拡大を食い止め，実体経済への悪影響を抑えたことについては評価できるとしています。

これに対して後者の時期に関しては，包括緩和政策における信用緩和や，量的・質的緩和政策における長期金利の誘導・信用緩和・量的緩和が，金融システム内では一定の効果を持ったものの，その規模に比べて十分な効果を発揮しなかったと結論づけられています。とはいえ，非伝統的金融政策による金融緩和が行われていなければ，経済活動はさらに落ち込んでいたと考えられ，この点については一定の評価が示されています。

《非伝統的金融政策の副作用》 以上は非伝統的金融政策自体の政策効果に関する評価ですが，非伝統的金融政策の評価は別の観点からも行う必要があります。副作用，あるいは意図せざる効果に関する評価です。特に，量的・質的緩和政策は，期限を設定して，それまでにない規模で資金供給等を行いましたが，目標を達成できないまま継続され，しかもどんどん規模が拡大されました。このため，これまでにみられなかったような問題が経済に生じているのではないか，緩和を縮小しようとするときに大きな問題が露呈するのでないか，といった懸念が広がっています。

指摘されている問題をいくつかあげてみましょう[44]。第1に，日本銀行による潤沢な資金供給と金利の低下から，コール市場をはじめとして短期金融市場における取引が急減し，市場の機能が低下したことがあげられます。取引の急減は，量的緩和政策の導入時やマイナス金利導入時に特に顕著にみられましたが，その後はある程度解消しています（9.2.4節，図9-4参照）。しかし，信用緩和が金融市場の機能を低下させていることは，多くの実証分析によって示されています。関連して第2に，マイナス金利に代表される低金利環境は，金融機関の収益悪化を招き，金融システムの安定性を損なうことが懸念されています。

第3の問題として，量的・質的緩和政策時の金融資産の買入増大に伴う，日本銀行のバランスシートの膨張があげられます。その様子は図12-10に示しているとおりで，量的・質的緩和政策以降は，それまでには考えられなかったペースでバランスシートが拡大していることがわかります。保有資産の価値が下落すれば，中央銀行である日本銀行が大きな損失を負いますし，その損失は通貨発行益▶（国庫納付金）の減少を通じて国民の負担にもなります。また，無理に資産を売ろうとすると，供給超過につながり，資産価格の暴落を引き起こすかもしれません。さらに，このような膨張のもとでは，将来新たな問題が発生したときバランスシートをさらに拡大して資金供給を行うことは難しいかもしれません。

第4に，長期国債買入の増大は，実質的に，中央銀行が国債を購入して政府の資金

▶通貨発行益
⇒1.3.1

---

[44] 小林（2020），齊藤ほか（2016），内田（2024，第8章）なども参考にしてください。

■図 12-10 日本銀行のバランスシートの推移

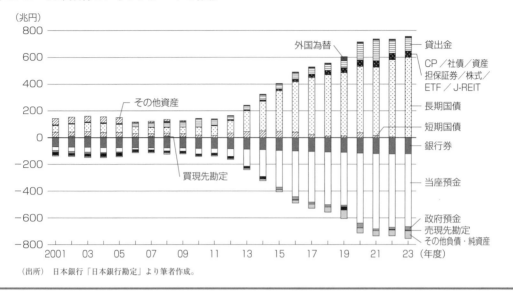

(出所) 日本銀行「日本銀行勘定」より筆者作成。

▶財政ファイナンス
⇒12.4.1

調達に応じる，財政ファイナンス▶の状態をもたらしており，国の財政規律を弱め，急激なインフレーションを招くといった問題を引き起こすことが心配されます。しかも，量的・質的緩和政策以降の国債の買入規模は巨額であり，それに支えられる形で巨額の国債が発行されました。こうした状況では，利払いの増大から財政破綻を招くことが心配されます。特に，金融の世界ではいったん返済能力が疑われる事態が発生すると，その後の資金調達は一気に困難になります。国債の返済は，償還だけでなく借り換えによっても賄われています（9.2.3 節参照）。この借り換えが困難になると，財源が枯渇して財政支出が滞り，国民生活に甚大な悪影響が及ぶことが懸念されます。実際に問題が起こっていないから大丈夫，と考えるのではなく，いったん起これば重大な事態を招くようなリスクをできるかぎり低減させておく必要があります。

　ここまで多くの懸念を抱え，最終目標が達成されていないにもかかわらず，本書を執筆した 2023 年末時点でも大規模な緩和は継続されています。このため，そもそもなぜこの政策に固執してまで 2％ の物価上昇率を目標とすべきなのか，完全雇用の達成など物価以外の政策目的からみるとここまでの金融緩和は必要ないのではないか，といった根本的な批判が起こっています。明快に答えが出せない問題だけに，非伝統的金融政策はそれ以前の金融政策にも増して大きな政策論争の的となっています。しかし，非伝統的金融政策は，このまま持続できる政策だとは考えられません。2023 年 4 月に新しい総裁が任命され，新型コロナウイルス感染症の影響も収まる中，本書執筆時点では，30 年以上も続いた非伝統的金融政策からいかにスムーズに平時の政策運営に移行するか，いわゆる出口戦略が活発に議論されています。

　《中央銀行の独立性》　最後に中央銀行の独立性について触れておきましょう。そもそも金融政策の運営は，長期的な視点に立ち，専門的な知識に基づいて決定されるべきも

のです。しかし，さまざまな利害が絡む問題だけに，目先の利益を追う投資家や，政府・政治の圧力を受けやすいものでもあります。現に，量的・質的緩和政策は，巨額の財政支出のための国債買入を可能にするために採用されたという側面があることは否定できません。多くの国では，金融政策の決定権限は中央銀行にある，という**中央銀行の独立性**を法律で規定しており，日本でも1998年に施行された新しい日本銀行法で独立性を規定しています。ただし，総裁など重要な人事の決定権限は政府にあるため，人選を通じて政治的な影響を及ぼすことは可能であり，ある程度長い期間を考えると，政府の意見とまったく異なる方針で政策運営を行うことは難しいといえます。

　金融政策に関しては，誤解も含めて過度の期待が持たれがちです。しかし，政策の実体はあくまで日本銀行当座預金を中心に行われる金融調節です。日本銀行当座預金は，日本の決済システムの基盤である中央銀行決済システムの根幹であり，決済システムは日本経済の究極のインフラストラクチャーです。金融政策は，決済システムの安定性も考慮して運営する必要があり，プルーデンス政策の視点も必要です。また，そもそもいくら経済の金融面に働きかけ，経済全体の資金供給を増やすことができても，資金の需要，つまり実物面の動きが伴わなければ政策は効果を持ちません。何のために，どのようなやり方で金融政策が行われ，なぜそれが効果を持つのか，理論的な理解を深めるとともに，データに表れた経済の実態を冷静かつ客観的に判断し，政策の判断や評価を行う必要があります。

■ 練習問題

12.1　日本銀行のホームページから，直近時点で行われたオペレーションの種類とその結果を調べなさい。

12.2　日本銀行の最新の金融調節方針を調べ，最終目標と操作目標を確認しなさい。

■ 参考文献

内田浩史（2024）『現代日本の金融システム――パフォーマンス評価と展望』慶應義塾大学出版会，近刊。

小林照義（2020）『金融政策（第2版）』中央経済社。

齊藤誠・岩本康志・太田聰一・柴田章久（2016）『マクロ経済学（新版）』有斐閣。

白川方明（2008）『現代の金融政策――理論と実際』日本経済新聞出版社。

末石直也（2015）『計量経済学――ミクロデータ分析へのいざない』日本評論社。

永易淳・江阪太郎・吉田裕司（2015）『はじめて学ぶ国際金融論』有斐閣。

日本銀行企画局（2016）「日本銀行のバランスシートについて――日本銀行の政策・業務との関係」https://www.boj.or.jp/about/outline/expboj_bs.htm（2023年11月31日アクセス）。

宮尾龍蔵（2006）『マクロ金融政策の時系列分析――政策効果の理論と実証』日本経済新聞社。

第13章
金融システムの問題と金融危機

はじめに

前章で説明した金融政策は，物価の安定を含む広い意味でのマクロ経済の安定を目指すマクロ安定化政策であり，どちらかというと経済の実物面の安定を重視する政策です。しかし，経済の安定という場合には金融面の安定，つまり金融システムの安定▶も重要です。歴史的にみると，金融機関や金融市場の問題が短期間に集中して発生し，金融システム全体が機能不全に陥って実体経済にまで悪影響をもたらす，**金融危機**★が繰り返し発生しています。金融危機は，金融システムのさまざまな部分にさまざまな形で現れ，その全貌を明らかにすることすら容易ではありません。しかも，金融を取り巻く環境の変化や技術の発展を反映して，問題の現れ方は時代を追って変化し，複雑化しています。とはいえ，危機の根底にあり問題を引き起こすメカニズムには共通点がみられます。そのメカニズムを整理して理解するのが本章の目的です。

本章ではこうした金融システムの問題と金融危機について，図13-1に示した構成で説明を行います。まず導入として13.1節では，実際に発生した2つの代表的な金融危機，1990年代後半の日本の金融危機と，2000年代後半の世界金融危機，について簡単に紹介します。これらの実例を踏まえ，13.2節と13.3節ではそれぞれ，個々の金融機関および金融市場が抱える問題を説明します。これらの問題は，平時においても発生しうる問題であり，特に金融危機に限った問題ではありません。しかし，金融危機においては資産価格バブルの崩壊を契機に個別の問題が広範囲に発生し，しかも複雑に絡み合いながら拡大

▶金融システムの安定⇒14.1.3

★金融危機：短期間に金融機関や金融市場にさまざまな問題が発生して金融システム全体が機能不全に陥り，実体経済にまで悪影響をもたらす状況

■図13-1　本章の構成

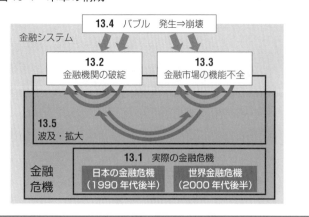

13.1 2つの金融危機[1]

13.1.1 日本の金融危機（1990年代後半）

《資産価格バブル》　近年の日本において、金融システムの安定が損なわれた最も顕著な例は、1990年代後半に発生した金融危機です。日本の金融システムの中心である銀行（正確には預金取扱金融機関）部門で特に深刻化した問題であるため、**銀行危機**とも呼ばれます。この危機は、1990年代後半に表面化し、1997年と1998年に最も深刻な状況に陥りました。その遠因といえるのが、1980年代後半に発生した資産価格の急激な上昇と急落です。日本の株価と**地価**（土地の価格）は1980年代後半から急激に上昇し、1989年と1990年にそれぞれピークを迎えた後、急落しました。これがバブル（資産価格バブル）です（詳しくは13.4.1節参照）。

バブルの崩壊とも呼ばれる資産価格の急落は、日本の金融システムで中心的な役割を果たしていた銀行に大きなダメージを与えました。1980年代後半のバブル形成期に、銀行は不動産業向けを中心として土地を担保とした貸出を急増させました。この増加の原因は、地価が上昇する状況で、土地の売買が活発化して不動産業が大きな利益を得たこと、土地の担保価値が増大して債務不履行時の資金回収が容易になり、貸出の採算性が高まったことです。バブル形成期には、貸出の増加により担保資産としての土地の価値が高まるとともに、価値の高まった土地を担保としてさらに貸出が行われる、というサイクルがみられ、**信用膨張**と呼ばれる貸出増加と地価の上昇が同時に観察されました。

《不良債権問題とその影響》　しかし、バブルが崩壊して地価が下落すると、こうした貸出は返済が滞り、担保を売却しても十分な資金が回収できなくなりました。バブル後の景気の低迷と相まって、銀行が保有する貸出の多くは返済が滞る**不良債権**▶となりました。不良債権の増加は銀行の収益を大きく悪化させ、多くの銀行の経営が脅かされる事態に発展しました。これが**不良債権問題**と呼ばれた問題です。

▶不良債権⇒5.1.1 Column5-1

不良債権問題は、預金取扱金融機関を通じた間接金融が中心的な役割を果たす日本の金融システムが、預金取扱金融機関にリスクが集中する不安定なシステムでもあったことを明らかにしました。それ以前には預金取扱金融機関の破綻はほとんどありませんでしたが、1994年に2つの信用組合が経営破綻したのを発端に、危機がほぼ終

---
[1] 過去に起こったほかの金融危機に興味がある方は、キンドルバーガー／アリバー（2014）を参照してください。

■表 13-1　主な金融機関の破綻

	都市銀行	長期信用銀行	地方銀行	第二地方銀行	その他の銀行	信用金庫	信用組合	大手証券会社	大手生命保険会社	大手損害保険会社
1994							2			
1995				1 (兵庫)			5			
1996				2 (太平洋, 阪和)		1	3			
1997	1 (北海道拓殖)			2 (京都協栄, 徳陽シティ)			7	2 (三洋, 山一)	1 (日産)	
1998		2 (日本長期信用, 日本債券信用)					31			
1999				5 (国民, 幸福, 東京相和, なみはや, 新潟中央)		4	27		1 (東邦)	
2000						5	14		4 (第百, 大正, 千代田, 協栄)	1 (第一火災海上)
2001				1 (石川)		9	37		1 (東京)	1 (大成火災海上)
2002				1 (中部)		4	6			
2003			1 (足利)							
⋮										
2008									1 (大和)	
⋮										
2010					1 (日本振興)					
計	1	2	1	12	1	23	132	2	8	2

(注)　数字は金融機関数。銀行，大手証券・大手生命保険・大手損害保険については破綻会社名も記載。
(出所)　『ニッキン資料年報』（各年）より筆者作成。

息する 2003 年までの間に多くの金融機関が姿を消しました（表 13-1）。中でも特に問題が深刻だったのは 1997 年と 1998 年であり，北海道拓殖銀行（都市銀行），日本長期信用銀行と日本債券信用銀行（どちらも長期信用銀行）という日本を代表する大銀行と，山一證券という当時の日本の四大証券会社の 1 つが経営破綻しました。

　以上のような銀行・金融システムの混乱は，実体経済にも深刻な影響を与えました。第 12 章でみたとおり，経済の金融面と実物面は相互に密接に関連しており，通常はどちらが原因でどちらが結果か断言することはできません。しかし，1990 年代後半においては，銀行の経営破綻や経営悪化による貸出の急減が実物面の経済活動の落ち込みを引き起こしたことが，多くの実証分析によってわかっており，金融面の問題が実物面に影響を与えたと考えられます。国全体の経済活動を表す国内総生産（GDP）も大きく落ち込みました。

13.1.2　世界金融危機（2000 年代後半）[2]

《サブプライム問題》　日本で金融危機の傷がようやく癒えたといえるようになった

2000年代後半に，今度は全世界を巻き込む大きな金融危機が発生しました。この金融危機は今では**世界金融危機**（Global Financial Crisis）と呼ばれていますが，もともとはアメリカ発の危機であり，やはり資産価格バブル，具体的には住宅市場における住宅価格のバブルを発端としています。このバブルは2000年代に入ってから2006年にかけて急拡大し，2000年代後半に崩壊しました（13.4.1節参照）。

アメリカの住宅価格バブルの背景にも，住宅ローンの急激な増加がありました。特に問題となったのは，所得が低く十分な返済能力がないと考えられる貧困層（サブプライム層）向けの住宅ローン商品です。サブプライム層には本来住宅ローンは貸されないはずですが，当時のバブルの状況では，住宅価格の上昇がずっと続くという期待を裏付けとして，サブプライム層向けの特殊な住宅ローンが設計され，大量に提供されました。

サブプライムローン（subprime mortgages）と呼ばれるこのローンは，借入当初は優遇期間として返済金利が低く設定され，優遇期間が終わるときに借手の返済可能性を再評価し，評価が悪ければ返済金利が急上昇する，という商品でした。優遇期間中の返済が滞らなければ評価が改善しますし，いずれにせよ住宅の価格は上がるので，それを担保に借り換えを行えば返済を続けていける，と考えられていました。しかし，実際にはバブル崩壊に伴って返済が滞る（不良債権化する）サブプライムローンが急増し，金融機関は大きな損失を被りました。このため，この金融危機は当初**サブプライム問題（サブプライム危機）**と呼ばれていました。

《問題の波及と証券化》 住宅ローンの不良債権化だけであれば，アメリカ国内の問題にとどまっていたでしょう。しかし，結果的にこの問題は世界中の金融機関に飛び火し，世界的な金融危機へと拡大していきました。ここで重要な役割を果たしたのが証券化▶です。サブプライムローンは多くがRMBS▶として証券化され，それをさらに証券化したCDO▶，さらには証券化商品であるCDOを証券化した証券化商品まで発行されました。当時の非常に安定的なマクロ経済環境と，世界的な貯蓄過剰（カネ余り）状態のもとで，こうした証券化商品のうち特に返済可能性を高めるよう設計された商品は，優良な投資先を求めていた投資家に受け入れられました。このため大量の資金が証券化商品を通じてサブプライムローンに流れ込み，信用膨張が発生しました。これらの資金が不動産市場価格を上昇させ，バブルを支えたのです。

▶証券化⇒7.1.4
▶RMBS（住宅ローン担保証券）⇒7.1.4
▶CDO（債務担保証券）⇒7.1.4

証券化を通じた資金の流れは，集団投資スキーム▶を通じた間接金融ですが，のちに影の銀行システム▶と呼ばれることになったことからもわかるように，この間接金融はさまざまな問題を抱えたものでした。サブプライムローンの債務不履行は，その返済を原資とするRMBSやCDO等の返済を滞らせ，それらを購入していたヘッジ・ファンドや証券化商品の組成に関わっていた投資銀行など，世界中の金融機関に大きな損失をもたらしました。イギリスでは銀行取付（預金の過剰な引き出し：13.2.

▶集団投資スキーム⇒10.2.3
▶影の銀行システム⇒13.2.3

---

2) 世界金融危機の実態に関しては，ラジャン（2011）なども参考になります。

3 節参照）が起き，アメリカでは CDS▶ の損失から大手保険会社も経営破綻しました。さらに，問題は金融機関同士が貸借を行う金融市場にも波及し，全世界のさまざまな金融市場が機能不全に陥りました。こうした世界的な金融システムの混乱は，実体経済にも大きな悪影響を与え，アメリカ，ユーロエリア，イギリスの GDP は 2008 年から 2009 年にかけて大きく落ち込みました[3]。

▶ CDS⇒6.2.3

13.2　金融機関の破綻

13.2.1　金融機関の破綻とその問題

《破綻とその原因》　金融機関の破綻は金融システムの不安定性をもたらす大きな問題の1つです。金融機関も企業ですから，十分な収益を上げられなければ経営破綻（6.1.2節参照）を起こします。第Ⅲ部でみたとおり，金融機関は自ら貸し借りをして最終的貸手と最終的借手の間を仲介する金融仲介機関（第8章）と，それ以外の金融機関（10.1，10.2節）とに分かれます（10.3節の表10-7参照）。両者は収益構造が異なるため，経営破綻の原因，つまり収益が減少する要因も異なります。

まず金融仲介機関の収益構造を考えると，その主な収入は，最終的貸手から集めた資金を運用することによって得られる運用益，つまり貸出や証券投資から得られる利子・配当などのインカムゲインや，証券売買から得られるキャピタルゲインです（8.1.2節も参照）。これらの収入が減少する原因は，約束していた返済を借手が行わないことや，保有している証券の価値が減少すること，つまり信用リスクや市場リスクなどの返済のリスクです（8.5.2節参照）。他方で，支出面を考えると，金融仲介機関の主な支出は，運用するために借りた資金に対する金利の支払い（調達費用）や営業費用（人件費，物件費等）などです。こうした支払いが増加すると，収益は減少します。

これに対して金融仲介機関以外の金融機関の場合，自ら貸し借りをしていないので，運用益の減少が原因で収益が減少することはありません。自ら貸さない金融機関の収入源は，証券取引の仲介や金融サービスの提供の対価として得られる手数料収入です。このため，金融市場における取引が減ったり，金融サービスの需要が減少することが，金融仲介機関以外の金融機関の収益を減少させます。

ただし，こうした金融機関も信用リスクや市場リスクとまったく無縁なわけではありません。2000年代後半の世界金融危機においては，投資銀行・証券会社▶ の経営破綻が大きな問題となりました。証券会社は証券売買を促進するために，マーケットメ

▶ 投資銀行・証券会社⇒10.1.3

---

[3] 影響は日本にも及び，大きな景気後退が起きました。日本で問題が顕在化し，GDPの落ち込み等がみられたのは，アメリカの大手投資銀行リーマン・ブラザーズが破綻した2008年9月以降であったため，この影響は**リーマンショック**と呼ばれています。ただし，日本では金融機関の多くが経営を脅かされるような事態は発生せず，金融危機にはつながりませんでした。日本で発生した問題は，海外の景気後退による貿易の減少など，実物面におけるものでした。

ーカー▶として証券の在庫を保有し，投資家の売買に応じます。また，投資銀行と呼ばれる金融機関の中には，投資家間の証券売買を仲介して手数料を得るビジネスだけでなく，自ら証券投資を行い，金利・配当収入を積極的に追求するものもあります。こうした場合，保有している証券の価値が暴落すれば，投資銀行自身が市場リスクの実現による損失を負うことになります。

▶マーケットメーカー⇒10.1.3
Column 10-1

《破綻の影響》　金融機関の破綻はどのような影響をもたらすのでしょうか。最も影響を受けるのは，従業員や取引先など，その金融機関に直接関わっている利害関係者です。金融機関が破綻すれば，一般企業と同様に破綻処理（6.1.2節）が行われます。たとえ再建を目指すとしても，金融機関の内部では経営者の交代や人員の削減，賃金カットなどが行われるでしょう。その金融機関に資金を貸していた貸手は約束どおりの返済を受けられないでしょうし，株主は保有している株式の価値が減少して紙くず同然になるかもしれません。

　以上のような悪影響は，一般企業の破綻の場合にも生じます。しかし，金融機関はどのタイプであれ取引相手の数が非常に多いため，こうした悪影響が非常に大きくなります。中でも，自ら貸し借りを行う金融仲介機関，特に預金取扱金融機関の場合には，破綻の影響は非常に大きいものになります。なけなしの財産を預けている零細な預金者，資金調達を依存している中小企業など，取引銀行の破綻が死活問題につながるような取引相手はたくさんいます。また，金融仲介機関は活発に金融取引や証券取引を行っていますし，短期金融市場などで互いに巨額の貸し借りを行っていますから，破綻の規模や影響が大きくなります。さらに，預金取扱金融機関は決済サービスを提供していますから，利害関係者の数，ひいては破綻の影響を受ける経済主体の数はさらに多くなります。そこで，以下では主として金融仲介機関や預金取扱金融機関の破綻を念頭に置き，その原因となる問題について考えてみたいと思います。

13.2.2　破綻の原因(1)——金融機関のモラルハザード

《金融機関に発生するモラルハザード問題》　金融仲介機関の収益減少をもたらす最大の原因は，返済のリスクです。将来何が起こるかわからない以上，返済のリスクの発現を完全に防ぐことはできません。このため，ある程度損失が発生しても，必ずしも金融機関の責任とはいえません。しかし，金融機関はしばしば損失を発生させるような問題を自ら引き起こし，批判の対象となります。そうした問題の1つが，金融機関によるモラルハザード▶の問題です。

▶モラルハザード⇒4.2

　金融取引におけるモラルハザードの問題は，取引を行った後に情報の非対称性が存在するために，貸手にとって望ましい行動を借手が取らない，という問題でした（4.2節参照）。この問題は，返済努力を行わない，過度なリスクを取る，など，さまざまな形で発生する可能性があり，返済のリスクを高めて取引費用を大きくします。金融仲介機関はさまざまな金融の仕組を用いてこうしたリスクを減少させ，取引費用を削減する存在でした（8.4.3節参照）。

しかし，情報の非対称性は金融仲介機関と最終的借手の間にだけ存在するわけではありません。最終的貸手と金融仲介機関の間にも情報の非対称性が存在します。たとえば最終的貸手（預金者など）は，金融仲介機関が金融の仕組みを用いて本当に返済のリスクを小さくしているかどうかわかりません。このため，借手としての金融仲介機関が，貸手としての最終的貸手に対して，モラルハザードの問題を起こす可能性があります。たとえば，金融仲介機関が借手をきちんと審査しない，返済可能性の低い借手にまで貸出（投資）してしまう，借りた資金を適切に運用しない，十分なリスク管理を怠る，といった問題です。担当者が借手企業の経営者と手を組んで行う不正融資なども，この中に含まれるでしょう。

　同様のモラルハザードは，集団投資スキームにおいても発生する可能性があります。この場合に問題となるのは，貸手の資金を預かって運用する運用会社▶です（10.2.3節も参照）。運用会社の収益源は，運用を引き受ける対価としての手数料です。このため，たとえ運用した結果十分なリターンが得られなくても，運用会社は損しません。運用結果が収益を左右する金融仲介機関よりも，運用会社は貸手の利害に合わない行動を取る可能性が高く，モラルハザード問題を起こす可能性も高くなります（Column 13-1 参照）。

▶運用会社
⇒10.2.1

《金融危機時のモラルハザード問題》　金融危機時には，モラルハザードの問題が広範かつ大規模に発生します。日本の不良債権問題の場合，バブル期の地価上昇により土地の担保価値が増大し，銀行やノンバンク等が「土地があれば貸す」といった緩い審査基準で不動産業者等に過剰な貸出を行ったといわれています。バブルの崩壊後も，近い将来地価は再び回復するかもしれない，という楽観的な期待のもとで，金融仲介機関が問題を先送りしたため，不良債権の処理が進まず損失が拡大したともいわれています。

　2000年代後半の世界金融危機においては，サブプライムローンに関して同様の問題が発生しました。世界的な規模で資金供給が増加し，カネ余り状態となっていた中，当時は優良資産と考えられていたサブプライムローン証券化商品には世界中から巨額の資金が流れ込みました。新たな証券化商品を組成するために，裏付けとなるサブプライムローンをオリジネーターが緩い基準で貸し出したり，問題のあるサブプライムローンが含まれているのを知りながら証券化するようなことも行われました。世界金融危機の際には証券化特有の問題も指摘されています。証券化ではオリジネート・トゥ・ディストリビュート▶モデルのもとで，金融仲介機関のさまざまな役割がアンバンドル▶されるため，オリジネーターは貸した債権をすぐに売却します。後に債務不履行が発生しても，オリジネーターは損しないことから，返済可能性の低い貸出が助長された，ということが，データを用いた実証分析で確認されています[4]。

▶オリジネート・トゥ・ディストリビュート⇒10.2.3
▶アンバンドル⇒10.2.3

　以上のような理由から，金融危機が起こると金融機関は問題を引き起こした張本人だとして厳しく批判されます。ただし，すべての責任を金融機関に負わせるのも問題でしょう。たとえば世界金融危機の際には，理論上は信用リスクや市場リスクから解

Column 13-1　運用会社のモラルハザード

運用会社が引き起こすモラルハザード問題の典型は，必ず儲かるといって資金を集める投資詐欺（4.1 節 Column 4-1 も参照）です。海外で有名なのは，全米最大の詐欺事件といわれる**マドフ事件**（2008 年）です。この事件では，架空のファンドがネズミ講（4.1 節 Column 4-1 参照）に似た手口で巨額の資金を集めました。648 億ドルと報告されていた運用資産は，実際にはほとんど存在しないことが判明し，世界各国の投資家が巨額の損失を被りました。

日本では，年金資産を運用する運用会社が資産の大半を失った **AIJ 事件**（2012 年）が有名です。企業が従業員のために運営する年金資金の運用を受託していた投資顧問会社（10.2.2 節参照）が起こした事件で，高収益を謳って集めた 2000 億円もの資金は，その大半が失われました。

日米をまたいだ事件として，アメリカの資産運用会社による **MRI インターナショナル事件**（2013 年）もあります。日本の投資家から資金を集め，「医療機関の診療報酬の請求債権で運用」していた約 1300 億円は，実際には社長の子どもの養育費や高級車の購入に充てられていました（記事参照）。

(2013 年 4 月 27 日付『日本経済新聞』)

放されていたはずのオリジネーターが損失を被りました。その理由として，実際の証券化においてはオリジネーター自身が投資目的，あるいは商品の質が高いことをアピールするために証券化商品を保有していたこと，これから証券化するための貸出債権を資産として保有していたこと，リスクを転嫁したはずの SPV▶ に対してオリジネーターが保証や救済を行ったこと，などがあげられています。世界金融危機の原因の少なくとも一部は，証券化の背後に隠れていた返済のリスクが顕在化したことだといえます。

▶ SPV（特別目的事業体）⇒7.1.4

13.2.3　破綻の原因(2)──満期のミスマッチと取付

信用リスクや市場リスクなど，返済のリスクに起因する損失は金融仲介機関の資産

---

4) 関連して，投資結果に責任を負わないアレンジャーや格付会社が，リスクを十分評価せずに証券化商品を組成したり，甘い格付を行った，というモラルハザードも指摘されています。特に格付会社の場合，カネ余りの中で，優良な投資先を探していた投資家の需要に応えるために，あるいは手数料を支払う発行者の意向に添って，甘い格付を行った，として批判されました。

側の問題です。資産側から十分な収入が得られないことによる破綻は，金融機関に限らずどのような企業でも起こります。しかし，この問題とは別に，金融機関の中でも資産変換を行う金融仲介機関は，一般の企業にはみられない構造的な問題も抱えています。実は，金融仲介機関はそもそも破綻しやすい企業なのです。この問題を理解するためには，金融機関の資産側と負債側を合わせて考える必要があります。

▶資産変換
⇒8.4.2

《満期の変換と満期のミスマッチ》　金融仲介機関による資産変換▶を思い出してみましょう。たとえば銀行の場合，貸借対照表の負債側では普通預金によって資金を調達しています。普通預金はいつでも引き出せるので，普通預金を通じた預金者と銀行の貸借は，非常に短期の貸借です。これに対して資産側では，貸出に加えて株式，社債などさまざまな証券への投資が行われています。こうした証券は一般的に投資期間が長く，いったん投資すると資金を回収するまでに時間がかかります。このように，短期で借りて長期で貸すこと（満期の変換）により，最終的貸手の取引費用が削減されています（8.4.2節参照）。

　満期の変換は，**満期のミスマッチ**，すなわち資産側と負債側とで貸し借りの満期が一致していないことを意味しています。預金者にはすぐ返すと約束しながら，その元手となる収入（証券からのリターン）はなかなか得られないわけです。預金者の払い戻しに応じるための資金（準備）が不足すると，債務不履行や経営破綻に陥る可能性があります[5]。ただし，8.4.3節で説明したように，通常は預金者がいっせいに預金を引き出すことはありません。このため，銀行は引き出しに備えて保有しておくべき準備を確保したうえで，残りの資金を運用しています。

《銀行取付》　しかし，もし予想に反して多くの預金者がいっせいに資金を引き出す事態が発生すると，銀行はたちまち資金不足に陥り，経営破綻してしまいます。これが，**銀行取付**と呼ばれる事態です。日本では近年発生していませんが，銀行取付はまったくありえない事態ではありません。たとえば昭和初期の1927年には，複数の銀行で取付が発生し，金融システムから経済全体にまで問題が広がる**昭和恐慌**を引き起こしました。また，金融危機時（13.1.1節参照）には一部の信用組合で取付騒ぎが起きました。他国でも，特に発展途上国では銀行取付が繰り返し起こっていますし，世界金融危機（13.1.2節）の初期にはイギリスで100年ぶりという取付が発生しました。最近では，2023年3月にアメリカのシリコンバレーバンクが，数日のうちに巨額の預金が流出する取付を起こして破綻しました（Column 13-2 参照）。

　銀行取付はどのような場合に発生するのでしょうか。この疑問に答えるべく多くの研究が行われていますが，ゲーム理論と呼ばれる理論に基づく最もよく知られた研究からは，「信認の有無」が特に重要であることがわかっています[6]。ここでいう**信認**

---

5)　同様のミスマッチとして，資産側と負債側とで異なる通貨が用いられ，為替レートの変動によって資金不足が発生する**通貨のミスマッチ**があります。

Column 13-2　シリコンバレーバンクの取付

　2023年3月に取付に見舞われ経営破綻したアメリカのシリコンバレーバンクは，数々のスタートアップ企業を生み出してきたシリコンバレーのエコシステム（生態系）の一翼を担う，変わった銀行でした。ベンチャー・キャピタル（Web Appendix 10.1 参照）などから巨額の資金を調達し，リスクも大きい代わりに急成長する可能性もあるのがスタートアップ企業（7.1.3 参照）ですが，そうした企業も決済においては銀行に依存しています。スタートアップ企業を主な顧客とし，そうした企業が集めた巨額の資金を預金に受け入れていたのがシリコンバレーバンクです。低金利下でスタートアップ企業への投資が急増し，シリコンバレーバンクの預金は急速に増加しました。しかし，適切なリスク管理のもとで資金を運用できず，その後の金利上昇により損失が膨らみました。こうした状況で，預金者（スタートアップ企業など）は信用不安から短期間のうちにいっせいに預金を引き出し，結果的に取付に発展してしまったのです。

シリコンバレー銀 破綻
米利上げ 金融システムに影

リーマン後最大

【ニューヨーク=竹内弘文】テクノロジー関連のスタートアップとの取引で知られるシリコンバレーバンク（SVB）は10日，地元カリフォルニア州の金融当局により事業停止となり，米連邦預金保険公社（FDIC，3面きょうのことば）の管理下に入った。債券投資の含み損など損失が膨らんで，破綻規模はリーマン・ショックの2008年以降で最大，過去2番目となる。米国がリーマン後の金融緩和から急速に引き締めに急旋回し，金融システムに軋みが生じている。

〔関連記事3面に〕

SVBの2022年末時点の総資産は約2090億ドル（約28兆円）で米16位。08年9月以来に破綻し，米銀が過去最大の破綻となったワシントン・ミューチュアル（総資産3070億ドル）以来の規模となる。拡大した債券運用を金利上昇が直撃し，資本不足に陥った。取り付け騒ぎに発展した。債券までの期限が長い住宅ローン担保証券（MBS）や米国債など有価証券投資の残高は22年末時点で預金量の70%超を占め，3年前に比べて20㌽あまり上昇していた。

金利減に対応する資金繰りは行き詰め，運用を金利上昇が直撃した。米銀がかかえる含み損は22年末時点で計6200億ドル。金利上昇がもたらす債券運用への逆流れはほかの金融機関にも共通する。

FDICの集計では預金保険の対象となる米銀の売却損の発生で21億ドルの損失を投げ売りの一段安を招きかねない。8日の発表で明らかになると信用不安が高まった。スタートアップ企業などが一段と預金引き出す拠点を置く銀行に対し，米連邦準備理事会（FRB）は10日，緊急融資で明らかになる信用不安は高まった。08年のリーマン・ショック当時とは，リスクの見えにくい証券化商品が金融業界に広がり，住宅バブルが崩壊すると信用収縮が出発点となった今回は当時と構図が異なる。金利環境の変化は当時と構図が異なる。リスクが小さいと独自の見方を示す。

預金引き揚げが加速し，資金繰りは行き詰まった。

管理のまずさというSVB固有の事情が破綻の主因とみられる。ただ金利上昇がもたらす債券運用への逆流れはほかの金融機関にも共通する。

米調査会社モーニングスターのエリック・コンプトン氏は「SVBの破綻は，金融システム全体に波及する可能性は小さい」と指摘するが，「リスクが一気に顕在化するかを予測することは非常に困難だ」と警鐘を鳴らす。

（2023年3月12日付『日本経済新聞』）

とは，「預金がいっせいに払い戻されることがない」と多くの預金者が信用して認めている状態のことです。個々の預金者からすると，ほかの多くの預金者がいっせいに引き出すことのない状況では，自分が引き出したいときには確実に引き出せますから，用がないかぎり引き出しません。しかし，ほかの多くの預金者が同時に預金を引き出すと考えられるような状況では，銀行が潰れる前に自分も引き出そうと考えるでしょう。もし多くの預金者がそう考えるようになってしまったら，実際に皆いっせいに引き出すことになります。このように，銀行取付は多くの預金者が「預金がいっせいに払い戻されることがない」という信認を失った場合に発生するのです。

　信認が崩れるきっかけは，銀行の経営が危ないといううわさが立つこと，似たような経営をしている別の銀行が経営破綻すること，などいろいろ考えられます。重要なのは，経営に問題がない銀行であっても，いったん多くの預金者が同時に預金を引き出しにきてしまったら，応じることができずに破綻してしまうということです。特に，預金者と銀行との間には，銀行の健全性に関して情報の非対称性▶が存在します。一般的に，預け先の銀行の経営状況はよくわからないことが多いため，預金者の信認は何らかの偶発的な出来事によって崩れてしまう可能性が大いにあります。

▶情報の非対称性
⇒4.1

6）　この研究の詳細については Web Appendix 13.1 にまとめています。

そもそも個々の預金者にとって，自分が預けた銀行の経営状況を調べるのは大変なことです。たとえ，費用をかけてその銀行の健全性を調べ，すべての預金者に伝えて安心してもらった方がよいような場合でも，ほかの預金者のために調べてやろうという人はいないでしょう。誰かほかの人が調べてくれるのに便乗する方が簡単です。これは**フリーライダー（ただ乗り）問題**と呼ばれる問題です。

信認は人々の心理の問題ですから，そう簡単にはコントロールできません。ただし，長い歴史の中から得られた経験に基づいて，現代の金融システムでは信認維持のための工夫が施され，そう簡単には銀行取付が発生しなくなっています。たとえば，銀行預金には預金保険という保険がかけられており（14.3.2節参照），銀行が破綻したとしても，一定額までは払い戻しを受けられます。また，経営破綻が懸念されるような銀行には国の救済措置が講じられます。こうした仕組みは，預金者が安心して銀行に預金する誘因となり，「預金がいっせいに払い戻されることがない」という信認を支えています。

《影の銀行システムと満期のミスマッチ》「銀行」取付と呼ばれてはいるものの，満期のミスマッチがもたらす問題は，銀行をはじめとする預金取扱金融機関だけの問題ではありません。満期の変換は，ほかの金融仲介機関も行っていますし，金融仲介機関の役割を複数の金融機関が分担する集団投資スキームでも行われているからです。2000年代後半の世界金融危機の際には，証券化の仕組みにおける満期のミスマッチが大きな問題を引き起こしました。

▶証券化⇒7.1.4　　証券化▶では，オリジネーターがオリジネートした証券を，SPV（SPCや信託）が買い取り，保有します。買い取るための資金は，SPVを借手とする証券，すなわち証券化商品を発行することにより調達されます。この証券化の仕組みのうち，特に問題となったのが，SPVがCP（コマーシャルペーパー）▶を発行して資金を調達し，MBS（不動産担保証券）▶あるいはMBSを証券化したCDO▶等を買い取っていた仕組みです。この仕組みでは，SPVが発行するCPが証券化商品にあたり，**資産担保コマーシャルペーパー**（**ABCP**：Asset Backed Commercial Paper）と呼ばれて多くの金融機関が購入していました。

▶ CP（コマーシャルペーパー）⇒9.2.2
▶ MBS（不動産担保証券）⇒7.1.4
▶ CDO（債務担保証券）⇒7.1.4

ABCPは，コマーシャルペーパーですから短期の証券ですが，その裏付けとなる証券（たとえばサブプライムRMBS），さらにはその元となっている証券（サブプライムローン）は長期の証券です。RMBSからリターンが得られるまでABCPの返済を待つようなことはできませんから，SPVは満期のミスマッチにさらされています。しかも，銀行預金には期限はありませんが，ABCPは期限がくればすべて返済（償還）されます。

このミスマッチは，ただちに問題になることはありませんでした。RMBS等から最終的にリターンが得られるまでの間，新たなABCPの発行を繰り返すことで，ABCPの借り換えを行っていたからです。また，ABCPに対しては別の金融機関（オリジネーター等）が**信用補完**あるいは**流動性補完**と呼ばれる保証を付与し，借り換

えに応じてもらいやすくしていました。

しかし，サブプライムローンの返済が滞ると，その返済を裏付けとするABCPのリスクも高まり，しだいに借り換えが困難になりました。また，こうした事態が拡大することで，信用補完は不十分なのではないかと考えられるようになりました。結果的に，SPVは資金調達に窮し，ABCPの投資家に対する支払いができなくなり，信用補完を行っていた金融機関にも大きな損失が発生しました[7]。

ABCPを通じて調達された資金が，最終的には長期の証券であるサブプライムローン等に流れる，という資金の流れは，集団投資スキームを通じた間接金融です（10.2.3節の図10-4中央）。銀行や金融仲介機関ではないものの，これらと同様の資産変換（特に満期変換）を行う仕組みが世界的な金融危機につながる大きな問題を生み出したということで，この資金の流れは**影の銀行システム**（shadow bank system）と呼ばれるようになりました[8]。

銀行の場合，満期のミスマッチは自分が保有する資産と負債の問題ですから，自らの問題としてリスク管理（8.5節参照）を行うはずです。これに対して影の銀行システムの場合，ミスマッチを抱えるSPV，あるいはそれを設立した金融機関などは，運用からの損失を直接負うことがないため，主体的なリスク管理が行われない可能性があります。また，銀行の場合には経営破綻が金融システム全体に悪影響が及ぶことのないよう公的な救済の仕組み（14.3節参照）が整えられていますが，影の銀行システムにはこうした仕組みがなく，問題の拡大を抑えることができませんでした。

13.3 金融市場の機能不全

13.3.1 市場の機能不全とその問題

金融危機においては，**金融市場の機能不全**という問題も発生します。取引（証券売買）が急速にしぼんで本来行われていた水準を大きく下回ったり，金利や証券価格，収益率といった，証券の価格による需給調整機能が働かなくなったりする問題です。こうした状態では，証券の売手，つまり資金を必要とする借手や流動化したい投資家がたくさんいるにもかかわらず，返済のリスクを恐れて買手が付かなかったり，たとえ貸し借りが行われたとしても，高まったリスクの見返りとして貸手が過大なリスクプレミアム▶を要求し，金利や収益率が急騰したり，証券価格が暴落したりします。なお，景気が後退して資金需要が小さくなった場合にも金融取引は減りますが，以下

▶リスクプレミアム
⇒5.2.1

---

[7] 同様の問題は，海外の投資銀行にも起こったことが指摘されています。投資銀行は，短期金融市場であるレポ市場▶を通じたごく短期の資金調達に依存していましたが，レポ市場の崩壊により資金調達が難しくなり，満期のミスマッチに起因する脆弱性を露呈しました。

[8] 影の銀行システムという言葉は，より一般的に，「整備された銀行システムを通さない資金の流れ」あるいは「公の制度の裏側で行われる金融仲介」という意味で用いられることもあります。この場合には，集団投資スキームを通じた資金の流れだけを表すわけではありません。

▶レポ市場
⇒9.2.5, Web Appendix 9.1

Column 13-3　ジャパンプレミアム

1990年代に入り，バブルが崩壊して日本の金融システムにさまざまな問題が発生する中で，日本の銀行には**ジャパンプレミアム**（Japan premium）と呼ばれる現象が発生しました。国際金融市場において資金を調達する際に，欧米の金融機関よりも高い金利を要求されるようになったのです。この金利差は，金融危機（13.1.1節参照）がピークを迎えた1998年後半に最も拡大し（記事参照），その後急速に縮小しました。この金利差は，日本の銀行のリスクの高まりを表すリスクプレミアムを反映したものですが，個別銀行だけの問題ではなく，日本の金融システム全体のリスクに対する不安の高まりを反映したリスクプレミアム（ジャパンプレミアム）とみなされました。

(1998年11月6日付『日本経済新聞』)

で注目するのはこうした状況ではなく，問題が短期間に急速かつ大規模に広がるような危機的な状況です。

《市場の機能不全の例》　日本の金融危機においても金融市場の機能が損なわれる事態が発生しましたが，ここでは2000年代後半の世界金融危機の状況をみてみることにしましょう[9]。まず図13-2は，金融危機前後のさまざまな証券化商品の発行市場の様子を表しています。危機が発生した2007年以降，危機の源泉となったMBSやCDOといった証券化商品を中心に，発行が急速に減少していることがわかります。

表13-2には，ヨーロッパとアメリカにおける社債の**スプレッド**（＝リスクプレミ

---

[9]　日本で発生した問題の例として，Column 13-3 ではジャパンプレミアムと呼ばれる現象を紹介しています。金融市場で実際に発生したさまざまな問題については，藤井（2023）も参考になります。

アム▶）が示されています。リスクが大きい代わりに収益率も高い高利回債（high-yield）だけでなく，比較的安全だと考えられる高格付債（high-grade）についても，危機前からリーマンショック前，さらには2009年2月末にかけてスプレッドが上昇し，2009年8月末にかけて減少しています。投資家がリスクを嫌い，要求するリスクプレミアムが急上昇したことがわかります。

関連して，図13-3には社債に対して設定されたCDS（6.2.3節参照）のスプレッド（この場合は手数料・保証料）の動きを，アメリカ，ヨーロッパ，アジアの3地域について，やはり高格付債（high-grade）と高利回債（high-yield）に関してそれぞれ示しています。CDSは保証と同じ役割を果たすものですから，スプレッドは保証を引き受け信用リスクを負担する見返りに

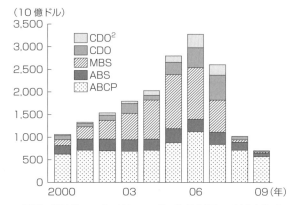

■図 13-2　証券化市場の収縮

（出所）IMF (International Monetary Fund) *Global Financial Stability Report*, October 2009 より一部改変。

■表 13-2　社債のスプレッド

		危機前 2007/6/30	リーマン前 2008/9/12	2009/2/28	2009/8/31
高格付債	ヨーロッパ	51	209	422	205
	アメリカ	100	344	548	253
高利回債	ヨーロッパ	226	900	2,103	1,116
	アメリカ	298	854	1,738	912

（注）単位はベーシスポイント（0.01％）。
（出所）IMF, *Global Financial Stability Report*, October 2009 より筆者作成。

求められる対価の大きさを表し，信用リスクが高いと判断されるほどスプレッドは上昇します。どの指標をみても，スプレッドは2007年後半から急上昇しており，高い保証料が得られないかぎり保証が提供されず，社債による資金調達が難しくなったことがわかります。

▶リスクプレミアム
⇒5.2.1

《金融市場の問題と流動性》　金融市場の機能不全は，市場の流動性▶と密接な関係を持っています。活発に取引が行われている市場が流動性の高い市場，その逆が流動性の低い市場でしたが，流動性が失われるとさまざまな問題が発生します。第1に，多くの注文を通じて多様な情報を集約する，金融市場の価格発見機能▶が損なわれます。第2に，流通市場で流動性が低下すると，資金不足に陥った経済主体が保有資産を売却して対応することが難しくなります。保有する証券が売れないために資金不足に陥るリスクは**市場流動性リスク**と呼ばれ，市場での売れやすさは**市場流動性**と呼ばれますが，流通市場の問題は市場流動性リスクを上昇させます。第3に，発行市場における流動性が低下すると，借手の資金調達が難しくなります。新たな資金調達ができずに資金不足に陥るリスクは**調達流動性リスク**と呼ばれ，その調達の容易さは**調達流動性**と呼ばれます。発行市場の流動性低下は調達流動性リスクを高めます。

▶（市場の）流動性
⇒9.4.1

▶価格発見機能
⇒9.4.1

なお，金融市場の問題は，金融機関の問題と無関係なものではありません。自ら貸

■図13-3 社債CDSのスプレッド

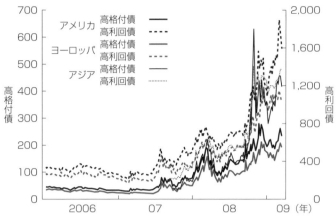

(注) 単位はベーシスポイント (0.01%)。
(出所) IMF, *Global Financial Stability Report*, October 2009 より一部改変。

し借りを行う金融仲介機関，マーケットメーカーの役割を果たす証券会社など，多くの金融機関は金融市場に関わる当事者ですから，金融市場で発生する問題はそこに参加している金融機関の問題です。この節では金融市場という取引が行われる「場」の問題を説明していますが，これらの問題はその「場」で問題に直面する当事者である金融機関の問題でもあります[10]。

13.3.2 機能不全の原因(1)――情報不足と信用の喪失

　金融市場の機能不全の一番の原因は，証券の買手がいなくなり，資金供給が急速に減少することです。資金調達が行われる発行市場の場合，調達する必要のある借手はたくさんいるのに貸手が資金供給を絞り，証券を新規に発行できなくなります。既発行証券を売買する流通市場の場合には，証券を売りたい投資家は多いのに買いたい投資家が少なくなり，証券の流動化▶ができなくなります。

▶流動化⇒5.1.1

　しかも，機能不全の状況では，返済可能性を踏まえて決定される証券本来の価値（ファンダメンタルズ▶）より証券価格が安くなっても，買手が現れません。普通に考えれば，そうした証券を買えば儲けを得ることができるわけですから，買い注文が増加し，証券価格は上昇するはずです。しかし，市場が機能不全に陥った状況では，価格が下がっても証券の買手が現れません。

▶ファンダメンタルズ⇒9.4.5

　買手が現れない理由にはさまざまなものが考えられますが，大きな理由の1つは情報の不足でしょう。過去のデータに基づいて理論価格▶が求められるのであれば，それに比べて価格が下がりすぎている証券は買われるはずです。しかし，7.1.4節で説明したような非常に複雑な構造をした証券化商品について，しかもサブプライムローンなどの原資産の債務不履行が予想以上に多発する中で，どれだけ損失が発生するか

▶理論価格⇒9.4.1

---

10) 金融機関と金融市場との関係については，13.5.3節も参照してください。

正確に把握するのは難しいことです。しかも，情報提供を仕事とする格付会社が最優良だと判断していた証券化商品の価格が急落したのですから，どの情報を信頼すればよいのかわからなくなります。このような状況では，価格が急激に下がった証券は問題のある証券だと考えてしまうでしょうし，買手と売手の間の情報の非対称性も拡大する中で，無理に買うよりしばらく取引を控えようとするのも仕方のないことでしょう。

金融市場は，本来証券の売買を促進し，取引費用を削減するために整備された場です。しかし，情報が得られず取引参加者間の信用が失われると，金融取引が困難な状況に陥ります。この状況が金融市場の機能不全だといえます[11]。

13.3.3 機能不全の原因(2)——ポジティブ・フィードバック・トレーディング

《ポジティブ・フィードバック・トレーディングとは》 金融市場の機能が失われる状況では，証券の買手がいなくなるだけでなく，証券の売手が増えすぎるという問題も発生するかもしれません。主に流通市場で発生する問題ですが，買い注文をはるかにしのぐ数の売り注文が出されてしまう，という問題です。その原因の1つが，群衆行動として表れるポジティブ・フィードバック・トレーディングです。

ポジティブ・フィードバック・トレーディング（positive feedback trading）は証券の取引手法の1つであり，価格の動きと同じ方向に（ポジティブに）反応して取引すること，つまり価格が上昇している証券を買い，下落している証券を売る，という取引を行うことを指します[12]。金融市場の機能不全を引き起こすのは，価格の下落に対して売る取引です。価格が下がっている証券に対してポジティブ・フィードバック・トレーディングによる売りが行われると，価格はどんどん下がっていくことになります[13]。

ただし，一部の投資家だけがポジティブ・フィードバック・トレーディングを行っていても，その効果はその他の注文によって打ち消されるはずです。ポジティブ・フィードバック・トレーディングが大きな問題を引き起こすのは，それを多くの投資家が同時に行う場合，つまり**群衆行動**（横並び）としてポジティブ・フィードバック・トレーディングが行われる場合です。そうした例としては，1987年10月19日にニューヨーク株式市場において発生した，**ブラックマンデー**と呼ばれる株価暴落が有名です。

《ポジティブ・フィードバック・トレーディングを生むメカニズム》 合理的な投資家であれば，証券の価値はファンダメンタルズが基準になると考えるはずです。では，なぜフ

---

11) 情報の不足とは別に，資金調達が困難になる中で，将来自分が流動性ショックに直面することを恐れて貸手が資金の提供（証券の購入）を控える，というメカニズムも考えられます。
12) 逆に，価格と逆方向に取引することを**ネガティブ・フィードバック・トレーディング**（negative feedback trading）といいます。
13) 価格の上昇に対するポジティブ・フィードバック・トレーディングについては次節で触れます。

ァンダメンタルズを下回っても多くの投資家が証券を売り続けるのでしょうか。それにはいくつかの理由が考えられます。たとえば，プロの運用会社も含め，投資家の中には保有している証券の価格がある程度下がれば（それ以上下がって損失が拡大する前に）売る，というルールで売買を行っているものが少なからず存在します。いわゆる**損切り**と呼ばれる取引手法です。損切りはポジティブ・フィードバック・トレーディングそのものです。

　信用取引が原因となる場合もあります。保有している自己資金を超えて証券を買う，あるいは保有していない証券を売る，という信用取引▶のサービスを利用する場合，投資家は証券会社に対して委託保証金を差し入れる必要があります。信用で買っている証券の価格が下落した場合，投資家は追加の委託保証金（**追証**(おいしょう)と呼ばれます）を差し入れる必要がありますが，自己資金が少なく追証を提供できない投資家は，追証を求められた段階で取引をやめ，信用で買っていた証券を売るかもしれません。これが，信用取引を原因とするポジティブ・フィードバック・トレーディングです。

　まったく別のメカニズムですが，ブラックマンデーの際には，決まったルールに従ってコンピュータプログラムが自動的に注文を出す，いわゆる**プログラム売買**がポジティブ・フィードバック・トレーディングにつながったといわれています。保有するポートフォリオのリスクをヘッジするためのプログラムと，裁定機会を利用して儲けようとするプログラムが相互に影響しあうことで，大量のポジティブ・フィードバック・トレーディングが短期間のうちに発生し，それを打ち消す反対売買も追いつかず，株価が急落しました[14]。こうした問題は，今ではある程度解決されていますが，コンピュータによるプログラム売買は現在でも行われており，しかも**人工知能**（**AI**：Artificial Intelligence）による学習を加えるなどさらに複雑な形で，また情報通信技術の発達によりさらに短時間に大量に，取引が行われるようになっています。こうした取引が，誰も予期しなかったような大きな問題を発生させることが懸念されます。

　ポジティブ・フィードバック・トレーディングの最大の問題は，売りが売りを呼ぶ悪循環を招く可能性があることです。たとえば証券価格の下落で追証を払えない投資家にとって，証券を売ることは個人の選択として合理的かもしれません。しかしこうした売却がたくさん発生すると，市場全体でさらなる証券価格の下落が起こり，その下落がさらなる追証不足を招いて余計に売却を促すかもしれません。ポジティブ・フィードバック・トレーディングは，問題を自己増幅させる可能性があるのです。その結果として，大規模な市場の機能不全が発生するかもしれません。

▶信用取引
⇒10.1.3

---

14) 詳しくは藤井（2023，第 2，15 章）を参照してください。

13.4 資産価格バブル

13.4.1 バブルとその問題

《バブルとは》 ここまで2つの節では、金融機関あるいは金融市場に起こりうる個別の問題について、それぞれ説明してきました。しかし、金融危機と呼ばれるほど深刻な状況では、上記の問題が多くの金融機関・市場に同時に発生し、しかも金融機関相互、金融市場相互、さらには金融機関と金融市場の間で増幅され、より大きな問題につながります。この節では、このメカニズムの出発点として多くの金融機関や金融市場に同時に問題を発生させ、いわば着火剤の役割を果たしてきた、バブルの問題を説明します。

バブル（bubble）という言葉は、土地や株式などの資産の価格が、ある程度長い期間継続的に上昇する現象を表します。ただし、単に価格が上昇するだけではバブルとは呼びません。まるで泡が膨らむように高い比率で価格が上昇し、その後突然はじけて消えるように急落する場合をバブルと呼びます。長期間にわたる価格の上昇はバブルの形成、その後の急落はバブルの崩壊、などとも呼ばれます。崩壊するまで経済活動は活発に行われますから、バブルは形成期には問題とは思われません。しかし、いったん崩壊すると、金融危機にもつながるような大きな問題を経済全体にもたらします。

《バブルの実態》 13.1節で紹介したように、日本の金融危機も世界金融危機も、バブルの生成と崩壊がその発端となっています[15]。図13-4は、日本の金融危機前後の株価と地価の推移を示したものです。一目瞭然ですが、日本の株価と地価は1980年代後半から急激に上昇し、1989年から1990年にかけてピークを迎えた後、急激に下落しています。また図13-5には世界金融危機時のアメリカの住宅価格と株価の動きを示しています。こちらも2000年代後半に急上昇し、その後急速に下落しています[16]。

これらのバブルは、好調な実体経済と貯蓄過剰（カネ余り）、あるいはその背景となる金融のグローバル化や自由化、行き過ぎた金融緩和のもとで、大量の資金が株式市場や不動産市場に流入することで形成され、拡大しました。これが、13.1節でも触れた、信用膨張と呼ばれる状態です。

---

[15] 歴史的にみれば、バブルはしばしば発生しています。キンドルバーガー／アリバー（2014）などを参照してください。

[16] アメリカの場合、景気回復に伴ってその後再び価格上昇がみられますし、株価については、2000年前後のいわゆる **ITバブル**（情報通信業に属する企業の株式を中心としたバブル）もみて取れます。世界的な金融危機の引き金となったのは、2002年から2010年あたりまでの資産価格の動きです。

■図 13-4　日本の資産価格バブル（1980 年代後半）

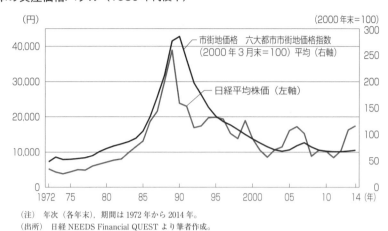

（注）年次（各年末），期間は 1972 年から 2014 年。
（出所）日経 NEEDS Financial QUEST より筆者作成。

■図 13-5　アメリカの資産価格バブル（2000 年代後半）

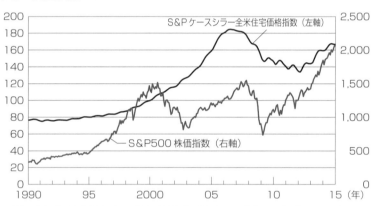

（注）月次（住宅価格指数は各月の指数，株価指数は月初取引日の終値ベース），期間は 1990 年 1 月から 2014 年 12 月。
（出所）S&P Dow Jones Indices ホームページ，Yahoo Finance ホームページより筆者作成。

《バブルとファンダメンタルズ》　ただし，資産価格が継続的に上昇すればすべてバブルだ，というわけではありません。たとえば企業の業績が長期にわたって好調であれば，株価が継続的に上昇してもおかしくはありません。あいまいさを排除するために，経済学の理論ではバブルを厳密に定義します。土地・株式といった資産の価格は，効率的な市場▶であれば価格発見機能を通じて資産本来の価値，つまりファンダメンタルズ▶を反映した水準に決定されるはずです。こうした機能が発揮されず，ファンダメンタルズを超える形で資産価格がどんどん上昇していく状況が，経済理論でいう**バブル**です。つまり，バブルとは，資産価格がその資産の実際の価値を超えて上昇していく状況を表す言葉なのです。

▶効率的な市場
⇒9.4.5
▶ファンダメンタルズ⇒9.4.5

定義は明確ですが，この理論上の「バブル」は観察することができません。現実に観察できるのは実現した価格だけであり，そのうちどれだけの部分がファンダメンタ

ルズを反映し，どれだけがバブルなのかは誰にもわかりません[17]。特に，バブルの形成期の価格上昇は，活発な経済活動を背景としたファンダメンタルズの上昇によるものか，ファンダメンタルズを超えた過剰な価格上昇なのか，区別することが困難です。このため，崩壊してはじめてわかるのがバブルだといえます。

《バブルの問題》　バブルはなぜ問題なのでしょうか。その形成期において，バブルは悪い面よりむしろよい面が強調されます。バブルの形成は，活発な経済活動の裏返しです。経済の金融面では貸し借りが活発に行われ，世の中のカネ回りがよくなり，それに対応して実物面でも設備投資が進んだり消費が増加し，経済は活況を呈します。このため，バブルの多くはその形成期においてはバブルではなく，好調なファンダメンタルズを反映した資産価格の上昇だと考えられます。しかし，活発な経済活動はしだいに行きすぎたものになり，ある日突然資産価格が暴落してバブルであったことが判明します。

　いったんバブルが崩壊すると，さまざまな問題が露呈します。それまでの経済活動への過剰感や将来に対する悲観から，過剰な設備を抱えた企業が投資や生産を手控えるなど，金融面でも実物面でも経済活動が停滞します。資産価格の減少は，保有資産の価値が大きく目減りすることにより経済主体が消費を減らしたり投資を手控える，逆資産効果▶にもつながります。さらに，前節までで触れたとおり，バブルの崩壊は金融機関の経営悪化や破綻，金融市場の機能不全を引き起こし，金融危機にもつながります。

▶逆資産効果
⇒12.5.2

13.4.2　バブルのメカニズム*

　経済学では，バブルのメカニズムを明らかにしようと長い間研究が行われてきました。効率的市場仮説に基づけば，証券価格はファンダメンタルズに一致するはずであり，バブルは発生するはずのない現象，アノマリー▶です。このため，バブルの存在を説明するためには，効率的市場仮説とは異なる理論的説明が必要です。そうした理論は大きく2種類に分かれます。人々（投資家）が合理的であるにもかかわらずバブルが発生する，という**合理的バブル**のアプローチと，人々が非合理的だからバブルが発生する，という行動ファイナンスのアプローチです。以下ではこうした理論的説明を順に紹介します[18]。

▶アノマリー
⇒9.4.5

《合理的バブルの導出》　合理的バブルは，9.4.2節で説明した割引現在価値に基づいて説明することができます。株式を例として考えてみましょう。ある年 t に D_t という配当を支払う株式を考えます。この株式をずっと保有していると，毎年 D_t のキャッシュ（イン）フローが得られるわけですから，割引率が r だとすると，この株式の価

---

[17] ただし，実際のデータを用いてファンダメンタルズとバブルを識別し，バブルが存在するかどうかを明らかにしようとする実証分析は行われています（13.4.2節参照）。

値，つまり得られるキャッシュフローの割引現在価値は，

$$\sum_{i=1}^{\infty}\frac{D_{t+i}}{(1+r)^i}$$

となります（9.4.2 節の（9.1）式の応用）[19]。配当という，実際に得られるキャッシュフローを裏付けとして決まるこの価値が，9.4.5 節で説明したファンダメンタルズにあたります。投資家が合理的なら，つまり効用や収益の最大化を目指し，利用可能な情報はすべて利用し，収益機会があるとわかれば必ず裁定▶取引を行うのであれば，株価はこの割引現在価値に等しくなるはずです。この場合，株価を P_t で表すと，次の式が得られます。

▶裁定⇒9.4.3

$$P_t=\sum_{i=1}^{\infty}\frac{D_{t+i}}{(1+r)^i} \tag{13.1}$$

次に，同じ株式の価格を違った角度から考えてみましょう。t という年にこの株式を価格 P_t で買い，1 年後に売れば，1 年後には配当（インカムゲイン）D_{t+1} と売却益（キャピタルゲイン）P_{t+1} を受け取ります。これらのキャッシュフローの現在価値は $(D_{t+1}+P_{t+1})/(1+r)$ ですから，株価は，

$$P_t=\frac{D_{t+1}+P_{t+1}}{1+r} \tag{13.2}$$

になるはずです。同じように考えて $t+1$ 時点の株価を求めると，

$$P_{t+1}=\frac{D_{t+2}+P_{t+2}}{1+r} \tag{13.3}$$

です。(13.3) 式を (13.2) 式に代入し，さらに $t+2$ 時点以降の株価も同様に繰り返し代入していくと，最終的には，

$$P_t=\sum_{i=1}^{\infty}\frac{D_{t+i}}{(1+r)^i}+\lim_{i\to\infty}\frac{P_{t+i}}{(1+r)^i} \tag{13.4}$$

となります[20]。

ここで，(13.1) 式と (13.4) 式を比べてみましょう。どちらも同じように求めた株価なのに，両者には違いがあります。(13.4) 式右辺第 2 項の，

---

[18] なお，ここではバブルの発生を説明する理論を紹介しますが，バブルに関してはその評価も重要です。ここでは触れませんが，こうした評価を行うためには経済厚生を考えることのできる一般均衡のマクロ経済モデルが必要です。そうした理論でも，一般には急激な経済収縮をもたらすバブルは防ぐべきものだとされますが，経済活動を活発化させるという意味ではバブルにメリットがあることが示されています。また IT バブルのように株価のバブルの時期には，それまでに資金調達が難しかったような企業でも資金を得ることができるため，新しいイノベーションが起きやすくなる，といったメリットも指摘されています。

[19] 「$\sum_{i=1}^{\infty}D_{t+i}/(1+r)^i$」は「$D_{t+i}/(1+r)^i$」を $i=1$ から無限先（$i=\infty$）まで足し合わせること，つまり「$D_{t+1}/(1+r)+D_{t+2}/(1+r)^2+D_{t+3}/(1+r)^3+\cdots$」を表します。

[20] 「$\lim_{i\to\infty}P_{t+i}/(1+r)^i$」は，「$P_{t+i}/(1+r)^i$」の極限値，つまり無限先（$i=\infty$）の「$P_{t+i}/(1+r)^i$」の値を表します。

$$\lim_{i\to\infty}\frac{P_{t+i}}{(1+r)^i} \tag{13.5}$$

です。この項こそが，合理的バブルを表しています[21]。この項がゼロでなければ，株価はファンダメンタルズから乖離します[22]。

なぜ (13.1) 式と (13.4) 式は異なるのでしょう。よくみると，その差 ((13.5) 式) は無限先に株を売った場合に得られるキャピタルゲイン（の現在価値）を表しています。(13.4) 式を求める際には，キャピタルゲインを明示的に考えましたが，(13.1) 式を求める際には，配当から得られるインカムゲインしか考えていませんでした。このことは，何らかの理由で無限先の時点でインカムゲインとは独立した株の価値が存在し，それをキャピタルゲインとして得る可能性がある場合に，合理的バブルが発生することを意味しています。

もちろん，キャピタルゲインが得られる理由は，株式が配当というインカムゲインを生み出すからです。キャピタルゲインの源泉はインカムゲインですから，インカムゲインの価値を表すファンダメンタルズとは無関係に，キャピタルゲインが存在するのはおかしな話です。しかし，もし何らかの理由で投資家が「無限先にファンダメンタルズとは別のキャピタルゲインが得られる」と考えるなら，この不思議なキャピタルゲインはバブルの源泉となってしまうのです[23]。

現実のバブルは合理的バブルなのでしょうか。合理的バブルが存在するかどうか確かめるのは，データを用いた実証分析の仕事です。合理的バブルに関する実証分析は，これまでに数多く行われています。こうした研究の結果は，合理的バブルの存在を否定するものの方が多いようです。とはいえ，バブルがアノマリーとみなされていることからもわかるように，バブル期の実際の資産価格の動きはファンダメンタルズを反映している，という説明も支持されていません[24]。では，現実にみられる「バブル」はいったい何なのでしょうか。この問いに答えることのできる理論が，次に説明する非合理的なバブルです。

《非合理的なバブル》　合理的な投資家を前提とするバブルの説明に限界があるならば，合理的でない投資家を前提として説明すればよいでしょう。「合理的でない投資家」

---

[21] このバブルは，値が一定に定まっている，**確定的バブル**と呼ばれるバブルです。現実のバブルはだんだん大きくなって突然崩壊する（**確率的バブル**と呼ばれます）ものですから，確定的バブルとは異なります。しかし，一定の確率で崩壊する可能性を考慮に入れると，確率的バブルも合理的バブルの枠組みの中で説明できます。

[22] ここでは 9.4 節で紹介した単純な資産価格モデル（割引現在価値）に基づいて合理的バブルを説明しましたが，合理的バブルはより一般的なマクロの経済成長モデルの中でも説明されます（齊藤ほか（2016，第 16 章第 2 節）などを参照）。こうした一般的なモデルでは，合理的バブルが発生しないための条件（(13.5) 式＝0，という条件に対応するもの）を**横断面条件**（横断条件）と呼びます。

[23] 関連して，キャッシュフローが発生する期間が有限であるような証券，つまり満期のある証券には，合理的バブルは決して発生しません（Web Appendix 13.2 参照）。

[24] こうした点については筒井 (2013) を参照してください。

の表し方は無限にあります。たとえば「収益を最大化しない」「利用可能な情報を間違って用いる」などです。そして，何を最大化するのか，どのような間違い方をする（バイアス▶を持つ）のかによって，さらに多様なモデルを作ることができます。さまざまな形で合理的でない投資家を考え，金融市場の動きを説明しようとするのが行動ファイナンス▶のアプローチです。こうしたアプローチの中で，ここではバブルを説明するのに最も簡単な，外挿的期待と呼ばれるバイアスをみてみましょう[25]。

▶バイアス
⇒9.4.5

▶行動ファイナンス
⇒9.4.5

　外挿的期待（あるいは**トレンド追求**）とは，将来の価格が過去の価格の動きの延長線上（外に伸ばした〔外挿〕先）に決まる，と考えることです。外挿的期待を持つ投資家は，過去に証券価格が上昇（下落）していれば将来も上昇（下落）する，と単純に予想します。もちろん，成長が続いている企業の場合など，たまたま何らかの理由があって，将来価格が過去の価格の延長線上に決まることもあります。しかし，理由を問わずに外挿するのが外挿的期待であり，過去とは違う動きを予想する情報が得られたとしても，それを無視して外挿的な価格を予想します。

　外挿的な期待を持つ投資家は，価格が上がっている証券を買います。そのことによって証券価格が上がると，その動きをみてさらに上がることを予想し，さらに買うことになります。実は，このような形で結果的に生じる行動は，13.3.3節で紹介したポジティブ・フィードバック・トレーディングにほかなりません。ただし，そこでのポジティブ・フィードバック・トレーディングは価格を下落させるものでしたが，バブルにつながるようなポジティブ・フィードバック・トレーディングは価格を上昇させていくものです。外挿的期待では，価格がファンダメンタルズよりも高いかどうかは考慮しませんから，ファンダメンタルズを超えても価格が上昇し，バブルにつながるのです[26]。

13.5　問題の波及・拡大と金融危機

　13.2節と13.3節で説明したとおり，さまざまな金融機関や金融市場はそれぞれ個別に問題を抱えています。しかし，平時においては個別に発生する問題も，バブルの崩壊を契機に多くの金融機関や金融市場で同時に発生すると，相互に波及・増幅し，金融危機につながる可能性があります。以下ではこの波及のメカニズムを3つに分け，金融機関からほかの金融機関への波及，金融市場からほかの市場への波及，そして金融機関と金融市場の間での波及，の順に説明します[27]。

---

25) 行動ファイナンスとバブルに関して，より一般的には筒井（2013）を参照してください。
26) シュレイファー（2001，第6章）では，たとえファンダメンタルズをみながら投資し，裁定により利益を得ようとする合理的な投資家がいたとしても，その投資家の注文がポジティブ・フィードバック・トレーディングによるバブルを打ち消す効果を持たない可能性があることを示しています。
27) もちろん，金融機関は金融市場の利用者ですから，この3つの波及は厳密に区別できるものではありません。

■図13-6　危機の伝播

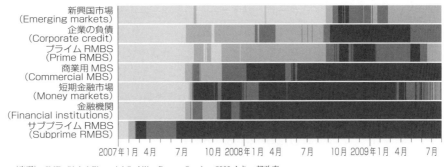

（出所）　IMF, *Global Financial Stability Report*, October 2009 より一部改変。

なお，この波及の実際の様子をわかりやすく示したのが図13-6です。この図は，世界金融危機が始まる前の2007年1月（左端）から2009年8月（右端）までの期間において，さまざまな金融市場あるいは金融機関がいつ危機に直面したかを描いた，ヒートマップと呼ばれるものです。図では，色（網掛け）が濃くなるほど問題が深刻であること（具体的にはリスクプレミアムが大きいことなど）を表します。時系列順にみていくと，まず一番下のサブプライムRMBSで問題が発生し，それが上の短期金融市場，金融機関（が発行した証券），ほかのMBSや企業の負債へと波及していった様子がよくわかります。

13.5.1　金融機関同士の波及

1つの金融機関に発生した問題は，貸借関係を通じてほかの金融機関に波及し，金融機関の破綻の連鎖を生み出す可能性があります。この連鎖には，主に3つの形が考えられます[28]。第1は，短期金融市場を中心とする**金融市場を通じた連鎖**です。金融機関は金融市場において，短期の資金を互いに融通しあっています。もしほかの金融機関から資金を借りていた金融機関が破綻したら，その金融機関からの返済を当てにしていた金融機関も損失を被り，破綻してしまうかもしれません。その破綻はさらに別の破綻を招き，連鎖的に波及していく可能性があります。

破綻の連鎖の第2の形は，預金取扱金融機関（銀行）に発生する，**決済システムを通じた連鎖**です。貨幣としての預金を支える決済システムでは，受取人と支払人の間の債権・債務関係をそれぞれの取引銀行の債権・債務関係に置き換え（民間決済システム），その債権・債務を各銀行が中央銀行に預けた当座預金の振替によって処理（セトルメント）します（中央銀行決済システム）。しかし，民間決済システムにおけ

---

[28] ここで紹介する3つのほかに考えられている破綻の連鎖のメカニズムとして，Web Appendix 13.3 では(1)同じようなポートフォリオを持つ金融機関が同様に損失を被る**分散化の類似性の問題**，(2)何の問題もない金融システムでも自分の取引相手と取引している金融機関の情報が得られないために，いっせいに貸し借りが引き揚げられてしまう**ネットワークの崩壊の問題**，の2つを紹介しています。

る処理の後，しかもセトルメントの前に，支払側の銀行が経営破綻してしまったら，受取側の銀行は資金を得られません。当座預金が不足すると，別の銀行に支払うはずの当座預金の振替ができなくなるかもしれません（1.6.3節も参照）。それがさらに別の銀行の当座預金不足を招き，…，というように，中央銀行の当座預金を通じて経営破綻が連鎖する可能性があります。

　第3に，破綻の連鎖は**評判の低下を通じた連鎖**の形をとる可能性もあります。13.2.3節でみたとおり，満期の変換を行っている金融仲介機関は満期のミスマッチにさらされています。このため，何らかの理由で預金が予想を超えて引き出されたり，計画していた借り換えができなかった場合，資金繰りに行き詰って破綻してしまいます。これだけなら個別の金融仲介機関の問題ですが，たとえばある銀行が破綻してしまったというニュースを聞いた別の銀行の預金者は，自分の銀行も破綻しないか心配になり，とりあえず預金を引き出そうとするかもしれません。このような預金者がたくさん出てくれば，その銀行も取付に見舞われ，さらに別の銀行にも，と破綻が連鎖していく可能性があります。

13.5.2　金融市場間の波及

　金融市場の間でも，1つの市場の機能不全がほかの市場に波及する可能性があります。その基本的なメカニズムは市場間の裁定▶です。ある証券を取引する市場で価格の急落やリスクプレミアムの急増といった問題が発生したら，それと同じような証券にも同様の価格急落やリスクプレミアム急増が起きるかもしれません。

▶裁定⇒9.4.3

　ただし，金融市場間の問題の波及は，より複雑なメカニズムで発生する可能性があります。その1つの例が，担保▶を通じた波及です。金融市場，特に短期金融市場における多くの貸借では，何らかの金融資産を担保として差し出す必要があります。中でも，債券現先取引（買戻・売戻条件付き債券売買）や債券貸借（レポ）取引（現金担保付き債券貸借）▶は，実質的には債券を担保とした貸借であり，必ず担保が必要です。担保となる債券は，リスクが小さい優良な証券が中心ですが，ある程度リスクが高い証券でも認められることがあります。担保となる証券の市場が機能不全に陥り，価値が急落した場合，担保としての価値は下がります。その証券を担保とする貸出に応じる貸手は減るでしょう。このように，ある金融市場の問題は，そこで取引されている証券を担保として貸借が行われる別の金融市場に問題を引き起こす可能性があります。このメカニズムは世界金融危機の際に，アメリカのレポ市場で実際に働いたメカニズムです（Web Appendix 13.4参照）。

▶担保⇒6.2.1

▶債券現先・債券貸借取引⇒9.2.5, Web Appendix 9.1

13.5.3　金融機関と金融市場の間の波及

《借手としての金融機関への波及》　最後に，金融機関と金融市場の間の問題の波及をみてみましょう。すでに13.3.1節で説明したとおり，発行市場が機能不全に陥ると，調達流動性が低下し，調達流動性リスク▶が増大します。金融機関は，新たな資金調達が難しくなるでしょう。また，流通市場が機能不全に陥ると，市場流動性の低下を

▶調達流動性リスク⇒13.3.1

通じて市場流動性リスク▶が増大します。金融機関は，手持ちの証券を売却して資金を得ることが難しくなるでしょう。どちらの現象も，世界金融危機の際に，実際に観察されています。

▶市場流動性リスク
⇒13.3.1

　しかも，市場流動性リスクは乗数的に拡大する可能性があります。資金が必要な金融機関が，当座の資金を確保しようと安い価格で資産を売れば，その売り注文はさらに資産価格を下げますから，資金が不足する金融機関はさらに資産を安く売らざるをえなくなります。このように，安い価格による資産の**投げ売り**が価格下落の負の連鎖を生み，市場の機能不全を加速させる可能性があるのです。

《貸手としての金融機関への波及》　以上は借手としての金融機関と金融市場との間の波及ですが，貸手としての金融機関にも，金融市場との間で別の形の波及が起きます。たとえば，世界金融危機後の2000年代後半から発生した，南欧を中心とするヨーロッパの債務問題（**欧州債務危機**と呼ばれます）では，政府の財政赤字が膨らんだために，リスクが上昇して国債が価値を下げました。この国債市場の問題は，国債を保有していた各国の銀行において，保有資産の価値減少による収益の圧迫という問題を発生させました。

　貸手金融機関と金融市場の間の波及と似たものとして，保証を提供する金融機関と金融市場との間の波及もあります。世界金融危機時には，社債に対するCDSのスプレッドが急増するという問題が発生しましたが，社債のCDSよりも大きな問題となったのが，サブプライムローンを裏付けとするRMBSと，RBMSを裏付けとするCDOに対して設定されていたCDSです。元となるサブプライムローンの債務不履行により，こうした証券化商品は債務不履行を起こしましたが，そのために保証の支払いが増大したため，CDSを提供していた保険会社も経営危機に陥りました。貸すのではなく保証という形で信用リスクを負担していた金融機関にも，市場の問題が波及したのです。

　関連して，証券化商品に対しては**モノライン保険会社**と呼ばれる，それを専業（単一の〔モノ〕ビジネス〔ライン〕）とする金融機関も保証を提供しており，こうした金融機関も同様に大きな損失を被りました。しかもモノライン保険会社の格付が引き下げられた結果，モノライン保険会社から保証を受けていたほかの高格付証券（公共債や社債等）が格下げされる，という事態も発生しました。その結果，優良資産だけに投資する投資信託にまで影響が及ぶ結果となりました。

13.5.4　システミックリスク，実体経済への影響と外部性

　ここまでの説明からわかるように，金融システムの一部で問題が発生すると，その問題がさまざまな形でシステムの別の部分に波及し，結果としてシステム全体が機能障害を起こして実体経済にまで悪影響を与えるほどの問題になる可能性があります。このようにして金融システム全体が崩壊するリスク，つまり金融危機が発生するリスクのことを，**システミックリスク**（systemic risk）★と呼びます[29]。ここまでみてきた

★システミックリスク：金融システムの一部の問題が別の部分に波及し，結果としてシステム全体・実体経済に悪影響を与えるリスク

ように，システミックリスクを引き起こすメカニズムは多様で複雑です。

システミックリスクが発現し，金融危機が発生して金融システムが機能しなくなってしまうと，金融機関あるいは金融市場の機能が発揮されず，本章第Ⅲ部でみてきたさまざまなメリットが失われます。個々の金融機関あるいは金融市場の問題がもたらすデメリットは，直接的には各金融機関の利害関係者，各金融市場の取引参加者の問題です。しかし，システム全体に問題が波及すると，ほかの金融機関の利害関係者やほかの市場の取引参加者，あるいは直接関係のない人々にまで影響が広がり，結果的に実体経済にまでさまざまな悪影響を与えることにもなります。

実体経済に与える影響の第1は，金融仲介の中断です。金融仲介機関あるいは集団投資スキームを構成する金融機関の破綻は，間接金融を通じた資金の流れを中断させます。また，金融市場に問題が発生したり，金融市場を作る金融機関の問題により市場が機能しない状況が発生すると，直接金融の流れも滞るでしょう。結果として最終的貸手から最終的借手への資金の仲介が滞り，資金の有効利用が行われず，実物面での経済活動も滞ります。

第2に，システミックリスクは貨幣・決済制度の崩壊をもたらします。預金取扱金融機関が銀行取付に遭ったり，破綻の連鎖が発生すると，預金を通じて提供されていた決済サービスが機能しなくなります。預金が決済手段として信頼できなくなると，人々は現金という不便な手段を使って決済するしかなくなります。モノやサービスの取引は，預金による決済が行われている状況と比べて大きく滞るでしょう。

経済学では，ある経済主体の行動がほかの経済主体の効用や生産活動に影響を与えることを**外部性（外部効果）**と呼び，この影響が望ましくない（負の）場合には，特に**負の外部性**あるいは**外部不経済**と呼びます[30]。上記のような金融システム内での問題の波及，あるいはその結果発生する金融危機は，大きな負の外部性が発生している状況です。このような場合，問題に対処するために公的当局が民間の経済活動に対して介入を行うことが望ましい可能性があります。この点については次の第14章，特に14.1.4節で詳しく説明します。

■ 練習問題

13.1 あなたが取引している預金取扱金融機関の沿革を調べ，(1) その金融機関が過去にどのような整理統合（合併等）を経験したか，(2) その整理統合の中には日本の金融危機と関係があるものが含まれていないか，調べなさい。

---

29) 広い意味ではコンピュータネットワーク・通信回線の機械的な故障，コンピュータ犯罪などもシステミックリスクの原因に含まれます。

30) 厳密には，外部性とはもっと狭い意味で，ある経済主体の行動が価格メカニズム（市場）を通さない形，つまり価格による需要と供給の変化とは別な形で，ほかの経済主体の効用・利潤に影響することを指します。これに対し，市場価格の変化を通じて影響する場合は**金銭的外部性**，効用や生産技術に相互依存関係がある場合にこれらを通じて影響する場合は**技術的外部性**と呼ばれます。ここでいう外部性はこれらをすべて含んだものです。

13.2 あなたが取引している預金取扱金融機関（あるいはその前身となる金融機関）について，バブル期前後の貸出の動きを調べなさい。

13.3 世界金融危機の影響を受けて，大きな損失を出した日本の金融機関を調べ，その損失の原因を明らかにしなさい。

■ 参考文献

キンドルバーガー，C. P.／R. Z. アリバー（2014）『熱狂，恐慌，崩壊——金融危機の歴史（原著第 6 版）』（高遠裕子訳）日本経済新聞出版社。

齊藤誠・岩本康志・太田聰一・柴田章久（2016）『マクロ経済学（新版）』有斐閣。

シュレイファー，アンドレイ（2001）『金融バブルの経済学——行動ファイナンス入門』（兼広崇明訳）東洋経済新報社。

筒井義郎（2013）「金融危機，バブルと行動ファイナンス」『金融経済研究』特別号，2013 年 1 月，119～140 頁。

藤井健司（2023）『新 金融リスク管理を変えた大事件 20』金融財政事情研究会。

ラジャン，R.（2011）『フォールト・ラインズ——「大断層」が金融危機を再び招く』（伏見威蕃・月沢李歌子訳）新潮社。

第14章
金融制度と公的介入・プルーデンス政策

はじめに

前章でみたような金融システムの問題に対しては，それを解決・軽減するためにさまざまな努力が行われています。金融システム内の当事者による問題解決も当然重要ですが，それに加えて重要となるのが民間の経済活動に対する**公的当局**（国や公共団体，政府関係機関）の介入，つまり**公的介入**です。金融に限らず，公的当局は制度整備や規制などさまざまな形で民間の経済活動に介入しています。金融に対しても，公的介入はさまざまな形で広範囲に行われています。

この章の構成は図14-1のとおりです。最初に14.1節では，金融制度と公的介入に関する整理を行います。そこではまず，金融制度とは何か，公的介入はどのような形で行われるのかを説明した後，介入の目的と分類を説明します。すでに説明した政府系金融機関の活動（8.3.3節）も，マクロ経済の安定化のための金融政策（第12章）も，広い意味では公的介入です。これらに加えて重要なもう1つの公的介入が，金融システム安定のための環境を整備し，第13章で整理したような問題に対処するために行われる，プルーデンス政策です。14.1節では，公的介入が必要な理論的根拠と介入の問題についても説明します。

続く14.2節と14.3節では，プルーデンス政策に注目します。プルーデンス政策は，金融システムの問題の発生を防ぐために平時から行われる事前のプルーデンス政策と，問題が発生してしまった後で，生じる損失をできるだけ小さくするために行

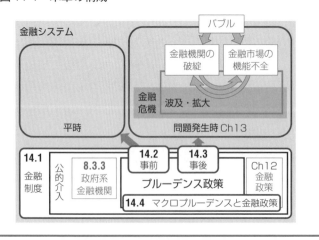

■図14-1　本章の構成

われる事後のプルーデンス政策の2つに分かれます。本章では14.2節において事前，14.3節において事後の政策を扱います。これらの節ではさまざまなタイプのプルーデンス政策について説明したうえで，それぞれに対応する日本の実際の政策を説明します。なお，長い間金融システムに問題がみられなかった日本では，大きな問題が発生した1990年代半ば以降の金融危機時に，事後的プルーデンス政策の制度が整備されていきました。14.3節ではこうした整備の過程にも触れています。

ただし，2000年代後半に発生した世界金融危機の際には，それまでのプルーデンス政策が十分には機能しませんでした。こうした反省から，プルーデンス政策の考え方は大きく変化しました。その中で重視されるようになってきたのが，金融システム全体をみながら安定を確保するという，マクロプルーデンスの考え方です。14.4節では，マクロプルーデンス政策について，それまでのプルーデンス政策との違いを踏まえて説明し，金融政策との区別にも触れます。

14.1 金融制度と公的介入

14.1.1 金融制度

経済活動は，当事者が好き勝手に行っているわけではありません。さまざまな形で社会的に定められた仕組みや決まり，つまり**制度（経済制度）**のもとで行われています。こうした制度は経済活動を円滑にするためにでき上がってきたものであり，金融に関してもさまざまな制度があります。こうした制度の総称が，**金融制度**です。本書第Ⅱ部で紹介したさまざまな仕組みや，第Ⅲ部で紹介した金融機関や金融市場も，金融制度の一部だといえます。

経済制度には，当事者の間で自発的に作られた制度もあれば，公的に定められた制度もあります。前者は，慣行や取り決めなど自然発生的にでき上がってきたものや，業界団体による自主規制など当事者間で調整した結果でき上がったものなどです。これに対して，国や公共団体が定める法律や条例等に基づく制度，つまり法制度もあります。法制度に基づいて公的機関が行うのが，経済活動に対する公的介入です。

14.1.2 公的介入の3つの形

金融に対する公的介入は，法制度の整備，金融規制，政府関係機関による直接的な介入，という3つの形で行われます（図14-2参照）[1]。まず，法制度の整備は，民間の経済主体が経済活動を行ううえでの基盤となる法制度を，当事者でない公的当局が定め，民間の経済活動に影響を与えます。国のレベルで考えた場合，法律を定めるのは**立法府**である国会や議会ですが，法制度の整備を担当するのは法律によって権限お

---

1) **課税**も公的介入のもう1つの形といえます。金融取引に関しては，利子や配当に対する課税，証券（資産）の売却益に対する課税などが行われています。

■ 図 14-2　金融制度と公的介入の３つの形

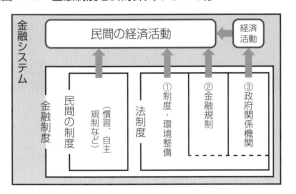

■ 表 14-1　金融関連の公的介入を行う主な政府関係機関

目的	主な公的当局	
中央銀行	日本銀行	
政府系金融機関	旧財投機関	日本政策金融公庫
		日本政策投資銀行
		ゆうちょ銀行
		国際協力銀行
		商工組合中央金庫（商工中金）
	企業支援、ファンド運営等	地域経済活性化支援機構
		産業革新投資機構
		東京中小企業投資育成
		名古屋中小企業投資育成
		大阪中小企業投資育成
その他	預金保険機構	
	信用保証協会	

よび責務を与えられた**行政府**である政府の仕事であり，金融に関しては**金融庁**が担当します[2]。金融庁はその権限を各地の財務局（財務省の地方部局）や都道府県などに委任することがありますから，これらの行政組織も公的当局に含まれます。

ただし，法制度は整備だけしてあとは民間に任せる，というものではありません。たとえば，金融機関は免許や登録等により参入が制限されたり，できる業務が限られていますし，公的当局は金融機関を検査・監督します。取引される対象である証券についても，法律によってその範囲が定められ，発行者や取り扱う業者に求められる事項，たとえば情報開示の内容が異なります。金融市場においても公的当局は取引を調査，検査し，公正かつ公平な取引が行われるよう監視しています。もし法令違反や問題が発見された場合には，公権力に基づき指導や処分などが行われます。

このように，公的当局は法制度の整備と合わせ，制度に従うよう積極的に民間の経済活動に働きかけます。この働きかけが，**金融規制**と呼ばれるものです。法制度の整備と金融規制は表裏一体であり，法制度の整備を担当する金融庁は，規制当局としての側面も持っています。法制度の整備は消極的な介入，規制は積極的な介入だといえますから，両者を区別することにしましょう。

公的介入の３つ目の形は，法律に基づいて設立される特別な法人（特殊法人や認可法人等）を通じた，直接的な介入です。こうした法人は，特定の目的を達成するために設立され，その目的に向かって自ら，あるいは子会社等を通じて経済活動を行い，民間の経済活動に働きかけます。こうした法人あるいは子会社は，**政府関係機関**と呼ばれます。表 14-1 には金融に対する公的介入を行う主な政府関係機関をあげていま

---

[2] 中央省庁の再編により金融庁が 2000 年に発足する前は，その前身となる金融監督庁（1998 年発足）が，さらにそれ以前は金融監督庁の前身となる大蔵省（現在の財務省の前身でもあります）が，金融行政を担っていました。

■図14-3　金融に対する公的介入の目的

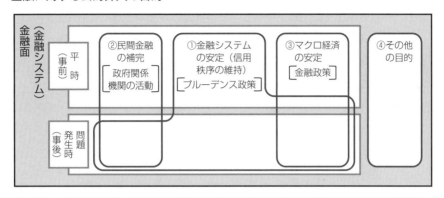

す。この表にあるように，本書ですでに登場した日本銀行や政府系金融機関も政府関係機関に含まれます。また，金融に対する公的介入では，預金保険機構が非常に重要な役割を果たしています（14.3.2節を参照）[3]。

なお，公的介入に関しては，その介入を行うために必要な資金の調達方法に注意する必要があります。政府の仕事のために使われる資金の多くは，国民から強制的に徴収する税金によって賄われています。しかし，政府関係機関が用いる資金は税金で調達されるとは限りません。株式や借入等の形で自ら調達することもあります。

14.1.3　公的介入の目的と分類

次に，前節の議論を踏まえ，実際に行われている公的介入を，その目的によって分類してみましょう。図14-3に示したように，金融に対する公的介入の主な目的は，①金融システムの安定，②民間金融の補完，③マクロ経済の安定，の3つに分かれます。②と③はこれまでの章ですでに説明していますので，以下ではこれら3つの目的に簡単に触れた後，①の目的で行われる公的介入（プルーデンス政策）について，次節以下でより詳しくみていくことにします。ただし，図14-3に描いたとおり，3つの目的は互いに重なるところもあり，完全に区別できるものではありません。以下ではこの点についても触れることにします。

なお，以下では詳しく触れませんが，政府が行う公的介入の一般的な目的としては，この3つ以外に④**公正で自由な競争の確保**（促進）も重要です。この目的のために行われる政策は**競争政策**と呼ばれ，金融規制の一部は競争政策の側面を持っています。また，金融に対する公的介入においては目的とされることが少ないですが，政府の目的としては，国民に最低限度の生活を保障して公衆衛生および福祉の向上を図る，⑤**社会保障**も重要です[4]。

---

[3]　政府関係機関は法律に基づいて設立されるため，その法律を所管する官庁の監督下にあります。金融庁以外の官庁，たとえば財務省，経済産業省などが所管する法律に基づいて設立されている政府関係機関もたくさんあります。

《①金融システムの安定とプルーデンス政策》 第13章で説明したように，金融システムにはさまざまな問題が発生し，その安定性が脅かされる可能性があります。こうした問題を防ぎ，**金融システムの安定（信用秩序の維持）**のために行われる公的介入が**プルーデンス（prudence）政策★**です（8.2.4節も参照）。プルーデンス政策は，問題が発生しないように平時から予防的に行われる**事前の（事前的）プルーデンス政策**と，問題が発生してしまった後で，生じる損失をできるだけ小さくするために行われる**事後的プルーデンス政策**に分類できます。後者は，何かあったときに対処するための安全網という意味で，**セーフティネット（safety net）**とも呼ばれます。

★プルーデンス政策：金融システムの安定のために行われる，金融に対する公的介入

先に示した公的介入の3つの形との関係でいうと，事前のプルーデンス政策は主として民間経済主体（特に金融機関）の経済活動を制限する，規制の形を取ります。金融システムの安定を目的として行われる金融規制は，特に**プルーデンス規制**と呼ばれます。これに対して事後的なプルーデンス政策は，実際に起こった問題に対処するためのものであり，主として政府関係機関による介入の形を取ります。

金融システムの安定のためには，第13章で説明したような金融機関の破綻や金融市場の機能不全が相互に波及・拡大していくのを防ぐ必要があります。このため，プルーデンス政策は，個々の金融機関の破綻を防ぐ，個々の金融市場の機能不全を防ぐ，これらの問題の波及・拡大を防ぐ，という3つのタイプに分類することもできます。このうち，日本で長い間重視されてきたのは，金融仲介機関，中でも預金取扱金融機関の破綻に対処する政策です。しかし，こうした伝統的な考え方には変化がみられています。近年の考え方では，個々の金融機関の破綻に個別に対応するプルーデンス政策では不十分であり，よりマクロ的な視点から金融システム全体の安定を目指す政策が必要だとされています。この点については，14.4節で説明します。

《②民間金融の補完と政府関係機関》 金融に対する公的介入は，民間の金融面での経済活動を補う，という目的でも行われています。これが，**民間金融の補完**のための公的介入です。このタイプの公的介入は，前述した公的介入の3つの形の中では3番目の政府関係機関による公的介入の形を取り，政府系金融機関自身が金融サービスの提供を行います。

政府関係機関の中には民間の金融機関と同じような業務を行うものがあり，**政府系金融機関**と呼ばれています。政府系金融機関の多くは自ら貸し借りする金融仲介機関であり，こうした金融機関，あるいはその経済活動は，**公的金融**とも呼ばれます。これらの政府系金融機関は，民間金融の補完として，経済危機時や災害時の資金提供（日本政策金融公庫や商工中金など），個人企業や中小企業，農林水産業者に対する資金提供（日本政策金融公庫），日本にとって重要な資源の海外での開発・取得のため

4） 金融に対する公的介入のうち，社会保障を目的とした介入といえるものとしては，多重債務者の問題（8.3.2節参照）を防ぐための規制（貸金業者や貸出〔借入〕条件に対する規制）や，個人・企業が被災等やむをえない理由で既存の借入に加えて新たに借入を負わなければならなくなり，債務の負担に苦しむという，**二重債務問題**に対処するための公的支援などがあります。

の資金提供（国際協力銀行）など，民間の金融機関では十分に提供できないと考えられるサービスを提供しています[5]。政府系金融機関の中には，商工中金▶のように預金取扱金融機関として決済サービスを提供するものもありますが，多くは預金ではなく債券等で資金調達を行っています（8.3.3節参照）。なお，これらの政府系金融機関は財政投融資▶制度を構成する（過去に構成していた）財投機関です。

▶商工中金
⇒8.2.3

▶財政投融資
⇒8.3.3

自ら金融・証券取引を行っている政府関係機関はほかにもあります。たとえば地域活性化やスタートアップ企業の支援等のために設立された政府関係機関（地域経済活性化支援機構，産業革新投資機構，中小企業投資育成株式会社）は，自らあるいはファンドの運営等を通じ，経営再建中の企業，地域の企業，若い企業などに出資（株式）の形で資金を提供しています。こうした政府関係機関も，民間からは十分に資金を得られない企業に対し，資金提供を行う役割を果たしています。

民間金融の補完において，融資や出資と並んで重要なのが保証です。政府関係機関の1つである信用保証協会▶は，信用保証制度と呼ばれる制度のもとで，民間金融機関が行う貸出に対して保証▶を提供します。信用保証協会は，政府系金融機関のような資金の提供はしませんが，債務不履行が起こったときにその債務の一部あるいは全部を肩代わりし，民間金融機関の損失を減らすことで民間の資金供給を促進します[6]。

▶信用保証協会
⇒6.2.2
▶保証⇒6.2.2

日本銀行による中央銀行決済システム（日銀ネット）のサービス提供も，民間金融の補完のための介入と考えることができます。1.6節で説明したとおり，政府関係機関の1つである日本銀行は，預金取扱金融機関から当座預金を預かり，その預金を通じて民間決済システム（全銀システム）で生じた預金取扱金融機関同士の債権・債務を処理することで，決済システムにおける民間金融機関の活動を補完しています。

なお，図14-3に共通部分として描かれている部分に対応しますが，政府関係機関の活動の目的は，民間金融の補完か金融システムの安定か区別が難しいことがあります。たとえば，危機時や金融システムに問題が発生した際に行われる公的金融（政府系金融機関による**セーフティネット貸出**や信用保証協会による**緊急保証**など）がそれにあたります。これらは，民間だけでは十分な貸手が現れない状況において，資金供給等を行うものですが，民間金融の補完とプルーデンス政策の両方の目的を持つ介入だといえます。

《③マクロ経済の安定と金融政策》 日本銀行が行う金融政策も，政府関係機関が行う公的介入の1つです。12.4節でみたように，日本銀行は金融調節という形で金融市場への介入（金融政策）を行い，自ら貸し借りに関わっています。金融政策は，金融システムの安定や民間金融の補完ではなく，マクロ経済の安定▶を目的としていますが，第3の形，つまり政府関係機関による直接的な介入の1つです。金融政策に関する詳

▶マクロ経済の安定
⇒12.3.1

---

5) ただし，本当に民間には供給できないのか，政府系金融機関が存在することで民業が圧迫されているのではないか，という議論も長年行われています。
6) 地方自治体も民間の金融機関と連携して独自の融資や信用保証を行っています。

しい説明は第12章で行ったとおりです。

　なお，マクロプルーデンス政策と呼ばれる政策が重視されるようになる中，金融政策とプルーデンス政策の境界はしだいにあいまいになってきています。図14-3で両者の共通部分として描いているとおり，日本銀行の政策は，マクロ経済の安定だけを目的としているのか，金融システムの安定も目指しているのか，明確に区別できなくなっています。こうしたケースは平時にもみられ，危機時だけに限ったものではありません。この点については14.4.3節で詳しく説明します。

14.1.4　公的介入の理論的根拠

《厚生経済学の基本定理と公的介入》　ここまで本節では，金融に対する公的介入の概要を明らかにしてきました。では，こうした介入はなぜ必要なのでしょうか。なぜ介入せず民間の経済活動に任せておいてはいけないのでしょうか。こうした疑問に答えるために，ここでは経済学の考え方に基づく公的介入の理論的根拠を説明します。この根拠は，金融に限らず，電気，ガス，運輸，通信などほかのさまざまな分野における公的介入にも共通するものです。そこで，以下ではまず，分野を問わず，あらゆる公的介入に共通する根拠をみた後で，金融に対する公的介入の根拠について説明したいと思います[7]。

　経済学で得られている知見のうち，公的介入の根拠を考えるうえで最も基本となるのは次の定理です。

　　厚生経済学の（第一）基本定理：完全競争的な市場では，パレート最適な資源配分が達成される。

この定理は，さまざまな財やサービスが取引される市場が「完全競争」と呼ばれる状態にあるとき，「資源配分」という観点からみて，「パレート最適」と呼ばれる望ましい状況が達成されることを示しています。詳しくはColumn 14-1で解説していますが，簡単にいえば，取引に関わる当事者（民間の経済主体）の間で自由かつ競争的に経済活動が行われると，人（労働），資本（設備・機械等），資金といった資源が最も効率的に（無駄なく）利用されるような，理想的な状態が達成される，ということを上記の定理は示しています。

　定理自体には明確に書かれていませんが，この定理は，

　　市場が完全競争的であれば，公的当局による介入がなくても，経済活動は資源配分の効率性という基準からみて望ましい状態を達成することができる

7）ここで説明するような公的介入の根拠（政府の存在意義）について，経済学ではミクロ経済学の後半部分でその基本的な考え方について学び，さらに詳しい内容は，政府の経済活動を分析する公共経済学の分野で学びます。前者については八田（2008）など，後者については小川・西森（2022）などを参照してください。

> **Column 14-1　厚生経済学の基本定理**
>
> 　厚生経済学の（第一）基本定理は，厳密な数理モデルの中で複雑な計算により証明される定理です。証明についてはミクロ経済学の教科書をみていただくことにして，ここでは定理の意味だけを説明しておきましょう。まず完全競争とは，
>
> (1) 取引参加者の数がきわめて多く，個々の取引参加者の取引が市場全体の価格に影響することがないために，各参加者は価格を所与（与えられたもの）として行動する，
> (2) 各参加者は，取引する財・サービスに関して完全な情報を持つ，
> (3) 市場への参入が自由である，
>
> という条件が満たされている状態です。ここでいう「市場」は「取引が行われる場」というだけの意味ですから，金融市場でいえば広義の市場（9.1.5節参照）にあた
>
> ります。
> 　次に，資源配分とは，経済に存在する限りある資源，つまり人（労働），資本（設備・機械等），資金などを，誰に割り当てるか，を表す言葉です。最後に，パレート（Pareto：経済学者の名前です）最適な資源配分とは，誰かの状態を改善しようとしてその資源配分から別の資源配分に変更すると，必ず別の誰かの状態が悪化してしまう（誰の状態も悪化させないような変更はできない）という資源配分です。こうした状態は，それ以上望ましい状態に改善できない状態，資源が無駄なく（効率的に）用いられている状態です。
> 　以上を踏まえると，厚生経済学の（第一）基本定理は「経済主体の間で自由かつ競争的に経済活動が行われると，資源を最も効率的に利用できる理想的な状態が達成される」ことを示していることがわかります。なお，以下本節で説明する市場の失敗は，上記(1)から(3)が成立しない状況を表しています。この場合，定理から明らかなように，望ましい資源配分は達成されません。

ということを意味しています。つまり，自由かつ競争的に経済活動が行われると，民間に任せておけば自然と望ましい状態が達成され，公的介入も公的当局も必要ない，というわけです。経済学という学問は，「政府などいらない」「自由に取引させればよい」ことを主張する学問だと理解されることがありますが，この理解は上記の定理からきています。

《厚生経済学の基本定理の評価基準》　ただし，経済学に対するこうした理解は正しくはありません。確かに上記の定理は「市場が完全競争的」であれば，「資源配分の効率性」という基準からみて，公的介入の必要性がないことを示しています。しかし逆にいえば，①資源配分の効率性という基準によらない場合，あるいは，②市場が完全競争的でない場合，には，公的介入に意味があるかもしれないのです。

　まず①は，何をもって望ましい状態と考えるか，その評価基準を問うています。資源配分の効率性（効率性）は，限られた資源をいかに無駄なく活用するか，という基準であり，経済学において最も重視される評価基準です。資源の無駄使いは当然しない方がよいので，定理がいうような効率性を改善する余地のない状況では，公的介入に意味はありません。しかし，資源配分の効率性は，唯一の評価基準ではありません。

　たとえば，経済学で重視されるもう1つの評価基準として，分配の公平性があります。これは，配分された資源を使って得られた便益を誰が受け取るか，という分配（所得分配）の観点からみて，経済主体間にできるだけ不公平がない方がよい，という基準です。分配の公平性が重視される場合，資源配分の効率性には問題がない状況であっても，あるいは非効率性が増すことになっても，分配の不公平を是正するための公的介入が正当化されることがあります。

その最もわかりやすい例は，いわゆる「格差」の問題を是正するための介入です。所得が多いほど税金が高くなる累進課税，低所得者に対する生活保護などは，職業や経済状況などによって所得に大きな開き（貧富の差）があることを問題視するからこそ行われている公的介入であり，公平性の基準に基づく介入だといえます[8]。市場が完全競争的であっても，社会的に許容できない格差が存在するのであれば，公的介入が必要でしょう。

なお，労働や財政といったほかの分野と比べると，金融の分野では分配の問題があまり取り上げられません。公的介入の根拠に関しても，資源配分の効率性を基準とした根拠が重視されます。そこで，以下でも主として，資源配分の効率性を根拠とする公的介入に注目したいと思います[9]。とはいえ，金融を考えるうえでは資源配分の効率性だけが重要だ，というわけではありませんので注意してください。

《厚生経済学の基本定理と完全競争の条件》 次に，「②市場が完全競争的でない場合」について考えてみましょう。この場合，市場の失敗と呼ばれる問題が重要になります。**市場の失敗**とは，それによって市場が完全競争的でなくなり，資源配分上の問題（非効率性）を発生させるような要因，あるいはその要因によって発生した問題そのものを指します。市場の失敗の例としてよくあげられるのが以下です。

(1) **外部性**：ある経済主体の行動がほかの経済主体の効用や生産活動に影響を与えること。
(2) **規模の経済**：企業が生産を行うときに，生産規模を拡大するほど産出量が規模以上に拡大し，平均的な費用が減少して収益性が向上すること。
(3) **公共財**：費用を負担しない人の消費を排除できず（非排除性），特定の人が消費してもほかの人の消費が減少しない（非競合性）ような財。
(4) **情報の非対称性**：取引を行ううえで重要な情報を，取引当事者の一方は知っているが他方は知らないこと。

このうち(1)，(2)，(4)は，すでに 13.5.4 節，8.4.3 節，4.1 節でそれぞれ説明したものです。これに対して(3)としては，警察・消防・国防といった例を考えればよいでしょう。

こうした市場の失敗が存在する場合，資源を最も有効に活用できる状態を達成することができず，資源配分は非効率になります。つまり人・資本・資金が無駄に使われることになるわけです。この場合，もしその無駄を公的介入によって減らすことができるならば，公的介入が正当化されることになります。これが，市場の失敗を根拠と

---

[8] なお資源配分の効率性や分配の公平性はいずれも経済的な基準ですが，法の下の平等，基本的人権の尊重など，経済以外の基準も考えられます。
[9] 例外として，先の注4）で触れた多重債務問題や二重債務問題に対する公的介入は，分配の不公平性を根拠として行われる金融面での公的介入だといえます。

した公的介入の説明です。

　この説明は，金融に対する公的介入の理論的説明としてもそのまま用いることができます。金融取引にはさまざまな非効率性が発生します。この非効率性こそが，本書でずっと「取引費用」と呼んできたものにほかなりません。第Ⅱ部・第Ⅲ部で説明したとおり，多くの非効率性はさまざまな金融の仕組みや金融機関などにより軽減されています。しかし，第13章の説明からもわかるとおり，それでも金融の問題は起こっており，非効率性が発生しています。こうした非効率性を減少させるために行われるのが，金融に対する公的介入です。

《金融に対する公的介入の根拠(1)──外部性》　上記4つの市場の失敗を使って，金融に対する公的介入の理論的根拠を考えてみましょう。金融に関して特に重要な市場の失敗は，外部性です。すでに13.5.4節で整理したとおり，金融機関や金融市場に問題が発生すると，その問題はほかの金融機関や金融市場に波及し，金融システムにさまざまな形で負の外部性を生み出します。こうした負の外部性への対処は，金融システムの安定（信用秩序の維持）を目的とする公的介入の理論的根拠となります。

　この根拠について，金融機関の経営破綻を例に，もう少し具体的に考えてみましょう。自分の会社が潰れてもよいと思っている経営者はいないでしょうから，どの金融機関も日々経営努力を行っています。収益が減った場合には，費用を削ったり配当を減らしたりして，破綻に至らないよう対処します。こうした点からすると，公的介入は必要ないようにも思われます。しかし，ここで問題なのは，こうした努力・対処が十分かどうか，という点です。金融機関がコストを払って努力・対処するのは，そのコストに見合った便益が得られる場合だけです。外部不経済によって社会全体に大きな損失が発生するからといって，悪影響を与えた相手先の金融機関，あるいはその取引相手が被る損失まで負担するような金融機関はいません。このように，外部性の問題は，個々の金融機関にとっての破綻回避のコストとベネフィットと，社会全体でのコストとベネフィットとが異なることにあります。

　こうした状況を表すために，経済理論では個々の経済主体のコスト・ベネフィットを**私的費用・私的便益**と呼び，外部性も考慮に入れた社会全体のコスト・ベネフィットは**社会的費用・社会的便益**と呼んで，両者を区別します。すると，金融機関の破綻に外部不経済性が存在する状況は，

$$\text{破綻の私的費用} < \text{破綻回避の費用} < \text{破綻の社会的費用}$$

となっている状況だといえます。つまり，個々の金融機関にとっては費用を払ってまで問題を回避すべきではない（左の不等号）が，社会全体でみれば回避することが望ましい（右の不等号），というのが外部不経済の状況です。この場合，社会全体で費用を負担して破綻を回避すれば，大きな社会的費用の発生を防ぐことができます。その力を唯一持つのは政府です。政府であれば，全国民から強制的に集めている税金を使って金融機関を救済することができます。

金融機関の破綻が生み出す負の外部性は，その金融機関の取引相手が多いほど大きくなります。このため，一方ではたくさんの零細な預金者から預金を預かり，他方でほかから資金を得ることが難しいたくさんの中小企業に貸出を行う預金取扱金融機関は，特に救済の必要性の高い金融機関といえます。金融業界や金融規制の世界では，昔から **too big to fail**（トゥー・ビッグ・トゥ・フェイル：大きすぎて潰せない）という言葉が使われており，最近では **too connected to fail**（トゥー・コネクテッド・トゥ・フェイル：つながりすぎていて潰せない）などともいいます。これらの言葉は，規模が大きい金融機関ほど，あるいはほかの金融機関とのつながり（取引）が多い金融機関ほど外部不経済が大きいため，経営破綻の社会的費用が大きく，救済の必要性が高くなることを表しています。

日本の金融危機や世界金融危機の際には，一部の大きな金融機関が救済され，批判を浴びました。こうした救済も，以上のような経済理論に基づけば正当化されます。ただし，助けてもらえることが事前に予想できるなら，金融機関はどうせ助けてもらえるのだからと経営努力を怠り，余計に経営破綻に陥りやすくなるかもしれません。この点については14.3.6節でもう少し詳しく説明します。

《**金融に対する公的介入の根拠(2)――その他の市場の失敗**》　金融に対する公的介入の理論的根拠としては，外部性以外の市場の失敗を用いることも可能です。第1に，規模の経済について考えてみましょう。規模の経済は，同じ財・サービスを多くの企業が少しずつ供給するより，少数の企業が大量に供給した方が効率的だ，という状況です。この場合，もし自由な競争を許すことで企業数が過剰になるのであれば，公的介入によって数を制限する方が効率性が高まります。この説明は，免許や登録等により金融機関の競争を制限する，参入規制（以下の14.2.1節で説明します）などの理論的根拠だといえます。

第2の公共財は，民間の経済活動に任せておくと，わざわざ費用を負担して提供しようとする人が現れないような財であり，このような財については政府が代わりに費用を負担して提供することが正当化されます。ただし，非排除性と非競合性という公共財の性質をともに備えた純粋な公共財は現実にはあまりみられません。どちらかだけを満たす財は**準公共財**と呼ばれますが，準公共財についても政府による供給が正当化されることがあります。金融における準公共財供給の例としては，先に触れた日本銀行による中央銀行決済システムの提供があげられるでしょう。

第3の情報の非対称性に関しては，第Ⅲ部で説明したように，金融機関や金融市場がそれを軽減する役割を果たしています。ただし，それでも情報の非対称性は大きな取引費用を生み出しています。たとえば新しい事業を起こそうとする企業の場合，その事業の将来性や経営者の能力などに関する情報が得られませんから，民間の金融機関から十分な資金を調達することは容易ではありません。そうした企業に対しては，利益は出なくても資金を提供することのできる政府系金融機関（日本政策金融公庫の国民生活事業や中小企業投資育成会社など）や信用保証制度▶が重要な役割を果たす

▶信用保証制度
⇒6.2.2

でしょう。このような意味で、情報の非対称性に基づく公的介入は、政府系金融機関による民間金融の補完の理論的根拠になっています。

また、情報の非対称性に対処するための公的介入は、金融機関に関する情報の非対称性に関しても重要です。たとえば、誰でも自由に金融機関を作ってよいのなら、資金を騙し取るために作る業者が現れるかもしれません。しかし、免許や登録等により政府が金融機関の品質保証を行えば、金融機関を見分ける能力のない零細な投資家でも安心して資金を提供することができます。金融機関自身にディスクロージャー（情報開示）を求める**ディスクロージャー規制**も、同様の理論的根拠を持っています。

▶ディスクロージャー⇒5.3.2

14.1.5 政府の失敗と公的介入の問題

《政府の失敗》 ただし、公的介入は万能ではないことにも注意する必要があります。公的介入は、市場の失敗により何らかの非効率性が存在し、それを介入によって軽減できる場合には正当化されます。しかし、公的介入が非効率性を軽減できない、あるいはむしろ増大させてしまう可能性も否定できません。特に、介入を行うには費用がかかりますから、全体として費用が便益を上回り、非効率性はむしろ増大するかもしれません。公的介入がかえって大きな非効率性を生み出すことは、**政府の失敗**と呼ばれます。公的介入を行うべきかどうかを考えるうえでは、市場の失敗だけでなく、政府の失敗も考慮に入れる必要があります。

政府の失敗は、新しく介入を行う場合だけに限りません。公的介入の便益と費用は、時代や場所、経済を取り巻く環境などによって大きく変化します。このため、時代遅れになった制度が問題を生み出す、という形で政府の失敗が発生することもあります。既得権益など政治的な理由、あるいは手続きに時間がかかるなど技術的な理由により、いったんできた制度は簡単には変更できません。想定しなかったような大きな問題が発生するまで、制度変更が行われないことも多いのです。

《実効性・意図せざる効果・漏れ》 政府の失敗の例ともいえますが、公的介入の問題としては、特に3種類の問題が考えられます。第1の問題は介入の**実効性**、つまり、行った介入が実際に効果を持たない、という問題です。公的介入は、理論的に考えられている効果が実際にもみられると期待して導入されます。しかし、理論は所詮理論ですから、実際には想定どおりの効果が得られないかもしれません。たとえば、何かの規制を課そうとした場合、その基準が実態に合わないほど緩かったとしたら、規制のない状態と変わりがなく、何の変化も起きないでしょう。また、介入の対象となった経済主体が想定と違う行動を取れば、期待した効果は得られません。

関連して第2に、当初想定していなかった効果、つまり**意図せざる効果**が問題となることがあります。たとえば何かの規制を課した場合、対象となる経済主体は、抜け道を探すような行動を取るかもしれませんし、規制の対象とならない分野での活動を増やすかもしれません。こうした行動は、介入の本来の目的に反する効果を生み出すかもしれません。

さらに関連する第3の問題として，どこまでの範囲で介入すべきか，という公的介入の範囲に関して，介入の**漏れ**の問題があります。公的介入は対象を特定したうえで実施されますが，その際には多かれ少なかれ既存の制度の制約を受けます。同じような経済活動をしている経済主体も，制度上の扱いが異なる場合には，介入の対象となるものとならないものとに分かれてしまうことがあります。

14.2 プルーデンス政策(1)——事前的政策

ここからは，公的介入の中でも特にプルーデンス政策に注目し，日本で行われている政策をさまざまなタイプごとに説明していきます。14.1.3節でみたように，プルーデンス政策は事前の政策と事後の政策に分かれます。前者については本節で，後者については次節で説明します。またこれも先に触れたとおり，日本のプルーデンス政策の中心は金融仲介機関，あるいは預金取扱金融機関に対するものです。このため，本節では金融機関の破綻を防ぐための政策，次節では発生した破綻の影響を抑える政策をそれぞれみていくことになります。

本節と次節で紹介するプルーデンス政策を，あらかじめ分類してまとめたのが表14-2です。以下，本節ではこの表の上半分の事前的政策について，14.2.1節から14.2.4節の各小節に分けて説明します。説明においては，まず各政策の目的や働きなど理論的な説明を行った後，日本で実際に行われている政策の内容について説明します。

14.2.1 参入・業務分野規制

《参入・業務分野規制とその目的》　金融機関に対して行われている規制にはさまざまなものがありますが，そのうち参入を制限するのが**参入規制**であり，行うことのできる業務の範囲を制限するのが**業務分野規制**（**業務範囲規制**）です。これらの規制の目的の1つは，金融システムの安定のために，金融機関が互いに激しく競争することを制限することです。この目的のために行われる規制は，**競争制限的規制**と呼ばれます。

なぜ競争の制限が金融システムを安定させるのでしょうか。それは，制限することによって金融機関が一定の利益を確保できるため，経営破綻を防ぐことができるからです。競争制限的規制としてはこのほかにも出店を規制する**店舗規制**，競争の手段である価格を規制してしまう**価格規制**などがあり，金融業における価格規制としては金利を規制する**金利規制**，手数料を規制する**手数料規制**などがあります。

ただし，参入規制や業務分野規制にはほかの目的もあります。たとえば参入を制限することで規模の経済を発揮させることができますし，悪質な業者を排除したり提供するサービスの質を保証することで情報の非対称性を軽減する目的もあります。また，業務分野規制には，複数の業務を認めることによって発生する利益相反▶を防ぐ，という目的や，さまざまな分野に進出して失敗し，経営破綻につながることを防ぐ，というプルーデンス政策の目的もあります。

▶利益相反
⇒10.1.3

■表14-2 さまざまなタイプのプルーデンス政策

	規制・制度	その具体的な形	説明箇所
事前的プルーデンス政策 (14.2節)	参入・業務分野規制	免許・登録	14.2.1節
	店舗規制		14.2.1節
	金利規制		14.2.1節
	健全経営規制	自己資本比率規制	14.2.2節
		その他の健全経営規制（大口信用規制，株式保有の規制など）	14.2.2節 Web Appendix 14.1
	準備預金制度		14.2.3節
	金融機関のモニタリング	検査・考査・監督	14.2.4節
	早期是正措置・早期警戒制度		14.2.4節
事後的プルーデンス政策 (14.3節)	救済合併・承継		14.3.1節
	預金保険制度	（ペイオフ凍結）	14.3.2節
	破綻処理制度	公的債権回収機関・承継銀行・一時国有化	14.3.3節
	資本注入		14.3.4節
	流動性供給	金融機関への流動性供給（LLR）	14.3.5節
		市場への流動性供給（金融調節）	14.3.5節

《日本の参入・業務分野規制》[10]　日本で参入規制が最も厳しいのは，預金取扱金融機関（銀行，信用金庫，信用組合等）です。預金取扱金融機関の業務を行うには所管する公的当局から**免許**を取得しなければならず，免許を取得するにはさまざまな条件を満たす必要があります。このため，儲かりそうだからといって勝手に「銀行」を名乗って銀行業務を行うと罰せられます。これに対して金融商品取引業者は，免許よりも条件の緩い**登録**が必要です。免許や登録等を受けた金融機関は，法律に従ってその金融機関の業務を行う代わりに，ほかの金融機関の業務を行うことが制限されます。

日本では長い間，銀行業，証券業，信託業，そして保険業が厳格に分離され，**銀証分離・銀信分離**などと呼ばれていました。関連して，金融業以外の事業会社が銀行を所有することも禁じられており，**銀商分離**（銀行と商業の分離）と呼ばれていました。銀証分離と銀商分離には，利益相反の防止という目的もあります。銀証分離が防ごうとする利益相反は10.1.3節で説明しました。銀商分離が防ごうとする利益相反は，事業に問題のある企業が銀行を設立し，預金者から集めた資金を使って損失を穴埋めする，といった問題です[11]。

ただし，参入規制や業務分野規制が競争制限的規制として重視されたのは過去の話です。1980年代前半までは，これらの規制や店舗規制・金利規制など，厳しい競争

---

10) これらの規制に関しては，各金融機関に関する第8章・第10章の説明も参照してください。
11) 昔の日本では，企業が自分の資金調達のために銀行を設立することが可能であり，こうして設立された銀行は**機関銀行**と呼ばれました。機関銀行は明治・大正期に多数設立されましたが，問題のある貸出を行った結果，多くが経営破綻し，昭和恐慌▶の原因の1つになったといわれています（高橋・森垣 1993参照）。

▶昭和恐慌
⇒13.2.3

制限的規制が行われていました。しかし，規制が金融機関を過度に保護し，非効率な金融機関が淘汰されない状況を作り出している，としてしだいに批判されるようになりました[12]。その結果，1990年代前半には子会社方式による銀行・証券・信託の相互参入が認められ，また後半にはいわゆる**ビッグバン**（big bang）と呼ばれる規制緩和によって，さまざまな業種の子会社を傘下に持つ，持株会社の設立が認められました。2000年代の初めには銀商分離も緩和され，流通業者などが銀行を設立しました。こうした銀行は，8.2.1節で新たな形態の銀行として紹介した銀行の一部です。

▶ファイアー・ウォール⇒10.1.3

とはいえ，第8章や第10章でみたように，業務分野規制は完全に撤廃されたわけではありません。たとえば，銀証分離におけるファイアー・ウォール▶は今でも重要ですし，銀商分離では事業会社が被ったリスクを銀行が負担することのないよう，さまざまな制限が行われています。競争制限的規制としての役割は小さくなったものの，それ以外の目的のために，参入・業務分野規制は今でも重要な規制です。

14.2.2 健全経営規制と自己資本比率規制

《健全経営規制とその種類》 競争制限的規制が批判されるようになってから，事前のプルーデンス政策の中心は，競争が行われる状態でも金融機関の健全性を保証し，経営破綻を防ごうとする規制である健全経営規制に変わっていきました。**健全経営規制**とは，個々の金融機関，特に預金取扱金融機関の財務（資産・負債選択等）に対し，破綻の可能性を低下させるような規制を課すことによって，経営の健全性を確保する規制です[13]。

健全経営規制の代表は，自己資本比率規制と呼ばれる規制です。この規制は健全経営規制の中でも特に重要なので，以下で詳しくみていきます。その他の健全経営規制としては，リスクの高い資産を過度に保有させないようにする規制，たとえば特定の借手に集中して貸すことを制限する**大口信用規制**，株式の保有を制限する**株式保有規制**，などがあります。こうした健全経営規制についてはWeb Appendix 14.1で説明しています。

《自己資本と健全性》 金融機関に限らず，企業は自己資本比率が高いほど経営破綻に陥る可能性が低くなり，健全性が高まります。その理由を理解するためには，企業の財務を理解しておく必要があります。企業の財務は**財務諸表**と呼ばれる一連の書類にまとめられており，中でも特に重要な書類の1つが，保有する資産と負債の残高を記録した**バランスシート（貸借対照表）**です。一般的なバランスシートは図14-4のような

---

12) こうした批判においては，護送船団方式という言葉も使われました。護送船団は，貨物船や輸送船などを武装した船が護衛して航行する船団で，スピードの速い船も遅い船に合わせてゆっくり航行します。この様子になぞらえて，非効率な金融機関でも経営が悪化しないような緩い競争条件を設定し，効率的な金融機関がそれに合わせることを，**護送船団方式**といいました。

13) マクロプルーデンス政策（14.4節参照）が重視されるようになる前は，健全経営規制のことをプルーデンス規制と呼ぶこともありました。

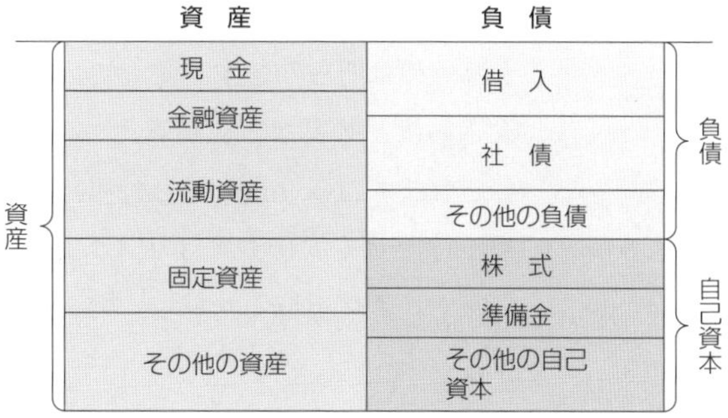

構造になっており，左側（借方と呼ばれます）にはその企業の保有する資産の額が，右側（貸方）にはその資産を購入するために行われた資金調達（資金源）の額が記録されます。複式簿記の原理より，資産の総額と資金調達の総額は常に等しくなります[14]。

右側の資金調達は，**負債**（**他人資本**とも呼ばれます）と**自己資本**（**純資産**とも呼ばれます）とに分かれます。負債は借入や社債など企業の外からの借金です。自己資本は企業自身の資金とされるもので，所有者である株主から資金を調達する株式，それまでの事業から得た利益のうち将来使うためにおいておく資金である**内部留保**（各種の準備金，積立金，引当金）などからなります。

■図14-4　企業のバランスシート

資　産	負　債
現　金	借　入
金融資産	社　債
流動資産	その他の負債
固定資産	株　式
	準備金
その他の資産	その他の自己資本

（左側全体が「資産」，右上が「負債」，右下が「自己資本」）

負債と自己資本の重要な違いは，返済の必要性です。負債を約束どおりに返済できなければ債務不履行に陥り，経営破綻につながりますが（6.1節参照），企業自身の資金である自己資本は返済の義務がありません。このため，**自己資本比率**，つまり資産（＝負債＋自己資本）に占める自己資本の比率が高い企業ほど，経営破綻の確率が低くなります。特に，自己資本比率が100％（負債がゼロ）の**無借金企業**は，債務不履行による破綻の可能性がありません。こうしたことから，自己資本比率は経営の**健全性**あるいは**安全性**を表す指標とされています。

《金融機関の自己資本比率とリスク》　金融機関の場合も，自己資本比率は健全性の重要な指標です。特に，自ら貸し借りを行う金融仲介機関は必然的に借入が多いですし，中でも預金取扱金融機関は負債の大半をいつでも引き出される可能性のある預金が占めますから，安全性を確保するために高い自己資本比率が求められます。

金融機関が自発的に高い自己資本比率を維持してくれれば，規制の必要はありません。しかし，自己資本による資金調達は高くつくため，自己資本比率は過少になりがちです。たとえば，株式と預金を比べた場合，リスクの高い株式には，リスクプレミアムに見合った高い収益率が求められますが，安全で決済にも用いられる預金には，低い金利でも自然と資金が集まります。そこで，一定以上の自己資本比率を維持するよう規制する，**自己資本比率規制**が行われています。

金融機関に対する自己資本比率規制の特徴は，リスクを考慮する点にあります。一般的に用いられる自己資本比率は，上記のように貸借対照表上の自己資本を資産の総額で割った，帳簿上の自己資本比率です。しかし，帳簿上の自己資本比率を健全経営規制に用いるには問題があります。保有する資産のリスクを考慮できないからです。

14）　日本銀行のバランスシートを説明した12.4.3節も参照してください。

資産の額が同じでも，株式などリスクの大きい資産を多く抱えている金融機関と，国債などリスクの小さい資産を多く抱えている金融機関とでは，前者の方が破綻の確率が高いのは明らかです。そこで，実際の自己資本比率規制では，保有資産のリスクが大きいほど必要な自己資本比率が高くなるように，**リスク感応的な自己資本比率**が用いられます（Column 14-2 参照）。リスク感応的な自己資本比率規制は，自己資本を多く持たせて債務不履行リスクを低下させるだけでなく，過度の**リスクテイク**（risk take：リスクを取る）（リスクの高い資産の過度の保有）を防ぐ役割も果たしています。

《**日本の預金取扱金融機関に対する自己資本比率規制**》　自己資本比率規制は保険会社などにも課されていますが，ここでは最も代表的な預金取扱金融機関に対する自己資本比率規制について，その内容をみてみることにしましょう。日本で実際に行われている自己資本比率規制は，**バーゼル**（Basel：合意が行われたスイスの地名）**合意**（Web Appendix 14.2 参照）と呼ばれる国際的な合意に基づいて実施されています。バーゼル合意はこれまでに何回も改訂され，それに合わせて日本の自己資本比率規制も変更されてきました。改訂のたびに新たな部分が追加され，規制はますます複雑になってきていますが，基本となる部分はそれほど変わっていません。ここではその基本部分を中心に説明します。

日本の自己資本比率規制は，基本的には次の2つの基準に分かれています。

$$国際統一基準：自己資本比率 = \frac{自己資本}{リスク資産} \geq 8\%$$

$$国内基準：\quad 自己資本比率 = \frac{自己資本}{リスク資産} \geq 4\%$$

国際統一基準はバーゼル合意に則ったもので，バーゼル合意の対象となる，海外営業拠点（支店または現地法人）を持つ預金取扱金融機関に対して課されるものです。これに対して**国内基準**は，海外に営業拠点を持たない預金取扱金融機関に対するものですが，国際統一基準に準じる形で定められています。

先に触れたとおり，この自己資本比率は帳簿上の自己資本比率ではなく，リスク感応的な自己資本比率です。保有資産のリスクが高いほど求める自己資本比率を高くするため，分母には，リスクウェイト方式という方法を用いて計算したリスク資産の額が用いられます。また，分子の自己資本も損失をカバーする能力に応じていくつかの構成要素に分けられ，国際統一基準ではこの要素ごとに最低比率が定められています（Column 14-2 参照）[15]。

---

15) 具体的な計算の詳細はこれまでに何度も変更されてきており，また国際統一基準と国内基準の間でも多少異なります。こうした規制の詳細については日本銀行あるいは金融庁のホームページにさまざまな形で示されています。

> **Column 14-2　自己資本比率規制におけるリスクの考慮**
>
> 　自己資本比率規制の分子である自己資本は，基本的に2つの構成要素の合計と定められています。第1は **Tier 1** と呼ばれ，本来の自己資本である普通株式や内部留保等を表します。第2の **Tier 2** は，一部の負債，たとえば劣後債や劣後ローンなどで，返済の優先順位が低い劣後債権（5.2.2節参照）など，損失吸収能力が高い負債や貸倒引当金などです。Tier 1 と Tier 2 は，それぞれについても最低比率が定められています。バーゼルⅢと呼ばれる新たな国際合意では，Tier 1 をさらに2つに分けて，それぞれの最低比率を定めるとともに，資本バッファーと呼ばれる追加的な（8%を超える）自己資本の積み立ても求められるようになりました。
>
> 　分母に関しては，帳簿上の資産額ではなく，リスクを調整した資産額（リスク資産）を用いる**リスクウェイト方式**が取られています。**リスク資産**（リスクアセット）とは，各資産の価値を，リスクに応じたウェイトをかけたうえで足し合わせたもので，リスクが大きい資産には高いウェイト，安全な資産には低いウェイトが用いられます(注)。低格付企業向けの貸出は100%（以上）のウェイト，現金や国債はウェイトを0%として分母に含めない，といった具合です。このため，リスクが大きい（小さい）資産を持っているほど分母は大きく（小さく）なり，自己資本比率は低く（高く）なります。
>
> 　(注)　リスク資産の計算では，信用リスク，市場リスク，オペレーショナルリスクの3つのリスクが考慮されます（8.5.2節参照）。

《自己資本比率規制の問題点》　自己資本比率規制の問題点についても触れておきましょう。自己資本比率規制にも，14.1.5節で触れた3つ（実効性・意図せざる効果・介入の漏れ）の問題があります。第1の実効性の問題は，規制が行われていたにもかかわらず，日本の金融危機や世界金融危機（13.1節参照）を防ぐことができなかったことに表れています。特に，規制を守っていた金融機関が破綻したことは問題視されました。こうした経験から，リスク把握の不備などの問題が明らかになり，その都度国際合意は改訂され，規制は修正されていきました。修正のたびに，資産も自己資本も細分化され，ウェイトも変わり，現在では自己資本比率規制だけではなく，ほかの健全経営規制と組み合わせて規制を行うようにもなっています。このため，規制はどんどん複雑化しており，過剰な規制の問題も指摘されています。

　第2の意図せざる効果は，自己資本比率規制が預金取扱金融機関の資産減少を招く，という形で現れます。分子の自己資本を十分持つことを求めるのが自己資本比率規制ですが，自己資本比率は分母の資産を減らすことによっても高まります。自己資本比率規制が原因とみられる資産の減少としては，貸出の減少とオフバランスシート化の2つが知られています。規制による貸出減少は，自己資本比率規制が貸出を減らす行動を招くという問題で，**キャピタル・クランチ**とも呼ばれます。日本の金融危機時には，不良債権問題により自己資本が減少した銀行が，自己資本を増やさず貸出を減らし，借手や実体経済に悪影響を与えたことがわかっています。**オフバランスシート化**は，資産を売却してバランスシートから消す行動，たとえば債権の流動化▶や証券化▶を招くという問題です。海外の金融機関は，保有資産を売却してオフバランスシート化しつつ，手数料収入を得るという，オリジネート・トゥ・ディストリビュート▶モデルを目指しましたが，この動きの背景には自己資本比率規制を回避するという誘因があったといわれています。

　第3の介入の漏れの問題は，世界金融危機の際に露呈しました。すでに13.2.3節で説明したように，銀行など金融仲介機関と代替的な金融仲介の仕組みである証券化

▶流動化⇒5.1
▶証券化⇒7.1.4
▶オリジネート・トゥ・ディストリビュート⇒10.2.3

（集団投資スキーム）は，世界金融危機につながる大きな問題を生み出し，影の銀行システム▶と呼ばれました。銀行に健全性の確保が求められるのなら，それと同様の役割を果たす証券化の仕組みにも健全性が求められるはずです。しかし，当時はこの仕組みが銀行と同様の仕組みだとは理解されておらず，自己資本比率規制のような規制が課されていなかったため，問題の発生を抑えることができなかったといわれています。

▶影の銀行システム
⇒13.2.3

14.2.3 準備預金制度

預金取扱金融機関に対するプルーデンス規制には，準備預金制度も含まれます。**準備預金制度**とは，預金取扱金融機関が預かった預金の一定比率にあたる額を，中央銀行の当座預金に預けるよう義務づける制度であり，この比率を**法定準備率**，預け入れる必要のある額を**所要準備額**と呼びます[16]。日本に限らず多くの国では，中央銀行決済システムにおいて，民間金融機関が中央銀行に預ける当座預金が重要な役割を果たしています（1.6節参照）。このため，一部の金融機関に当座預金不足が発生して決済ができなくなると，ほかの金融機関の資金不足につながり，決済システムを通じた金融機関の破綻の連鎖（13.5.1節参照）が発生する可能性があります。自発的な準備の預け入れが不十分なために，当座預金残高が不足してしまうことのないよう，一定の資金を強制的に預けさせるのが準備預金制度です。

日本の現行の準備預金制度では，各月の預金の平均値に法定準備率をかけることで，所要準備額を算出します。この額は，翌月の16日から翌々月の15日までの期間（**積み期間**と呼ばれます）の平均残高として日本銀行の当座預金（日銀預け金）に預けることが求められます。所要準備額を超えて預けられている預け金は，一般に**超過準備**と呼ばれます。

なお，準備預金制度はプルーデンス政策だけではなく，日本銀行が行う金融調節（金融政策）においても重要な意味を持っています。準備預金制度のもとでは，当座預金額が少ない金融機関は，積み期間の終わりである毎月15日までに，当座預金額を増やす必要があります。こうした金融機関は，短期金融市場で資金を調達することで当座預金を増やそうとします。日本銀行はこの行動を踏まえたうえで短期金融市場におけるオペレーションを行い，操作目標をコントロールします（12.4.3節参照）。

14.2.4 金融機関のモニタリング（検査・考査・監督）

事前のプルーデンス政策には，公的当局による金融機関のモニタリングも含まれます。公的当局は，金融機関の経営の健全性が損なわれていないか，破綻の可能性は高まっていないか日々チェックしています。さまざまな形で行われるこうしたチェック

---

16) 法定準備率は，8.4.5節で説明した預金準備率と同じく，預金取扱金融機関が預金の引き出しに備えて保有する準備の比率ですが，特に預金準備制度のもとで日本銀行が預金取扱金融機関に対して義務づけているものを指します。

が，**金融機関のモニタリング**です。金融機関のモニタリングは，金融機関にヒアリングをしたり資料の提出を求める**オフサイト**（off-site：離れた場所での）**・モニタリング**と，直接立ち入り検査をする**オンサイト**（on-site：現場での）**・モニタリング**とに分かれます。収集した情報から経営上の問題が発見された場合には，金融機関に対して改善を促すことになります。

日本で金融機関のモニタリングを行う公的当局は，金融庁と日本銀行です。行政上の権限に基づいてモニタリングを行うのが金融庁であり，金融庁のオフサイト・モニタリングは**監督**，オンサイト・モニタリングは**検査**と呼ばれます[17]。日本銀行が行うモニタリングは，信用秩序の維持（金融システムの安定）を目的として，当座預金を預かっている金融機関に対して行うもので，このうちオンサイト・モニタリングは**考査（日銀考査）**と呼ばれます。モニタリングの結果や金融システムの現状は，金融モニタリングレポート（金融庁）や金融システムレポート（日本銀行）において定期的に公表されています。

なお，客観的な指標に基づいて早い段階で問題を防ぐことができるよう，金融庁は金融機関の財務や資金繰りに関してあらかじめ基準を設定しています。モニタリングによってその基準に抵触していることが発見されると，業務改善命令，業務停止命令，登録や免許の取り消しといった行政処分（命令）が行われます。こうした制度のうち，健全経営規制の指標である金融機関の自己資本比率（14.2.2節）を基準とするのが**早期是正措置**です。また，収益性，信用リスク，市場リスク，資金繰りなどの状況を基準とする制度もあり，**早期警戒制度**と呼ばれています。

14.3　プルーデンス政策(2)——事後的政策[18]

次に，事後的プルーデンス政策，すなわちすでに発生してしまった金融システムの問題に対処する政策をみていくことにしましょう。本節では，14.3.1から14.3.4の各小節において，先の表14-2の下半分にまとめられている事後的プルーデンス政策を順に説明します。これまでの節と同様に，以下でも各政策ごとにまず理論的な説明を行った後で，日本の実際の政策について説明します。事前的プルーデンス政策の場合と同様に，日本で行われている事後的プルーデンス政策の中心は，金融機関の破綻に対処するためのものですが，近年では金融市場の機能不全に対処するためのプルーデンス政策も整備されています。この点については14.3.5節で説明します。

---

17) 金融庁は従来，定期検査を中心としたモニタリングを行ってきましたが，金融機関を取り巻く急速な環境変化に機動的に対処するため，「オン・オフ一体」という言葉で検査と監督を機動的に使い分け，継続的なモニタリングを行うようになってきています。また，日本銀行の考査とも内容が重複することが多いことから，日本銀行との情報共有も進めています。

18) 日本における事後的プルーデンス政策の制度と実態に関しては，金融危機までの時期についてまとめた預金保険機構編（2005）が包括的かつ詳細で参考になります。また，預金保険機構のホームページにはさまざまな有益な情報が掲載されています。本節の説明もこうした情報を参考にしています。

なお，日本における事後的プルーデンス政策は，1990年代後半の金融危機（13.1.1節参照）を契機に大きく変化しました。それまでの時期には金融システムに大きな問題は発生せず，金融機関の破綻処理の制度も整備されていませんでした。しかし，金融危機により金融機関の破綻が深刻化し，制度の方も問題を後追いしながら緊急措置（時限措置）として整備が進み，その一部は危機の沈静化後に，将来に備えた恒久制度として再編されました。以下の各小節では現行の政策をタイプ別に説明しますが，なるべく整備された順番に近い形で並べてあります。また，以下のさまざまな箇所で登場する出来事と，政策の変遷については表14-3にまとめていますので，適宜参照してください[19]。

14.3.1　救済合併と承継

《金融機関の破綻処理》　事後的なプルーデンス政策の中心となるのは，破綻した金融機関の破綻処理です。金融機関も企業ですから，その破綻処理は基本的には一般企業の処理に基づきます。企業の破綻処理には，財産を処分し解散させる清算型の処理と，改めて事業をやり直す再建型の処理の2つがあります（6.1.2節参照）。しかし，金融機関は安易に解散して事業を終わらせることができません。金融機関の破綻は外部性が大きいため（13.5.4節参照），破綻した金融機関が営業を継続できないと，貸手である預金者や投資家，借手である企業など，多くの経済主体に大きな悪影響を与えますし，預金取扱金融機関の場合には決済にも支障が生じます。

このため，金融機関の破綻処理では事業の継続を前提とした破綻処理が行われます。具体的には，(1)経営破綻に陥った，あるいは陥りそうな金融機関を，ほかの（比較的）健全な金融機関に合併させる**救済合併**，あるいは(2)継続させるべき事業を切り出し，その営業をほかの金融機関に譲渡する**承継**，のいずれかが，金融機関の破綻処理の基本となります。合併先あるいは譲渡先の金融機関は**救済金融機関**と呼ばれ，既存の金融機関ではなく新設される場合もあります。この基本は長い間変わっておらず，今も昔も金融機関の破綻が起これば速やかに救済合併か承継が行われ，短期間であっても営業の中断を発生させません[20]。

ただし，救済合併や承継は，破綻処理の大前提にすぎません。より重要な問題は，いかに悪影響を抑えながら救済合併や承継を行うか，であり，金融機関の破綻処理を行う事後的プルーデンス政策も，その本質は悪影響を抑えるための制度整備にあります。そうした制度が以下で説明する預金保険制度やその他の破綻処理制度です。

《金融危機以前の日本の事後的プルーデンス政策》　日本において，こうした破綻処理制度の整備が行われたのは1990年代後半の金融危機以降であり，それ以前は制度が整備

---

19)　こうした変遷についてはWeb Appendix 14.3でもう少し詳しく説明しています。さらに詳細に知りたい方は，西村（2003）や預金保険機構編（2005）などが参考になります。

20)　典型的には，金曜日に破綻を発表して営業を停止し，週末の間に処理を行い，月曜日から営業を再開します。

■表14-3 日本の事後的プルーデンス政策の変遷

年.月	主な出来事
1971.7	預金保険機構設立
1986.7	預金保険による破綻処理に資金援助方式導入
1991.7	東邦相互銀行破綻（救済する伊予銀行に対して初の資金援助）
1994.12	東京協和信用組合・安全信用組合破綻（救済金融機関として東京共同銀行設立）
1996.4	預金保険料引き上げ
1996.6	預金全額保護（ペイオフコスト超の資金援助）開始（ペイオフ凍結）
1996.7	住宅金融債権管理機構設立
1996.9	整理回収銀行設立
1997.11	三洋証券，北海道拓殖銀行，山一證券破綻
1998.2	ペイオフコスト超の資金援助に対する公的資金投入，金融機能安定化法に基づく公的資本注入
1998.10	金融再生法施行（金融整理管財人制度，承継銀行制度導入），日本長期信用銀行破綻（特別公的管理）
1998.12	日本債券信用銀行破綻（特別公的管理）
1999.3～	金融機能早期健全化法に基づく資本注入
1999.4	整理回収機構設立
2001.4	預金保険法改正（金融整理管財人制度，承継銀行制度，特別危機管理制度恒久化）
2001.12	石川銀行破綻
2002.3	中部銀行破綻，日本承継銀行設立
2002.4	ペイオフ一部解禁
2004.3	第二日本承継銀行設立
2005.4	ペイオフ完全解禁
2010.9	日本振興銀行破綻（初のペイオフ）

されていませんでした。制度がなくても問題がなかった理由は，経営破綻を起こさせない政策がとられていたからです。ここでいう「経営破綻を起こさせない政策」とは，問題の発生を防ぐ事前のプルーデンス政策ではありません。問題が発生し，経営破綻が懸念される事態に陥ってしまった金融機関に対し，破綻を起こさずに処理する政策を指します。

舞台裏で行われていたため詳細は明らかではありませんが，金融危機以前の事後的プルーデンス政策は，問題が発生した，あるいはしそうな金融機関に対し，当時の監督官庁である大蔵省が直接経営に介入し，自力での再建が難しい場合には関係する金融機関への支援の要請や救済合併の斡旋・仲介を行う，というものでした。実際に，日本では戦後長い間，金融機関の合併は行われたものの，公式な破綻は記録されていませんでした。このため，金融機関は倒産しないものだといういわゆる**不倒神話**まで語られていました。

こうした政策が行き詰まりをみせたのが，1990年代後半の金融危機です。この危機では破綻する金融機関の規模が大型化し，また複数の破綻が同時に発生しました。他方で，問題の少ない金融機関も収益が減少し，支援や合併を行う余裕がなくなりました。このため，1990年代に入ってから，日本の事後的プルーデンス政策は，公式

に破綻させて処理する形に変化していきました。この変化については以下の説明の中で触れていきます。

14.3.2　預金保険制度

《**預金保険制度とは**》　預金取扱金融機関に対する事後的プルーデンス政策の中心は，**預金保険制度**です。この制度は，その名のとおり，預金に対する保険▶を提供する制度です。平時に金融機関から保険料を徴収して貯めておき，破綻が発生したら取り崩して保険金として支払うことで，預金者の預金を保証（保護）します。金融機関から徴収する預金保険料は，対象となる預金の残高に，あらかじめ定められた**預金保険料率**をかけて求めます。預金保険は預金取扱金融機関の破綻が預金者，特に零細な預金者に与える悪影響を抑えるためのもので，預金者の信認▶を支える役割もあります。

▶保険⇒6.2.3

▶信認⇒13.2.3

　預金保険の対象となるのは決済機能を持つ要求払預金ですが，ほかの預金や負債も対象になることがあります。補償される預金の額には上限が定められており，破綻処理の中で残った財産からいくら預金者に払い戻せるかを確定し，その額と補償上限との差を預金保険でカバーします。この保護は，保険金の支払い（ペイオフ：pay-off）という形ではなく，救済金融機関への資金援助として行われることもあります。ただし，**ペイオフ**という言葉は前者の支払いに限らず，何らかの保護が行われること自体を指して用いられることもあります。

　なお，金融危機など特別な状況では，預金者の不安を抑え，銀行取付を防ぐための緊急措置として，補償の上限を超えた保護が行われることがあります。この場合，本来の上限内での保護をペイオフと呼び，上限を超えた保護が行われることを，本来のルールを停止する，という意味で，ペイオフの停止，あるいは**ペイオフ凍結**，などということがあります。

《**日本の預金保険制度**》　日本の預金保険制度は，金融危機以前から整備されていました。日本で預金保険制度を運営するのは政府関係機関である**預金保険機構**であり，その設立は1971年です。預金保険機構は，単に預金保険制度を運営するだけでなく，日本の事後的プルーデンス政策に関するさまざまな業務を行っています。そうした業務の一部は，子会社であり銀行免許を持つ整理回収機構（次の14.3.3節参照）に委託されています。

　日本の預金保険制度の対象となる金融機関は，銀行や信用金庫など，国内で預金を受け入れている預金取扱金融機関です。外国銀行の在日支店，国内金融機関の海外子会社等は対象外であり，また別の預金保険制度がある農業協同組合・漁業協同組合も対象外です。決済用の預金（当座預金や無利息の普通預金）は全額保護されますが，ほかの預金（定期積金・金融債含む）には1金融機関につき預金者1人あたり元本1000万円までと破綻日までの利息等，という上限が定められています。外貨預金や譲渡性預金など，対象外の預金もあります。

　当初の預金保険制度では，保険金を預金者に支払う保険金支払（ペイオフ）方式の

破綻処理方法しか規定していませんでした。保険金支払方式の場合，破綻金融機関の営業を継続できないため，預金者や借手などに大きな悪影響を与えます。そこで，金融危機前の1986年に，破綻金融機関の事業を健全な金融機関へ引き継ぐために必要な資金（コスト）を救済金融機関等に対して援助する，資金援助方式が導入されました。

日本で最初に資金援助が行われたのは，1992年に破綻した東邦相互銀行を救済合併した，伊予銀行に対する貸付です。これを含め，金融危機がほぼ収束する2002年までの間に，預金保険機構は合計180件の資金援助を行っています。ただし，援助の方法として返済を求める貸付が用いられたのは最初だけであり，その後は金銭の贈与や，破綻金融機関が保有する資産の買取も用いられるようになりました。

なお，金融危機の当初は制度本来の原則に従い，補償の上限内での保護が行われていましたが，しだいに破綻処理費用が増加し，また預金者の不安を抑えて銀行取付を防ぐ必要もあったため，1996年6月からはペイオフが凍結され，上限にかかわらずすべての預金を全額保護する**預金全額保護**と呼ばれる特別措置が行われました。上限以上の資金援助にはその分だけ多くの資金が必要であったため，政府の資金（公的資金）も使われることになり，激しい批判を浴びました。その後，全額保護は段階的に解除され，最終的に2005年4月からは上限までのペイオフしか行わないことになりました。このことは，**定額保護**の開始，あるいは**ペイオフ解禁**などと呼ばれています。その後しばらくは破綻が起こらなかったため，実際に定額保護が行われたのは，2010年9月に破綻した日本振興銀行が最初です。ただし，将来の金融危機に備え，ペイオフを再び凍結するための制度も整えられています。

14.3.3 その他の破綻処理制度

金融危機を契機として，預金保険制度以外の破綻処理制度の整備も進みました。こうした制度は当初，時限的な措置とされましたが，2000年代前半までには恒久化されました。結果的に整備された制度を図示したのが図14-5です。多くの公的当局が関わりながら，預金者等への影響を抑えつつ，破綻金融機関を新たな金融機関に承継させる仕組みになっています。この制度の中でも特に重要なのは，公的債権回収機関（図では整理回収機構），金融整理管財人と承継銀行，そして図には示されていませんが，特に深刻な事態に対処するための制度である，一時国有化，の3つです。以下ではこれらの制度について説明していきます。

《**公的債権回収機関**》　救済合併や承継の際に一番問題となるのが，破綻した金融機関が持つ不良債権▶の扱いです。返済の見込みがほとんどない不良債権をそのまま救済金融機関に引き継げば，救済金融機関の経営も破綻しかねません。そこで，破綻処理では破綻金融機関の不良債権を別の機関に買い取らせ，正常債権だけを救済金融機関に引き継ぎます。とはいえ，採算が見込めない不良債権は民間の金融機関には買い取ってもらえないかもしれません。そこで，民間に代わって買取を行う公的な機関が**公的**

▶不良債権
⇒5.1.1
Column5-1

■図 14-5　金融機関の破綻処理の枠組み

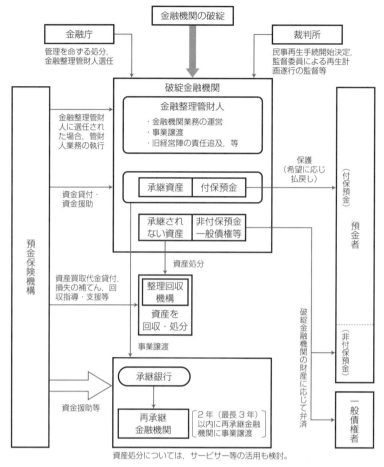

(出所)　預金保険機構「預金保険制度の解説」(「定額保護下における破綻処理スキーム (資金援助方式の概要〈一例〉)」) より一部改変。

▶サービサー
⇒10.2.2

債権回収機関です。公的債権回収機関は，買い取った不良債権の回収や処分，つまりサービサー▶の業務も行います。

　日本ではじめて設立された公的債権回収機関は，**整理回収銀行**です (1996 年 9 月設立)。整理回収銀行は，多くの破綻銀行・信用組合の不良債権の譲渡を受け，債権回収・処分等を行いました。また，破綻には至っていない金融機関の不良債権処理を促進するために，緊急措置として健全金融機関からの資産買取も行いました。

　公的債権回収機関としては，**住宅金融債権管理機構**もあります。同機構は，住専問題と呼ばれる問題を処理するために，1996 年 7 月に設立されました。**住宅金融専門会社 (住専)** は，銀行等の子会社として設立された住宅ローン専門の貸金業者です。住専は，放漫な経営と不動産バブルの崩壊による住宅ローンの不良債権化から経営危機に陥り，親会社の経営も圧迫する**住専問題**を起こしました。住宅金融債権管理機構はこうした貸金業者の破綻処理を行いました。その後，住宅金融債権管理機構と整理回収銀行は合併し，公的債権回収機関以外の役割も加える形で，1999 年 4 月に預金保

険機構の子会社である**整理回収機構**が発足しました（Web Appendix 8.1 も参照）。

《**金融整理管財人と承継銀行**》　公的債権回収機関が破綻金融機関から不良債権を切り離すのに対し，切り離したあとの破綻金融機関の営業を引き継ぐのが金融整理管財人と承継銀行です。**金融整理管財人**とは，破綻金融機関に派遣され，業務を継続させるとともに破綻処理を行う者で，公的当局が選任します。金融整理管財人を選ぶことで，救済金融機関がただちに現れなくても業務が維持できますし，それまでの制度と違って旧経営陣を退任させ，経営責任を明確にすることができます。

　速やかに処理を終了するために，金融整理管財人は期限を切って派遣されます。しかし，定められた期限内に救済金融機関が現れないことも想定されるため，承継銀行の制度が定められています。**承継銀行（ブリッジバンク）**とは，救済金融機関がただちに現れない場合に，暫定的に業務を引き継ぎ，最終的に受け皿となる救済金融機関を探して事業を承継する銀行です。承継銀行は，破綻金融機関の債権のうち，救済金融機関に譲渡可能な債権のみを引き継ぎ，その他の債権は公的債権回収機関が買い取ります。承継が終了すると，承継銀行は解散されます。

　日本の金融整理管財人制度と承継銀行制度は，1998 年 10 月に施行された**金融再生法**（金融機能の再生のための緊急措置に関する法律）に基づき，次に説明する特別公的管理制度とともに，時限的な制度として創設されました。初期には金融整理管財人が選任されないこともありましたが，その後銀行 5 件，信用金庫 1 件，信用組合 34 件の破綻に用いられました。選任されるのは，弁護士，公認会計士などに加え，預金保険機構である場合もあります。承継銀行としては，2001・2002 年に破綻した石川銀行・中部銀行の事業を承継するため，**日本承継銀行**が設立されました。金融整理管財人制度と承継銀行制度は 2001 年に恒久制度化され，2004 年には将来の破綻に備える承継銀行として**第二日本承継銀行**が設立されました。しばらく後のことになりますが，第二日本承継銀行は 2010 年破綻の日本振興銀行から事業を承継し，2011 年に解散しました。現在では整理回収機構も承継銀行業務を行うことができます。

《**一時国有化**》　金融整理管財人や承継銀行は通常の破綻を処理する制度ですが，特に深刻な事態が予想される場合の破綻を処理する制度が一時国有化です。**一時国有化**は，破綻金融機関の株式すべてを国や政府関係機関が強制的に取得して国有化し，公的当局が選んだ経営陣に業務，破綻処理を行わせる制度です。この制度は，金融整理管財人制度のように経営陣を入れ替えるだけでなく，株主まで強制的に変更するという踏み込んだ制度です。一時国有化は，業務が広範でほかの金融機関への破綻の連鎖や金融市場への悪影響が見込まれるなど，システミックリスクが懸念されるような金融機関の破綻に対し，ほかの金融機関による代替が難しい場合に限って適用されます。

　日本における一時国有化の制度は，金融再生法のもとで設けられた**特別公的管理制度**です。この制度で株式を取得するのは預金保険機構であり，はじめての一時国有化は日本長期信用銀行・日本債券信用銀行という 2 長期信用銀行の破綻（それぞれ

1998年10月，12月）の際に行われました。時限的な措置だった特別公的管理制度ものちに恒久化され，現在では**特別危機管理制度**となっています。同制度の適用例は，2003年に経営破綻し12月に一時国有化された足利銀行だけで，地域経済に深刻な影響を与えることが懸念されたために実施されました。振り返ってみると，この2003年前後に日本の金融危機対応は終わりを迎えたといってよいでしょう[21]。

14.3.4 資本注入

ここまでみてきたのは，実際に発生した破綻を処理するための事後的プルーデンス政策です。事後的プルーデンス政策としてはこのほかに，破綻前に行われるものもあります。まだ破綻には陥っていないものの，そのまま放置すると破綻が起きかねない金融機関を対象とするものです。具体的には，公的資金を用いた資本注入と資産買取がそれにあたります。資産買取についてはすでに説明した破綻金融機関の不良債権買取（14.3.3節）と同様ですから，ここでは資本注入をみてみましょう[22]。

資本注入（**資本増強**，**資本参加**などとも呼ばれます）とは，政府が国の資金を使って金融機関の株式などを買い取ることです。国の資金を用いるため，注入される資金は**公的資金**と呼ばれます。資本注入は，金融機関の自己資本を増加させ，破綻の可能性を減少させるために行われます。自己資本比率規制が自己資本の減少を事前に防ぐために行われるのに対し，資本注入は実際に減少してしまった自己資本を増加させるために行われるわけです。

日本で公的資金を用いて行われた資本注入（表14-4参照）は，1998年3月が最初です。金融危機が深刻化する中，同年2月に施行された**金融機能安定化法**と呼ばれる特別な法律に基づき，21の銀行に対して合計1兆8000万円の資本注入が行われました。しかし，注入を受けた日本長期信用銀行が経営破綻に陥るなど，破綻の懸念が依然解消されないため，より大規模な資本注入の必要性が指摘され，1998年10月成立の**金融機能早期健全化法**によって，2002年3月末までに32の銀行に対して8.6兆円の公的資金が注入されました。その後，資本注入は緊急の危機対応から金融システムの機能強化へと目的を変え，組織再編法，金融機能強化法という2つの法律のもとで時限的措置として行われた後，将来の金融危機に対応するための恒久的な制度として預金保険法に規定されるようになりました[23]。

---

[21] 2003年には，同じく経営が悪化したりそな銀行に対する救済も行われました。りそな銀行の救済には，次に述べる資本増強の枠組みが用いられましたが，その額が多額であったために，実質的な国有化だと報じられました。

[22] 破綻していない金融機関から資産買取を行う政府関係機関としては，金融機関の不良債権処理のためではなく，債権を買い取って債務者（借手企業）に対する事業再建支援を行う**産業再生機構**（2003年4月設立，2007年3月解散）や，地域の中小中堅事業者の債務を債権者から買い取り，事業再生を支援する**企業再生支援機構**（2009年10月設立，2013年に**地域経済活性化支援機構**に改組）があります。

[23] 2011年3月に発生した東日本大震災の際には，東北地方の金融機関を中心に資本不足が発生したため，金融機能強化法の特例として12の金融機関に対して資本注入が行われました。

■表 14-4　日本における資本注入

根拠法令	実施時期（申込期限）	目的	資本注入		現在残高	
			金融機関数	金額（億円）	金融機関数	金額（億円）
金融機能安定化法（金融機能の安定化のための緊急措置に関する法律）	1998 年 3 月（増強終了）	信用秩序の維持等を図り，経済の健全な発展に資すること	21	18,156	1	1,300
金融機能早期健全化法（金融機能の早期健全化のための緊急措置に関する法律）	1999 年 3 月〜2002 年 3 月（増強終了）	金融システムの再構築と経済の活性化に資すること	32	86,053	1	1,200
組織再編法（金融機関等の組織再編成の促進に関する特別措置法）	2003 年 9 月（増強終了）	金融機関等の組織再編成を促進し，経済の活性化等に資すること	1	60	—	—
金融機能強化法（金融機能の強化のための特別措置に関する法律）（うち震災特例（2011 年 7 月追加）分）	2006 年 11 月〜2015 年 12 月（申込期限 2017 年 3 月末）	金融機能の強化を図り，経済の健全な発展等に資すること	30 (12)	6,586 (2,165)	27 (11)	4,781 (1,965)
預金保険法（金融危機対応）	2003 年 6 月（恒久措置）	信用秩序の維持に資すること（金融危機対応）	1	19,600	—	—
	事例なし（恒久措置）	合併等の援助に資すること（受皿資本増強）	—	—	—	—
	事例なし（恒久措置）	金融システムの安定に資すること（特定第 1 号措置）	—	—	—	—
合計（延べ）			85	130,455	29	7,281

（注）　2016 年 3 月末現在。
（出所）　預金保険機構ホームページ「資本増強・資本参加（震災対応含む）——処分の状況等」などより筆者作成。

14.3.5　流動性供給

《金融機関への流動性供給と最後の貸手機能》　事後的プルーデンス政策には，中央銀行が行う流動性供給，つまり中央銀行による資金の貸付も含まれます。中央銀行による流動性供給は，調達流動性リスクや市場流動性リスク▶が高まったときに行われ，特定の金融機関を対象とするものと，金融市場に対して行われるものの 2 つに分けられます。金融機関に対する流動性供給は，金融機関の破綻の問題（13.2.1 節）への対処であるのに対し，市場に対する流動性供給は，市場の機能不全の問題（13.3.1 節）への対処だといえます。

▶調達流動性リスク，市場流動性リスク
⇒13.3.1

このうち，個別金融機関に対する流動性供給は，一時的な資金不足に陥った金融機関が破綻に陥らないように行われます。特に，中央銀行はほかの（民間の）資金供給者が現れない場合であっても資金供給を行うことがあります。この特別な資金供給は，中央銀行の**最後の貸手**（Lender of Last Resort：**LLR**）機能と呼ばれています。

日本の場合，日本銀行が LLR として行う資金供給は，**日銀特融**（特別融資）と呼ばれています。日銀特融は，経営破綻に陥ればシステミックリスクが顕在化すると考えられる金融機関に対し，日本銀行が自ら設定した特別の（通常より緩い）条件で行われます。これまでに，日銀特融は 1996 年 11 月の東京共同銀行（コスモ信用組合の破綻処理における救済金融機関）から，2003 年 12 月の足利銀行まで記録されており，

公的資金による資本注入▶が行われるまでのつなぎ資金の融資として行われたものもあります。

▶資本注入
⇒14.3.4

《市場への流動性供給》　中央銀行による流動性供給の第2の形は、機能不全に陥った金融市場において、証券の買手となって行う資金供給です。金融市場の主な参加者は金融機関ですから、市場に対する流動性供給も結局は特定の金融機関に対して行われます。ただし、最初から特定の金融機関に対して行うのではなく、不特定の証券の売手に対して資金を供給するのが市場への流動性供給です。

日本銀行による市場への流動性供給は、基本的にはオペレーションをはじめとする金融調節の手段（12.4.1節の表12-1参照）を用いて行われます[24]。また、非伝統的金融政策の導入後は、信用緩和▶（非伝統的金融資産の買取）によっても各資産の市場に大量の資金が供給されています。これらの手段は、金融政策の観点からみれば、マクロ経済の安定を目的とした政策手段ですが、プルーデンス政策の観点からみれば、金融システムの安定を目的とした政策手段です。マクロ経済の安定と金融システムの安定は別物ではなく、金融政策とプルーデンス政策の境界も必ずしも明確ではありません。この点については14.4節で詳しく触れます。

▶信用緩和⇒12.6.2

14.3.6　セーフティネットとモラルハザード

最後に、事後的プルーデンス政策の問題点について触れておきましょう。何かあったときのための安全網（セーフティネット）としての事後的プルーデンス政策は、それ自体非常に重要な仕組みですが、安全網が整備されていることによってモラルハザード▶の問題が誘発される可能性があります。ここでいうモラルハザードは、事後的プルーデンス政策（セーフティネット）の存在を原因として、民間の経済主体が非効率な行動をとることを指しており、セーフティネットの意図せざる効果▶にあたります。

▶モラルハザード
⇒4.2

▶意図せざる効果
⇒14.1.5

第1に、セーフティネットは金融機関のモラルハザード（13.2.2節参照）を招く可能性があります。たとえば、経営破綻に陥っても資本注入や流動性供給などにより救済してもらえることがわかっていれば、金融機関は何もないときに比べて経営努力を怠ったり、過剰なリスクテイク▶を行うかもしれません。第2に、セーフティネットは投資家（最終的貸手）のモラルハザードも招く可能性もあります。たとえば、預金保険が整備されていれば、預金者はどの銀行に預金しても同じように保護されますから、何もないときに比べて安全な銀行を探したり、危なそうな銀行から預金を引き揚げたりしなくなるかもしれません。セーフティネットは金融機関に対する市場規律

▶リスクテイク
⇒14.2.2

---

[24]　金融政策の手段としての側面が強くないため同表には示しませんでしたが、たとえば外国為替市場で外貨資金を供給する**外貨資金供給オペレーション**は市場に対する流動性供給の手段です。また、資金ではなく証券を供給するオペレーションですが、金融市場が混乱し、優良な担保として用いられる国債が手に入りにくくなる状況で国債の買戻条件付売却（売現先）を行う**国債補完供給**も、市場に対する流動性供給に含めることができます。

を失わせる可能性があるのです[25]。

　事後的プルーデンス政策は，こうしたモラルハザードに対する懸念に加え，実施するうえで膨大な破綻処理費用を発生させるという問題があります。このため，プルーデンス政策では原則として，比較的問題の少ない事前的プルーデンス政策が重視されます[26]。しかし，事前的プルーデンス政策だけで問題を完全に予防するのは難しいことですし，実際に問題が発生してしまったら対処せずに放置しておくわけにはいきません。このため，実際の政策は，事前と事後のプルーデンス政策をうまく組み合わせて行う必要があります。

14.4　マクロプルーデンス政策[27]

14.4.1　マクロプルーデンスの考え方

《ミクロプルーデンスの考え方》　この節では，近年プルーデンス政策において重視されてきたマクロプルーデンスの考え方について説明します。マクロプルーデンスは，ミクロプルーデンスと呼ばれる従来の考え方に対する批判に基づいて登場した考え方です。このため，マクロプルーデンスを理解するにはまずミクロプルーデンスを理解する必要があります。

　金融システムの不安定性は，個別にみれば，特定の金融機関の破綻や特定の金融市場の機能不全です。しかし，こうした破綻や機能不全が広範に発生し，金融機関同士，金融市場間，そして金融機関と金融市場の間で波及・拡大することで金融システムを不安定化させます（13.5節参照）。このため，プルーデンス政策も個々の金融機関や金融市場の問題に対処するだけでなく，こうした波及や拡大を防ぐ必要があります。

　しかし，現実のプルーデンス政策において長い間重視されてきたのは個別の対処です。その代表は，個々の金融機関の破綻を防ぐ自己資本比率規制と，発生した破綻に個別に対処する預金保険制度でした。実際に，これらの政策のもとで大きな問題は起きていませんでしたし，たとえ問題が波及・拡大するとしても，起点となる個別金融機関の破綻を防げば十分だという考え方が，暗黙のうちに共有されていました。このように，個別の問題に対処することで金融システムの安定を保とうとする考え方は，**ミクロプルーデンスの考え方**と呼ばれます。この考え方に基づいて行われるプルーデンス政策が，**ミクロプルーデンス政策**です。

---

25)　一般に，金融市場の参加者は，投資先企業の経営に問題があれば証券を売却したり，高いリスクプレミアムを要求しますから，企業側はそうならないように経営を行おうとする規律付けを受けます。市場を通じたこうした規律付け（チェック機能）を，**市場規律**と呼びます。
26)　もちろん，自己資本比率規制の意図せざる効果（14.2.2節参照）のように，事前的プルーデンス政策も別の形でモラルハザードを引き起こす可能性があります。
27)　マクロプルーデンスに関してより詳しく知りたい方は，翁（2010）などを参照してください。

《ミクロプルーデンスの限界とマクロプルーデンス》　ミクロプルーデンスの限界が意識される契機となったのが，2000年代後半の世界金融危機です。この危機の際には，自己資本比率規制を中心とするミクロプルーデンス政策により個別の金融機関の破綻への対処法が整備されていたにもかかわらず，問題の波及（13.1.2節参照）に対処することはできませんでした。そこで重視されるようになったのが，マクロプルーデンスの考え方です[28]。

マクロプルーデンスは，人によって定義が異なることもありますが，金融システム全体をみながらその安定を確保する，という考え方だといえます。ミクロプルーデンスとは異なり，この考え方では金融機関や金融市場といった個別の構成要素ではなく，金融システム全体の観点から，構成要素同士の密接な相互関係が生み出すシステミックリスクに注目します。このマクロプルーデンスの考え方に基づいて行われるプルーデンス政策が**マクロプルーデンス政策**です。

14.4.2　マクロプルーデンスの実際

《実際のマクロプルーデンス政策》　考え方の違いはわかりましたが，では実際に行われる政策はどう違うのでしょう。実は，実際の政策の違いはそれほど明確ではありません。マクロプルーデンスは考え方にすぎませんから，前節で紹介したプルーデンス政策も「マクロプルーデンスの考え方に基づいて」行えばマクロプルーデンス政策になります。また，日本銀行は金融政策の運営においてさえマクロプルーデンスの視点を重視していると説明しています（「日本銀行のマクロプルーデンス面での取組み」〔2011年10月18日〕）。

表14-5は，日本で導入されているもの含め，世界各国で導入あるいは検討されている手段をまとめたものです。ここにあげられたものは一例に過ぎませんが，エクスポージャー規制（健全経営規制の一種）や準備預金制度など，前節まででですでに説明したものも含まれており，個別金融機関の破綻を防ぐ（ミクロプルーデンス）政策もマクロプルーデンス政策に含まれることがわかります[29]。

《3種類のマクロプルーデンス政策》　とはいえ，表14-5に示した手段の中には，確かにマクロプルーデンス政策の手段だといえるものがあります。これらはその特徴からして3種類に分けられます。第1は，金融機関の破綻の外部性の大きさに応じて基準を変化させる手段です。表では，SIFIsへの追加資本賦課がこれにあたります。**SIFIsへの追加資本賦課**とは，**SIFIs**（Systematically Important Financial Institutions）と呼ばれる，金融システムにおいて重要な役割を果たす金融機関（Column 14-3参照）に対し，ほかの金融機関よりも自己資本比率規制の基準を引き上げるものです。

---

[28] ただし，マクロプルーデンスの考え方自体は特に新しいものではなく，自己資本比率規制の導入以前から示されていました。

[29] 表には示していませんが，日本銀行による金融市場への資金供給（14.3.5節参照）も，特定の金融機関を対象としたものではないという点で，マクロプルーデンス政策に含めることができます。

表14-5 マクロプルーデンス政策手段の例

与信量に対する借手のリスク特性に応じた規制	LTV（Loan-to-Value）規制	貸出において，貸出額（loan）を担保価値（value）の一定割合までしか認めない
	DTI（Debt-to-Income）規制	（借手が）収入（income）の一定割合までしか負債（debt）を負うことを認めない
与信量に対する絶対的な規制	与信成長率規制	貸出等の成長率を一定以内に抑える
	エクスポージャー規制	大口信用規制等，過度なリスクを負わせない
レバレッジに対する規制	レバレッジ規制	貸出等の額に応じて一定割合以上のTier 1資本を保有する
	SIFIsへの追加資本賦課	国際的に活動し，国際金融システムにおいて重要な役割を果たす金融機関の所要自己資本比率を引き上げる
金融システムの集中リスクに対する規制	インターバンク・エクスポージャー規制	インターバンク市場におけるエクスポージャー（信用供与）規制
資本に対する規制	カウンターシクリカル・バッファー	景気変動に応じて所要自己資本比率を変動させる
引当に対する規制	動的引当	景気変動に応じて積み立てる貸倒引当金を変動させる
流動性リスクに対する規制	コア調達比率規制	安定的な資金調達手段とみなせる預金等により一定以上の資金調達を行う
	準備預金制度	一定以上の準備預金を保有する

（出所）河田ほか（2013, 図表1）を参考にして筆者作成。

Column 14-3　SIFIs

金融システムにおいて重要な役割を果たす金融機関（SIFIs）は，銀行（SIBs：Systematically Important Banks），保険会社（SIIs：Systematically Important Insurers）など業態ごとに設定されます。SIBsにはG-SIBs（グローバルなSIBs）とD-SIBs（国内〔Domestic〕のSIBs）とがあります。金融安定理事会（FSB）の選定（2023年11月）では，29の金融機関（日本からは3つ〔三菱UFJフィナンシャル・グループ，みずほフィナンシャルグループ，三井住友フィナンシャルグループ〕）がG-SIBsに選ばれています。また金融庁は，4つの金融機関（三井住友トラスト・ホールディングス，農林中央金庫，大和証券グループ本社，野村ホールディングス）をD-SIBsに指定（2015年12月）しています。

SIFIsは破綻の影響（外部不経済）が特に大きい（too big to fail, too connected to fail▶な）金融機関ですから，この規制はマクロプルーデンス規制だといえます。

▶ too big to fail, too connected to fail⇒14.1.4

第2は，マクロ経済の状況に応じて基準を変化させる手段です。表では，景気変動に応じて所要自己資本比率を変動させる，**カウンターシクリカル・バッファー**（counter-cyclical buffer：景気抗循環的な〔資本〕バッファー）や，景気変動に応じて積み立てる貸倒引当金を変動させる，**ダイナミック・プロビジョニング**（dynamic provisioning：**動的引当**）がこれにあたります。これらの規制は，必要とされる自己資本比率の水準や貸倒引当金の額を，好況時には増加させ，不況時には減少させるもので，景気のよいときに損失に対応する能力を高めさせておき，景気が悪いときにその自己資本や引当金を取り崩して対応させるものです。

第3は，経済全体の信用膨張を抑える手段であり，表ではLTV規制やDTI規制がこれにあたります。これらは，担保資産の価値や借手の収入に対する比率の形で貸出額に上限を設け，貸出を抑制する手段です[30]。金融危機は，資産価格バブルの形成と崩壊がその発端となりますが，バブル形成の背景には信用膨張による資産市場への

大量の資金流入があります（13.1節参照）。この信用膨張を抑え，バブル形成を抑えようとするのがこれらの規制です[31]。

もちろん，マクロプルーデンス政策に関しても，14.1.5節で説明した3つの問題に注意する必要があります。理論的には効果が期待できるマクロプルーデンス政策でも，実際には実効性を持たないかもしれませんし，意図せざる効果を生んだり，政策の対象に漏れがないよう留意する必要があります[32]。世界金融危機の後にも，各国の金融システムにはさまざまな問題が発生しています。こうした問題に対し，各国の公的当局は最適なマクロプルーデンス政策に関する試行錯誤を続けています。

14.4.3　金融政策とマクロプルーデンス政策

《プルーデンス政策と金融政策の伝統的な区別》　最後にプルーデンス政策と金融政策の関係について触れておきましょう。金融システムの安定を目的とするプルーデンス政策と，マクロ経済の安定を目的とする金融政策は，その目的の違いからして別の政策です。経済学における伝統的な整理でも，両者は別々に扱われてきました。

景気変動などの形で表れるマクロ経済の不安定性は，主として経済の実物面における問題であり，金融政策に代表されるマクロ安定化政策によって対処すべきものです。これに対して金融システムの不安定性は，経済の金融面，金融システムにおける問題で，プルーデンス政策で対処する問題です。こうした区別はこれらの問題を取り扱う学術分野の違いにも表れており，マクロ経済の安定や金融政策はマクロ経済学，金融システムの安定やプルーデンス政策は金融の分野で扱われる内容でした。本書でもある程度こうした伝統を踏襲しており，前者については第12章で，後者については第13章と本章で扱いました。

《マクロプルーデンス政策と区別の不明確化》　しかし，近年マクロプルーデンスの考え方が重視されてくる中で，こうした区別はしだいに不明確になってきています。考えてみれば，金融システムは経済システムの一部ですから，金融システムの安定はマクロ経済（経済システム）の安定に含まれます。また，経済の実物面と金融面の間には密接な関係がありますから（12.1節などを参照），完全に切り離して議論することはできません。政策面でも，日本銀行は以前から金融政策とプルーデンス政策の両方に関

---

30) LTV比率やDTI比率は，金融機関が個別の貸出を審査する際に，必ずチェックする項目です。比率が高い貸出を行わない，という判断は信用リスク管理のため昔から行われており，この点ではわざわざ規制として課す必要はありません。ただし，LTV規制の中には，景気や地価の動向に応じて上限を変動させるものがあり，マクロプルーデンス政策の手段として期待されています。

31) 日本のバブル末期には，不動産業向け貸出を抑制する**総量規制**と呼ばれる規制が行われましたが，これも信用膨張を抑えるマクロプルーデンス規制だといえます。Web Appendix 14.1.1も参照してください。

32) たとえば実効性と意図せざる効果が問題となった例として，スペインで実際に導入された動的引当が，銀行危機を防げなかったうえに，銀行の過度のリスクテイクという予期せぬ効果をもたらしたことが報告されています。

わっており，個々の政策をどちらかに一方のみに分類することは難しくなっています。たとえばバブルの形成を抑える政策は，バブル崩壊後の金融危機を防ぐ政策であるとともに，バブル後の経済活動の落ち込みを防ぐ政策でもあります。

　逆にいえば，近年の金融危機の経験を踏まえ，マクロ経済の安定と金融システムの安定，あるいは金融政策とプルーデンス政策の間に多くの共通項があることが認識されたからこそ，マクロプルーデンスの考え方が重視されるようになってきたといえるでしょう。形式に囚われて伝統的な二分法に固執するのではなく，本来の政策目的を踏まえ，2つの政策を整理し柔軟に実施していく必要があります。他方で，同じ政策であっても金融政策として評価するか，プルーデンス政策として評価するかで評価が異なる可能性があります（12.6節参照）。政策評価においては，共通点を理解しつつ，しかし政策目的の違いを踏まえた評価が必要です。

■ 練習問題

14.1 最近のニュースの中から金融制度の変更に関するものを探し，本章で説明したどの制度をどう変える制度変更なのかを説明しなさい。

14.2 あなたの身近にある預金取扱金融機関の店舗で販売されている金融商品のうち，業務分野規制の緩和を表すものを探しなさい。

14.3 あなたが知っている金融機関の中で，過去に事後的プルーデンス政策の対象となった金融機関を探し，どのタイプの政策が，なぜ，どのように行われたのか調べなさい。

■ 参考文献

小川光・西森晃（2022）『公共経済学（第2版）』中央経済社。
翁百合（2010）『金融危機とプルーデンス政策――金融システム・企業の再生に向けて』日本経済新聞出版社。
河田皓史・倉知善行・寺西勇生・中村康治（2013）「マクロプルーデンス政策が経済に与える影響――金融マクロ計量モデルによるシミュレーション」日本銀行ワーキングペーパーシリーズ No. 13-J-2。
高橋亀吉・森垣淑（1993）『昭和金融恐慌史』（講談社学術文庫）講談社。
西村吉正（2003）『日本の金融制度改革』東洋経済新報社。
八田達夫（2008）『ミクロ経済学Ⅰ――市場の失敗と政府の失敗への対策』東洋経済新報社。
預金保険機構編（2005）「特集　平成金融危機への対応」『預金保険研究』第4号。

終章

これからの金融
● ソーシャル・ファイナンス

1　ここまで学んできたこと

　ここまでの14の章において，私たちは以下のような問いに答えながら，金融について学んできました。

- おカネとは何か：第1章
- おカネをなぜ貸し借りするのか：第2章
- 貸し借りはなぜ行われにくいのか：第3, 4章
- どのような仕組みが貸し借りを支えているのか：第5～7章
- 金融機関はどのような役割を果たしているのか：第8, 10章
- 金融市場はどのような役割を果たしているのか：第9章
- 経済の中で資金はどのように流れているのか：第11章
- 金融政策はどのような役割を果たしているのか：第12章
- 金融システムにはどのような問題が発生するのか：第13章
- 公的介入は金融システムの問題をどのように解決するのか：第14章

　これらの章を通じて学んできたことは，結局は第2章で説明したおカネの貸し借りという金融の本質に帰着します。2.1.1節（図2-2）で説明したとおり，金融取引（おカネの貸し借り）とは現在と将来の資金（あるいは購買力）の交換です。今特に使う必要がないが資金を持っている人が貸手となり，今資金が必要だが自分では持っておらず，しかも返済するための資金を将来手に入れると考えられる人が借手となって，貸し借りが行われます。

　古くから用いられている金融の仕組み，あるいは新しい技術を取り込んだ新しい金融の仕組みにより，資金のやり取りはますます便利に行われるようになっています。

2 新たな動き──インパクトの追求

新たな動きの典型例──ダイベストメント

しかし今、社会の大きな変化の中で、ここまで本書で学んできたことの中にあてはめるのが難しいと思われるような新たな動きが金融に数多くみられるようになっています。たとえば左下の新聞記事をみてみましょう。この記事は、その活動によって環境や社会に対して望ましくない影響を与えている企業に対し、投資家が金融投資を引き揚げる動きを報じたものです。こうした動きは**ダイベストメント**（divestment）と呼ばれています[1]。

上記のとおり、金融取引は資金の交換取引であり、貸手からみると、金銭的なリターン（金利、配当やキャピタルゲインなど）を求めた資金の提供です。提供した資金に対して十分なリターンを生んでいるかぎり、たとえ化石燃料を大量に使っていても、たばこを生産していても、資金の提供が行われても不思議ではありません。

とはいえ、環境や社会にさまざまな深刻な問題が起こっていることは、皆さんもご存じでしょう。気候変動の原因となる化石燃料を大量に使う企業や、健康を害するたばこを生産する企業は、問題を生み出す原因になっているとして、金銭的リターンとは異なる判断基準で金融の対象から外されるようになっているのです。

新しい投資の形

以上の例と関連しますが、環境（Environment）、社会（Social）、ガバナンス（Governance）の観点から借手を評価して投資判断を行う、**ESG投資**が注目を集めています[2]。ESG投資では、証券発行者のESGに関する取り組みや、社会におけるESGを求める動き（トレ

（2018年2月3日付『日本経済新聞』）

---

1) ダイベストメントは投資（インベストメント）を「切り離す」（接頭辞 di の意味）という意味です。負（negative）の影響を生む企業を選別（screening）して投資対象から外す、という意味で、**ネガティブ・スクリーニング**とも呼ばれます。

■表1 『責任投資原則』とその投資アプローチ

	責任投資原則
1	私たちは，投資分析と意思決定のプロセスに ESG の課題を組み込みます
2	私たちは，活動的な所有者となり所有方針と所有習慣に ESG の課題を組み入れます
3	私たちは，投資対象の主体に対して ESG の課題について適切な開示を求めます
4	私たちは，資産運用業界において本原則が受け入れられ実行に移されるように働きかけを行います
5	私たちは，本原則を実行する際の効果を高めるために協働します
6	私たちは，本原則の実行に関する活動状況や進捗状況に関して報告します

（出所） 国連環境計画・金融イニシアティブ（UNEP FI）と国連グローバル・コンパクトと連携した投資家イニシアティブ「責任投資原則」（2021）。

ンド）が投資のリターンやリスクに与える影響を考慮に入れて，投資を行います[3]。類似の投資としては，インパクト投資もあります。**インパクト投資**とは，金銭的なリターンとともに，正のインパクトを生み出すことを意図する投資です。ここでいう**インパクト（社会的インパクト，社会的・環境的インパクト）**とは，企業等の活動や投資によって生み出される社会的・環境的変化（改善あるいは悪化）のことを指し，金銭的リターン（金銭的価値）と対比させるために，**社会的リターン（社会的価値）**と呼ばれることもあります[4]。インパクト投資は，望ましいインパクトをもたらす意図を持って行われ，実際にインパクトが生じたかどうかを測定して評価まで行う点で，ESG 投資よりも直接的に，社会的・環境的課題の解決を目指します。

ESG 投資やインパクト投資は，より一般的には責任投資と呼ばれるものに含められます。**責任投資**（responsible investing）は，国連グローバルコンパクトが 2004 年に発表した報告書「Who cares wins（思いやりのある者が勝利する）」に示され，国連環境計画・金融イニシアティブと国連グローバルコンパクトが提唱した**責任投資原則**（responsible investment principle）（2006 年）と呼ばれる行動計画に明記された原則，具体的には表 1 に示された 6 つの原則に沿った投資です[5]。責任投資原則には 2023 年 11 月末現在で全世界の 5349（日本からは 128）の機関投資家が署名し，これらの原則に従って投資することを約束しています。日本の公的年金の運用を行う**年金

---

2) 慣例に従って投資という言葉を用いていますが，本章のような文脈でいう「投資」は，株式や債券に対する金融投資に限ったものではなく，借入その他の手段も含めた資金提供一般を指して用いられます。またさらに広い意味で，資金の投資に限らず，人の時間や知識など幅広い人的・物的資源の活用を意味することもあります。

3) ただし，ESG のうち G（ガバナンス），つまり**コーポレートガバナンス**は，「会社が，株主をはじめ顧客・従業員・地域社会等の立場を踏まえた上で，透明・公正かつ迅速・果断な意思決定を行うための仕組み」（東京証券取引所『コーポレートガバナンス・コード』より）であり，その評価は企業内の体制整備に関する評価であって，本章で注目する社会的・環境的変化（S と E）に関する評価と直接関係するものではないため，以下では切り離して扱います。

4) 社会的インパクトについてはエプスタイン／ユーザス（2015, p. 36）などを参照。

5) **サステイナブル投資**（sustainable investment）あるいは**社会的責任投資**（socially responsible investment）という言葉も責任投資と同様に使われますが，これらを厳密に区別する場合もあります。

■図1　各種債券（ボンド）の発行実績

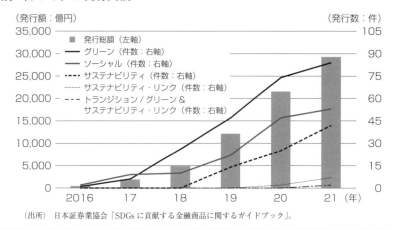

（出所）日本証券業協会「SDGsに貢献する金融商品に関するガイドブック」。

積立金管理運用独立行政法人は，同原則に沿って投資を行う世界でも有数の機関投資家です。

　関連して，環境的課題の解決のための資金調達・提供を表す言葉としては，**グリーン・ファイナンス**（green finance）が用いられます。グリーン・ファイナンスには，たとえば温室効果ガスを発生させない再生エネルギー発電（太陽光や風力など）事業や，環境負荷の少ない輸送手段の開発・導入に必要な資金の調達などが含まれます。関連して，脱炭素社会に移行するための事業に必要な資金の調達・提供は，特に**トランジション・ファイナンス**（transition finance）と呼ばれます。

　上記のような資金調達・提供においては，資金使途を限定した特別な証券が用いられます。たとえばグリーン・ファイナンス（トランジション・ファイナンス）のうち公社債の形で行われるものは**グリーン・ボンド（トランジション・ボンド）**，借入の形を取るものは**グリーン・ローン（トランジション・ローン）**と呼ばれます。このほかにも，社会的課題の解決に必要な資金を調達するための**ソーシャル・ボンド**や**ソーシャル・ローン**，環境的課題・社会的課題双方の解決に資する事業の資金を調達する**サステナビリティ・ボンド**や**サステナビリティ・ローン**，課題解決の達成状況により金利等の条件が変わる**サステナビリティ・リンク・ボンド**や**サステナビリティ・リンク・ローン**などがあります。図1は，こうした証券のうち，日本で公募発行された債券（ボンド）の発行実績の推移を示しています。グリーン・ボンドを中心として，発行が年々増加している様子がわかります。

3　ソーシャル・ファイナンス

背景：社会的・環境的課題の存在と企業の責任

　以上のように，金銭的リターンだけでなく，社会的リターンを求めた資金提供・調達が行われるようになった背景には，先に触れた，深刻な社会的・環境的課題の存在

があります。**SDGs**（持続可能な開発目標：Sustainable Development Goals）（2015年9月の国連サミットで採択された，持続可能でよりよい世界を実現するために目指すべき国際目標）などに示されているように，貧困，気候変動，環境破壊，健康，教育など，世界にはさまざまな課題が存在します。ほかの国の問題には関心がない，と思われる方も，日本で，あるいは自分の身近で発生している問題，たとえば少子高齢化や地方の衰退，子どもの貧困や社会的弱者，介護負担，といった問題であれば，心配だ，何とかしたい，誰かに解決してもらいたい，と思っているのではないでしょうか。

解決が難しいさまざまな課題が社会課題として認識され，解決を求める社会からの要請が高まる中で，企業は自らが負のインパクトを生み出すことを防ぎ，またさまざまな課題の解決に積極的に貢献することで，正のインパクトを追求するようになってきています。こうした動きは，企業は株主だけでなく従業員，顧客，地域社会など多様なステークホルダーに対して責任ある行動をとり，価値を提供する必要があるとする，**企業の社会的責任**（**CSR**：Corporate Social Responsibility）や**ステークホルダー主権**，経済的価値と社会的価値を合わせた共有価値を作り出す必要があるとする**共有価値の創造**（**CSV**：Creating Shared Value），といった考え方にも表されています。

企業の一種である金融機関（機関投資家）も同様に，インパクトを考慮した経営が求められるようになっています。ただし，金融機関はほかの企業と比べ，自ら創出できるインパクトが限られています。金融機関の主要な事業は，他者が事業を行うにあたって必要とする経営資源である資金（おカネ）を提供することだからです。このため，企業としての金融機関は，提供した資金がどのように用いられるのか，という点からインパクトの創出に関わることになります。**貸手責任**という言葉がありますが，責任投資原則に示されているのはまさにこうした責任だといえます。

社会的事業とソーシャル・ファイナンス

以上のような背景を踏まえると，今みられている新しい金融の動きは，社会的・環境的課題の解決に向け，その解決を担う主体に対し，解決のための事業に必要な資源としてのカネ（資金）を提供する動き，だといえます。一般に，（正の）社会的インパクトの創出，つまり社会的・環境的課題の解決を目的として行われる事業は，**社会的事業**（social business）と呼ばれます[6]。新しい金融の動きは，社会的事業に資金を提供する，という動きなのです。

こう考えると，この動きはさらに広い視点で捉える必要があることがわかります。社会的事業を行うのは企業だけではないからです。ここまでは，企業に対して貸手が社会的インパクトの考慮を求める動き，あるいは社会的事業を行う企業に対して資金

---

6) カタカナで**ソーシャル・ビジネス**という場合，営利企業の経営手法を用いて社会的・環境的課題を解決する事業，を意味することもありますが，ここでは特定の経営手法の利用の有無を問わず，社会的・環境的課題の解決を目的とする，という広い意味で，（漢字の）社会的事業という言葉を使います。

■図2　ソーシャル・ファイナンス

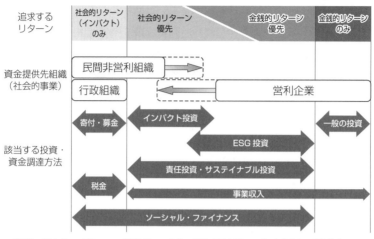

（出所）　Nicholls and Emerson（2015, Figure 0.1），GSG（2014, Figure 2）を参考に，筆者作成。

を提供する動きをみてきました。しかし，企業の多くは株式会社など営利目的の企業であり，金銭的な利益（営利）を追求する組織であるため，社会的事業もあくまで営利企業としてやっていける範囲の中で行われることになります。もちろん，すべての商品・サービスは，社会的に必要とされるからこそ存在するともいえるため，企業が行っている営利事業をすべて社会的事業と呼ぶことすら可能です。

　しかし，こうした捉え方は一面的です。従来から社会的事業の多くを担ってきたのは，NPO（特定非営利活動）法人や慈善団体，地域の任意団体など民間の非営利組織，そして行政組織（国や地方自治体）です。こうした組織が存在し，活動しているという事実は，営利目的の組織だけでは解決できない社会的・環境的課題が存在することを意味しています。むしろ，そうした課題こそが，今解決を求められている課題かもしれません。社会的リターンを追求する資金の提供を考えるためには，こうした組織に対する提供も含めて考える必要があります。

　このような広い意味での社会的事業のための金融を考えるためには，より広い概念が必要です。そうした概念といえるのが，ソーシャル・ファイナンスです。**ソーシャル・ファイナンス**（social finance）は，「社会的・環境的リターン，つまり社会的インパクトを生み出すための資金配分であり，金銭的リターンを求める場合もある」（Nicholls and Emerson 2015, p. 34）と定義されます。これを示したのが図2です。図の上部には，どのようなリターンを求めて資金を提供するかを描いており，左に行くほど社会的リターン（インパクト）が重視され，右に行くほど金銭的リターンが重視されることを表しています。

　その下には資金提供先となる組織（社会的事業）を表しています。上記のとおり，社会的リターンの追求は，以前から民間の非営利組織が担っています。こうした組織の中には，事業の持続性を高めるために，事業収入が得られる収益事業に力を入れる（金銭的リターンを追求する）ものも出てきています（右向きの矢印）。また，行政サ

ービスを提供する行政組織は，社会的リターンの追求のみを目的とする組織です。これに対して金銭的リターンを追求するのが営利企業です。ただし，営利企業でも社会的リターンの追求が求められるようになっています（左向きの矢印）。それに対応して，あるいはそれを促す力として，資金提供者も何らかの形で営利企業に社会的リターンを求めるようになってきています。

さらに下には，これらの組織に対する投資，組織の側からみれば資金調達の主な方法を示しています。社会的リターンの追求は，もっぱら寄付や募金，あるいは税金によって賄われてきました[7]。新たな金融の動きは，金銭的リターンを追求しつつも社会的リターンを求める資金提供，という形で登場しており，このうち社会的リターンの追求を重視するのがインパクト投資，金銭的リターンを重視するのがESG投資，両者を合わせたものが責任投資（サステイナブル投資）です。ソーシャル・ファイナンスは，これらすべてを含む，何らかの社会的リターンの創出を目的とした資金提供です[8]。

4 経済学からみたソーシャル・ファイナンス

これまでの金融とソーシャル・ファイナンス

ソーシャル・ファイナンスの動きは，前章までで学んだ内容の中では説明が付かないものなのでしょうか。ここで大事なのは，前章までで学んだのは，明示的には触れてきませんでしたが，基本的に金銭的リターンのみを考える世界だった，ということです。この点を確認するために，第2章の図2-19を改めてみてみましょう（図3として再掲）。

この図は，金融取引のメリットの1つである資金の有効利用を表した図でした。そこでは，自ら十分な資金を持たないが，将来収益を生み出す方法に関するアイデア（ビジネスプラン）を持つ企業等（借手）が，外部から資金を借りることによってそのアイデアを事業化し，将来大きな収益を生み出すことが可能になる，というメリットを説明しました。金銭的リターンは，貸手が資金という生産要素を提供する見返りとして受け取る，事業から得られる収益の一部，でした。これまでの金融システムでは，このリターンとリスク（＝リターンがどれだけ確実に得られるか）という金銭的な指標によって，資金提供のメリットを説明していたわけです。

---

[7] 最近では，ベンチャー・キャピタルと同様に資金提供先の活動に積極的に関与するものの，金銭的リターンを求めない**ベンチャー・フィランソロピー**も登場しています。

[8] ここでは図に表されたような意味で各用語を用いていますが，社会的リターン（インパクト）を求めて行われる金融にはいろいろなものがあり，さまざまな言葉が，時には異なる定義で用いられるので注意してください。こうした言葉は，実務の世界で考え出され，利害も絡んで用いられる言葉であるため，異なる言葉で同じものを表していたり，同じ言葉であっても人によって意味が異なることがあります。どの言葉を使うべきか，どの定義が正しいのか，といった議論に立ち入るのは生産的ではなく，また決着しないでしょうから，定義に注意しながら使い分けるべきでしょう。

■図3　金融のメリット（図2-19, 部分, 再掲）

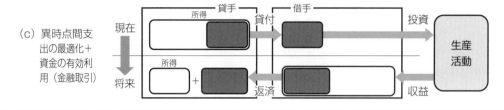

(c) 異時点間支出の最適化＋資金の有効利用（金融取引）

　しかし，ソーシャル・ファイナンスが追求するのは金銭的なリターンではありません。金銭的リターンが得られないのに資金提供が行われる，あるいは社会的リターンの追求のために金銭的リターンを犠牲にする，といったソーシャル・ファイナンスの状況は，この枠組みそのままでは説明できません。金融・ファイナンスの分野でも，ESG投資やインパクト投資に関する研究は行われていますが，主に行われているのは，ESG要素の考慮やインパクトの追求がどの程度の金銭的リターンの喪失につながるのか，どのように企業の資金調達コストに影響するのか，といった分析です[9]。こうした分析は当然重要です。ただし，あくまで図の枠組みを基本とし，それに対して（外生的な要因である）社会的インパクトがどのような影響を与えるかを考えるもので，インパクトの実現自体を目的とするソーシャル・ファイナンスをうまく捉えているとはいえません。

社会的事業と内部化

　しかし，社会的・環境的課題の解決のための資金提供，というソーシャル・ファイナンスの本質は，多少視点を変えることで，上記の枠組みの中でも直接捉えることができます。そのためにまず，社会的事業の意義について，経済学的に考えてみましょう。社会的事業による社会的・環境的課題解決の動きは，経済学の観点からみると，外部性の内部化として理解することができます。13.5.4節で学んだように，ある経済主体の行動がほかの経済主体の効用や生産活動に影響を与えることを外部性（外部効果）といい，特にその影響が望ましい（望ましくない）場合を外部経済（外部不経済）といいます。外部経済（外部不経済）の問題は，当該経済主体にとっての私的な便益（＝メリット－コスト）と社会的な便益が異なるため，その行動が社会的に望ましい水準からみて過大（過少）になってしまうことでした（14.1.4節も参照）。社会的に望ましい行動を取らせるために，社会的便益を私的便益に反映させることは，外部性の**内部化**といいます。

　たとえば，製品の生産において温室効果ガスを大量に排出する，下請け業者が非人道的な労働環境のもとで労働者を働かせる，といった負のインパクトは，企業がコスト（私的な金銭的費用）として負担することのない費用が社会に発生し，外部不経済

---

[9] こうした分析については湯山（2020）を参照してください。

が発生している状況にあたります。この場合，たとえコストが高くなっても，環境に配慮した設備を導入したり，人権に配慮しているほかの下請け業者や企業に切り替えたりすると，社会的費用が私的費用に反映され，外部不経済が内部化されます。

ただし，外部性の内部化は，発生させている企業等が自発的に行うものでは必ずしもありません。企業はあくまで自らの利益（私的な金銭的便益）に基づいて意思決定を行うからです。もちろん，社会的・環境的課題の解決に資する活動を行うことで，長期的にみて得られる金銭的便益が増加するのであれば，ある程度までは自ら自発的な内部化を行うでしょう。実際に，ESG 投資の多くはこうした発想に基づいており，社会的インパクトの追求が金銭的リターンに与える影響を調べる研究も，こうした問題意識に基づいている部分があります。

しかし，これまで課題解決が十分には行われてこなかったことから考えて，自発的な課題解決には限度があると考えるのが自然でしょう。こうした場合の解決策といえるのが，規制や課税といった公的介入です（14.1.4 節）。公的介入により外部不経済を生み出す活動自体を制限したり，環境税のように価格を変化させることによって，社会的便益を私的な金銭的便益に強制的に反映させることができます。

とはいえ，企業が社会的リターンを追求する近年の動きは，公的介入が原因というよりも，社会的・環境的課題が深刻化する中で，社会からの要請や，企業を取り巻くステークホルダーからの規律付けが内部化を促すようになってきていることが原因だと考えられます。たとえば負のインパクトを生み出して作られた商品を買わない，というエシカル（ethical：倫理的な）消費と呼ばれる行動は，顧客からの規律付けの例といえます。

新しい金融の動きであるソーシャル・ファイナンスも，貸手が資金という資源の提供に関する判断を通じ，同様の規律付けを行う動きだといえます。もちろん，主な貸手は金融機関であり，金融機関も結局は企業です。社会的・環境的課題が解決されるからといって，自らの私的便益への影響が小さければ，自発的に借手を規律付ける誘因は持ちません。金融機関も，社会からの要請やステークホルダーからの規律付けにより，貸手責任として借手の行動変容を求めるようになった，と考えるのが自然でしょう。その中でも特に重要なステークホルダーは，金融機関が仲介する資金を提供する投資家，本書の言葉でいえば最終的貸手です。結局のところ，ソーシャル・ファイナンスは多かれ少なかれ，金銭的リターンを犠牲にしてでも社会的リターンの追求を求める最終的貸手の存在によって支えられているといえます（Column 1 も参照）。

ソーシャル・ファイナンスの原動力

では，最終的貸手はなぜ金銭的リターンを犠牲にしてまで資金提供を行うのでしょうか。その理由は，先の図 2-19(c) を修正した図 4 を用いて説明することができます。ソーシャル・ファイナンスにおける借手は，自らは十分な資金を持たないが，外部から資金を調達することで社会的事業を行い，社会的インパクトを生み出すことのできる組織です。図 2 でいえば，資金提供先組織（民間非営利組織，行政組織，営利企

Column 1　ソーシャル・バンク

最終的貸手による社会的リターンの追求を考えるうえで参考になるのが、オランダのトリオドス銀行、ドイツのGLS銀行など、**ソーシャル・バンク**（social bank）と呼ばれる銀行です。ソーシャル・バンクは、預金者に対して預かった資金の使途を示すことで、その資金によってインパクトを生み出すことを約束しており、預金者（最終的貸手）がエシカル消費のように預け先を選ぶことを可能にしています。ソーシャル・バンクの国際団体である GABV（Global Alliance for Banking on Values）は、メンバー（日本からは第一勧業信用組合が加入）が従うべき原則として以下の6つを示しており、これらがソーシャル・バンクの特徴を表しています（筆者訳）(注)。

(1) 社会的・環境的インパクトと持続可能性をビジネスモデルの中心とする
(2) 地域コミュニティに根差し、実体経済に奉仕して、新しいビジネスモデルが両者のニーズに適合できるようにする
(3) 顧客と長期的な関係を持ち、その経済活動とリスクを直接理解する
(4) 長期的視野に立った自立的な経営を行い、外的要因による混乱に対して強靱である
(5) 透明性を維持し、開放的な企業統治を行う
(6) 以上の原則を銀行の企業文化に埋め込む

（注）GABV のホームページ（https://www.gabv.org/banking-on-values/）を参照。

■図4　ソーシャル・ファイナンスのメリット

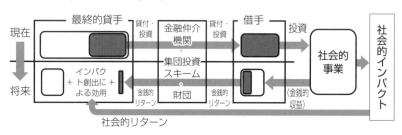

業）がこれにあたります。

こうした組織に資金を提供するのは、金融機関、具体的には金融仲介機関や集団投資スキーム▶の資金運用業者などです。ソーシャル・ファイナンスでは、資金の助成を行う財団等も資金提供者として重要な役割を果たしており、また貧困層を対象に小規模の貸出等を行う**マイクロファイナンス**（microfinance）の事業を行う金融機関なども、仲介者に含まれます[10]。ただし、これらの仲介者が仲介する資金も、元はといえば、最終的貸手（寄付者を含む）が提供したものです。

▶集団投資スキーム
⇒10.2.3

社会的事業からは、金銭的収益が十分には、あるいはまったく得られないことが多いため、その中から資金提供者に金銭的リターンを分配することは容易ではありません。また、金融仲介機関・資金運用業者・財団等も、その運営のためには一定の分配を受ける必要があります。このため、最終的貸手は資金を提供する見返りとして十分な金銭的リターンを得ることはできません。それでもソーシャル・ファイナンスに資金を提供する最終的貸手が存在するのは、社会的インパクトが生み出され、社会的・

---

[10] マイクロファイナンスを行う金融機関としては、創設者がノーベル平和賞を受賞したグラミン銀行（バングラデシュ）が有名です。マイクロファイナンスはいわゆる先進国と呼ばれる国にも存在し、たとえば日本でもグラミン日本が貸金業者の登録のもとでマイクロファイナンスを提供しています。

環境的課題が解決されることを評価するからでしょう。

　第２章では，貸手の効用最大化に基づいて，異時点間支出の最適化という金融のメリットを説明しました。ソーシャル・ファイナンスの場合，金銭的なリターンが少ないため，支出（消費）から得られる効用は小さくなるでしょう。しかし，提供した資金によって課題が解決し，その解決から効用を感じる貸手がいるならば，金銭的リターンが減るとしても，資金の提供に応じようとする最終的貸手は現れることになります。この効用が，資金提供者にとっての社会的リターンだといえます（図４下部）。

　このように，ソーシャル・ファイナンスとは，資金提供の見返りに最終的貸手に金銭的リターンや社会的リターンをもたらすものだといえます。このうち金銭的リターンを重視するのが ESG 投資，社会的リターンを重視するのがインパクト投資であり，寄付や募金などは，金銭的リターンがゼロのケースといえます[11]。

5　ソーシャル・ファイナンスの難しさ

ソーシャル・ファイナンスの取引費用と金銭的リターン

　もちろん，現実はソーシャル・ファイナンスが問題なく行われ，社会的・環境的課題がどんどん解決されている状態にあるとは思えません。先の図４は，資金がスムーズに提供される理想的な状態を描いたものといえますが，実際にはこうした資金の流れを妨げる要因が存在するはずです。つまり，本書の言葉を使えば，ソーシャル・ファイナンスにも取引費用（第３章参照）が発生すると考えられます。第３章と第４章では，金融に特有の取引費用を発生させる要因に触れました。ソーシャル・ファイナンスの場合にも，同様の取引費用は大きいと考えられます。

　ただし，金銭的リターンをある程度支払えるような社会的事業であれば，取引費用は一般の金融と変わらないでしょう。特に，受益者からサービス料を取る，といった形で社会的事業自体から金銭的な収益を生むことができる場合には，その中から金銭的リターンを分配でき，一般の金融（本章の図３）と同じ形に近づきます。先にも触れたように，そもそも営利事業も社会的事業の側面を持っています。多くの人がおカネを払って購入する（売れる）商品やサービスは，必要である，便利である，何らかの困りごと（課題）を解決するから，つまり社会的インパクトを生むからこそ購入されているといえるからです。また，たとえ短期的には金銭的収益が小さいとしても，ESG 投資の根底にある発想のように，社会的インパクトが大きい事業は（少なくとも長期的には）大きな金銭的収益を生むかもしれません。営利企業が行う社会的事業は，こうしたケースだといえるでしょう。

　非営利組織の場合にも，営利企業の経営手法を導入したり，営利組織を併設するハ

---

[11]　なお，金銭的見返りを求めない寄付などは，厳密に考えれば貸し借りという意味での金融とはいえません。

イブリッド型組織にしたりして，収益事業を強化する必要性が認識されています。こうした動きは，社会的事業自体を金銭的な価値で評価される形，要するにおカネを稼げる形にする（内部化する）動きであり，一般企業のマーケティングと違いはありません。このように，金銭的収益がある程度見込めるような社会的事業のソーシャル・ファイナンスは，一般的な金融と同様の（第5章から第10章のような）仕組みを伴うことで，資金の提供が行われやすいと考えられます。

しかし，すべての社会的・環境的課題がこうしたケースにあてはまるわけではありません。社会的インパクトの達成と金銭的収益の獲得は，両立できないことも多いでしょう。たとえば，貧困や飢餓といった課題のように，課題を解決してもらう人（受益者）がおカネを持っていないケースでは，事業提供の対価として収益を得ることができませんから，資金提供者に金銭的リターンを支払うことも難しいでしょう。また，営利事業には一定のスケール（規模）が必要です。たとえ受益者がおカネを払えたとしても，その人数が少なければ費用に見合った収益が得られず，事業として成り立たないでしょう。こうした場合には，本章図4下に示した社会的リターンを評価してくれる資金提供者に頼らざるをえなくなります[12]。結局のところ，何らかの形で金銭的な収益を生み出せるような社会的事業は，民間が営利事業として実施できるものだといえます。収益事業化により解決できる（内部化できる）課題の範囲を広げることは重要ですが，それだけでは解決できない課題もたくさんあると考えるべきでしょう。

社会的リターンに関する情報の非対称性の問題

十分な金銭的リターンが発生しないような社会的事業に対するソーシャル・ファイナンスでは，一般的な金融に比べて追加的な取引費用が発生し，取引がさらに実現しにくくなると考えられます。筆者が特に大きな問題だと考えるのは，以下で説明する2つの問題，すなわち社会的リターンに関する情報の非対称性の問題と，追求すべき社会的リターンに関する合意形成の問題です。

《課題と解決の道筋に関する情報の非対称性》　ソーシャル・ファイナンスの現場では，実務的な問題として，インパクトの可視化，すなわちどのような課題を扱い，どのような活動を行ってそれを解決するのか（解決への道筋），そして得られたインパクトをどう計測するか，に関する問題が認識されています。これらの問題は，経済学的に考えれば，情報の非対称性の問題（第4章）として捉えられます。インパクトの可視化に関しては，経済学の実証分析で用いられるような計測方法も含め，さまざまなアプローチが発展してきました[13]。しかし，以下のような理由から，インパクトの可視化はそもそも本質的に難しいものです。

---

[12] こうした場合でも，資金提供者に支払う金銭的リターンを，社会的リターンに効用を感じる第三者が負担することで，金銭的リターンを発生させることは可能かもしれません。Column 2 で紹介しているソーシャル・インパクト・ボンドはその例といえます。

[13] エプスタイン／ユーザス（2015, p. 36）を参照。

Column 2　ソーシャル・インパクト・ボンド

右の記事は，病気や介護の予防を行う事業のための資金調達の仕組みを報じています。病気や介護を予防する事業は，直接大きな金銭的収益を生み出すものではありませんが，この仕組みは投資家（最終的貸手）が金銭的リターンを得ることを可能にしています。このリターンは，受益者でも借手である事業実施主体でもなく，第三者である自治体が，事業の達成度に応じて投資家に支払います。病気や介護の予防というインパクトが得られれば，医療費や社会保障費の行政支出を節約することができるはずです。この仕組みでは，その節約された支出額を推計し，それに相当する額を投資家に対する金銭的リターンとして（税金を原資に）支払います。こうした仕組みは，**ソーシャル・インパクト・ボンド**と呼ばれています。ソーシャル・インパクト・ボンドは，金銭的収益を生まないけれども社会にとって必要な事業に対し，投資家からの資金が提供されるために考えられた，取引費用削減の仕組みといえます。

ただし，よく考えてみるとわかるように，この仕組みは実質的には行政が事業実施主体に事業を直接委託するケースとそれほど変わりません。事業自体から金銭的収益が発生しているわけではなく，結局は税金を原資とする社会的事業の一種です。

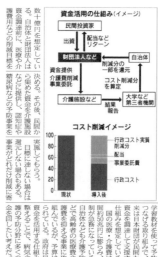

(2015年10月1日付『日本経済新聞』)

第1に，多くの課題は課題自体を的確に捉えることが難しいものです。社会的課題は，介護，貧困，空き家，ヤングケアラー，孤立孤独，などなど，「○○問題」という名前が付けられてメディアで取り上げられますが，言葉のイメージが独り歩きしがちで，具体的に誰がどう困っているのか正しく理解されていることは少ないものです。また，社会的課題は結局，それに直面する個々人の課題であって，自己責任で解決すべき問題だとされがちです。しかし，社会の仕組みが生み出している問題（**システミックプロブレム**と呼ばれます）という側面があるため多くの人が同じ問題に直面しており，だからこそ社会全体で解決すべき社会的課題とされるのです。個々の課題を社会全体の課題として認識し，その解決を訴えることは，課題に関わっている当事者，つまり，課題を抱えている人たちや，自ら組織を立ち上げて解決を目指す，**社会起業家**（ソーシャル・アントレプレナー）と呼ばれる起業家などでなければ難しいものです。

またどのような政策・事業・活動を行えば解決・軽減に至るのか，その道筋も明確ではありません。そもそも解決が難しい課題が多いでしょうし，解決に取り組む人た

ちが手探りで明らかにしてきた道筋は，外部からはわかりにくいものです。崇高な目的を謳っていても，代表者が私物化して資金を流用しているような組織もあるかもしれません。課題と解決のための道筋が可視化されないと，資金提供者は効用を感じず，資金提供に応じないでしょう。

《インパクト計測における情報の非対称性》 たとえ課題と道筋が可視化されたとしても，測定に関する問題が残されています。インパクトの計測は容易ではなく，そもそもどう測定すればよいかわかっていないことも多いものです。温室効果ガスの削減，衛生的な上水道の普及，など，社会的・環境的課題の中には比較的インパクトを数値として測定しやすいものもあります。しかし，たとえば人権の尊重というインパクトはどう測ればよいのでしょうか。測りにくい課題は解決されているかどうかがわかりにくいため，当事者にとっては大きな助けとなっている事業であっても，その状況を外部から把握することは難しく，資金は集まりにくいでしょう。

また，たとえ何らかの測定が可能だとしても，正確でない測定や誤った測定が行われるかもしれません。実際に，グリーン・ファイナンスにおいては，削減された温室効果ガスを過剰に報告する，実際は削減効果がない取り組みを計算に入れたりする，といった，**グリーン・ウォッシュ**と呼ばれる問題が指摘されています。こうした問題は，一般の金融でいう借手のモラルハザード▶の問題にあたります。また，測りにくいものを無理に測ろうとすることから生じる問題もあります。たとえば，よい指標がないため事業の本質を捉えない（が測りやすい・わかりやすい）指標が設定されると，指標の達成が目的化して，課題の解決がおろそかになるかもしれません[14]。

▶モラルハザード
⇒4.2

《ソーシャル・ファイナンスに必要な情報生産》 こうした問題は，社会的リターンに関する情報の非対称性の問題であり，ソーシャル・ファイナンス特有の取引費用を発生させていると考えることができます。一般的な金融の場合，情報の非対称性の問題は，情報生産（5.3節）によって解決が図られます。ソーシャル・ファイナンスにおいても情報生産は必要であり，そこで大きな役割を果たすと考えられるのは，金融機関や財団などの仲介者でしょう。実際に，ソーシャル・ファイナンスに関わる金融機関や財団等は，資金提供に際して事業者に可視化を求めるようになっています[15]。また，社会課題の解決を目的としたクラウドファンディング▶がたくさん立ち上がっていますが，この仕組みも多くの人に課題の存在と解決の必要性を訴え，資金提供につなげる情報生産の仕組みだといえます。

▶クラウドファンディング⇒10.1.3
Column 10-2

とはいえ，可視化を一方的に求め，社会的事業を実施する組織側の責任にしてしまうのも問題です。企業が行う社会的事業はさておき，社会的事業の多くは小規模の非

---

14) この点についてはたとえばミュラー（2019）を参照してください。
15) こうした可視化においては，課題を特定し，解決への道筋を描く，ロジックモデルやセオリー・オブ・チェンジといったツールが用いられています。これらについては田辺・内田（2022）を参照してください。

営利団体や個人が行っており，人的なリソースが不足しています。可視化のためのアピールばかりしていては，肝心の課題解決に力を入れられないため，外部からのサポートが必要とされます。非営利組織の場合，中間支援組織（中間支援団体）と呼ばれる組織がこうした役割を果たしていますが，資金の仲介者や提供者による支援も必要でしょう。

社会的リターンに関する合意形成の問題

たとえ情報の非対称性が解消されたとしても，ソーシャル・ファイナンスは円滑には行われないでしょう。その理由は，追求すべき社会的リターンに関して合意を形成することが難しいからです。営利事業の場合と同様に，社会的事業においても社会的リターンを感じる人（賛同者）が少なければ十分な資金は集まりません。しかし，解決が必要だから皆で資金を提供しよう，という（暗黙の）合意形成は，あらゆる社会的事業について簡単に行えるわけではありません。

あなたが直面する・懸念する社会的・環境的課題は何でしょう。この問いに対する答えは，答える人の住む環境や置かれた状況，経歴，社会・環境に関する知識などによって千差万別でしょう。ある人は特定の課題解決から大きな社会的リターンを得る（感じる）としても，ほかの人はその課題には関心がないかもしれません。いわゆるマイノリティと呼ばれる人たちの課題は特にそうでしょう。どの社会的・環境的課題を課題だと考えるかは，結局は人々の価値判断の問題に帰着します。わかりやすい（解決がイメージしやすい）課題，可視化しやすい課題，解決しやすい課題，課題を抱える人が多い課題に資金提供が偏り，そうでない課題は資金を得にくいでしょう。

営利事業の場合，顧客（受益者）が少ない，スケールしない（大規模に事業展開できない）からビジネスとしてやらない，という判断が行われます。社会的事業においても，営利企業の経営手法を取り入れようとする場合には，同じような判断が行われがちです。しかし，当事者にとって生死に関わるような課題に対してまで，そうした判断を下すことはできるでしょうか。結局，社会的リターンを主な対価とする資金の提供も，万能ではありません。

3 種類の社会的・環境的課題

以上を踏まえると，ソーシャル・ファイナンスの観点からみた場合，社会的・環境的課題は3つの種類に分けることができます。第1は，金銭的収益を生む社会的事業にして解決できるような課題です。資本主義社会では，価値を貨幣の単位で表す（貨幣の価値尺度機能▶）ことのできる商品やサービスには，利潤を追求する経済活動によって資源が投入され，生産が行われます。このような活動により，金銭的収益を生み出すような社会的事業にできるなら，資金提供者にも金銭的リターンを支払うことができ，資金が提供され，課題も解決されやすいでしょう。

▶価値尺度機能
⇒1.2.2

このような課題の範囲を拡大することは重要です。しかし，資本主義は万能ではありません。営利による事業化は，営利にしやすいところに集中し，そうでない部分に

資金が回らない,という資金の偏在を招きかねません。「おカネで買えない大事なもの」があるように,営利の枠組みだけでは解決できない課題がたくさんあります。

そうした課題の中にも,第2の種類として,社会的リターンの可視化により資金の提供が行われるような課題があるでしょう。一定の社会的インパクトを生み出す課題は,ソーシャル・ファイナンスの枠組みを用いることで,資金の提供を得て解決できるかもしれません。ソーシャル・ファイナンスの取引費用を下げることで,そうした課題の範囲を広げる必要があります。

しかし,それでも解決が難しい課題(第3の種類の課題)は残るはずです。そのような課題の解決を担うのは,税金を徴収して提供する行政事業,つまり政府の役割でしょう。民間ができることは政府は行うべきではない,という考え方のもとに,多くの行政事業は非営利組織をはじめとする民間の社会的事業に移管されてきましたが,すべての事業が民間によってスムーズに行われるわけではありません。また,民間が行う社会的事業の中にも,行政事業の委託という形で結局は税金を財源とするものが多くあります。社会的・環境的課題の解決においては,政府と民間のバランスをどう取るのかを改めて考える必要があります。

6　これまでの金融と新しい金融のこれから

これからの金融は,どのような役割を果たす必要があるのでしょうか。上記のように,社会的・環境的課題を3種類に分けると,課題の解決に向けて金融が果たすべき役割も明確になります。まず,その解決のための社会的事業が金銭的収益を生み出せるような,第1の種類の社会的・環境的課題に関しては,その範囲を拡大し,金銭的リターンを支払えるようにして,これまでの金融による資金提供を促進する必要があります。非営利組織が行う社会的事業であれば,営利企業の経営手法を導入し,これまで捉えられていなかった外部性を金銭的収益に置き換えることで,資金提供者に金銭的リターンを支払えるようにする必要があります。

これまでの金融の対象となりにくい,第2の種類の課題,すなわちその解決から得られる価値を金銭的に表せない,おカネの形に変えることが難しいような課題に関しては,社会的リターンを対価とする新しい金融,すなわちソーシャル・ファイナンスを促進する必要があります。行政でしか解決が難しい(第3の種類の)課題は残るでしょうが,行政による解決にも限界があります。行政との連携も含め,ソーシャル・ファイナンスを活用して,解決できる課題の範囲を広げる必要があります。

ただし,ソーシャル・ファイナンスを進める原動力となるのは,さまざまな社会的・環境的課題を自分事として捉え,その解決を目指して資金提供を行う最終的貸手です。自ら課題解決に取り組む人(ソーシャル・アントレプレナー)が増えることが大前提ですが,そうした人に資金が行きわたるよう,貸手の側でも課題の解決に共感し,そのために必要な資金の提供を行うことが求められています。

■ 参考文献

エプスタイン，マーク・J.／クリスティ・ユーザス（2015）『社会的インパクトとは何か——社会変革のための投資・評価・事業戦略ガイド』（鵜尾雅隆・鴨崎貴泰監訳，松本裕訳）英治出版。

田辺大・内田浩史（2022）「社会課題の可視化とセオリー・オブ・チェンジ」『国民経済雑誌』第226巻，71～95頁。

ミュラー，ジェリー・Z（2019）『測りすぎ——なぜパフォーマンス評価は失敗するのか？』（松本裕訳）みすず書房。

湯山智教編著（2020）『ESG投資とパフォーマンス——SDGs・持続可能な社会に向けた投資はどうあるべきか』金融財政事情研究会。

GSG (Global Steering Group for Impact Investment) Social Impact Investment Taskforce (2014) "Allocating for Impact," (Subject Paper of the Asset Allocation Working Group).

Nicholls, A. and J. Emerson (2015) "Social finance: Capitalizing social impact," in A. Nicholls, R. Paton, and J. Emerson eds., *Social Finance*, Oxford University Press, pp. 1-41.

索 引

(太字の数字は,「重要な言葉」の定義掲載ページ, Web と表記されている項目は, Web Appendix に説明のある項目, ★の付いている数字は, 本書で特に重要な言葉の定義掲載ページを示す)

◆ アルファベット

ABCP → 資産担保コマーシャルペーパー
ABL **95**
ABS → 資産担保証券
AI → 人工知能
AIJ 事件 **281**
ALM → 資産負債管理
APT（裁定価格理論） **184**
CAPM（資本資産価格モデル） **186**, 188-190
CD（譲渡性預金） **10**, 11, 81, 156, 173
——市場 173
CDBC → 中央銀行デジタル通貨
CDO（債務担保証券） **113**, 277, 284, 286, 299
CDS（クレジット・デフォルト・スワップ） **97**, 101, 115, 150, 278, 287, 299
——インデックス **98**, 99
CMBS（商業不動産担保証券） **113**
CP（コマーシャルペーパー） 37, **170**, 202, 267, 284
——および社債等買入 247, 267
——買現先オペ 247
——市場 170
CPI → 消費者物価指数
CSR → 企業の社会的責任
CSV → 共有価値の創造
D-SIBs **333**
DTI 規制 **333**
ESG 投資 **338**, 344, 345, 347
ETF → 指数連動型上場投資信託受益権
FX（外国為替証拠金取引） **26**
G-SIBs **333**
ICT → 情報通信技術
IOU → 借用証書
IT バブル 291

JA バンク **140**
JASDAQ **176**
JF マリンバンク **140**
J-REIT **111**, 210, 267
LLR 機能 → 最後の貸手機能
LTV 規制 **333**
M1 **10**, 250
M2 **10**, 156, 250
M3 **11**
MBS（不動産担保証券） **113**, 284, 286
MMF（マネー・マネジメント・ファンド） **21**
MRI インターナショナル事件 **281**
NFT（非代替性トークン） **22**
NPO（特定非営利活動）法人 **342**
PE ファンド → プライベート・エクイティ・ファンド
PTS → 私設取引
REIT → 不動産投資信託
RMBS（住宅ローン担保証券） **113**, 214, 277, 299
RTGS → 即時グロス決済
SDGs（持続可能な開発目標） **341**
SIBs **333**
SIFIs（金融システムにおいて重要な役割を果たす金融機関） **332**, 333
——への追加資本賦課 **332**
SIIs **333**
SPC（特定目的会社） **170**
SPV（特別目的事業体） **114**, 170, 210, 211, 281, 284
T-Bill（国庫短期証券） **171**
——市場 171
——売買オペ 247, 253
Tier 1, Tier 2 **319**
TOKYO PRO Market **176**
too big to fail（トゥー・ビッグ・トゥ・フェイル） **312**, 333
too connected to fail（トゥー・コネクテッド・トゥ・フェイル） **312**, 333
TOPIX（東証株価指数） **189**
VAR（ベクトル自己回帰） **261**

◆ あ

相対市場 **165**, 166, 168
相対売買（相対取引） **165**
赤字主体 **223**
赤字部門 **224**
アナウンスメント効果 **268**
アノマリー **192**, 293, 295
新たな形態の銀行 **138**, Web 8.1
アレのパラドックス **57**
アロー・ドブリュー価格理論 **184**
暗号資産 **22**
アンシステマティックリスク（固有リスク） **188**
安全資産 **117**
安全性 **317**
アンダーライター **198**
アンダーライティング **198**
アンバンドル **212**, 280

◆ い

イーサリアム **22**, 23
異時点間消費の最適化（異時点間支出の最適化） **44**, 46, 148, 347
委託者 **210**
委託保証金 **199**
板寄せ **166**
一時国有化 **327**
一次取引 **83**
一物一価 **184**
一般会計 **38**
一般的の交換機能 → 決済機能
意図せざる効果 **313**, 319, 330, 334
イールドカーブ・コントロール **269**

インカムゲイン　31, 278, 295
インターバンク・エクスポージャー
　　　規制　333
インターバンク市場　169, 202
インパクト（社会的インパクト）
　　　339, 341
　　——の可視化　348
　　——の計測　350
インパクト投資　339, 344, 347
インフレーション（インフレ）
　　　11-13, 245
インフレーション・ターゲット
　　　246
インフレーション・ターゲティング
　　　246
インフレ率（物価上昇率）　33,
　　　246, 270, 272

◆う
受取手形　144, Web 2-1
受払差額　20
失われた10年／20年／30年
　　　234
後向き帰納法　69
売掛金　95, 97, 144
売り気配　198
運転資金　36
運　用　26
運用会社　111, 207, 280, 281
運用型信託会社　211
運用指図　208

◆え
永久債　28
営利企業　342, 343
営利事業　342
エクイティ　→株式型証券
エクスポージャー規制　333
エコシステム　283
エシカル消費　345

◆お
追　証　290
欧州債務危機　299
横断面条件（横断条件）　295
大口信用規制　316
沖縄振興開発金融公庫　145
オークション　165
オーバーナイト物　172, 250
オフサイト・モニタリング　321
オフバランスシート化　319

オープン市場　169
オペレーショナルリスク　158, 159
オペレーション（オペ，公開市場操作）　247, 248, 252, 320
オリジネーション　114
オリジネーター　114, 214, 280
オリジネート・トゥ・ディストリビュート　215, 280, 319
オリジネート・トゥ・ホールド　215
オルタナティブ投資　112
オンサイト・モニタリング　321

◆か
外貨資金供給オペレーション　330
買い気配　198
外国為替　17
外国為替円決済制度　17
外国為替市場　162
外国為替証拠金取引　→FX
外国為替相場　→為替レート
外国為替取引　17
外国銀行支店　138
会社型投資信託　210
外挿的期待（トレンド追求）　296
介　入　→公的介入
外部性（外部効果）　300, 310, 311, 322, 332, 344
　　——の内部化　344, 348
　　負の——（外部不経済）　300, 344, 345
外部担保　95
カウンターシクリカル・バッファー　333
価格規制　314
価格発見機能　179, 198, 287
価格リスク　159
確実性等価（確実性同値）〔額〕　60
格付（信用格付）　171, 202, 203, 299
格付会社（信用格付会社，格付機関）　202, 203
確定的バブル　295
額　面　28
確率的バブル　295

掛　け　37
影の銀行システム　212, 277, 285, 320
貸金業者　144
貸し渋り　73
貸倒リスク　→信用リスク
貸出支援基金　247, 267
貸出増加額規制　→窓口指導
貸出促進付利制度　247, 268
貸出チャネル　→信用チャネル
貸手責任　341
過少努力　72
貸　す　26
課　税　303
仮想通貨（クリプトカレンシー）　22, 23
価値尺度機能　5, 11, 351
価値貯蔵機能　6, 45
勝手格付　203
株　価　29, 275, 291, 294
株価指数　189, 242
株　式　29, 35, 38, 85
株式型証券（エクイティ）　29, 54, 86, 174, 200
株式市場　29, 174, 175
株式売買委託手数料　198
株式保有規制　316
株式ミニ投資　110
株主総会　29
株主割当　176
貨幣★　4★, 135, 300
貨幣発行益　→通貨発行益
借りる　26
為　替　17, 135
為替リスク　159
為替レート（外国為替相場）　17, 260
　　——の安定　245
為替レートチャネル　260
環境税　345
元金均等返済型〔住宅ローン〕　28
幹事（幹事証券会社）　198
間接金融　147, 213, 238, 285
間接証券　147, 213, 237
完全競争　165, 308, 309
完全雇用の達成　245
監　督　321

元　本　**28**
元本保証　148, **151**
管理型信託会社　**211**
元利均等返済型〔住宅ローン〕
　　28

◆ き

機会費用　**183**
機関銀行　**315**
機関投資家　**112**
企業間信用　**38**, 167, 170, 230
企業金融（コーポレートファイナンス）　**38**, 87
企業再生支援機構　**328**
企業年金　**112**
企業の社会的責任（CSR）　**341**
議決権　**29**
危険愛好型（リスク愛好型）　**62**
危険愛好的（リスク愛好的）　**62**
危険回避型（リスク回避型）　**62**
危険回避的（リスク回避的）　**62**, 98, 118, 182, 186
危険回避度（リスク回避度）　**63**
危険資産　**117**
危険中立型（リスク中立型）　**62**
危険中立的（リスク中立的）　**62**
技術の外部性　**300**
基準貸付利率　248, **269**
期待効用　**56**, 58, 118
期待効用仮説　**56**, 57
期待チャネル　**267**
寄　付　343, 347
規模の経済　**149**, 310, 312, 314
逆資産効果　**260**, 293
逆選択★　**67★**, 73, 74, 88, 104
キャッシュアウトフロー　**30**, 157
キャッシュインフロー　**30**, 157, 181
キャッシュフロー　**30**, 157
キャピタル・クランチ　**319**
キャピタルゲイン／ロス　**31**, 278, 295
救済合併　**322**, 325
救済金融機関　**322**
供　給　**33**
共　済　142, **143**
行政府　**304**
競争制限的規制　**314**

競争政策　**305**
競争の確保　**305**
競争売買　**165**, 166
業　態　**138**
共通担保オペ　247, 248, 253
共通的投入要素　**149**
共同債　**166**
協同組織金融機関　**139**
競売買市場（競争売買市場）　**165**, 166
業務分野規制（業務範囲規制）　**314**
共有価値の創造（CSV）　**341**
漁業協同組合（漁協）　**140**
緊急保証　**307**
銀　行　132-**135**, 207, 259
　　――の銀行　141, 252
銀行貸出チャネル　→信用チャネル
銀行危機　**275**
銀行券要因　**254**
銀行券ルール　**248**
銀行取付　277, **282**, 324
銀行持株会社　138, **214**
銀商分離　**315**
銀証分離　**315**
銀信分離　**315**
金　銭　**4**
金銭的外部性　**300**
金銭的リターン（金銭的価値）　339, 342, 343, 347, 349
金　融　2, **25**, 337
　　――のグローバル化　185, 291
　　――の仕組み　→仕組み
　　狭義の――★　**2★**
　　広義の――★　**2★**
金融革新（金融技術革新）　**23**
金融緩和　243, 263
金融機関★　129, 167, 195, 215, **216★**, 278, 288, 297, 341
　　――の機能　**216**
　　――の破綻　276, 278, 300, 306, 311, 320, 322
　　――の破綻処理　**326**
　　――のモニタリング　**321**
金融システムにおいて重要な役割を果たす――　→SIFIs
金融仲介機能を分担する――　**206**, 208, 211

資産運用を行う――　**209**
資産管理を行う――　**209**
市場を作る――　**195**, 205
証券売買を仲介する――　**195**, 209
情報を提供する――　**195**, 209
金融危機★　185, 239, 264, **274★**, 275, 280, 282, 291, 319, 323
金融技術　**23**, 78, 81
金融規制　**304**
金融機能安定化法　**328**, 329
金融機能強化法　**328**
金融機能早期健全化法　**328**, 329
金融グループ　138, **214**
金融契約　**25**
金融債　**174**
金融再生法　**327**
金融先物取引業者　**195**
金融資産　**25**, 34, 222
金融資産・負債差額　**227**
金融資産・負債残高表　**225**
金融市場★　129, **161★**-164, 167, 168, 288, 298
　　――の機能　**178**
　　――の機能不全　**285**, 287, 288, 306
　　――を通じた連鎖　**297**
　　狭義の――★　**167★**, 194, 195
　　広義の――★　**167★**
金融市場調節　→金融調節
金融システム　141, **220**, 238, 299
　　――の安定　→信用秩序の維持
金融商品　21, **25**, 36, 80
金融商品取引業　**199**, 204, 209
金融商品取引業者　**200**
金融商品取引所　**197**
金融商品取引法　**199**, 217
金融政策★　13, 142, **241★**, 243, 244, 273, 307, 330, 334
　　――の運営　**263**
　　――の非対称性　**263**
　　――の目的　**245**
　　伝統的な――　247, 264
金融制度　217, **303**
金融整理管財人　**327**
金融仲介機関★　131, 135, **147★**, 157, 211, 212, 214, 278
　　――が直面するリスク　**159**

——のリスク管理　158
　　その他の——　135, 142, 216
金融仲介機能★　147★, 152, 211
金融庁　304, 321
金融調節（金融市場調節）　244, 251, 252, 254, 330
金融調節方針　250, 268
金融投資　→投資
金融取引　25, 43, 146, 163, 338
　　——の価格　33
　　——のメリット　44, 47, 49, 343
　　——のリスク　53
金融取引表　225
金融派生商品・証券　→デリバティブ
金融引締　243, 263
金融負債　25, 222
金融面　→経済の金融面
金融持株会社　202, 214
金利（利子，利息）　28, 33, 46, 257
　　——と証券価格　182
　　——の期間構造　184, 257, 269
金利規制　314
金利裁定取引　257
金利指標　249
金利チャネル　258, 263
金利平価説　260
金利リスク　159

◆く
クーポン　28
クーポンレート　28
クラウドファンディング　200, 212, 350
グラミン銀行　346
クリアリング　20
クリプトカレンシー　→仮想通貨
グリーン・ウォッシュ　350
グリーン・ファイナンス　340, 350
グリーン・ボンド（トランジション・ボンド）　340
グリーン・ローン（トランジション・ローン）　340
クレジットカード　8, 14, 144
クレジットカード会社（信販会社）　144
クレジット・デフォルト・スワップ　→CDS
クレジット・デリバティブ　101
黒字主体　223
黒字倒産　94
黒字部門　224
グロス決済　20
グロース市場　176
群衆行動　289
群衆心理　192

◆け
経営破綻　93
景気の安定　245
経済システム　220
経済成長の促進　245
経済制度　303
経済の金融面（金融面）★　219★
経済の実物面（実物面）★　219★
契約型投資信託　210
契約の不完備性　66
決済　5, 8, 135, 215, 300
決済完了性　→ファイナリティ
決済機能
　　貨幣の——（一般的交換機能）　4, 154
　　預金取扱金融機関の——　154
決済システム　16, 21, 154, 320
　　——を通じた連鎖　297
決済手段　5, 8, 23
気配値　198
ゲーム理論　282
限界効用　44
限界効用逓減　58
限界効用逓増　61
限界代替率　44
現　金　4, 7
現金準備　→準備
現金準備率　→準備率
現金通貨　7, 10, 11, 250
検　査　321
現在価値　→割引現在価値
健全経営規制　316, 319
健全性　317

◆こ
コア調達比率規制　333
公　開　168
公開市場操作　→オペレーション
公共債　27
公共財　310, 312
公共サービス　38
広義流動性　11
考査（日銀考査）　321
公社債　27, 174
公社債市場（債券市場）　173
厚生経済学の〔第一〕基本定理　308, 309
合成の誤謬　219
構造 VAR 分析　261
公定歩合　248
公定歩合操作　248
公的介入（介入）　302, 303, 305, 308, 311, 312, 345
公的金融　306
公的債権回収機関　325
公的資金　328
公的当局　302, 334
公的年金　112
行動経済学　57
行動ファイナンス　192, 296
購買力　5
公　募　111, 166, 176
公募投資信託　111
効　用　41
効用関数　41, 46, 58, 61-63
効率性　→資源配分の効率性
効率的市場（効率的な市場）　191, 292
効率的市場仮説　191, 293
効率的フロンティア（有効フロンティア）　124, 186
合理的〔な投資家〕　191, 293
合理的バブル　293
小切手　14
国　債　27, 35, 39, 171, 174, 232, 272
　　個人向け——　110, 174
国債買入　→長期国債買入
国際協力銀行　145, 304, 307
国債現先オペ　247
国際収支の均衡　245
国際統一基準　318
国債補完供給　330
国内基準　318
国内総生産　242
国民生活金融公庫　145
国民年金　112
国連環境計画・金融イニシアティブ

339
国連グローバルコンパクト　339
個人企業（個人事業）　177, 306
個人合理性条件　→参加制約
護送船団方式　316
国庫短期証券　→T-Bill
固定費用　149
コード決済　14
コベナンツ　→財務制限条項
コーポレートガバナンス　339
コーポレートファイナンス　→企業金融
コマーシャルペーパー　→CP
コミットメント　246, 268
固有業務　136
固有リスク　→アンシステマティックリスク
コリドー　269
コール市場　172, 202, 271
コール・マネー　→マネー・ポジション
コールレート　172, 262
コール・ローン　→ローン・ポジション

◆さ
債券　27, 85, 174
債権　5, 25
債権回収会社（サービサー）　211, 326
再建型〔法的処理〕　94
債権管理　88
債券現先市場　173
債券現先取引　173, 298
債券市場　→公社債市場
債権者　25
債券貸借市場（レポ市場）　173, 285
債券貸借取引（レポ取引）　173, 298
最後の貸手機能（LLR機能）　329
最終的貸手　146, 213, 222, 237, 280, 345
最終的借手　146, 213, 222, 237, 280
最終目標　243, 244, 246, 262, 266, 270, 272
財政赤字　39, 231, 233

財政政策　245
財政投融資（財投）　35, 145, 307
財政等要因　254
財政ファイナンス（財政赤字ファイナンス）　248, 272
裁定　184, 257, 294, 298
裁定価格理論　→APT
裁定機会　184, 191
最適消費　43
最適ポートフォリオ　125
財投　→財政投融資
財投機関　145, 174
財投機関債　174
財投債（財政投融資特別会計国債）　35, 146, 232
債務　5, 25
債務者　25
財務諸表　316
財務制限条項（コベナンツ）　85, 150
債務担保証券　→CDO
債務不履行（デフォルト）　92, 307
債務不履行リスク　→信用リスク
サステイナブル投資　339
サステナビリティ・ボンド　340
サステナビリティ・リンク・ボンド　340
サステナビリティ・リンク・ローン　340
サステナビリティ・ローン　340
サービサー　→債権回収会社
サブプライム問題（サブプライム危機）　277
サブプライムローン　277, 280, 285
ザラバ　166
さるぼぼコイン　22
残額引受　198
参加制約（参加条件，個人合理性条件）　71, 102
産業革新投資機構　304, 307
産業再生機構　328
参入規制　314
残余請求権　29

◆し
時間軸効果　268
時間選好率　44

識別　261
資金　4
資金移動　16
資金移動業　20
資金移動業者　20, 215
資金援助方式　325
資金過不足
　資金循環勘定における――　228, 236
　日本銀行の――　254
資金繰り　37
資金決済　16
資金循環★　221★, 224, 238
資金循環統計　221, 225, 226, 228, 236
資金制約　72, 76
資金調達手段　29
資金の有効利用　48, 148, 343
資金不足のリスク（流動性リスク）★　54★, 55, 79, 159
シグナリング　88, 203
シグナル　88
仕組み（金融の仕組み）★　78★
仕組み金融　→ストラクチャード・ファイナンス
資源配分　308, 309
　――の効率性　191, 309
事故（保険事故）　97, 142
自己資本（純資産）　317
自己資本比率　317
　リスク感応的な――　318
自己資本比率規制　317, 318
自己選択　106
資産　4
資産運用機能　207
資産価格バブル　→バブル
資産価格理論　→証券価格理論
資産管理機能　208
資産選択　109
資産選択理論　116, 118, 186, 190
資産担保型社債　174
資産担保コマーシャルペーパー（ABCP）　170, 284
資産担保証券（ABS）　113
資産チャネル　259
資産負債管理（ALM）　158
資産変換〔機能〕　148, 150, 205, 211, 213, 282, 285

市　場　161
　　——の失敗　310
　　効率的な——　→効率的市場
市場型間接金融　212
市場規律　331
市場集中原則　196
市場リスク　54, 158, 159
市場流動性　287
市場流動性リスク　159, 287, 299, 329
指数連動型上場投資信託受益権（ETF）　189, 267
　　——等買入等　247
システマティックリスク　189
システミックプロブレム　349
システミックリスク★　299★, 329, 332
私設取引（PTS）　196, 201
持続可能な開発目標　→SDGs
実行可能ポートフォリオ　→選択可能ポートフォリオ
実効性　313, 319, 334
実質金利　33
実証分析　261, 263
実体経済　219, 235
実物投資　27, 38, 48
実物面　→経済の実物面
私的処理（任意整理）　94
私的年金　112
私の費用／便益　311
時点ネット決済　→ネット決済
自動車ローン　36
シニョレッジ　→通貨発行益
支払指図手段　16, 21, 144
紙　幣　4, 7
私　募　111, 166, 176
私募投資信託　111
資本構成　87
資本コスト　183
資本資産価格モデル　→CAPM
資本市場（長期金融市場）　164, 173
資本市場線　186, 189
資本主義　351
資本注入（資本増強，資本参加）　328-330
社会起業家（ソーシャル・アントレプレナー）　349, 352

社会的〔・環境的〕インパクト　339-341, 345, 348
社会的価値　→社会的リターン
社会的・環境的課題　340, 348, 351, 352
社会的事業　341, 344, 345, 347
社会的信認　8, 22
社会的責任投資　339
社会的費用／便益　311
社会的リターン（社会的価値）　339, 342, 343, 348, 351
社会保障　305
社会保障制度　112
借用証書（IOU）　25
社　債　27, 38, 174
ジャパンプレミアム　286
収益率　31, 34, 116
住専問題　326
住宅金融公庫　146
住宅金融債権管理機構　326
住宅金融支援機構　113, 146
住宅金融専門会社（住専）　326
住宅ローン　28, 36, 113, 146, 277, 326
住宅ローン担保証券　→RMBS
集団投資スキーム　112, 209, 212-214, 238, 277, 280, 284, 346
受益者　210
受益証券（投資信託受益証券）　110, 207
主幹事（主幹事証券会社）　198
受　信　26
受託者　210
需　要　33
　　——と供給の法則　33
種類株式　86
準公共財　312
純資産　→自己資本
準通貨　10
準備（現金準備）　155, 252, 320
準備預金　252
準備預金制度　249, 252, 255, 268, 320, 333
準備率　→預金準備率
償　還　27
商業銀行　202
商業不動産担保証券　→CMBS
承　継　322

承継銀行（ブリッジバンク）　327
証　券★　25★, 27, 84, 147, 288, 289
証券化★　110, 113★, 114, 153, 207, 209, 239, 277, 280, 284, 319
証券会社　166, 167, 173, 196, 197, 199, 201, 207, 278
証券価格理論（資産価格理論）　179
証券化商品　114, 170, 204, 284, 286, 299
証券業　199
証券金融会社　199
証券決済　16
証券市場線　189
証券設計　84, 85, 89, 150, 153
証券取引所　167, 196
証券取引法　199
証券保管振替機構（ほふり）　16
商工組合中央金庫（商工中金）　140, 174, 304, 307
商工ローン会社　144
上　場　112, 167, 175, 196
上場企業　196
上場基準　176, 196
譲渡制限付株式　86
譲渡性預金　→CD
消　費　41
　　——の平準化　44, 45
消費者金融会社（消費者ローン会社）　144
消費者物価指数（CPI）　12, 246
商品取引所　197
情報開示　→ディスクロージャー
情報生産★　87★, 89, 104, 150, 152, 350
情報生産機能　151, 259
情報通信技術（ICT）　21, 185
情報提供機能　208
情報の経済学　66
情報の非対称性　66, 76, 87, 88, 104, 279, 283, 310, 312, 314, 348, 350
昭和恐慌　282, 315
ショック　261
　　——の問題　261
所得分配　→分配
所要準備額　320

新株引受権付社債　29
新規公開企業　176
シングルファクターモデル　190
人工知能（AI）　290
審　査　87
シンジケート（シンジケート団）　198
信　託　111, 139, 208, 210
信託会社　210
信託業務　139
信託銀行　139, 208, 210
信託口　208
信託兼営金融機関　139
信託目的　210
人的担保　96
信　認　282, 283, 324
信販会社　→クレジットカード会社
信　用　26, 259
信用格付　→格付
信用格付会社　→格付会社
信用格付業者　203
信用貸し　96
信用緩和（非伝統的資産〔リスク資産〕の購入）　267, 271, 330
信用漁業協同組合連合会（信漁連）　140
信用金庫（信金）　139
信用組合（信用協同組合，信組）　139
信用状　96
信用乗数（信用創造乗数）　156
信用創造　154, 252
信用創造機能　154
信用秩序の維持（金融システムの安定）　142, 266, 274, 306, 311
信用チャネル（貸出チャネル，銀行貸出チャネル）　259, 263
信用調査　88
信用調査会社　88
信用度　88
信用取引
　企業間の――　38
　証券の――　199, 290
信用農業協同組合連合会（信農連）　140
信用膨張　275, 277, 291, 334
信用補完　284
信用保証協会　96, 304, 307
信用保証制度　96, 307, 312
信用リスク（貸倒リスク，債務不履行リスク）　54, 92, 97, 98, 158, 159

◆　す
スキーム　78
スクリーニング　88, 104, 106
スタートアップ〔企業〕　112, 283
スタンダード市場　176
ステークホルダー　345
ステークホルダー主権　341
ストック　93, 222, 223, 251
ストラクチャー　78
ストラクチャード・ファイナンス（仕組み金融）　78
スプレッド
　手数料としての――　98, 287
　リスクプレミアムとしての――　286

◆　せ
税　金　38
政策手段　243, 247, 266
政策目的　243, 244
清算型〔法的処理〕　94
清算機関　195
正常債権　82, 211
制　度　303
政府
　――の銀行　141, 252
　――の失敗　313
政府関係機関　304, 306
政府系金融機関　145, 306, 312
政府短期証券　39, 171
政府保証債　174
政府補助貨幣　→補助貨幣
政府預金　252, 254
生命保険　142
生命保険会社　143
整理回収機構　324, 327
整理回収銀行　326
セオリー・オブ・チェンジ　350
世界金融危機　204, 277, 280, 282, 284, 286, 291, 298, 299, 319, 332
セカンダリーマーケット　→流通市場
責任投資　339
責任投資原則　339

接点ポートフォリオ　125, 186
設備資金　38
設備投資　27
セトルメント　20, 297
セーフティネット　306, 330
セーフティネット貸出　307
セラー　198
セリング　198
ゼロ金利政策　264, 266
全銀システム（全国銀行データ通信システム）　17, 307
全銀電子債権ネットワーク　→でんさいネット
全銀ネット（全国銀行資金決済ネットワーク）　17
選　好　41, 56
全国銀行内国為替制度　17
選択可能ポートフォリオ（実行可能ポートフォリオ，達成可能ポートフォリオ）　124
専門化の利益　149
戦略リスク　158, 159

◆　そ
総額引受　198
相関関係　121
早期警戒制度　321
早期是正措置　321
相互銀行　138
操作目標（誘導目標）　172, 244, 249, 250, 255, 262, 264, 265, 320
相対価格　5
想定元本　98
総量規制　334
遡　及　81
即時グロス決済（RTGS）　20, 21
組織再編法　328
ソーシャル・アントレプレナー　→社会起業家
ソーシャル・インパクト・ボンド　348, 349
ソーシャル・バンク　346
ソーシャル・ビジネス　341
ソーシャル・ファイナンス　342-348, 350, 352
ソーシャル・ボンド　340
ソーシャル・ローン　340
損害保険　142
損害保険会社　143

損切り　290

◆た

第一種金融取引業　200, 201
第三者割当　176
貸借対照表　→バランスシート
ダイナミック・プロビジョニング（動的引当）　333
第二種金融商品取引業　200, 201
第二地方銀行（第二地方銀行協会加盟行）　138
第二日本承継銀行　327
ダイベストメント　338
多重債務者　144, 306
ただ乗り問題　→フリーライダー問題
立会場　162
達成可能ポートフォリオ　→選択可能ポートフォリオ
他人資本　317
単位の変換　148, 150
短期オペ　248
短期金融市場（マネーマーケット）　164, 169, 173, 244, 255, 271
短期国債　171
短資会社　171, 172, 202
タンス預金　45, 49
担保★　94★, 96, 102, 150, 260, 298
担保チャネル　260
単利　33

◆ち

地域金融機関　138
地域経済活性化支援機構　304, 307, 328
地価　275, 291
地方銀行　138
地方債　27, 174
中央銀行　13, 18, 22, 141
　──の独立性　273
中央銀行決済システム　19, 141, 171, 307, 320
中央銀行デジタル通貨（CDBC）　22
中間支援組織（中間支援団体）　351
中間目標　256
中小企業金融公庫　145
中小企業投資育成株式会社　304, 307

鋳造貨幣　4, 7
超過収益　192
超過準備　268, 320
長期オペ　248
長期金融市場　→資本市場
長期国債　174, 257, 267
長期国債買入（国債買入）　247, 248, 253, 267, 271
長期信用銀行　138, 174, Web 8-1
調整表　226
調達　26
調達流動性　287
調達流動性リスク　159, 287, 298, 329
貯金　25
直接金融　147, 213, 238
貯蓄
　マクロ経済学における──　236
　預貯金への──　25, 36
貯蓄投資バランス　236

◆つ

通貨　4, 7
　──のミスマッチ　282
通貨発行益（貨幣発行益, シニョレッジ）　7, 252, 271
通貨発行権　22
積み期間　320
積立方式　112

◆て

定額保護　325
定期積金　136
定期預金　9, 21, 35
ディスクロージャー（情報開示）　88, 203, 313
ディスクロージャー規制　313
ディストリビューティング　198
ディーラー　198
ディーリング　171, 198
手形　14, 38, 80, 93
手形売出オペ　247
手形業者　144
手形交換制度　17
手形売買市場　172
適格担保　248
出口戦略　272
手数料規制　314
データの問題　261

デット　→負債型証券
デビットカード　16
デフォルト　→債務不履行
デフレーション（デフレ）　11, 12, 246, 264
デリバティブ（金融派生商品）　92, 98, 101, 136, 150, 184, 197, 215
デリバティブ市場　162
転換社債　29, 174
でんさいネット（全銀電子債権ネットワーク）　15
電子記録債権　15, 80, 93, 144
電子マネー　14, 215
店頭市場　168, 198
店舗規制　314

◆と

動学的不整合性の問題　246, 268
投機　101
東京オフショア市場　173
東京証券取引所（東証）　175, 189, 197
統合的リスク管理　158
トゥー・コネクテッド・トゥ・フェイル　→too connected to fail
当座貸越　9
当座預金　9, 14, 18, 35
倒産　93
動産・売掛金担保融資（動産・債券担保融資）　95
倒産隔離　208
投資（金融投資）　26, 27
投資一任業務　210
投資一任契約　210
投資運用会社　209
投資運用業　200, 209
投資銀行　202, 278
投資顧問会社　210, 281
投資顧問業　204, 210
投資顧問契約　204
投資詐欺　67, 281
投資証券　210
投資助言業　204
投資助言業者　204
投資助言・代理業　200, 204
投資信託　21, 110, 111, 130, 153, 190, 206-209
投資信託委託会社　210

索引 363

投資信託委託業　210
投資信託受益証券　→受益証券
投資法人　210
東証株価指数　→TOPIX
動的引当　→ダイナミック・プロビジョニング
トゥー・ビッグ・トゥ・フェイル　→too big to fail
登　録　315
登録金融機関　202
特定非営利活動　→NPO
特定目的会社　→SPC
特別会計　38
特別危機管理制度　328
特別公的管理制度　327
特別目的事業体　→SPV
特別融資　→日銀特融
都市銀行　138, 214
トランジション・ファイナンス　340
トランジション・ボンド　→グリーン・ボンド
トランジション・ローン　→グリーン・ローン
取引費用★　52★, 76, 87, 116, 134, 178, 216, 311, 347, 350
　狭義の──　53, 179, 205
　広義の──　53, 205
ドルコール市場　173
トレンド追求　→外挿的期待

◆な
内国為替　17
内部資金　37
内部担保　95
内部留保　29, 317
投げ売り　299

◆に
二次取引　83, 113, 163, 168
二重債務問題　306
二段階アプローチ　256
日銀預け金（日本銀行当座預金）　155, 250, 252-255, 265
日銀考査　→考査
日銀特融（特別融資）　329
日銀ネット（日本銀行金融ネットワークシステム）　19, 307
日経平均株価　189
日本銀行　7, 13, 18, 141, 246, 251, 304, 307, 321, 329
　──のバランスシート　251, 253, 271, 272
日本銀行貸出　247
日本銀行券　7, 251
日本銀行当座預金　→日銀預け金
日本承継銀行　327
日本政策金融公庫　145, 304, 306
日本政策投資銀行　145, 304
日本年金機構　112
入　札　166, 247
任意整理　→私的処理

◆ね
ネガティブ・スクリーニング　338
ネガティブ・フィードバック・トレーディング　289
ネズミ講　67, 281
ネット決済（時点ネット決済）　20
ネットワークの崩壊の問題　297
年　金　36, 112
年金基金　112
年金信託　210
年金積立金管理運用独立行政法人　339

◆の
農業協同組合（農協）　140
農林漁業金融公庫　145
ノンバンク　144

◆は
バイアス　192, 296
配　当　29, 293
　──の劣後性　29
配当割引モデル　182
ハイパーインフレーション　13
ハイパワードマネー　→マネタリーベース
波及経路　244, 256, 258, 262, 266
バーゲニング　165
バーゼル合意　318
破綻処理　29, 93, 94, 322, 325
破綻の連鎖　297
発券銀行　141
発行市場（プライマリーマーケット）　163, 165
バブル（資産価格バブル）　234, 264, 275, 291, 295
　理論上の──　292
バランスシート（貸借対照表）　154, 251, 252, 316
パレート最適　308, 309
範囲の経済　149, 201
バンドル　212
販売会社　111, 207
販売機能　208

◆ひ
非営利組織　347, 352
引　受　198
ビジネスリスク　158, 159
非代替性トークン　→NFT
ビッグバン　316
ビットコイン　22, 23
非伝統的金融資産の購入　→信用緩和
非伝統的金融政策　250, 255, 264, 270, 272
　──の政策手段　266
　──の副作用　271
評判の低下を通じた連鎖　298

◆ふ
ファイアー・ウォール　202, 316
ファイナリティ（決済完了性）　5, 15
ファクタリング　81, 144, 145
ファクタリング会社　144
ファンダメンタルズ　190, 288, 292
ファンド　111, 112, 209
ファンド運用業務　210
ファンド・マネージャー　207
フィッシャー式（フィッシャー方程式，フィッシャー仮説）　33
フィンテック　23, 136, 145, 200
フィンテック企業　136
風評リスク　159
フォワードガイダンス　268
付加価値　242
不確実性
　狭義の──　53
　広義の──　53
賦課方式　112
複　利　32, 33
負債型証券（デット）　27, 69, 86, 92, 174, 200
付随業務　136

札割れ　254
普通銀行　136, 138
普通社債　174
普通預金　9, 35
物価　11, 13
　——の安定　245, 246
物価上昇率　→インフレ率
物価連動国債　174
物的担保　96
不動産担保証券　→MBS
不動産投資信託（REIT）　111, 210
不倒神話　323
プライベート・エクイティ・ファンド（PEファンド）　112
プライマリーマーケット　→発行市場
プライム市場　176, 189
ブラックマンデー　289, 290
フラット35　113
振替
　証券の——　16, 201
　預金の——　19
振替機関　16, 195
振　出　14
ブリッジバンク　→承継銀行
不良債権　82, 211, 239, 275, 280, 325
不良債権問題　275
フリーライダー問題（ただ乗り問題）　284
プルーデンス規制　306, 316
プルーデンス政策★　142, 266, 268, 270, 306★, 314, 330, 334
　事後的——　306, 321, 328, 330
　事前の（事前的）——　306, 314, 320
フロー　93, 222, 223
ブローカー　198
ブローキング　198
プログラム売買　290
ブロックチェーン技術　22
不渡り　93
分散化★　96, 101, 108★-110, 123, 151, 152
　——の類似性の問題　297
分散型台帳技術　22
分配（所得分配）　49, 309

——の公平性　309
分離定理　126, 186

◆へ
ペイオフ　324
ペイオフ解禁　325
ペイオフ凍結　324
平均・分散アプローチ　118
平均利ざや　134
ベクトル自己回帰　→VAR
ベースマネー　→マネタリーベース
ベータ（β）　189
ヘッジ・ファンド　112
返済期日　27, 28
返済のリスク★　54★, 58, 65, 83, 87, 88, 116, 150, 157-159, 181, 285
ベンチャー・キャピタル　283, 343, Web 10.1
ベンチャー・ファンド　112, 207, 209
ベンチャー・フィランソロピー　343
変動費用　149

◆ほ
法　貨　7, 141, 251
包括緩和政策　265, 267, 271
法人企業　177
法制度　303
法定準備率　320
法的処理（法的整理）　94
法務・規制リスク　158, 159
補完貸付制度　247, 248
補完当座預金制度　247, 268, 269
募　金　343, 347
保険★　97★, 112, 142, 324
　掛捨型の——　143
　第三分野の——　142
　貯蓄型の——　143
保険会社　143
保険金　97, 142
保険金支払方式　325
保険事故　→事故
保険料　97, 142
ポジティブ・フィードバック・トレーディング　289, 296
募　集　166
保証★　96★, 102, 136, 150, 307
保証人　96

補助貨幣（政府補助貨幣）　7
保　全　96
ポートフォリオ　109, 119
ポートフォリオ選択　109
ポートフォリオ・リバランシング・チャネル　267
ほふり　→証券保管振替機構
本源的証券　147, 213, 237
ポンジスキーム　67

◆ま
マイクロファイナンス　346
マイナス金利　249, 265, 269
前払式支払手段発行者　215
マクロ安定化政策　245
マクロ経済の安定　245, 307, 330, 334
マクロプルーデンス　332
マクロプルーデンス政策　308, 332-334
マーケットポートフォリオ　186, 190
マーケット・マイクロストラクチャー　166
マーケットメーカー　198, 278
マザーズ　176
窓口指導（窓口規制，貸出増加額規制）　249
マドフ事件　281
マネーサプライ　10
マネーストック　10
マネタリーベース（ベースマネー，ハイパワードマネー）　156, 250, 256
マネーネス　9, 21
マネー・ポジション（コール・マネー）　172
マネーマーケット　→短期金融市場
マネー・マネジメント・ファンド　→MMF
マルチファクターモデル　190
満　期　28, 29
　——の変換　148, 150, 151, 282
　——のミスマッチ　282, 284

◆み
ミクロデータ　262
ミクロプルーデンス　331
ミクロプルーデンス政策　331
民間金融の補完　306, 307

民間決済システム　17, 297, 307
◆ む
無議決権株式　86
無差別曲線　42, 46, 119, 125
無借金企業　317
無償増資　30
無担保コールレート〔オーバーナイト物〕　250, 255, 257, 264
◆ め
名目貨幣　7
名目金利　33
メカニズム・デザイン　106
メガバンク　138, 214
メガバンクグループ　214, 215
免許　315
◆ も
モデルリスク　180
モニタリング　88, 152
モノライン保険会社　299
モラルハザード★　66★, 72, 102, 214, 279, 281, 330, 350
漏れ　314, 319, 334
◆ ゆ
誘因整合性条件　70, 102, 105
有価証券　26
有効フロンティア　→効率的フロンティア
優先株式（優先株）　86, 176
優先債権　86
優先債務　86
優先劣後関係　29, 85, 93, 114, 150
ゆうちょ銀行　146, 304, Web 8-1
誘導目標　→操作目標
◆ よ
要求払預金　9, 324
預金　7, 25, 132
預金準備率（準備率）　155, 249, 252, 320
預金全額保護　325
預金通貨　8, 10, 11
預金取扱金融機関　9, 135, 140, 279, 312, 315
預金保険　151, 284
預金保険機構　304, 324
預金保険制度　324
預金保険法　328
預金保険料率　324

欲望の二重一致（欲求の二重一致）　5
横並び　192, 289
予算制約式　43
予算線　43
与信　26
与信成長率規制　333
預託　201
予定利率　151
◆ ら
ラグの問題　261
ラップ口座　210
◆ り
利益相反　201, 314
利ざや　133, 217
利子　→金利
リース　144
リース会社　144
リスク　54, 151, 158, 159, 319
──の移転　82
──の変換　148, 150
資産選択理論における──　116, 117, 119, 123
リスク愛好的〔型〕　→危険愛好的〔型〕
リスクウェイト方式　319
リスク回避的〔型〕　→危険回避的〔型〕
リスク回避度　→危険回避度
リスク管理　157, 158, 285
リスク裁定　185
リスク資産（リスクアセット）　319
──の購入　→信用緩和
リスク中立的〔型〕　→危険中立的〔型〕
リスクテイク　318, 330
リスクディスカウント　60
リスクプレミアム
証券の──★　84★, 118, 150, 188, 285, 298
理論上の──　60, 84
リスクヘッジ　101
利息　→金利
リターン　116, 119, 123
──とリスクのトレードオフ　117, 159
利付債　28, 174

立法府　303
利払い　28
リブラ　22
利回り　31
リーマンショック　266, 270, 278
流通市場（セカンダリーマーケット）　81, 163-165, 168, 199
流動化★　11, 27, 80★, 81, 113, 114, 163, 288, 319
流動性
──のプーリング　152
資産の──★　9★
市場の──　10, 168, 179, 198, 287
流動性供給　269, 329, 330
流動性ショック　55, 152
流動性補完　284
流動性保険　152
流動性預金　35
流動性リスク　55, 80, 82, 152, 157-159
──の分散化　152
留保利潤（留保期待利潤）　70
両替　136
量的緩和　266
量的緩和政策　265, 266, 270
量的・質的緩和政策　265, 269, 271
量的指標　249
理論価格　179, 288
◆ れ
劣後株式　86
劣後債権　86, 319
劣後債務　86
レバレッジ規制　333
レポ市場　→債券貸借市場
レポ取引　→債券貸借取引
連帯保証　96
◆ ろ
労働金庫（労金）　140
ロジックモデル　350
ローン・セールス　82
ローン・パーティシペーション　82
ローン・ポジション（コール・ローン）　172
◆ わ
ワラント　29, 176

ワラント債　**29**
割　引　**81**, 83, 135
割引現在価値（現在価値）　**181**,　183, 294
割引国債　28
割引債　**28**, 171
割引短期国債　**171**
割引短期国庫債券　**171**
割引率　**182**

◆ 著者紹介

内田　浩史（うちだ　ひろふみ）

神戸大学大学院経営学研究科・V.School 教授

1993 年大阪大学経済学部卒業，1996 年同大学院経済学研究科博士後期課程中退，京都大学経済研究所，和歌山大学経済学部を経て，2009 年神戸大学大学院経営学研究科准教授，2011 年より同教授。博士（経済学）（大阪大学）。2003 年 Fulbright 研究員（インディアナ大学客員研究員），2016 年度安倍フェロー（スタンフォード大学客員研究員）。日本金融学会・日本ファイナンス学会理事。*Journal of Money, Credit and Banking* 誌・*Economic Notes* 誌 Associate Editor，『金融経済研究』誌（日本金融学会）編集委員。日本学術会議連携会員。

主な著作：

『金融機能と銀行業の経済分析』（日本経済新聞出版社，2010 年）。

"Banking in Japan: A Post COVID-19 Pandemic Perspective," in A. Berger, P. Molyneux, and J. Wilson eds., *The Oxford Handbook of Banking*, 4th edition, Ch. 34, Oxford University Press, 2024（近刊，共著）.

"Lending Pro-Cyclicality and Macroprudential Policy: Evidence from Japanese LTV Ratios," *Journal of Financial Stability*, vol. 53, 100819, 2021（共著）.

"Natural Disasters, Damage to Banks, and Firm Investment," *International Economic Review*, vol. 57, pp. 1335-1370, 2016（共著）.

"The Repository of Soft Information within Bank Organizations," *Journal of Money, Credit and Banking*, vol. 47, pp. 737-770, 2015（共著）.

金融〔新版〕

Money, Finance, and Financial System, 2nd ed.

2016 年 12 月 25 日　初版第 1 刷発行
2024 年 4 月 15 日　新版第 1 刷発行

著　者　内　田　浩　史
発行者　江　草　貞　治
発行所　株式会社　有　斐　閣
　　　　郵便番号 101-0051
　　　　東京都千代田区神田神保町 2-17
　　　　https://www.yuhikaku.co.jp/

装丁　キタダデザイン
印刷・製本　大日本法令印刷株式会社

© 2024, Hirofumi Uchida. Printed in Japan
落丁・乱丁本はお取替えいたします。
★定価はカバーに表示してあります。

ISBN 978-4-641-16629-5

JCOPY　本書の無断複写（コピー）は，著作権法上での例外を除き，禁じられています。複写される場合は，そのつど事前に（一社）出版者著作権管理機構（電話03-5244-5088，FAX03-5244-5089，e-mail:info@jcopy.or.jp）の許諾を得てください。